Aztec Paxen Publishing

CUADERNO DE EJERCICIOS

STECK-VAUGHN

Segunda edición

ESTUDIOS SOCIALES

PREPARACIÓN para la prueba de GED®

- La educación cívica y el gobierno
- Historia de los Estados Unidos
- La economía
- La geografía y el mundo
- Prácticas de Estudios Sociales

Reconocimientos

For each of the selections and images listed below, grateful acknowledgment is made for permission to excerpt and/or reprint original or copyrighted material, as follows:

Text

92 From The Washington Post. "The end of majority rule?" by Dionne Jr., E. J. © 2013 The Washington Post. All rights reserved. Used under license." **95** (l) Excerpt from "The Politics of Executive Privilege" by Louis Fisher. Text copyright © 2004 by Louis Fisher. Reprinted by permission of Carolina Academic Press. **95** (r) From POPULAR CONSTITUTIONALISM, DEPARTMENTALISM, AND JUDICIAL SUPREMACY by Robert C. Post and Reva B. Siegel, © 2004. Reprinted from California Law Review: 92 Calif. L. Rev. 1027 (2004). **100** From "Fiscal Federalism," by Chris Edwards of the CATO Institute, February 2009: From downsizinggovernment.org, accessed 2013. Reprinted with the permission of the CATO Institute. **106** From The Washington Post. "Autos must average 54.5 mpg by 2025, new EPA standards say" by Eilperin, Juliet © 2012 The Washington Post. All rights reserved. Used under license. **115** From The New York Times. "MAKING VOTES COUNT: Abolish the Electoral College" © 2004 The New York Times Company. All rights reserved. Used under license. **123** From The New York Times. "20 Years Later, the Great Society Flourishes" by Rosenbaum, David E. © 1985 The New York Times Company. All rights reserved. Used under license. **137** From The New York Times. "Competition Is Healthy for Governments, Too" by Mankiw, N. Gregory © 2012 The New York Times Company. All rights reserved. Used under license.

Images

Cover (r): iStock.com/uschools; **Cover** (l): iStock.com/igorbondarenko; **22** iStock.com/Hey Darlin; **57** National Park Service; **69** Library of Congress; **74** Library of Congress Prints and Photographs Division; **75** Library of Congress Prints and Photographs Division; **84** ©Jerry King. Used with the permission of Artizans. **85** (t) Used with permission of Granger. © The Granger Collection Ltd d/b/a GRANGER Historical Picture Archive. **85** (b) Used with permission of Granger. © The Granger Collection Ltd d/b/a GRANGER Historical Picture Archive. **86** (l) Library of Congress Prints and Photographs Division; **86** (r) National Archives at College Park; **87** (l) Used with permission of Granger. © The Granger Collection Ltd d/b/a GRANGER Historical Picture Archive. **87** (r) Used with permission of Granger. © The Granger Collection Ltd d/b/a GRANGER Historical Picture Archive. **94** ©Kirk Anderson. Used with the permission of Artizans. **108** Library of Congress Prints and Photographs Division; **113** US LYME DISEASE Reported cases, 1990–2018, © 2020 Lyme Disease Association, Inc. Redrawn with the permission of the Lyme Disease Association, Inc. **119** Used with permission of Granger. © The Granger Collection Ltd d/b/a GRANGER Historical Picture Archive. **120** National Archives and Records Administration; **121** Copyright by Bill Mauldin (1962). Courtesy of the Bill Mauldin Estate LLC.

Printed in the U.S.A.

ISBN 978-1-954456-17-4

4 5 6 7 8 9 10 PX2040 30 29 28 27 26 25 24 23

A B C D E

Contenido

Acerca de la prueba de GED®

En la actualidad, la prueba de GED® es muy diferente de la que tal vez hicieron tus abuelos. La prueba de GED® de hoy se ajusta a los Estándares Estatales Comunes y otros rigurosos estándares de contenido. La prueba de GED® es tanto una credencial de equivalencia de educación secundaria como un indicador del nivel de preparación para la universidad y las carreras profesionales. La prueba de GED® incluye cuatro asignaturas: Razonamiento a través de las Artes del Lenguaje (RAL), Razonamiento Matemático, Ciencias y Estudios Sociales.

Cada asignatura se presenta en formato electrónico y ofrece, como indica la tabla, ejercicios de opción múltiple y una serie de ejercicios reforzados por tecnología.

Prueba de	Áreas de contenido	Ejercicios	Tiempo
Razonamiento a través de las Artes del Lenguaje	Textos informativos: 75% Textos literarios: 25%	opción múltiple, menú desplegable, arrastrar y soltar, respuesta extensa	150 minutos
Razonamiento Matemático	Resolución de problemas algebraicos: 55% Resolución de problemas cuantitativos: 45%	opción múltiple, menú desplegable, completar los espacios, arrastrar y soltar, punto clave	115 minutos
Ciencias	Ciencias de la vida: 40% Ciencias físicas: 40% Ciencias de la Tierra y del espacio: 20%	opción múltiple, menú despegable, completar los espacios, arrastrar y soltar, punto clave, respuesta breve	90 minutos
Estudios Sociales	Educación cívica y gobierno: 50% Historia de los Estados Unidos: 20% Economía: 15% La geografía y el mundo: 15%	opción múltiple, menú despegable, completar los espacios, arrastrar y soltar, punto clave	70 minutos

Los ejercicios de cada asignatura se relacionan con tres factores:

- **Temas/Objetivos de evaluación:** Los temas y los objetivos describen y detallan el contenido de la prueba de GED®.
- **Prácticas de contenido:** Las prácticas describen los tipos y métodos de razonamiento necesarios para resolver ejercicios específicos de la prueba de GED®.
- **Niveles de conocimiento (NDC):** El modelo de los Niveles de conocimiento detalla el nivel de complejidad cognitiva y los pasos necesarios para llegar a una respuesta correcta en la prueba. La prueba de GED® aborda tres Niveles de conocimiento:
  - **Nivel 1:** Debes recordar, observar, representar y hacer preguntas sobre datos, y aplicar destrezas simples. Por lo general, solo debes mostrar un conocimiento superficial del texto.
  - **Nivel 2:** El procesamiento de información no consiste simplemente en recordar y observar sino también en resumir, ordenar, clasificar, identificar patrones y relaciones, y conectar ideas. Necesitarás examinar detenidamente el texto.
  - **Nivel 3:** Debes inferir, elaborar y predecir para explicar, generalizar y conectar ideas. Por ejemplo, es posible que necesites resumir información de varias fuentes, sintetizar información o expresar tus pensamientos de manera escrita.

Aproximadamente el 80 por ciento de los ejercicios de todas las áreas de contenido pertenecen a los Niveles de conocimiento 2 y 3, mientras que los ejercicios restantes forman parte del Nivel 1. El ejercicio de respuesta extensa de Razonamiento a través de las Artes del Lenguaje (45 minutos) forma parte del Nivel de conocimiento 3.

Acerca de la prueba de Estudios Sociales de GED®

La prueba de Estudios Sociales de GED® evalúa algo más que tu conocimiento de fechas y sucesos. De hecho, refleja el intento de incrementar el rigor de la prueba de GED® a fin de satisfacer con mayor eficacia las demandas propias de una economía del siglo XXI. Con ese propósito, la prueba de Estudios Sociales de GED® ofrece una serie de ejercicios reforzados por tecnología, a los que se puede acceder a través de un sistema de evaluación por computadora. Estos ejercicios reflejan el conocimiento, las destrezas y las aptitudes que un estudiante desarrollaría en una experiencia equivalente, dentro de un marco de educación secundaria.

Las preguntas de opción múltiple continúan siendo la mayor parte de los ejercicios que conforman la prueba de Estudios Sociales de GED®. Sin embargo, una serie de ejercicios reforzados por tecnología (por ejemplo, ejercicios en los que el estudiante debe: elegir la respuesta correcta a partir de un menú desplegable; completar los espacios en blanco; arrastrar y soltar elementos; y marcar el punto clave en una gráfica) te desafiarán a desarrollar y transmitir conocimiento de maneras más profundas y completas.

- Los ejercicios que incluyen preguntas de opción múltiple evalúan virtualmente cada estándar de contenido, ya sea de manera individual o conjunta. Las preguntas de opción múltiple ofrecerán cuatro opciones de respuesta con el siguiente formato: A./B./C./D.
- Los ejercicios que incluyen espacios para completar te permiten ingresar respuestas breves, o de una sola palabra. Por ejemplo, es posible que te pidan que identifiques un determinado punto de datos en una gráfica que refleja tendencias económicas, o que demuestres si comprendiste una idea o un término de vocabulario de un pasaje de texto.
- El menú desplegable ofrece una serie de opciones de respuesta, lo que te permite completar enunciados. En la prueba de Estudios Sociales de GED®, puedes encontrar ejercicios con menú desplegable que te pedirán que identifiques una conclusión a partir de evidencia basada en el texto, o que hagas una generalización a partir del argumento del autor.
- Los ejercicios de arrastrar y soltar consisten en actividades interactivas en las que se deben arrastrar pequeñas imágenes, palabras o expresiones numéricas para luego soltarlas en zonas designadas de la pantalla. Es posible que te pidan que hagas comparaciones entre conceptos o datos, o que clasifiques u ordenes información. Por ejemplo, te pueden pedir que coloques rótulos en un mapa para indicar los artículos producidos en distintas regiones. Otros ejercicios quizá pidan que marques puntos de datos o rótulos extraídos de un pasaje breve en una gráfica o una tabla.
- Los ejercicios de punto clave consisten en una gráfica que contiene sensores virtuales estratégicamente colocados en su interior. Te permiten demostrar tu comprensión de los conceptos de geografía relacionados con los mapas. Otros usos de los ejercicios de punto clave incluyen seleccionar datos o puntos en una tabla o una gráfica para apoyar o refutar una conclusión determinada expresada en un texto.

Tendrás un total de 70 minutos para responder aproximadamente 35 ejercicios. La prueba de Estudios Sociales de GED® se organiza en función de cuatro áreas de contenido principales: educación cívica y gobierno (50 por ciento), historia de los Estados Unidos (20 por ciento), economía (15 por ciento) y geografía y el mundo (15 por ciento). En total, el 90 por ciento de los ejercicios de la prueba de Estudios Sociales de GED® formarán parte de los Niveles de conocimiento 2 ó 3.

Prueba de GED® en la computadora

La prueba de GED® está disponible en formato electrónico, y solo se podrá acceder a ella a través de los Centros Autorizados de Evaluación de Pearson VUE. Además de conocer los contenidos y poder leer, pensar y escribir de manera crítica, debes poder realizar funciones básicas de computación –hacer clic, hacer avanzar o retroceder el texto de la pantalla y escribir con el teclado– para aprobar la prueba. La pantalla que se muestra a continuación es muy parecida a una de las pantallas que te aparecerán en la prueba de GED®.

El botón **RESALTAR** te permite resaltar texto en la pantalla. Aquí, al hacer clic en el botón de resaltar aparecerán los colores que puedes usar para resaltar el texto. En la prueba de Razonamiento Matemático, los botones **HOJA DE FÓRMULAS** y **REFERENCIAS DE CALCULADORA** proporcionan información que te servirá para resolver ejercicios que requieren el uso de fórmulas o de la calculadora TI-30XS.

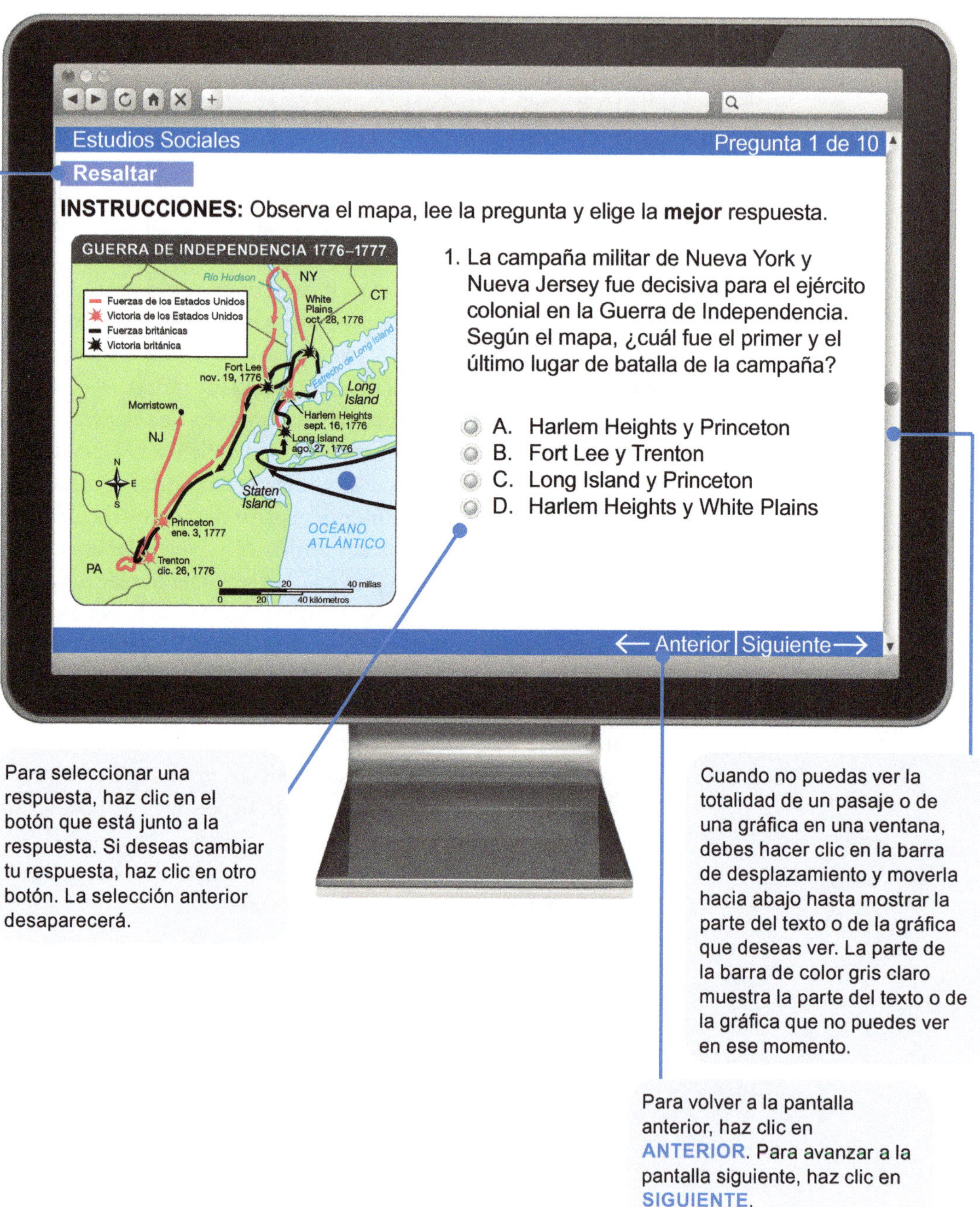

Para seleccionar una respuesta, haz clic en el botón que está junto a la respuesta. Si deseas cambiar tu respuesta, haz clic en otro botón. La selección anterior desaparecerá.

Cuando no puedas ver la totalidad de un pasaje o de una gráfica en una ventana, debes hacer clic en la barra de desplazamiento y moverla hacia abajo hasta mostrar la parte del texto o de la gráfica que deseas ver. La parte de la barra de color gris claro muestra la parte del texto o de la gráfica que no puedes ver en ese momento.

Para volver a la pantalla anterior, haz clic en **ANTERIOR**. Para avanzar a la pantalla siguiente, haz clic en **SIGUIENTE**.

En algunos ejercicios de la prueba de GED®, tales como los que te piden completar los espacios o ingresar respuestas breves o extensas, deberás escribir las respuestas en un recuadro. En algunos casos, es posible que las instrucciones especifiquen la extensión de texto que el sistema aceptará. Por ejemplo, es posible que en el espacio en blanco de un ejercicio solo puedas ingresar un número del 0 al 9, junto con un punto decimal o una barra, pero nada más. El sistema también te dirá qué teclas no debes presionar en determinadas situaciones. La pantalla y el teclado con comentarios que aparecen abajo proporcionan estrategias para ingresar texto y datos en aquellos ejercicios en los que se te pide completar los espacios en blanco e ingresar respuestas breves o extensas.

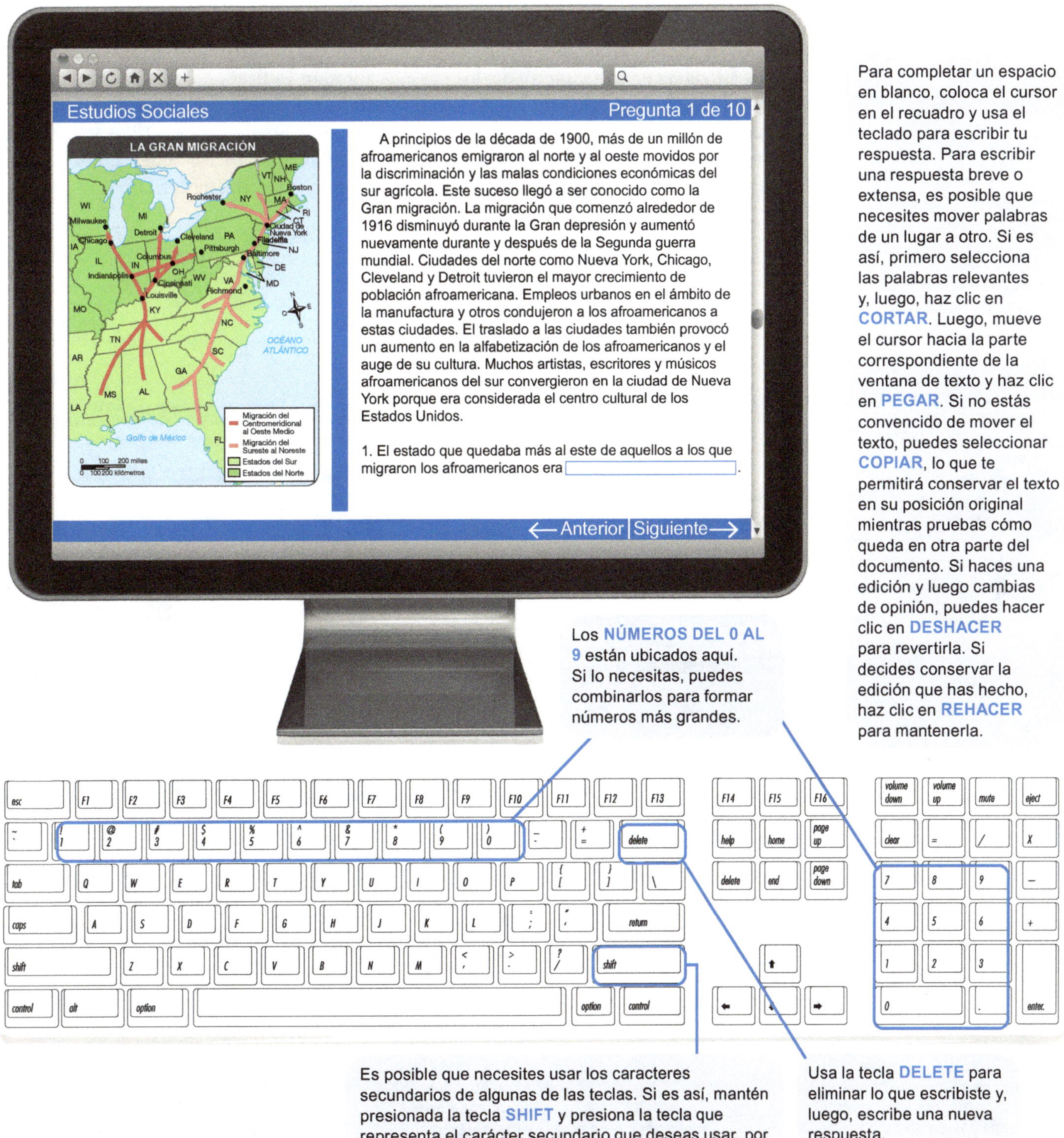

Acerca de la *Preparación para la prueba de GED® de Steck-Vaughn, Segunda edición*

La *Preparación para la prueba de GED® de Steck-Vaughn* se centra en la adquisición de conceptos clave de lectura y razonamiento que te proporcionan las destrezas y estrategias necesarias para tener éxito en la prueba de GED®.

La Preparación para la prueba de GED® de Steck-Vaughn consiste en un Libro del estudiante y un Cuaderno de ejercicios para cada área temática. Para ayudar a los estudiantes a desarrollar una comprensión más profunda del contenido, las lecciones del Cuaderno de ejercicios explican conceptos de manera diferente y ofrecen el doble de práctica. Al igual que los Libros del Estudiante, cada Cuaderno de ejercicios brinda ejercicios de práctica guiada, recuadros informativos y consejos para la prueba, que ayudan a desarrollar destrezas críticas. Además, las ***Lecciones de alto impacto*** de dos páginas abordan Indicadores de alto impacto identificados por el Servicio de Pruebas de GED como destrezas de razonamiento críticas que pueden ayudar a los estudiantes a mejorar su desempeño en la prueba de GED®. A lo largo de las unidades, es posible hallar secciones llamadas ***Ítem en foco***, que corresponden a uno de los tipos de ejercicios reforzados por tecnología que aparecen en la prueba de GED®.

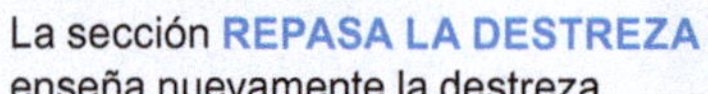

La sección **REPASA LA DESTREZA** enseña nuevamente la destreza.

Cada lección incluye correlaciones con los **TEMAS** y las **PRÁCTICAS**, lo que te ayudará a centrarte en tus estudios.

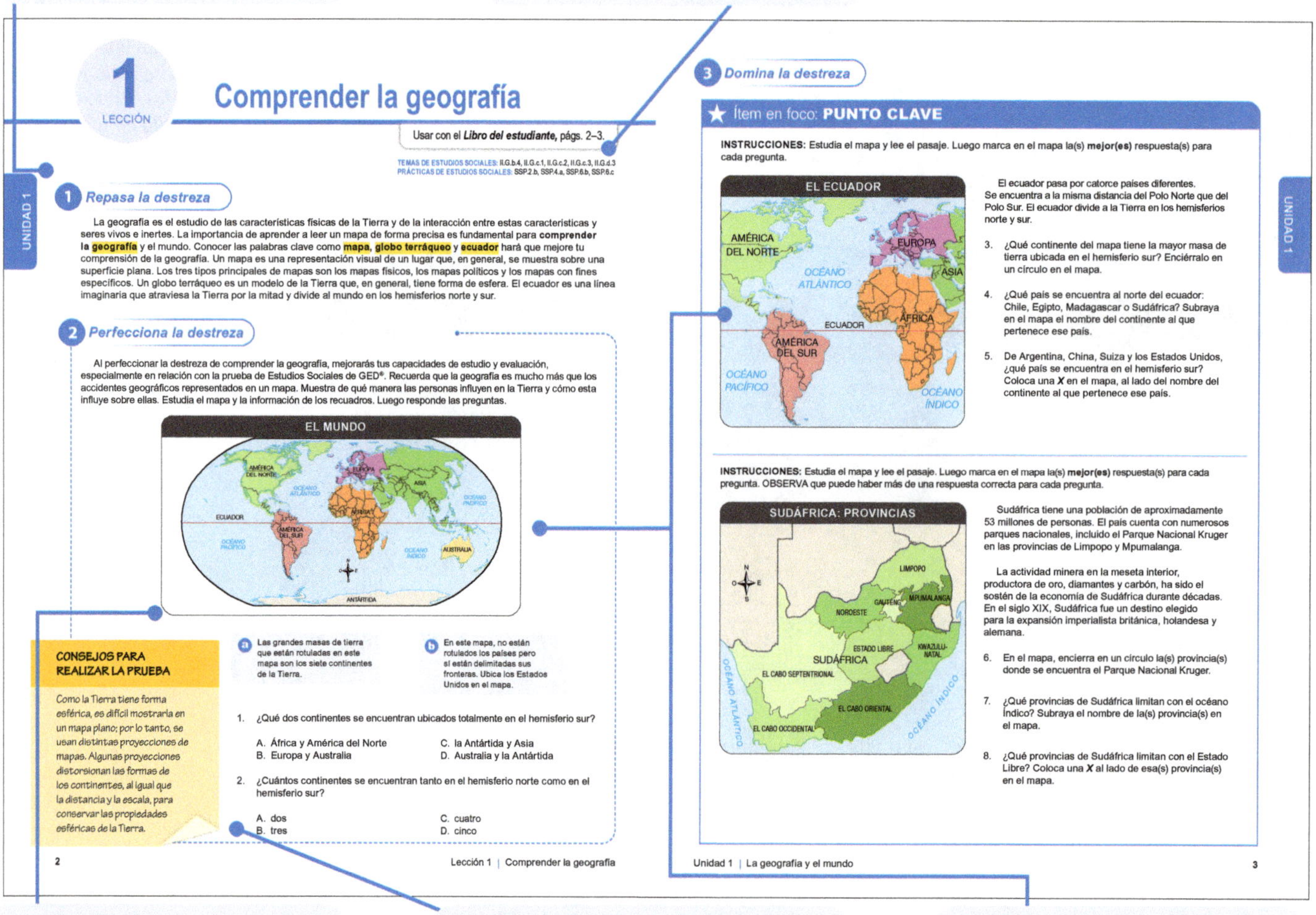

Los **RECUADROS** proporcionan estrategias e información que puedes usar para entender e interpretar diferentes pasajes o gráficas.

Los **CONSEJOS PARA REALIZAR LA PRUEBA** y otros tipos de notas, tales como **USAR LA LÓGICA**, ofrecen apoyo específico para tener éxito en la prueba de GED®.

Los **MAPAS Y ELEMENTOS VISUALES DE COLORES** te ofrecen una experiencia similar a la que puedes experimentar en la prueba de GED®.

Las secciones de ***En acción*** al final de cada unidad incluyen ejercicios de práctica que reflejan las destrezas de la unidad en contextos laborales. Las actividades de ***En acción*** están dirigidas a grupos de carreras relevantes para el área de estudios sociales.

Una sección muy detallada de respuestas proporciona la respuesta correcta y su justificación para que los estudiantes sepan exactamente por qué una respuesta es correcta.

Los ítems de **EN ACCIÓN** se enfocan en el contenido que cubre cada unidad.

Al estar presentadas por grupos de carreras, las actividades de **EN ACCIÓN** ofrecen contextos y aplicaciones reales para las destrezas aprendidas.

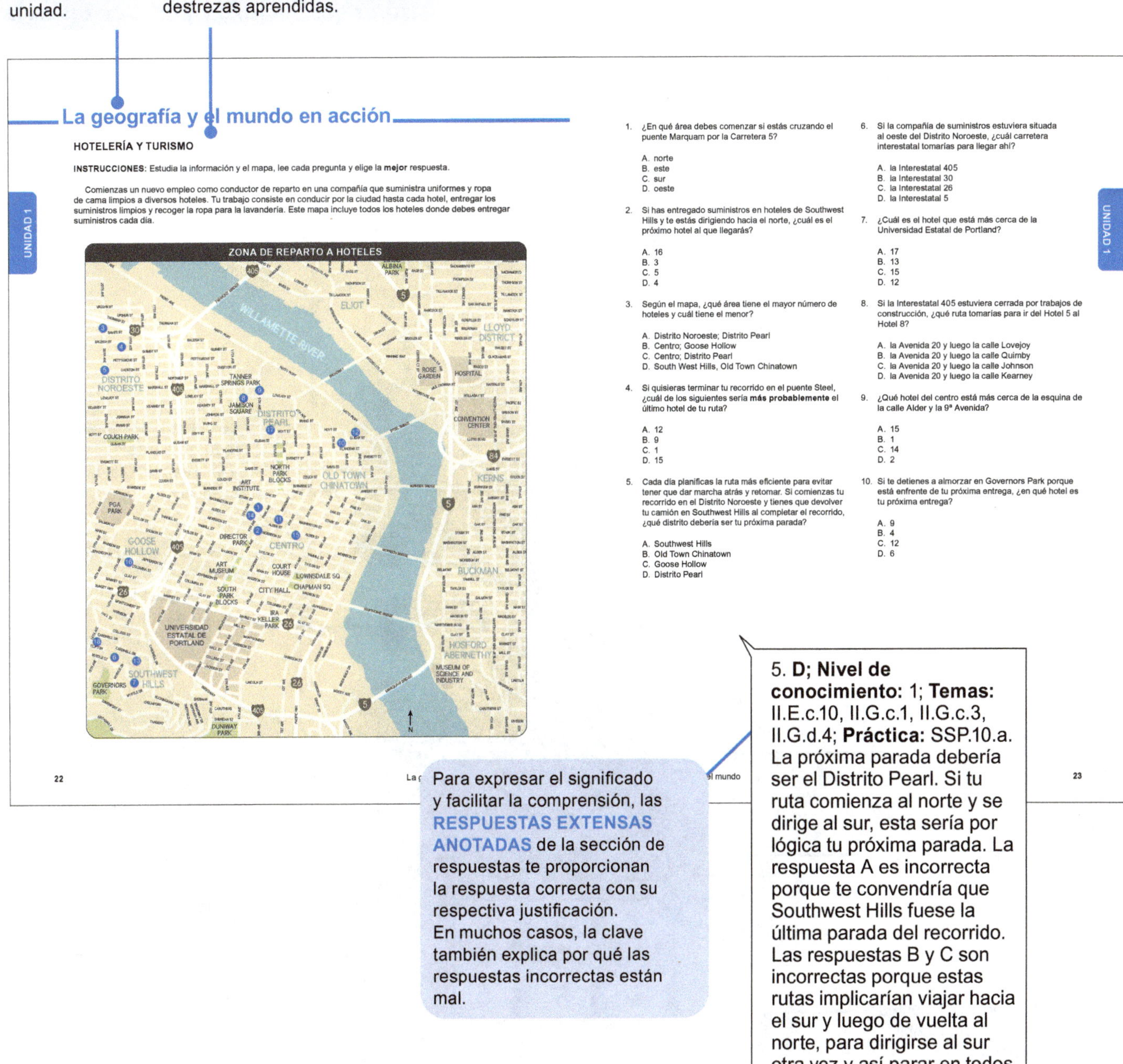

La geografía y el mundo en acción

UNIDAD 1

HOTELERÍA Y TURISMO

INSTRUCCIONES: Estudia la información y el mapa, lee cada pregunta y elige la **mejor** respuesta.

Comienzas un nuevo empleo como conductor de reparto en una compañía que suministra uniformes y ropa de cama limpios a diversos hoteles. Tu trabajo consiste en conducir por la ciudad hasta cada hotel, entregar los suministros limpios y recoger la ropa para la lavandería. Este mapa incluye todos los hoteles donde debes entregar suministros cada día.

1. ¿En qué área debes comenzar si estás cruzando el puente Marquam por la Carretera 5?

   A. norte
   B. este
   C. sur
   D. oeste

2. Si has entregado suministros en hoteles de Southwest Hills y te estás dirigiendo hacia el norte, ¿cuál es el próximo hotel al que llegarás?

   A. 16
   B. 3
   C. 5
   D. 4

3. Según el mapa, ¿qué área tiene el mayor número de hoteles y cuál tiene el menor?

   A. Distrito Noroeste; Distrito Pearl
   B. Centro; Goose Hollow
   C. Centro; Distrito Pearl
   D. South West Hills, Old Town Chinatown

4. Si quisieras terminar tu recorrido en el puente Steel, ¿cuál de los siguientes sería **más probablemente** el último hotel de tu ruta?

   A. 12
   B. 9
   C. 1
   D. 15

5. Cada día planificas la ruta más eficiente para evitar tener que dar marcha atrás y retomar. Si comienzas tu recorrido en el Distrito Noroeste y tienes que devolver tu camión en Southwest Hills al completar el recorrido, ¿qué distrito debería ser tu próxima parada?

   A. Southwest Hills
   B. Old Town Chinatown
   C. Goose Hollow
   D. Distrito Pearl

6. Si la compañía de suministros estuviera situada al oeste del Distrito Noroeste, ¿cuál carretera interestatal tomarías para llegar ahí?

   A. la Interestatal 405
   B. la Interestatal 30
   C. la Interestatal 26
   D. la Interestatal 5

7. ¿Cuál es el hotel que está más cerca de la Universidad Estatal de Portland?

   A. 17
   B. 13
   C. 15
   D. 12

8. Si la Interestatal 405 estuviera cerrada por trabajos de construcción, ¿qué ruta tomarías para ir del Hotel 5 al Hotel 8?

   A. la Avenida 20 y luego la calle Lovejoy
   B. la Avenida 20 y luego la calle Quimby
   C. la Avenida 20 y luego la calle Johnson
   D. la Avenida 20 y luego la calle Kearney

9. ¿Qué hotel del centro está más cerca de la esquina de la calle Alder y la 9ª Avenida?

   A. 15
   B. 1
   C. 14
   D. 2

10. Si te detienes a almorzar en Governors Park porque está enfrente de tu próxima entrega, ¿en qué hotel es tu próxima entrega?

    A. 9
    B. 4
    C. 12
    D. 6

UNIDAD 1

22 La [...] el mundo 23

Para expresar el significado y facilitar la comprensión, las **RESPUESTAS EXTENSAS ANOTADAS** de la sección de respuestas te proporcionan la respuesta correcta con su respectiva justificación. En muchos casos, la clave también explica por qué las respuestas incorrectas están mal.

5. **D; Nivel de conocimiento:** 1; **Temas:** II.E.c.10, II.G.c.1, II.G.c.3, II.G.d.4; **Práctica:** SSP.10.a. La próxima parada debería ser el Distrito Pearl. Si tu ruta comienza al norte y se dirige al sur, esta sería por lógica tu próxima parada. La respuesta A es incorrecta porque te convendría que Southwest Hills fuese la última parada del recorrido. Las respuestas B y C son incorrectas porque estas rutas implicarían viajar hacia el sur y luego de vuelta al norte, para dirigirse al sur otra vez y así parar en todos los hoteles.

La calculadora

Algunos ejercicios de la prueba de Estudios Sociales de GED® te permiten usar una calculadora como ayuda para responder las preguntas. Esa calculadora, la TI-30XS, está integrada en la interfaz de la prueba. Los estudiantes también pueden traer su propia calculadora TI-30XS MultiView para usarla en la prueba. La calculadora TI-30XS estará disponible para la mayoría de los ejercicios de la prueba de Razonamiento Matemático de GED® y para algunos ejercicios de la prueba de Ciencias de GED® y la prueba de Estudios Sociales de GED®. La calculadora TI-30XS se muestra a continuación, junto con algunos recuadros que detallan algunas de sus teclas más importantes. En la esquina superior derecha de la pantalla hay un botón que permite acceder a la hoja de referencia para la calculadora.

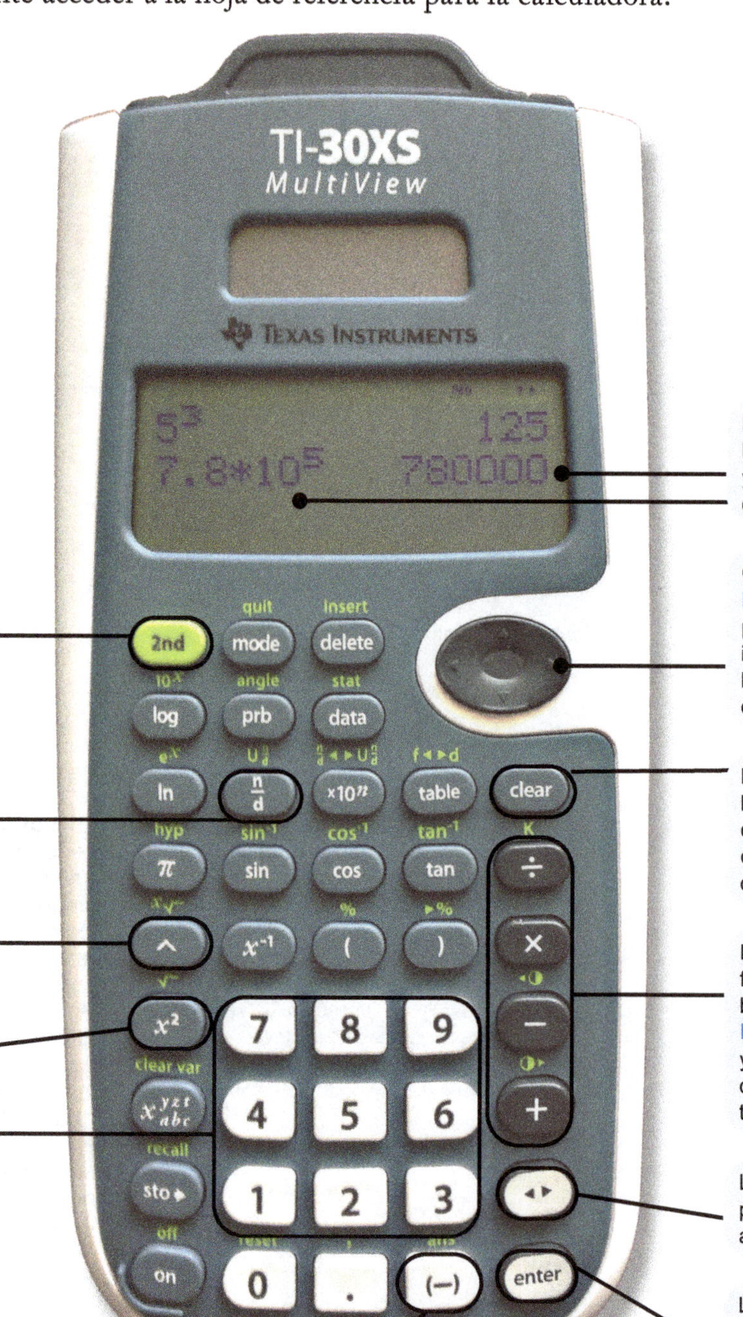

La tecla **2nd** te permite acceder a las funciones de color verde que aparecen arriba de las distintas teclas.

La tecla $\frac{n}{d}$ **(NUMERADOR/ DENOMINADOR)** te permite escribir fracciones en la calculadora.

La tecla **EXPONENTE** te permite elevar un número a cualquier potencia

La tecla **CUADRADO** te permite elevar números al cuadrado.

Usa las teclas correspondientes a los **NÚMEROS** para escribir valores numéricos.

La tecla **SIGNO** te permite cambiar el signo de positivo a negativo para los números enteros negativos. Recuerda que las teclas de signo negativo y de la función de resta son diferentes.

Los problemas aparecen en el lado izquierdo de la pantalla y las respuestas, en el lado derecho.

Gracias a las teclas de **DESPLAZAMIENTO** te puedes desplazar hacia la izquierda, hacia la derecha, hacia arriba o hacia abajo dentro de la pantalla.

La tecla **CLEAR** te permite borrar números, signos y ecuaciones. Úsala después de completar un problema y antes de comenzar uno nuevo.

Las teclas de las cuatro funciones matemáticas básicas —**DIVISIÓN, MULTIPLICACIÓN, RESTA** y **SUMA**— están en el lado derecho, justo debajo de la tecla *clear.*

La tecla de **CONMUTACIÓN** te permite convertir de fracciones a decimales y viceversa.

La tecla **ENTER** funciona como el signo de igual. Una vez que completes tus cálculos, presiona esta tecla para hallar el resultado.

Cómo empezar

Para habilitar la calculadora en una pregunta que lo permite, haz clic en la parte superior izquierda de la pantalla de la prueba. Si la calculadora aparece sobre un problema, puedes hacer clic en ella para arrastrarla y moverla hacia otra parte de la pantalla. Una vez habilitada, la calculadora estará lista para usarse (no es necesario presionar la tecla **on**). Las siguientes indicaciones son para usar la calculadora en modo *mathprint*. Presiona la tecla **mode** y selecciona **classic** para utilizar la calculadora en modo clásico.

- Usa la tecla **clear** para borrar todos los números y las operaciones de la pantalla.
- Usa la tecla **enter** para completar todos los cálculos.

Tecla 2nd

La tecla verde **2nd** se encuentra en la esquina superior izquierda de la calculadora TI-30XS. La tecla **2nd** habilita las funciones secundarias, representadas con color verde y ubicadas arriba de las teclas. Para usar una función secundaria, haz clic en la tecla **2nd** y luego haz clic en la tecla que representa la función secundaria que deseas implementar.

Fracciones y números mixtos

Para ingresar una fracción, por ejemplo $\frac{3}{4}$, haz clic en la tecla $\frac{\mathbf{n}}{\mathbf{d}}$ **(numerador/denominador)** y luego en el número que representará el numerador **[3]**. Ahora haz clic en la **flecha hacia abajo** (en la esquina superior derecha de la calculadora) y, luego, en el número que representará el denominador **[4]**. Para hacer cálculos con fracciones, haz clic en la **flecha hacia la derecha** y, luego, en la tecla de la función correspondiente y en los otros números de la ecuación.

Para ingresar números mixtos, como por ejemplo $1\frac{3}{8}$, primero ingresa el número entero **[1]**. Luego, haz clic en la tecla **2nd** y en la tecla cuya función secundaria permite ingresar **números mixtos** (la tecla $\frac{\mathbf{n}}{\mathbf{d}}$). Ahora ingresa el numerador de la fracción **[3]**, luego haz clic en el botón de la **flecha hacia abajo** y en el número que representará el denominador **[8]**. Si haces clic en **enter**, el número mixto se convertirá en una fracción impropia. Para hacer cálculos con números mixtos, haz clic en la **flecha hacia la derecha**, luego en la tecla de la función correspondiente y en los otros números de la ecuación.

Números negativos

Para ingresar un número negativo, haz clic en la tecla del **signo negativo** (ubicada justo debajo del número **3** en la calculadora). Recuerda que la tecla del **signo negativo** es diferente de la tecla de **resta**, que se encuentra en la columna de teclas ubicada en el extremo derecho, justo encima de la tecla de **suma** (+).

Cuadrados, raíces cuadradas y exponentes

- **Cuadrados:** La tecla $\mathbf{x^2}$ permite elevar números al cuadrado. La tecla **exponente** (^) eleva los números a potencias mayores que dos, por ejemplo, al cubo. Por ejemplo, para hallar el resultado de 5^3 en la calculadora, primero ingresa la base **[5]**, haz clic en la tecla **exponente** (^) y luego en el número que funcionará como exponente **[3]**, y, por último, en la tecla **enter**.
- **Raíces cuadradas:** Para hallar la raíz cuadrada de un número, como por ejemplo 36, primero haz clic en la tecla **2nd** y luego en la tecla cuya función secundaria permite calcular una **raíz cuadrada** (la tecla x^2). Ahora ingresa el número **[36]** y, por último, haz clic en la tecla **enter**.
- **Raíces cúbicas:** Para hallar la raíz cúbica de un número, como por ejemplo **125**, primero ingresa el cubo en formato de número **[3]** y luego haz clic en la tecla **2nd** y en la tecla **^**. Por último, ingresa el número para el que quieres hallar el cubo **[125]** y haz clic en **enter**.
- **Exponentes:** Para hacer cálculos con números expresados en notación científica, como 7.8×10^9, primero ingresa la base **[7.8]**. Ahora haz clic en la tecla de **notación científica** (ubicada justo debajo de la tecla **data**) y luego ingresa el nivel del exponente **[9]**. Entonces, obtienes el resultado de 7.8×10^9.

Consejos para realizar la prueba

La prueba de GED® incluye más de 160 ejercicios distribuidos en los exámenes de las cuatro asignaturas: Razonamiento a través de las Artes del Lenguaje, Razonamiento Matemático, Ciencias y Estudios Sociales. Los exámenes de las cuatro asignaturas requieren un tiempo total de evaluación de un poco más de siete horas. Si bien la mayoría de los ejercicios consisten en preguntas de opción múltiple, hay una serie de ejercicios reforzados por tecnología. Se trata de ejercicios en los que los estudiantes deben: elegir la respuesta correcta a partir de un menú desplegable; completar los espacios en blanco; arrastrar y soltar elementos; marcar un punto clave en una gráfica; ingresar una respuesta breve e ingresar una respuesta extensa.

A través de este libro y los que lo acompañan, te ayudamos a elaborar, desarrollar y aplicar destrezas de comprensión de lectura y razonamiento indispensables para tener éxito en la prueba de GED®. Como parte de una estrategia global, te sugerimos que uses los consejos para realizar la prueba que se detallan aquí, y en todo el libro, para mejorar tu desempeño en la prueba de GED®.

- **Siempre lee atentamente las instrucciones para saber exactamente lo que debes hacer.** Como ya hemos mencionado, la prueba de GED® tiene un formato electrónico que incluye diversos ejercicios reforzados por tecnología. Si no sabes qué hacer o cómo proceder, pide al examinador que te explique las instrucciones.
- **Lee cada pregunta con detenimiento para entender completamente lo que se te pide.** Por ejemplo, algunos ejercicios pueden presentar más información de la que se necesita para responder correctamente una pregunta específica. Otras preguntas pueden contener palabras en negrita para enfatizarlas (por ejemplo, "¿Cuál de los siguientes fue el efecto **más** importante de la ley GI para los veteranos? ").
- **Administra bien tu tiempo para llegar a responder todas las preguntas.** Debido a que la prueba de GED® consiste en una serie de exámenes cronometrados, debes dedicar el tiempo suficiente a cada pregunta, pero no *demasiado* tiempo. Por ejemplo, en la prueba de Estudios Sociales de GED®, tienes 70 minutos para responder aproximadamente 35 preguntas, es decir, un promedio de dos minutos por pregunta. Obviamente, algunos ejercicios requerirán más tiempo y otros menos, pero siempre debes tener presente el número total de ejercicios y el tiempo total de evaluación. La interfaz de la prueba de GED® te ayuda a administrar el tiempo. En la esquina superior derecha de la pantalla hay un reloj que te indica el tiempo restante para completar la prueba. Además, puedes controlar tu progreso a través de la línea de **Pregunta,** que muestra el número de pregunta actual, seguido por el número total de preguntas del examen de esa asignatura.
- **Responde todas las preguntas, ya sea que sepas la respuesta o tengas dudas.** No es conveniente dejar preguntas sin responder en la prueba de GED®. Recuerda el tiempo que tienes para completar cada prueba y adminístralo en consecuencia. Si deseas revisar un ejercicio específico al final de una prueba, haz clic en **Marcar para revisar** para señalar la pregunta. Al hacerlo, aparece una bandera amarilla. Es posible que, al final de la prueba, tengas tiempo para revisar las preguntas que has marcado.
- **Haz una lectura rápida.** Puedes ahorrar tiempo si lees cada pregunta y las opciones de respuesta antes de leer o estudiar el pasaje o la gráfica que las acompañan. Una vez que entiendes qué pide la pregunta, repasa el pasaje o el elemento visual para obtener la información adecuada.
- **Presta atención a cualquier palabra desconocida que haya en las preguntas.** Primero, intenta volver a leer la pregunta sin incluir la palabra desconocida. Luego intenta reemplazarla por otra palabra.
- **Vuelve a leer cada pregunta y vuelve a examinar el texto o la gráfica que la acompaña para descartar opciones de respuesta.** Si bien las cuatro respuestas son *posibles* en los ejercicios de opción múltiple, recuerda que solo una es *correcta.* Aunque es posible que puedas descartar una respuesta de inmediato, seguramente necesites más tiempo, o debas usar la lógica o hacer suposiciones, para descartar otras opciones. En algunos casos, quizás necesites sacar la mejor conclusión para decidirte por una de dos opciones.
- **Hazle caso a tu intuición al momento de responder.** Si tu primera reacción es elegir la opción *A* como respuesta a una pregunta, lo mejor es que te quedes con esa respuesta, a menos que determines que es incorrecta. Generalmente, la primera respuesta que alguien elige es la correcta.

Destrezas de estudio

A 4 semanas...

- **Establece un cronograma de estudio para la prueba de GED®.** Elige horarios en los que estés más despierto y lugares, como una biblioteca, que te brinden el mejor ambiente para estudiar.
- **Repasa en detalle todo el material de la *Preparación para la prueba de GED® de Steck-Vaughn: Estudios Sociales*.** Usa el *Cuaderno de ejercicios de Estudios Sociales* para ampliar la comprensión de los conceptos del *Libro del estudiante de Estudios Sociales*.
- **Usa un cuaderno para cada asignatura que estés estudiando.** Las carpetas con bolsillos son útiles para guardar hojas sueltas.
- **Al tomar notas, expresa tus pensamientos o ideas con tus propias palabras en lugar de copiarlos directamente de un libro.** Puedes expresar estas notas como oraciones completas, como preguntas (con respuestas) o como fragmentos, siempre y cuando los entiendas.

A 2 semanas...

- **Estudia tus resultados en los repasos de las unidades en el libro del estudiante y presta atención a las áreas que te generaron inconvenientes.** Dedica el tiempo de estudio restante a esas áreas. Para práctica adicional, puedes tomar los exámenes GED Ready™.

Los días previos...

- **Traza la ruta para llegar al centro de evaluación, y visítalo uno o dos días antes de la prueba.** Si manejas, busca un lugar para estacionar en el centro.
- **Duerme una buena cantidad de horas la noche anterior a la prueba de GED®.** Los estudios demuestran que los estudiantes que descansan lo suficiente se desempeñan mejor en las pruebas.

El día de la prueba...

- **Toma un desayuno abundante con alto contenido en proteínas.** Al igual que el resto de tu cuerpo, tu cerebro necesita mucha energía para funcionar bien.
- **Llega al centro de evaluación 30 minutos antes.** Si llegas temprano, tendrás suficiente tiempo en caso de que haya un cambio de salón.
- **Empaca un almuerzo abundante y nutritivo,** especialmente si planeas quedarte en el centro de evaluación la mayor parte del día.
- **Relájate.** Has llegado muy lejos y te has preparado durante varias semanas para la prueba de GED®. ¡Ahora es tu momento de brillar!

LECCIÓN 1 Comprender la geografía

Usar con el ***Libro del estudiante,*** págs. 2–3.

TEMAS DE ESTUDIOS SOCIALES: II.G.b.4, II.G.c.1, II.G.c.2, II.G.c.3, II.G.d.3
PRÁCTICAS DE ESTUDIOS SOCIALES: SSP.2.b, SSP.4.a, SSP.6.b, SSP.6.c

UNIDAD 1

1 *Repasa la destreza*

La geografía es el estudio de las características físicas de la Tierra y de la interacción entre estas características y seres vivos e inertes. La importancia de aprender a leer un mapa de forma precisa es fundamental para **comprender la geografía** y el mundo. Conocer las palabras clave como **mapa**, **globo terráqueo** y **ecuador** hará que mejore tu comprensión de la geografía. Un mapa es una representación visual de un lugar que, en general, se muestra sobre una superficie plana. Los tres tipos principales de mapas son los mapas físicos, los mapas políticos y los mapas con fines específicos. Un globo terráqueo es un modelo de la Tierra que, en general, tiene forma de esfera. El ecuador es una línea imaginaria que atraviesa la Tierra por la mitad y divide al mundo en los hemisferios norte y sur.

2 *Perfecciona la destreza*

Al perfeccionar la destreza de comprender la geografía, mejorarás tus capacidades de estudio y evaluación, especialmente en relación con la prueba de Estudios Sociales de GED®. Recuerda que la geografía es mucho más que los accidentes geográficos representados en un mapa. Muestra de qué manera las personas influyen en la Tierra y cómo esta influye sobre ellas. Estudia el mapa y la información de los recuadros. Luego responde las preguntas.

a Las grandes masas de tierra que están rotuladas en este mapa son los siete continentes de la Tierra.

b En este mapa, no están rotulados los países pero sí están delimitadas sus fronteras. Ubica los Estados Unidos en el mapa.

CONSEJOS PARA REALIZAR LA PRUEBA

Como la Tierra tiene forma esférica, es difícil mostrarla en un mapa plano; por lo tanto, se usan distintas proyecciones de mapas. Algunas proyecciones distorsionan las formas de los continentes, al igual que la distancia y la escala, para conservar las propiedades esféricas de la Tierra.

1. ¿Qué dos continentes se encuentran ubicados totalmente en el hemisferio sur?

   A. África y América del Norte
   B. Europa y Australia
   C. la Antártida y Asia
   D. Australia y la Antártida

2. ¿Cuántos continentes se encuentran tanto en el hemisferio norte como en el hemisferio sur?

   A. dos
   B. tres
   C. cuatro
   D. cinco

America del sur, Africa y Asia

Domina la destreza

★ Ítem en foco: PUNTO CLAVE

INSTRUCCIONES: Estudia el mapa y lee el pasaje. Luego marca en el mapa la(s) **mejor(es)** respuesta(s) para cada pregunta.

El ecuador pasa por catorce países diferentes. Se encuentra a la misma distancia del Polo Norte que del Polo Sur. El ecuador divide a la Tierra en los hemisferios norte y sur.

3. ¿Qué continente del mapa tiene la mayor masa de tierra ubicada en el hemisferio sur? Enciérralo en un círculo en el mapa.

4. ¿Qué país se encuentra al norte del ecuador: Chile, Egipto, Madagascar o Sudáfrica? Subraya en el mapa el nombre del continente al que pertenece ese país.

5. De Argentina, China, Suiza y los Estados Unidos, ¿qué país se encuentra en el hemisferio sur? Coloca una ***X*** en el mapa, al lado del nombre del continente al que pertenece ese país.

INSTRUCCIONES: Estudia el mapa y lee el pasaje. Luego marca en el mapa la(s) **mejor(es)** respuesta(s) para cada pregunta. OBSERVA que puede haber más de una respuesta correcta para cada pregunta.

Sudáfrica tiene una población de aproximadamente 53 millones de personas. El país cuenta con numerosos parques nacionales, incluido el Parque Nacional Kruger en las provincias de Limpopo y Mpumalanga.

La actividad minera en la meseta interior, productora de oro, diamantes y carbón, ha sido el sostén de la economía de Sudáfrica durante décadas. En el siglo XIX, Sudáfrica fue un destino elegido para la expansión imperialista británica, holandesa y alemana.

6. En el mapa, encierra en un círculo la(s) provincia(s) donde se encuentra el Parque Nacional Kruger.

7. ¿Qué provincias de Sudáfrica limitan con el océano Índico? Subraya el nombre de la(s) provincia(s) en el mapa.

8. ¿Qué provincias de Sudáfrica limitan con el Estado Libre? Coloca una ***X*** al lado de esa(s) provincia(s) en el mapa.

3 Domina la destreza

★ Ítem en foco: **PUNTO CLAVE**

INSTRUCCIONES: Estudia el mapa y lee el pasaje. Luego marca en el mapa la(s) **mejor(es)** respuesta(s) para cada pregunta.

Los océanos, los ríos y las cadenas montañosas son accidentes geográficos naturales. Es posible que estos accidentes hayan fomentado u obstaculizado el asentamiento o transporte de los recién llegados que deseaban construir sus hogares en este país, al que hoy conocemos como los Estados Unidos. El país se fue poblando desde afuera hacia adentro, lo que significa que las zonas costeras se ocuparon antes que las áreas del interior.

9. Subraya el/los accidente(s) geográfico(s) naturales que se encuentran al sur y al oeste de los Estados Unidos.

10. Coloca una ***X*** al lado de la cadena montañosa que separa la Costa Este del Medio Oeste.

11. ¿Qué accidentes geográficos pueden haber fomentado el asentamiento en el Medio Oeste? Encierra en un círculo esos accidentes geográficos en el mapa.

12. En el mapa, subraya con doble línea el accidente geográfico que pudo haber generado obstáculos a los colonos que se trasladaban desde el Medio Oeste hacia la Costa Oeste.

13. En el mapa, dibuja un cuadrado alrededor de los accidentes geográficos que pudieron haber ayudado a los primeros colonos a transportarse por agua entre los Estados Unidos y Canadá.

INSTRUCCIONES: Estudia el mapa y lee el pasaje. Luego marca en el mapa la(s) **mejor(es)** respuesta(s) para cada pregunta.

Asia es el continente más grande del mundo. Se extiende desde Rusia (al norte), hasta la India (al sur), y hasta las islas de Japón e Indonesia (al este). La región del Medio Oriente comprende la parte central y el suroeste de Asia. El término "Medio Oriente" se originó con la exploración europea, que dividió a Asia en Cercano Oriente, Medio Oriente y Lejano Oriente.

14. En el mapa, haz un recuadro alrededor del país más pequeño que se encuentre en el océano Índico.

15. De acuerdo con el mapa y el pasaje anterior, ¿qué país o países puede(n) ser considerado(s) parte(s) del Lejano Oriente? Encierra en un círculo tu(s) respuesta(s) en el mapa.

16. ¿Qué países del mapa están rodeados de tierra? Subraya esos países en el mapa.

17. ¿Cuál de los países que se muestran completamente en el mapa es el más grande? Subraya con doble línea ese país.

18. ¿Qué país se ubica entre Rusia y China? Haz una tilde al lado del nombre de ese país en el mapa.

19. ¿Qué países limitan con Tailandia? Coloca una ***X*** en esos países en el mapa.

LECCIÓN 2

Comprender los componentes de los mapas

Usar con el ***Libro del estudiante,*** págs. 4–5.

TEMAS DE ESTUDIOS SOCIALES: II.G.b.1, II.G.b.4, II.G.b.5, II.G.c.1, II.G.c.2, II.G.c.3, II.G.d.1, II.G.d.2, II.G.d.3, II.G.d.4, I.USH.b.1
PRÁCTICAS DE ESTUDIOS SOCIALES: SSP.2.b, SSP.3.c, SSP.4.a, SSP.6.a, SSP.6.c, SSP.6.b, SSP.10.c

1 *Repasa la destreza*

Los símbolos de los mapas—como los puntos, los asteriscos y los triángulos—brindan información geográfica específica. Otros elementos que te pueden ayudar a comprender la información de un mapa son el título, la rosa de los vientos, las escalas, la clave del mapa y los rótulos. Las líneas de latitud (este-oeste) y las líneas de longitud (norte-sur) te pueden ayudar a localizar una ubicación absoluta. Comprender los **componentes de los mapas** te ayudará a estudiar los temas de geografía.

2 *Perfecciona la destreza*

Al perfeccionar la destreza de comprender los componentes de los mapas, mejorarás tus capacidades de estudio y evaluación, especialmente en relación con la prueba de Estudios Sociales de GED®. Recuerda que los diferentes accidentes geográficos representados en un mapa te pueden brindar información geográfica importante sobre una ubicación específica de la Tierra. Estudia el mapa y la información que aparecen a continuación. Luego responde las preguntas.

a Usa la rosa de los vientos del mapa como ayuda para determinar los puntos cardinales, como norte, sur, este y oeste.

b Usa la clave para determinar qué representan los símbolos y el sombreado del mapa. La clave de un mapa sirve como guía para comprenderlo.

CONSEJOS PARA REALIZAR LA PRUEBA

Es posible que, para responder una pregunta, necesites comprender más de un componente del mapa o el significado de más de un símbolo del mapa. Tómate tu tiempo para comprender todos los componentes de los mapas antes de responder cada pregunta.

1. ¿Cuál de los siguientes enunciados describe **mejor** el área de la Reserva India?

   A. Se concentra en el norte.
   B. Se ubica entre las trece colonias y el río Misisipi.
   C. Comprende las áreas de Florida del Oeste y Florida del Este.
   D. Se encuentra cerca de grandes asentamientos.

2. ¿Cuál de los siguientes enunciados es correcto?

   A. Los grandes asentamientos se extendían desde las colonias del norte hacia las colonias del sur.
   B. Carolina del Norte tenía solamente un asentamiento grande.
   C. Los grandes asentamientos se encontraban en colonias donde la tierra estaba en disputa.
   D. No había grandes asentamientos en el sur.

3 Domina la destreza

INSTRUCCIONES: Estudia el mapa, lee cada pregunta y elige la **mejor** respuesta.

3. ¿Cuál es la distancia aproximada entre Houston y Atlanta?

   A. aproximadamente 1,850 millas
   B. aproximadamente 1,500 millas
   C. aproximadamente 900 millas
   D. aproximadamente 625 millas

4. A partir del mapa, ¿cuál es el estado que **probablemente** tenga uno de los puntos más altos de la nación?

   A. Minnesota
   B. Colorado
   C. Maine
   D. Arkansas

5. ¿Qué ciudad está ubicada cerca de la línea de latitud 35° N y la línea de longitud 85° O?

   A. Filadelfia
   B. Columbus
   C. Atlanta
   D. Houston

6. A partir del mapa, ¿cuál es la descripción más precisa de la ubicación de Detroit?

   A. al norte de Columbus
   B. al oeste de Denver
   C. 45° N, 80° O
   D. 40° N, 90° O

7. ¿En qué área de los Estados Unidos podrías encontrar terrenos con la más baja altitud?

   A. en el Medio Oeste
   B. en el Sureste
   C. en el Noroeste
   D. en el Suroeste

8. ¿Aproximadamente cuántas millas recorrerías si viajaras desde Columbus, Ohio, hasta Denver, Colorado?

   A. aproximadamente 600 millas
   B. aproximadamente 900 millas
   C. aproximadamente 1,200 millas
   D. aproximadamente 2,250 millas

UNIDAD 1

3 Domina la destreza

INSTRUCCIONES: Estudia el mapa, lee cada pregunta y elige la **mejor** respuesta.

9. ¿Qué parque nacional está más cerca de la capital?

   A. Bosque Nacional Umatilla
   B. Parque Nacional Mt. Rainier
   C. Monumento Volcánico Nacional Mt. St. Helens
   D. Parque Nacional North Cascades

10. ¿Cuál de los siguientes enunciados es correcto?

   A. La autopista I-90 conecta Spokane con Richland.
   B. La autopista I-90 va de norte a sur.
   C. La autopista I-5 conecta cuatro ciudades principales.
   D. La autopista I-82 se une con la autopista I-5.

11. A partir del mapa, ¿cuál de las siguientes oraciones describe **mejor** a Washington?

   A. Washington se encuentra al este de Idaho.
   B. Washington está rodeado de tierra.
   C. Washington limita con Canadá y California.
   D. Washington tiene numerosos parques y monumentos nacionales.

12. ¿Por qué el estrecho de Puget puede ser una importante vía navegable?

   A. El estrecho de Puget está cerca de todos los parques nacionales de Washington.
   B. El río Columbia nace en el estrecho de Puget.
   C. El estrecho de Puget se extiende hacia el interior de Oregón.
   D. El estrecho de Puget conecta ciudades principales con el océano Pacífico.

13. ¿Aproximadamente cuántas millas separan las ciudades de Bellingham y Olympia?

   A. aproximadamente 50 millas
   B. aproximadamente 150 millas
   C. aproximadamente 250 millas
   D. aproximadamente 300 millas

14. ¿Qué parque o monumento nacional se encuentra más cerca de Oregón?

   A. Parque Nacional North Cascades
   B. Monumento Volcánico Nacional Mt. St. Helens
   C. Parque Nacional Mt. Rainier
   D. Bosque Nacional Umatilla

INSTRUCCIONES: Estudia el mapa y la información. Luego lee cada pregunta y elige la **mejor** respuesta.

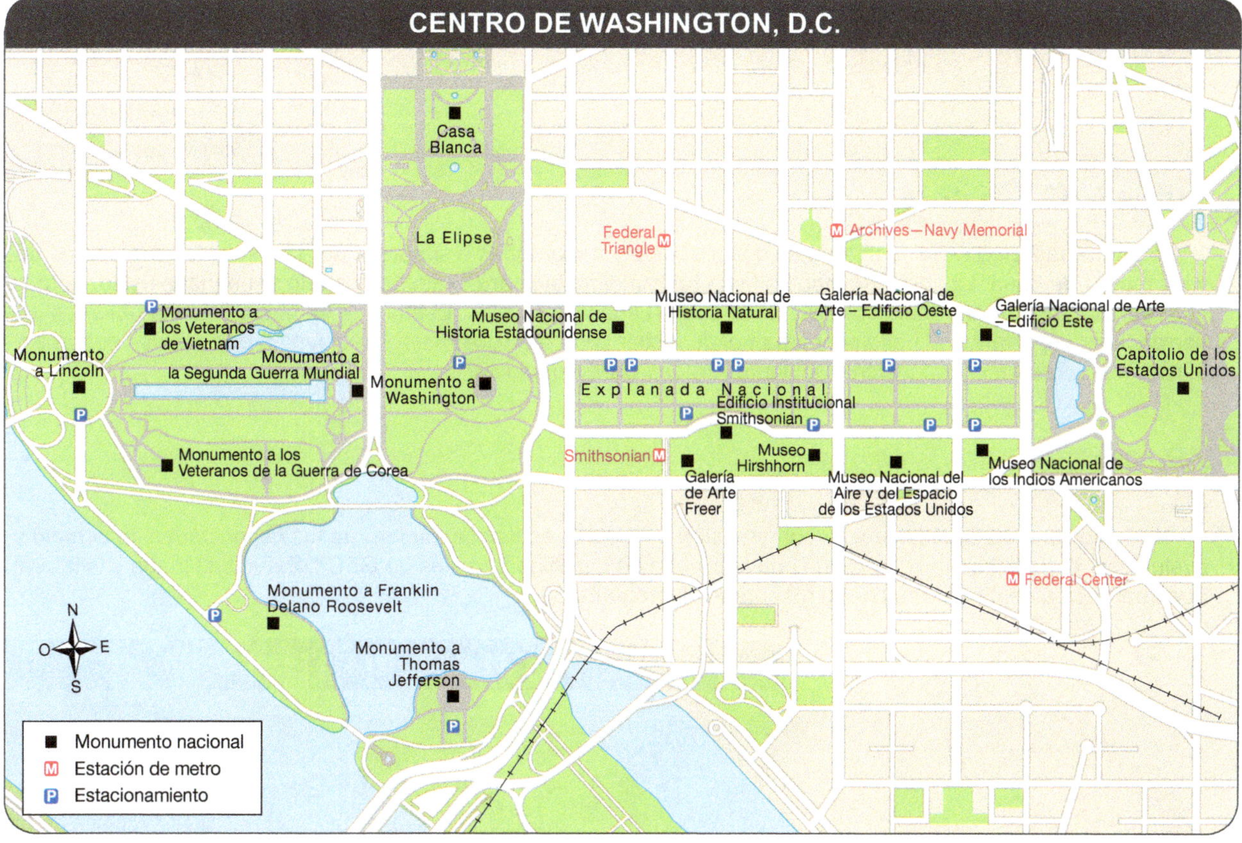

Cada año, cerca de 20 millones de personas visitan Washington, D.C., la capital de los Estados Unidos. La mayoría de los edificios del gobierno y los monumentos nacionales se encuentran en un área de la ciudad. Para visitar estos lugares, los turistas pueden ir a pie, tomar un autobús turístico o tomar el metro, el sistema de transporte subterráneo de la ciudad. Si bien los boletos para algunas atracciones turísticas, como la Casa Blanca, se deben adquirir con antelación, todos los edificios del gobierno, incluida la Casa Blanca y los Archivos Nacionales, así como todos los monumentos y museos Smithsonianos, tienen entrada libre y gratuita. Estos edificios pertenecen a los contribuyentes de los Estados Unidos, quienes los mantienen.

15. ¿Dónde se encuentran la **mayoría** de los estacionamientos?

    A. junto al Monumento a los Veteranos de Vietnam
    B. junto al Capitolio de los Estados Unidos
    C. junto a la Explanada Nacional
    D. junto al Monumento a Thomas Jefferson

16. ¿Qué estación de metro se encuentra más cerca de la Casa Blanca?

    A. Smithsonian
    B. Federal Triangle
    C. Federal Center
    D. Archives-Navy Memorial

17. ¿Cuál es la ruta **más** eficiente para hacer un recorrido a pie?

    A. Capitolio de los Estados Unidos, Explanada Nacional, Monumento a Washington, Monumento a F.D.R., Monumento a Jefferson
    B. Monumento a Lincoln, Monumento a Jefferson, Monumento a los Veteranos de la Guerra de Corea, Casa Blanca, Monumento a Washington
    C. Monumento a los Veteranos de Vietnam, Monumento a Lincoln, Casa Blanca, Capitolio de los Estados Unidos, Monumento a Washington
    D. Monumento a Washington, Monumento a Lincoln, Casa Blanca, Galería Nacional, Monumento a los Veteranos de Vietnam

18. ¿Qué lugar se encuentra más alejado del Monumento a la Segunda Guerra Mundial?

    A. la Galería de Arte Freer
    B. la Casa Blanca
    C. la Elipse
    D. el Capitolio de los Estados Unidos

LECCIÓN 3 Mapas físicos

Usar con el ***Libro del estudiante,*** págs. 6–7.

TEMAS DE ESTUDIOS SOCIALES: II.G.b.1, II.G.b.2, II.G.b.4, II.G.b.5, II.G.c.1, II.G.c.3, II.G.d.1, II.G.d.2, II.G.d.3, II.G.d.4
PRÁCTICAS DE ESTUDIOS SOCIALES: SSP.2.b, SSP.3.a, SSP.3.b, SSP.3.c, SSP.6.b, SSP.6.c

UNIDAD 1

1 *Repasa la destreza*

En un **mapa físico** se usan diferentes colores, áreas sombreadas o símbolos para mostrar los accidentes geográficos y las masas de agua. La clave del mapa es una herramienta útil para examinar y analizar un mapa físico, porque indica qué representan los diferentes colores, áreas sombreadas y símbolos. El título de un mapa físico también es una herramienta importante. El título del mapa puede incluir palabras como *físico, accidentes geográficos naturales, clima, altitud, temperatura, precipitación* o, incluso, *uso de la tierra* o *uso del agua.*

2 *Perfecciona la destreza*

Al perfeccionar tu conocimiento y comprensión de los mapas físicos, mejorarás tus capacidades de estudio y evaluación, especialmente en relación con la prueba de Estudios Sociales de GED®. Estudia el mapa y la información que aparecen a continuación. Luego responde las preguntas.

a Los ríos y otras fuentes de agua se usan para obtener agua para consumo y como medio para transportarse.

b En general, la pesca y el transporte marítimo son actividades económicas importantes en las zonas costeras.

USAR LA LÓGICA

Como la Tierra tiene forma esférica, es difícil mostrarla en un mapa plano; por lo tanto, se usan distintas proyecciones de mapas. Algunas proyecciones distorsionan las formas de los continentes, al igual que la distancia y la escala, para conservar las propiedades esféricas de la Tierra.

1. ¿Cómo es **más probable** que hayan viajado los primeros colonos desde Austin hacia Nuevo México?

   A. por el río Rojo
   B. por la meseta Edwards
   C. por el golfo de México
   D. por el río Pecos

2. ¿El río Rojo forma una gran parte de la frontera entre Texas y cuál otro estado?

   A. Oklahoma
   B. Louisiana
   C. Arkansas
   D. Nuevo México

3 Domina la destreza

INSTRUCCIONES: Estudia los mapas, lee cada pregunta y elige la **mejor** respuesta.

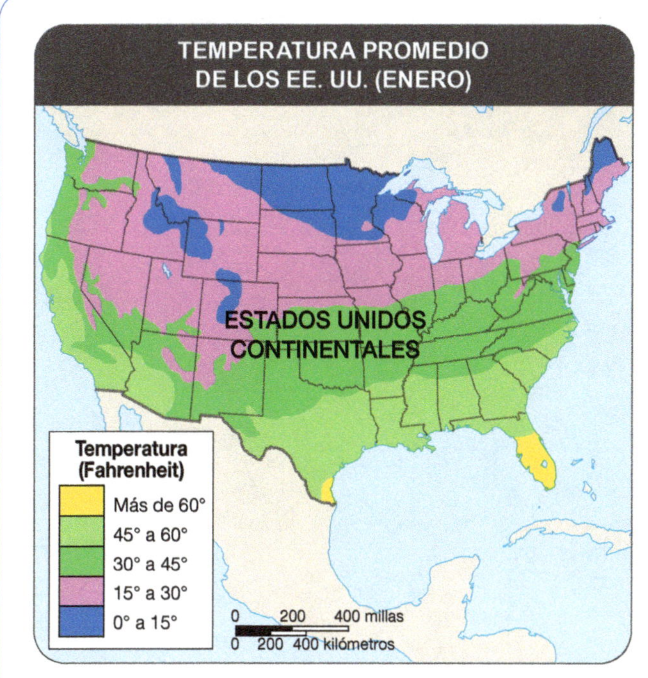

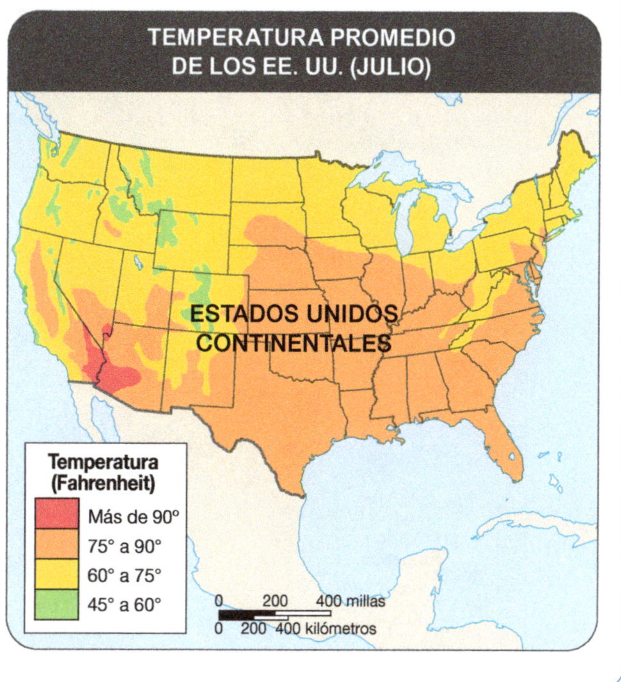

3. A partir de los mapas, ¿cuáles de las siguientes son temperaturas posibles para Virginia?

   A. 20°F en enero; 75°F en julio
   B. 30°F en enero; 80°F en julio
   C. 50°F en enero; 70°F en julio
   D. 60°F en enero; 80°F en julio

4. ¿Cuál de los siguientes estados es el más frío durante el mes de enero?

   A. Washington
   B. Pensilvania
   C. Ohio
   D. Maine

5. ¿Cuál de los siguientes enunciados resume **mejor** el contenido de los mapas?

   A. Los Estados Unidos son un país frío.
   B. Los Estados Unidos son un país cálido.
   C. Los Estados Unidos tienen un amplio rango de temperaturas.
   D. Los Estados Unidos tienen temperaturas uniformes.

6. ¿Cuál de los siguientes factores afecta el clima de la parte sureste de los Estados Unidos?

   A. su cercanía al ecuador
   B. su longitud
   C. su vegetación
   D. su cercanía a las islas

7. A partir de los mapas, ¿cuáles de las siguientes son temperaturas posibles para Nuevo México?

   A. 10°F en enero; 90°F en julio
   B. 30°F en enero; 90°F en julio
   C. 30°F en enero; más de 90°F en julio
   D. 50°F en enero; más de 90°F en julio

8. ¿Cuál de los siguientes estados tiene la temperatura promedio más alta durante el mes de julio?

   A. Colorado
   B. Nuevo México
   C. Florida
   D. California

9. ¿En cuál de los siguientes estados es más probable que nieve durante el mes de enero?

   A. Misisipi
   B. Carolina del Sur
   C. Tennessee
   D. Luisiana

10. ¿Qué estado tiene el promedio más alto de temperaturas durante el mes de enero?

    A. Florida
    B. Nuevo México
    C. California
    D. Arizona

3 Domina la destreza

INSTRUCCIONES: Estudia el mapa y la información. Luego lee cada pregunta y elige la **mejor** respuesta.

Una de las áreas más húmedas del mundo es el sur de Asia. Aquí, los habitantes de la región experimentan un monzón, o temporada lluviosa, que dura desde junio hasta octubre. Durante esta temporada, en la región cae la mayor cantidad de lluvia del año. Los agricultores dependen de esas lluvias para regar sus cultivos porque saben que durante el resto del año caerá muy poca lluvia.

Las selvas lluviosas, como las que se encuentran en América del Sur, también son muy húmedas. Sin embargo, la lluvia es más constante y dura todo el año.

Hay dos tipos de selvas lluviosas: las tropicales y las templadas. Las selvas lluviosas tropicales se encuentran cerca del ecuador, donde el clima es cálido. Las selvas lluviosas tropicales son conocidas por su espesa vegetación, que evita que la luz del sol llegue al suelo. Las selvas lluviosas templadas se encuentran cerca de las zonas costeras más frías, más al norte o al sur del ecuador. En los Estados Unidos, por ejemplo, el estado de Washington alberga una selva lluviosa templada y virgen que se encuentra al norte del Parque Nacional Olympic.

11. ¿Por qué la agricultura es problemática en el sur de Asia?

    A. Nunca hay suficiente lluvia.
    B. En la región llueve constantemente.
    C. La región tiene tres temporadas de lluvia por año.
    D. En la región, la mayor parte de la lluvia del año cae de junio a octubre.

12. De acuerdo con el mapa, ¿qué continente experimenta regularmente una precipitación anual promedio de 10 a 20 pulgadas?

    A. América del Norte
    B. América del Sur
    C. la Antártida
    D. Asia

 Ítem en foco: **PUNTO CLAVE**

INSTRUCCIONES: Estudia el mapa y la información. Luego lee cada pregunta y marca en el mapa la(s) **mejor(es)** respuesta(s) .

PAKISTÁN: MAPA FÍSICO

Pakistán se encuentra en el sur de Asia y se extiende desde el Himalaya hasta el mar Arábigo. Las cuatro regiones geográficas de Pakistán incluyen mesetas al oeste, montañas al norte, llanuras en el valle del río Indus y colinas al noroeste.

El terreno de Pakistán es tan diverso como su pueblo. Debido a su vasto y desnivelado territorio, la actividad agrícola no es el sostén económico de muchas de las regiones del país. Sin embargo, el uso de la irrigación contribuyó al desarrollo de cultivos como el trigo, el maíz y el algodón. Alrededor del 40 por ciento de la población vive en áreas urbanas. Karachi es una ciudad portuaria que se encuentra en la costa, al sur. La capital, Islamabad, y la ciudad de Lahore se encuentran en la parte centro-este del país. Estas tres ciudades son las áreas urbanas más pobladas de Pakistán.

13. Coloca una ***X*** en el mapa al lado de la principal ciudad portuaria de Pakistán.

14. Ubica el área **más** montañosa de Pakistán. Márcala con una tilde.

15. Ubica todas las vías navegables al interior de Pakistán y enciérralas en un círculo en el mapa.

16. Ubica el país que comparte la frontera más extensa con Pakistán. Subraya el nombre de ese país en el mapa.

Mapas políticos

4 LECCIÓN

Usar con el ***Libro del estudiante,*** págs. 8–9.

UNIDAD 1

TEMAS DE ESTUDIOS SOCIALES: II.G.b.1, II.G.b.2, II.G.b.3, II.G.b.4, II.G.b.5, II.G.c.1, II.G.c.2, II.G.c.3, II.G.d.1, II.G.d.2, II.G.d.3, II.E.g
PRÁCTICAS DE ESTUDIOS SOCIALES: SSP.2.b, SSP.3.c, SSP.6.b, SSP.6.c, SSP.10.c

1 *Repasa la destreza*

A diferencia de los mapas físicos, los **mapas políticos** no suelen mostrar características físicas tales como los accidentes geográficos, las vías navegables o la altitud. Sin embargo, los mapas políticos contienen algunos de los elementos que se encuentran en los mapas físicos. A menudo, ambos tipos de mapas incluyen un título, símbolos, una rosa de los vientos, una escala y líneas de latitud y longitud.

2 *Perfecciona la destreza*

Es importante que leas un mapa detenidamente para encontrar las características que ampliarán la información que se presenta en el mapa. Al perfeccionar la destreza de comprender los mapas políticos y la información que estos brindan, mejorarás tus capacidades de estudio y evaluación, especialmente en relación con la prueba de Estudios Sociales de GED®. Estudia el mapa y la información que aparecen a continuación. Luego responde las preguntas.

a En general, en los mapas políticos se usan estrellas para indicar ciudades capitales y puntos para indicar grandes ciudades. Usa la clave del mapa como ayuda para comprender qué representan los símbolos.

b Con frecuencia, en los mapas se usan áreas sombreadas para mostrar fronteras no oficiales, como las regiones. En este caso, la región abarca todos los estados sombreados en el mapa. A veces, las áreas sombreadas no incluyen la totalidad de un estado o país determinado. Por ejemplo, si un mapa se usara para indicar cómo votaron las personas en las últimas elecciones, las áreas sombreadas no corresponderían necesariamente con las fronteras estatales.

NORESTE DE LOS EE. UU.

0 100 200 millas
0 100 200 kilómetros
N O E S
MAINE
Augusta
VERMONT
Montpelier
Concord
NUEVO HAMPSHIRE
Albany
NUEVA YORK
Boston
MASSACHUSETTS
Hartford
Providence
RHODE ISLAND
CONNECTICUT
PENSILVANIA
Harrisburg
Trenton
NUEVA JERSEY
OCÉANO ATLÁNTICO
★ Capital del estado

HACER SUPOSICIONES

Por lo general, los mapas políticos incluyen fronteras estatales y nacionales, pero puede que no incluyan las fronteras regionales. Conocer las fronteras de una región te puede ayudar a hacer suposiciones sobre su población, economía y cultura.

1. ¿Qué representa el símbolo que señala a Concord, Nuevo Hampshire?

   A. ciudad grande
   B. capital del estado
   C. capital del estado y capital del condado
   D. ciudad grande y capital del estado

2. ¿Cuál de los siguientes enunciados describe **mejor** para qué se podría usar este mapa?

   A. para determinar el clima del Noreste
   B. para hallar la densidad de población de las ciudades del Noreste
   C. para hallar la ubicación de los estados junto a la Costa Este de los Estados Unidos
   D. para identificar los estados que componen la región Noreste

3 Domina la destreza

INSTRUCCIONES: Estudia el mapa y la información. Luego lee cada pregunta y elige la **mejor** respuesta.

En Brasil viven casi 200 millones de personas. Brasil, el quinto país más grande del mundo, alberga el delta del río Amazonas y una variedad de paisajes. Hay montañas al norte y en la costa al sudeste, praderas al noreste y mesetas en el centro y sur de Brasil. Al norte y al oeste, Brasil cuenta con miles de acres de selva lluviosa en la cuenca del Amazonas. Durante el período inicial de la colonización, algunos colonos se aventuraron a vivir en las selvas lluviosas del Amazonas.

A diferencia de otros países de América del Sur, donde se habla español, la lengua oficial de Brasil es el portugués. La población indígena de Brasil comercializaba con los colonizadores de Portugal, quienes llegaron en el siglo XVI. Como la mayor parte de la población indígena murió a causa de guerras y enfermedades, se trajeron a Brasil esclavos africanos para trabajar los campos. De las 9.5 millones de personas capturadas en África y traídas al continente americano entre los siglos XVI y XIX, cerca de 4 millones llegaron a Brasil: diez veces más que las que se enviaron a los Estados Unidos.

Brasil declaró su independencia de Portugal en 1822, después de más de 300 años de colonización. Brasil se convirtió en la última nación americana en abolir la esclavitud el 13 de mayo de 1888. En ese momento, Río de Janeiro, la segunda ciudad más grande de Brasil, tenía la mayor concentración urbana de esclavos —más del 40% de su población— desde la caída del Imperio Romano.

3. A partir del mapa, ¿dónde puedes suponer que se encuentran las ciudades principales de Brasil?

   A. a lo largo de la frontera con Bolivia
   B. a lo largo de la costa este
   C. en la cuenca del Amazonas
   D. en el centro del país

4. ¿Qué accidentes geográficos influyen **más probablemente** en los centros poblacionales de Brasil?

   A. el ecuador y el océano Pacífico
   B. el delta del Amazonas y la frontera con Perú
   C. la selva lluviosa del Amazonas y el océano Atlántico
   D. la selva lluviosa del Amazonas y las montañas al norte

5. De acuerdo con el pasaje, ¿en qué se parece la población del Brasil moderno a la población del período inicial de la colonización?

   A. Es baja en el área del Amazonas.
   B. Es baja en la zona costera.
   C. Es alta en el área del Amazonas.
   D. Es alta cerca de la frontera con Bolivia.

6. A partir del pasaje, ¿cuántos años transcurrieron entre la independencia de Brasil y la abolición de la esclavitud?

   A. 45 años
   B. 46 años
   C. 56 años
   D. 66 años

7. A partir de la información y el mapa, ¿cuál de los siguientes enunciados sobre Brasil es correcto?

   A. La población de Brasil es una mezcla de personas de diferentes etnias.
   B. La población de Brasil es, fundamentalmente, de origen portugués.
   C. La población de Brasil está distribuida equitativamente a lo largo del país.
   D. Uruguay es el único país vecino con el que Brasil tiene buena relación.

Domina la destreza

★ Ítem en foco: **PUNTO CLAVE**

INSTRUCCIONES: Estudia el mapa, lee cada pregunta y marca en el mapa la(s) **mejor(es)** respuesta(s).

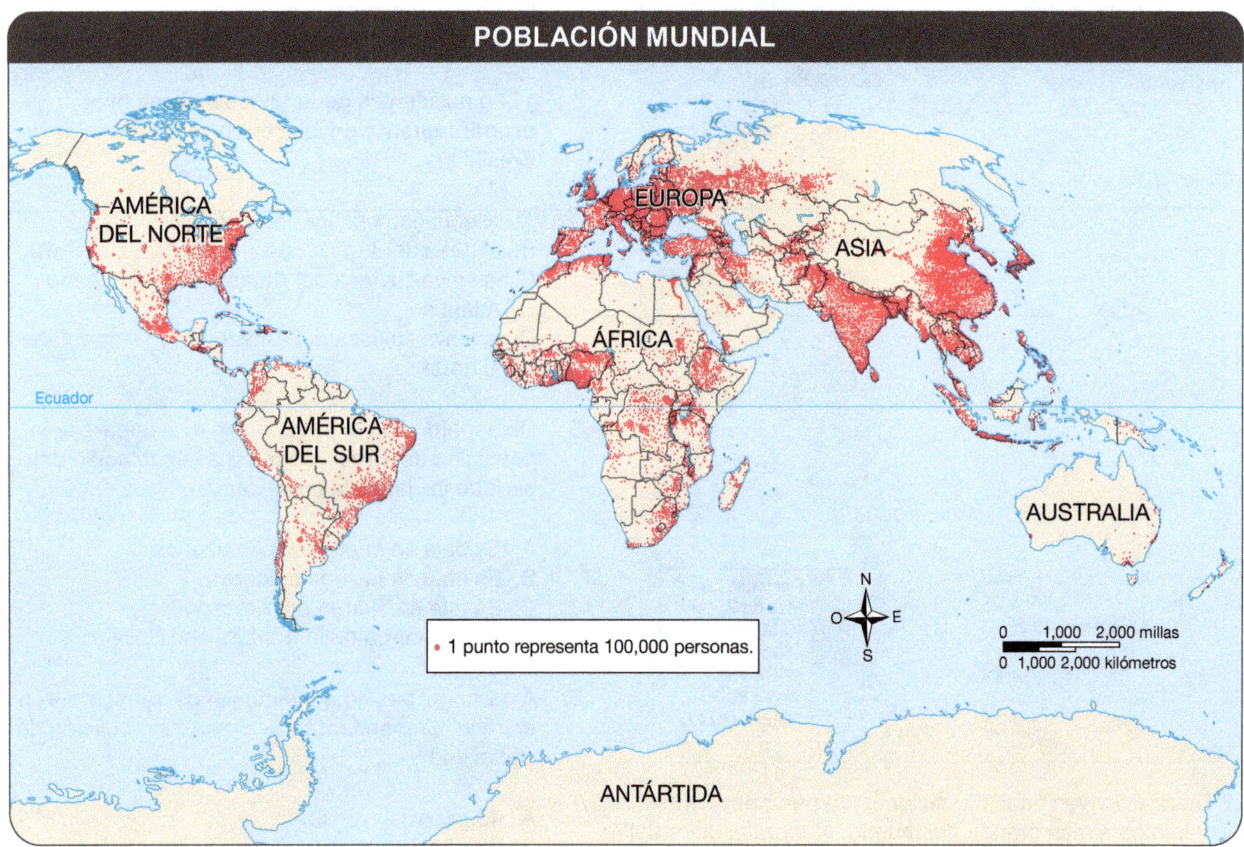

8. En el mapa, encierra en un círculo el nombre del continente que tiene la menor población.

9. ¿Qué continente es el que tiene la **mayor** densidad de población? Subraya el nombre de ese continente.

10. ¿Qué continente ubicado únicamente en el hemisferio sur tiene una población de al menos 200,000 habitantes? Encierra en un círculo el nombre del continente.

11. ¿Qué continente ubicado parcialmente en el hemisferio sur tiene regiones centrales con población escasa? Coloca una ***X*** al lado del nombre del continente.

12. ¿Qué continente ubicado únicamente en el hemisferio norte tiene a la **mayor** parte de su población en la costa este? Coloca dos ***X*** al lado de su nombre en el mapa.

13. ¿Qué continente ubicado únicamente en el hemisferio sur tiene la **mayor** parte de su población en la costa sur? Coloca una estrella junto a su nombre en el mapa.

14. ¿Qué continente ubicado parcialmente en el hemisferio norte tiene dos cúmulos de población densa en su costa norte? Encierra su nombre en un rectángulo.

INSTRUCCIONES: Estudia el mapa, lee cada pregunta y elige la **mejor** respuesta.

15. ¿Cuál de los siguientes condados de Irlanda **no** se encuentra rodeado de tierra?

    A. Tipperary
    B. Roscommon
    C. Dublín
    D. Monaghan

16. A partir del mapa, ¿cuál de los siguientes enunciados sobre Irlanda es correcto?

    A. Todos los condados de Irlanda tienen un tamaño similar.
    B. Muchas de las capitales de los condados de Irlanda tienen el mismo nombre que el condado.
    C. Toda el área que está al norte de Dublín le pertenece al Reino Unido.
    D. El mar Céltico se encuentra al este del condado Wicklow.

17. ¿Cuál de las siguientes ciudades es la capital del condado Tipperary?

    A. Kilkenny
    B. Tipperary
    C. Clonmel
    D. Limerick

INSTRUCCIONES: Estudia el mapa y la información. Luego lee cada pregunta y elige la **mejor** respuesta.

La región Medio Oeste de los Estados Unidos comprende los estados de los Grandes Lagos, al igual que Misuri, Iowa, Kansas, Nebraska, Dakota del Norte y Dakota del Sur. En 2019, casi 70 millones de personas hicieron de la región Medio Oeste su propio hogar. El estado con la mayor población es Illinois. Dakota del Norte es el estado de la región Medio Oeste con menor población.

18. A partir del mapa y del pasaje, ¿cuál de los siguientes enunciados es correcto?

    A. La región Medio Oeste contiene el estado más grande de los Estados Unidos.
    B. De los 50 estados, Illinois es el que tiene mayor población.
    C. La región Medio Oeste es la más grande de los Estados Unidos.
    D. Ohio se encuentra en la región Medio Oeste.

19. ¿Cuál de las siguientes ciudades se encuentra en el Medio Oeste?

    A. Albany, NY
    B. St. Louis, MO
    C. Nashville, TN
    D. Pittsburgh, PA

El movimiento en los mapas

Usar con el ***Libro del estudiante,*** págs. 10–11.

TEMAS DE ESTUDIOS SOCIALES: I.G.a, II.G.b.1, II.G.c.1, II.G.c.3, II.G.d.1, II.G.d.2, II.G.d.3, I.USH.b.1, I.E.g
PRÁCTICAS DE ESTUDIOS SOCIALES: SSP.2.b, SSP.3.c, SSP.6.b, SSP.6.c

UNIDAD 1

1 *Repasa la destreza*

Con una variedad de técnicas—como colores, áreas sombreadas, símbolos e incluso líneas y flechas—se indica **movimiento en los mapas**. Cuando examines un mapa, lee toda la información que hay en él, especialmente la clave del mapa, de manera que puedas comprender el movimiento. En general, la clave de un mapa brinda información sobre el movimiento: qué, quién y cuándo se movió. Además, las líneas, las flechas y la rosa de los vientos te pueden ayudar a determinar la dirección del movimiento.

2 *Perfecciona la destreza*

Al perfeccionar la destreza de comprender el movimiento en los mapas, mejorarás tus capacidades de estudio y evaluación, especialmente en relación con la prueba de Estudios Sociales de GED®. Estudia el mapa y la información que aparecen a continuación. Luego responde las preguntas.

a Usa la clave del mapa como ayuda para identificar los símbolos específicos del mapa.

b La información sobre el movimiento en un mapa no siempre se presenta en la clave. Las líneas y las flechas pueden brindar más detalles.

GUERRA DE INDEPENDENCIA 1776–1777

Fuerzas estadounidenses
Victoria estadounidense
Fuerzas británicas
Victoria británica

R. Hudson
NY
CT
White Plains 28 oct., 1776
Estrecho de Long Island
Fort Lee 19 nov., 1776
Long Island
Morristown
Harlem Heights 16 sept., 1776
Long Island 27 ago., 1776
NJ
N O E S
Staten Island
Princeton 3 ene., 1777
OCÉANO ATLÁNTICO
Trenton 26 dic., 1776
PA
0 20 40 millas
0 20 40 kilómetros

USAR LA LÓGICA

En general, el movimiento en los mapas se puede mostrar como una cronología o secuencia. Seguir una línea o una flecha de un evento hacia otro te ayudará a comprender mejor el orden en que ocurrieron dichos movimientos.

1. La campaña militar de Nueva York-Nueva Jersey marcó un punto de inflexión para el Ejército Colonial en la Guerra de Independencia. A partir del mapa, ¿cuál de estas opciones indica el primer y el último lugar de batalla de la campaña?

   A. Harlem Heights y Princeton
   B. Fort Lee y Trenton
   C. Long Island y Princeton
   D. Harlem Heights y White Plains

2. ¿Adónde fueron las fuerzas británicas después de la Batalla de White Plains?

   A. hacia el suroeste, a Nueva Jersey
   B. hacia el norte por el río Hudson
   C. hacia el sur por el estrecho de Long Island
   D. hacia el sureste, a Staten Island

3 Domina la destreza

INSTRUCCIONES: Estudia el mapa, lee cada pregunta y elige la **mejor** respuesta.

3. ¿Qué enunciado describe **mejor** el mapa?

   A. El mapa muestra la expansión occidental entre 1803 y 1853.
   B. El mapa ilustra la adquisición de territorios entre 1783 y 1853.
   C. El mapa muestra las batallas que se llevaron a cabo por la expansión occidental.
   D. El mapa muestra la secuencia de los sucesos que llevaron a la expansión occidental.

4. Según el mapa, ¿a partir de qué año se llevaron a cabo los primeros asentamientos en la mayor parte del territorio al oeste del río Misisipi?

   A. a partir de 1783, con la cesión británica
   B. a partir de 1803, con la compra de Luisiana
   C. a partir de 1819, con la cesión española
   D. a partir de 1853, con la compra de Gadsden

5. ¿Qué nación cedió la menor cantidad de tierra a los Estados Unidos?

   A. Inglaterra
   B. Francia
   C. México
   D. España

6. ¿Cuál de los siguientes estados fue incluido en la Cesión mexicana de 1848?

   A. Florida
   B. Illinois
   C. California
   D. Oklahoma

7. ¿Cuántos años transcurrieron entre la primera y la última cesión de tierra británica?

   A. 35 años
   B. 33 años
   C. 53 años
   D. 63 años

8. ¿Cuál de las siguientes naciones cedió la **mayor parte** de tierra alrededor del Golfo de México?

   A. Inglaterra
   B. España
   C. México
   D. Francia

Domina la destreza

UNIDAD 1

★ Ítem en foco: PUNTO CLAVE

INSTRUCCIONES: Estudia el mapa y la información. Luego lee cada pregunta y marca en el mapa la(s) **mejor(es)** respuesta(s).

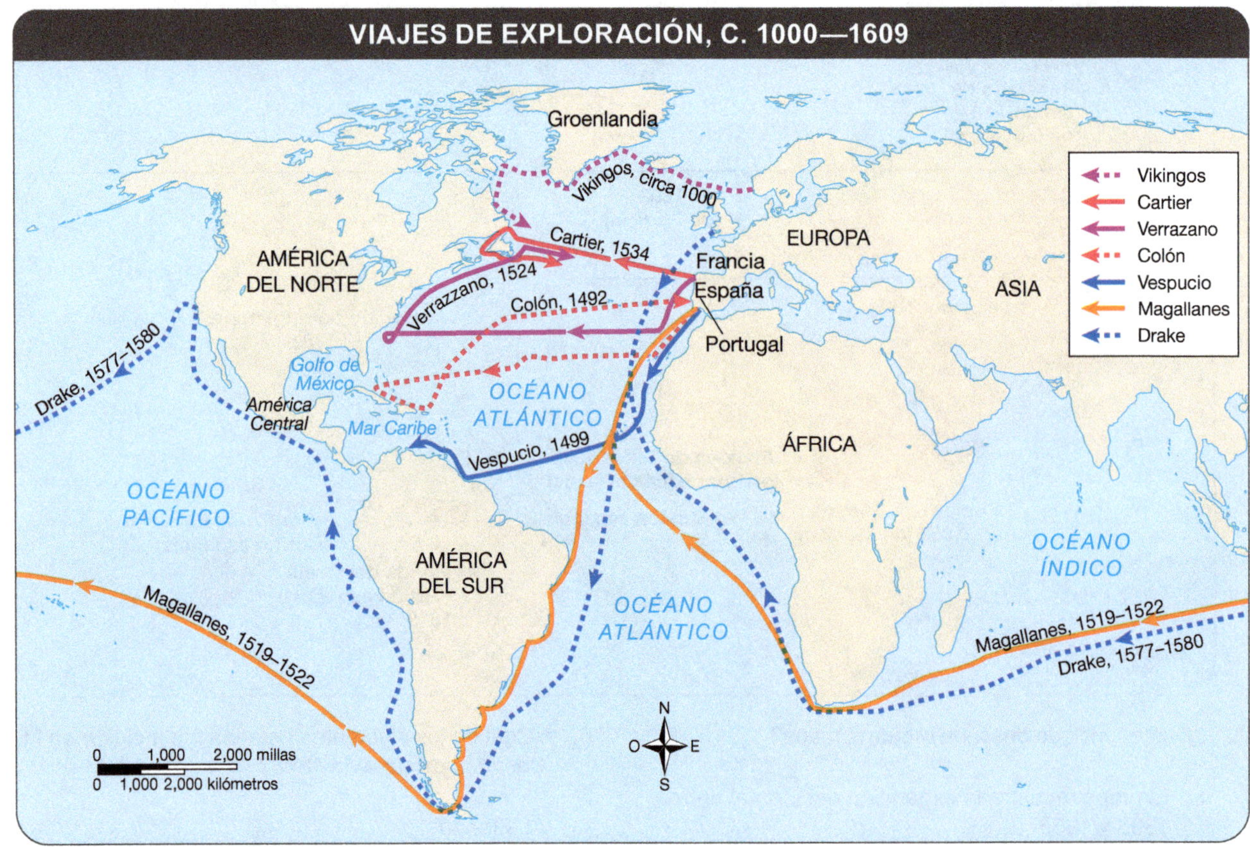

En el siglo XV, Enrique el Navegante, un príncipe de Portugal, ayudó a dar inicio a la Era de los descubrimientos en Europa con el financiamiento de varias expediciones al extranjero. Uno de sus objetivos era encontrar una ruta marítima a Asia. Además, quería adquirir conocimientos geográficos. Antes del siglo XV, ya existían los viajes de exploración, pero a menor escala. Sin embargo, las expediciones oceánicas y marítimas no se realizaban más allá del lugar de origen. Esto fue así hasta que las exploraciones vikingas del Atlántico se adentraron en aguas lejanas.

9. ¿Desde qué dos países europeos comenzaron sus viajes la mayoría de los exploradores? Encierra en un círculo los nombres de los países en el mapa.

10. En el mapa, coloca una ***X*** en la primera expedición que llegó a América del Norte.

11. En el mapa, ubica y subraya el nombre del primer explorador en circunnavegar el mundo.

12. En el mapa, dibuja un recuadro alrededor del nombre del explorador que exploró las islas del Caribe.

13. En el mapa, coloca una estrella junto al nombre del explorador que navegó a lo largo de la costa oeste de América del Norte.

14. En el mapa, coloca dos ***X*** junto al nombre del continente que fue **más** explorado.

INSTRUCCIONES: Estudia el mapa, lee cada pregunta y elige la **mejor** respuesta.

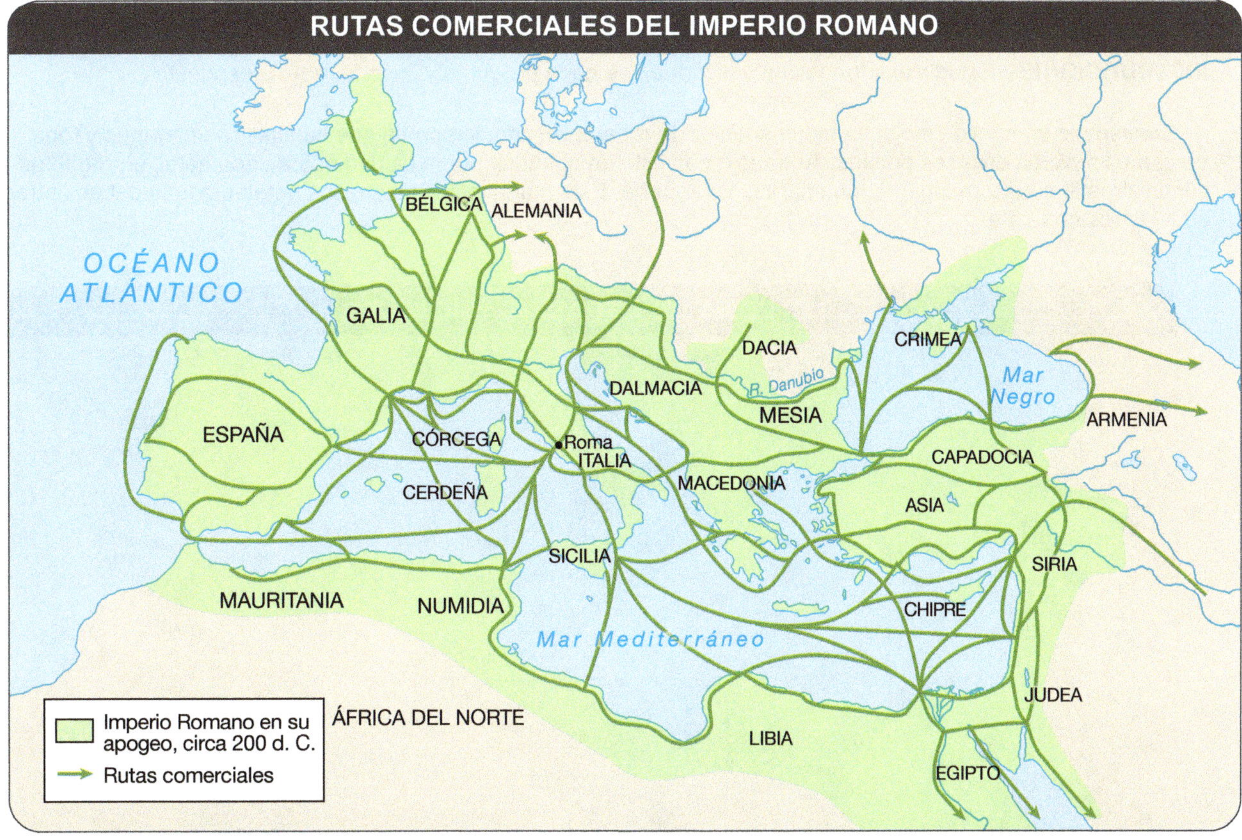

15. Según el mapa, ¿cuál de las siguientes oraciones describe **mejor** la actividad comercial del Imperio romano?

    A. El Imperio romano era tan grande que solo era necesario comercializar dentro de los límites del imperio.
    B. Los romanos preferían no comercializar con las personas que estaban al norte y al sur de Roma.
    C. Los romanos solo comercializaban dentro de su imperio.
    D. Los romanos comercializaban ampliamente, incluso fuera de los límites del imperio.

16. ¿Hacia qué continentes se extendían las rutas comerciales del Imperio romano?

    A. Europa, Asia, África y América del Sur
    B. Europa, Asia y África
    C. Europa y África
    D. Europa y Asia

17. ¿Qué oración acerca de las rutas comerciales romanas es verdadera?

    A. Alemania no era un destino comercial.
    B. La mayor parte de la actividad comercial se realizaba a través del océano Atlántico.
    C. Los ríos eran el principal medio de transporte por agua.
    D. La mayor parte de la actividad comercial se realizaba a través del mar Mediterráneo.

18. Según el mapa, ¿cuál de los siguientes enunciados es correcto?

    A. Roma en sí vio muy poca actividad comercial.
    B. El mar Negro era la vía navegable más usada.
    C. Los romanos extendieron sus rutas comerciales hacia España.
    D. El Imperio romano comprendía todo lo que hoy es Europa.

19. ¿Cuál de las siguientes opciones fue **más probablemente** una consecuencia de las rutas comerciales romanas?

    A. Las rutas comerciales hicieron que los romanos estuvieran cada vez más aislados.
    B. Las rutas comerciales permitieron a Roma hacer cumplir sus leyes en todo el mundo.
    C. Las rutas comerciales fueron la causa principal del colapso económico de Roma.
    D. Las rutas comerciales permitieron el intercambio de conocimiento cultural.

La geografía y el mundo en acción

HOTELERÍA Y TURISMO

INSTRUCCIONES: Estudia la información y el mapa, lee cada pregunta y elige la **mejor** respuesta.

Comienzas un nuevo empleo como conductor de reparto en una compañía que suministra uniformes y ropa de cama limpios a diversos hoteles. Tu trabajo consiste en conducir por la ciudad hasta cada hotel, entregar los suministros limpios y recoger la ropa para la lavandería. Este mapa incluye todos los hoteles donde debes entregar suministros cada día.

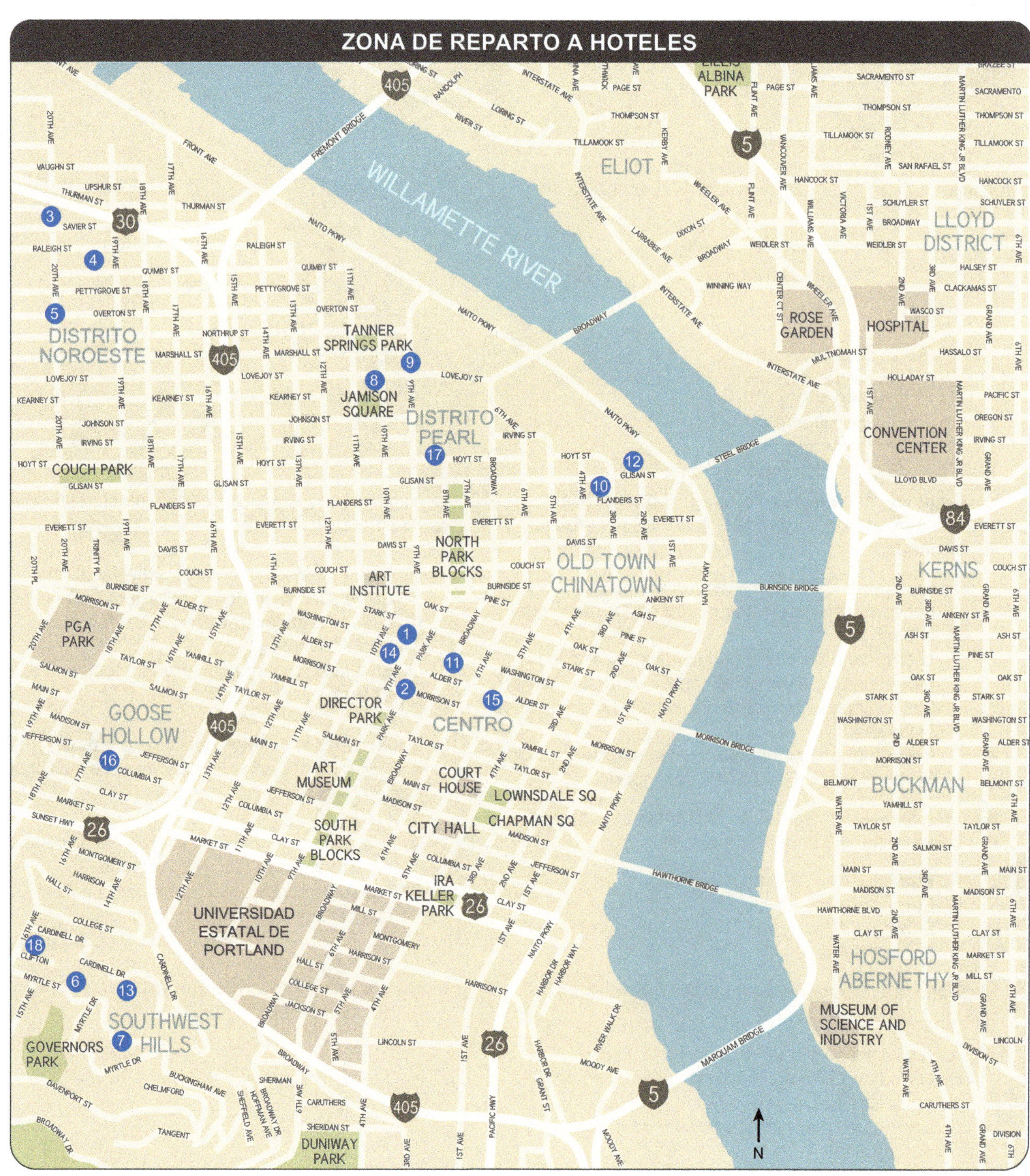

1. ¿En qué área debes comenzar si estás cruzando el puente Marquam por la Carretera 5?

   A. norte
   B. este
   C. sur
   D. oeste

2. Si has entregado suministros en hoteles de Southwest Hills y te estás dirigiendo hacia el norte, ¿cuál es el próximo hotel al que llegarás?

   A. 16
   B. 3
   C. 5
   D. 4

3. Según el mapa, ¿qué área tiene el mayor número de hoteles y cuál tiene el menor?

   A. Distrito Noroeste; Distrito Pearl
   B. Centro; Goose Hollow
   C. Centro; Distrito Pearl
   D. South West Hills, Old Town Chinatown

4. Si quisieras terminar tu recorrido en el puente Steel, ¿cuál de los siguientes sería **más probablemente** el último hotel de tu ruta?

   A. 12
   B. 9
   C. 1
   D. 15

5. Cada día planificas la ruta más eficiente para evitar tener que dar marcha atrás y retomar. Si comienzas tu recorrido en el Distrito Noroeste y tienes que devolver tu camión en Southwest Hills al completar el recorrido, ¿qué distrito debería ser tu próxima parada?

   A. Southwest Hills
   B. Old Town Chinatown
   C. Goose Hollow
   D. Distrito Pearl

6. Si la compañía de suministros estuviera situada al oeste del Distrito Noroeste, ¿cuál carretera interestatal tomarías para llegar ahí?

   A. la Interestatal 405
   B. la Interestatal 30
   C. la Interestatal 26
   D. la Interestatal 5

7. ¿Cuál es el hotel que está más cerca de la Universidad Estatal de Portland?

   A. 17
   B. 13
   C. 15
   D. 12

8. Si la Interestatal 405 estuviera cerrada por trabajos de construcción, ¿qué ruta tomarías para ir del Hotel 5 al Hotel 8?

   A. la Avenida 20 y luego la calle Lovejoy
   B. la Avenida 20 y luego la calle Quimby
   C. la Avenida 20 y luego la calle Johnson
   D. la Avenida 20 y luego la calle Kearney

9. ¿Qué hotel del centro está más cerca de la esquina de la calle Alder y la 9ª Avenida?

   A. 15
   B. 1
   C. 14
   D. 2

10. Si te detienes a almorzar en Governors Park porque está enfrente de tu próxima entrega, ¿en qué hotel es tu próxima entrega?

    A. 9
    B. 4
    C. 12
    D. 6

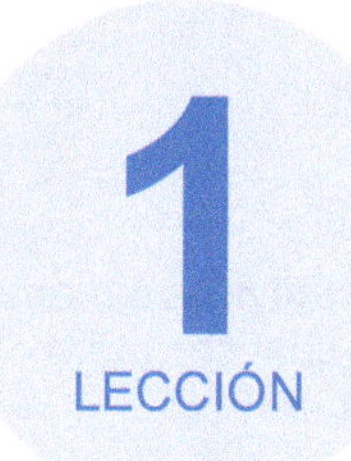

Relacionar la geografía con la historia

LECCIÓN 1

Usar con el ***Libro del estudiante,*** págs. 26–27.

TEMAS DE ESTUDIOS SOCIALES: II.G.b.1, II.G.c.1, II.G.c.2, II.G.c.3, II.G.d.1, II.G.d.2, II.G.d.3, II.G.d.4, I.USH.b.1, II.USH.b.2, I.USH.b.3, II.USH.b.6, II.USH.g.3
PRÁCTICAS DE ESTUDIOS SOCIALES: SSP.1.a, SSP.1.b, SSP.2.a, SSP.2.b, SSP.3.a, SSP.3.b, SSP.3.c, SSP.4.a, SSP.6.a, SSP.6.b, SSP.7.b, SSP.8.a

1 *Repasa la destreza*

Cuando **relaciones la geografía con la historia**, busca similitudes y diferencias entre las distintas fuentes de información y recuerda lo que ya sabes del tema. Luego, combina estos datos para completar la información faltante.

2 *Perfecciona la destreza*

UNIDAD 2

Al perfeccionar la destreza de relacionar la geografía con la historia, mejorarás tus capacidades de estudio y evaluación, especialmente en relación con la prueba de Estudios Sociales de GED®. Estudia el pasaje y el mapa que aparecen a continuación. Luego responde las preguntas.

Los sucesos históricos pueden afectar la geografía. En general, la geografía afecta la historia. El Territorio del Noroeste fue un territorio que se anexó a los Estados Unidos y que abarcaba los cinco estados actuales que aparecen en el mapa y una pequeña parte de un sexto estado.

a Los accidentes geográficos como lagos y ríos forman muchos de los límites de los estados que se crearon a partir del Territorio del Noroeste.

b El río Ohio pudo haber sido parte de un límite político cambiante, pero como característica física, nunca cambia.

1. Según el mapa, ¿cuál de las siguientes opciones ofrece una lista **más completa** de los accidentes geográficos que forman parte de los límites de Míchigan?

   A. lago Míchigan, lago Hurón
   B. lago Superior, lago Hurón, lago Erie, lago Míchigan
   C. lago Superior, lago Hurón, lago Erie, río Ohio
   D. lago Míchigan, lago Hurón, río Ohio

2. Según el mapa y el pasaje, ¿cuál de los siguientes estados del Territorio del Noroeste comparte un límite con los ríos Ohio y Misisipi?

   A. Ohio
   B. Wisconsin
   C. Indiana
   D. Illinois

CONSEJOS PARA REALIZAR LA PRUEBA

Usa fechas y otros datos de los mapas para ubicar a la geografía en un contexto histórico. Por ejemplo, piensa por qué los autores de la Ordenanza del Noroeste usaron masas de agua como límites políticos para los estados.

Domina la destreza

★ Ítem en foco: COMPLETAR LOS ESPACIOS

INSTRUCCIONES: Estudia el mapa y la información, y lee cada pregunta. Luego escribe tus respuestas en los recuadros.

A mediados del siglo XIX, William Henry Hart viajó por el sendero de California. Escribió un diario con sus aventuras:

22 de junio: Partimos temprano. El camino es muy malo, son todas colinas empinadas y rocosas, hay montañas en lo alto y valles abajo, sobre las crestas rocosas o alrededor de ellas hay muchos arroyos repentinos y pendientes inclinadas. Yo era el conductor y, en una de las bajadas más empinadas y rocosas, la cadena se soltó y la carreta empezó a bajar más rápido de lo apropiado y amenazó con hacer caer a los bueyes hacia un profundo barranco. Al intentar agarrar la rueda con las manos, puse el pie muy cerca e inmediatamente me aplasté el dedo gordo del pie derecho; fue decididamente desagradable. Todavía estaba intentando detener la carreta cuando recibí la ayuda de Streeter y Reed, que no se encontraban lejos, y del conductor del siguiente carruaje. Al agarrar cada uno una rueda, detuvimos la carreta y la bloqueamos.

3. Según el pasaje, Hart encontró estos tres accidentes geográficos en el sendero de California:

[ ], [ ] y [ ].

4. Según el mapa, el sendero de California se cruza con el sendero

[ ].

5. Según el pasaje, Hart se enfrenta con una situación de peligro para los colonos que transitan los senderos que van hacia el oeste: perder el control de su

[ ].

6. Según el mapa, el sendero de

[ ]

también va a California.

7. Según el mapa, el sendero de California comienza en

[ ].

UNIDAD 2

Domina la destreza

★ Ítem en foco: COMPLETAR LOS ESPACIOS

INSTRUCCIONES: Estudia el mapa y la información, y lee cada pregunta. Luego escribe tus respuestas en los recuadros.

Los sucesos que llevaron al ejército del general George Washington a pasar el invierno en Valley Forge, en Pensilvania, comenzaron en agosto de 1777, cuando las fuerzas británicas acamparon en el punto más alto de la bahía de Chesapeake con el objetivo de tomar Filadelfia, que en aquella época era la capital de los Estados Unidos. Los estadounidenses fueron derrotados en la batalla de Brandywine el 11 de septiembre. Filadelfia quedó indefensa, porque los miembros del Congreso Continental huyeron a York, al norte del lago Ontario, donde se restableció la capital. Los británicos tomaron Filadelfia el 26 de septiembre de 1777.

El Ejército Continental sufrió otra derrota a manos de los británicos en la batalla de Germantown, al norte de Filadelfia, el 4 de octubre. El general Washington lideró a su ejército, que estaba muy desanimado, hacia Valley Forge, ubicado a 18 millas al noroeste de Filadelfia, porque era un lugar que se podía defender fácilmente. Las barreras geográficas que forman el monte Joy, el monte Misery y el río Schuylkill permitieron que las tropas de Washington defendieran el Congreso Continental de York. Esa ubicación también impidió la entrada de los británicos a la zona central de Pensilvania.

No se libró ninguna batalla en Valley Forge, sin embargo, fue un momento crucial de la Guerra de Independencia. El Ejército Continental se enfrentó con muchos contratiempos, especialmente el clima extremadamente frío del invierno del este de Pensilvania. Muchos soldados se enfermaron, murieron o desertaron. La mayoría no tenía la indumentaria ni el calzado apropiados. Las tropas de Valley Forge subsistieron en gran parte a base de carne seca o salada, guisantes, frijoles, peras, manzanas y maíz.

Hacia el mes de febrero, el clima mostró un poco de **clemencia** y, en marzo, llegaron alimentos y provisiones. En abril, llegó al campamento el barón alemán Friedrich von Steuben con una carta de presentación de Benjamin Franklin, a quien había conocido en París. Von Steuben ayudó incansablemente al general Washington con el entrenamiento de las tropas y con sus estrategias de entrenamiento, lo que restableció la confianza de los soldados. Seis meses después, el 19 de junio de 1778, el ejército renovado abandonó Valley Forge en dirección a Nueva Jersey para luchar contra los británicos.

8. El general George Washington eligió Valley Forge para acampar durante el invierno de 1777 a 1778 por estos tres accidentes geográficos:

   el monte [ ],

   el monte [ ]

   y el río [ ].

9. Según el contexto del pasaje, ¿la palabra *clemencia* significa "inhóspito" o "templado"?

   [ ].

INSTRUCCIONES: Estudia el mapa y la información, y lee cada pregunta. Luego escribe tus respuestas en los recuadros.

Hacia 1812, Gran Bretaña y Francia estaban en guerra. Los británicos detuvieron embarcaciones estadounidenses que llevaban suministros a Europa. Capturaron a los marineros y los obligaron a trabajar en embarcaciones británicas. Francia comenzó a mostrar el mismo desinterés por los derechos de los estadounidenses en el mar, pero los estadounidenses se acordaban de que Francia había venido a ayudar al Ejército Continental en la Guerra de Independencia contra Gran Bretaña.

Por lo tanto, los Estados Unidos se aliaron con Francia para luchar contra Gran Bretaña con el objetivo de proteger sus propios derechos de navegación. La guerra de 1812 duró solo dieciocho meses. Ningún país ganó mucho con el tratado que dio fin a la guerra, pero los Estados Unidos establecieron sus derechos marítimos y ganaron el respeto de las naciones extranjeras.

10. Según el pasaje, la razón principal por la cual los Estados Unidos ingresaron en la guerra de 1812 contra Gran Bretaña fue para proteger sus derechos de

[ ].

11. Las dos primeras victorias estadounidenses en la guerra fueron en

[ ] y

[ ].

12. Los Grandes Lagos son: Lago Superior, Lago Míchigan, Lago Hurón, Lago Erie y Lago Ontario. Durante la Guerra de 1812, los conflictos entre los Estados Unidos y Gran Bretaña sucedieron cerca de cuatro de los Grandes lagos:

[ ], [ ],

[ ] y [ ].

UNIDAD 2

LECCIÓN

Interpretar tablas

Usar con el ***Libro del estudiante,*** págs. 28–29.

TEMAS DE ESTUDIOS SOCIALES: II.E.f, II.E.g, I.USH.b.7, I.USH.c.1, II.USH.e.1, II.G.b.1, II.G.b.2, II.G.b.4, II.G.c.1, II.G.c.2, II.G.d.1, II.G.d.3, II.G.d.4
PRÁCTICAS DE ESTUDIOS SOCIALES: SSP.1.a, SSP.2.b, SSP.4.a, SSP.6.b, SSP.6.c

1 *Repasa la destreza*

Una **tabla** muestra hechos o detalles importantes en un formato visual, en **filas** y **columnas**. Esta presentación visual puede facilitar la lectura y la comprensión de la información. Al **interpretar tablas**, puedes sacar conclusiones acerca de los temas que se presentan. Las tablas se pueden leer de arriba abajo o de un lado a otro. Asegúrate de determinar el significado de los encabezamientos de cada columna o fila de la tabla. Estudia detenidamente los hechos y detalles de una tabla.

UNIDAD 2

2 *Perfecciona la destreza*

Al perfeccionar la destreza de interpretar tablas, mejorarás tus capacidades de estudio y evaluación, especialmente en relación con la prueba de Estudios Sociales de GED®. Estudia la tabla y la información que aparecen a continuación. Luego responde las preguntas.

a Según el título de la tabla, puedes determinar que la tabla brindará detalles de los productos agrícolas durante la época colonial.

b Las tablas sirven especialmente para comparar información. En este caso, los encabezamientos indican que la tabla compara los principales cultivos que había en las diferentes regiones de las colonias.

a AGRICULTURA COLONIAL POR REGIÓN, *circa* 1700

Región **b**	Cultivos principales
Nueva Inglaterra	maíz
Colonias Centrales	trigo
Colonias del Sur	tabaco, arroz, índigo

La tierra y el clima desempeñaron un papel importante en la decisión de los tipos de cultivos que se podían plantar en cada región colonial. Los cultivos no crecían bien en el clima frío y en el suelo rocoso de Nueva Inglaterra. Sin embargo, los colonos cultivaron maíz en esa región. El clima más moderado y la tierra más fértil de las Colonias Centrales permitieron que los colonos produjeran muchos granos, como el trigo. Las Colonias del Sur también tenían tierras fértiles y largos períodos de cultivo. Por ende, muchos colonos establecieron grandes plantaciones en las que sembraron cultivos comerciales como tabaco, arroz e índigo.

USAR LA LÓGICA

Para responder algunas preguntas, primero debes usar tus conocimientos previos. Por ejemplo, ¿qué colonias había en cada región? Esta información no está en la página. Tienes que usar lo que ya sabes acerca de la historia de los Estados Unidos.

1. ¿Cuál era el cultivo principal en las Colonias Centrales?

   A. maíz
   B. arroz
   C. índigo
   D. trigo

2. ¿En cuál de las siguientes colonias los cultivos habrían tenido menor probabilidad de crecer?

   A. en Rhode Island
   B. en Georgia
   C. en Pensilvania
   D. en Virginia

3 Domina la destreza

INSTRUCCIONES: Estudia la tabla, lee cada pregunta y elige la **mejor** respuesta.

POBLACIÓN COLONIAL DE ESCLAVOS

Colonia	1720	1750	1770
Connecticut	1,093	3,010	5,689
Nueva York	5,740	11,014	19,062
Maryland	12,499	43,450	63,818
Virginia	26,550	107,100	187,600
Carolina del Sur	11,828	39,000	75,178

3. Según la información de la tabla, ¿qué afirmación es correcta?

   A. La población de esclavos de Carolina del Sur se duplicó entre 1720 y 1750.
   B. Las colonias de Nueva Inglaterra en general tenían poblaciones de esclavos más grandes que las Colonias Centrales.
   C. La población de esclavos de Virginia aumentó en más de 150,000 esclavos entre 1720 y 1770.
   D. La población de esclavos de Connecticut empezó a disminuir después de 1750.

4. ¿A qué colonia pertenecía la población de esclavos que aumentó menos entre 1720 y 1750?

   A. a Carolina del Sur
   B. a Nueva York
   C. a Maryland
   D. a Connecticut

5. ¿A qué colonia pertenecía la población de esclavos que aumentó más entre 1720 y 1750?

   A. a Nueva York
   B. a Virginia
   C. a Maryland
   D. a Carolina del Sur

INSTRUCCIONES: Estudia la tabla y la información, lee cada pregunta y elige la **mejor** respuesta.

POBLACIÓN REGIONAL ESTIMADA DE LAS COLONIAS, 1770

Región	Población
Nueva Inglaterra	539,800
Colonias Centrales	555,900
Colonias del Sur	994,400

A fines del siglo XVIII, las colonias británicas comenzaron a crecer a un ritmo extremadamente rápido. De hecho, hacia 1775, la población colonial se multiplicó casi diez veces con respecto al 1700. Parte de ese crecimiento resultó de la continua inmigración a las colonias. Sin embargo, la mayor parte del crecimiento de la población se dio por los altos índices de natalidad y los bajos índices de mortalidad.

6. Según la información de la tabla, ¿qué afirmación describe con exactitud las Colonias Centrales?

   A. Las Colonias Centrales tenían una población menor que cualquier otra región colonial.
   B. Nueva York tenía más de la mitad de la población de las Colonias Centrales.
   C. En las Colonias Centrales vivían cerca de 438,500 personas menos que en las Colonias del Sur.
   D. Las Colonias Centrales tenían un promedio de población por colonia menor que el de Nueva Inglaterra.

7. ¿Cuál de las siguientes opciones explica **mejor** el crecimiento de la población en las colonias?

   A. Las colonias tuvieron crecimientos naturales debido a los índices de natalidad y mortalidad.
   B. Llegaron colonos alemanes, escoceses e irlandeses a las colonias.
   C. La salud de los colonos se deterioró con el paso del tiempo.
   D. Muchas personas se mudaron a las colonias en busca de trabajos industriales.

3 Domina la destreza

★ Ítem en foco: COMPLETAR LOS ESPACIOS

INSTRUCCIONES: Estudia la tabla y lee cada pregunta. Luego escribe tus respuestas en los recuadros.

CONFLICTOS CON LOS INDÍGENAS NORTEAMERICANOS EN LA ÉPOCA COLONIAL

Conflicto	Región	Sucesos/Resultado
Guerra de los pequot (1636–1637)	Nueva Inglaterra	Los conflictos se acrecientan a medida que los colonos se dirigen al Oeste en dirección a Massachusetts y Connecticut; los colonos acusan a un indígena pequot de asesinar a un colono y, como represalia, incendian una aldea pequot; los pequot atacan el pueblo de Connecticut; los colonos y los indígenas narragansett destruyen e incendian la aldea principal de los pequot; muchos pequot pierden la vida.
Guerra del rey Felipe (1675–1676)	Nueva Inglaterra	Los indígenas wampanoag y otros grupos inician un conflicto armado en respuesta a la ocupación de las tierras en el sureste de Massachusetts; se registran muchas bajas de colonos e indígenas norteamericanos; las fuerzas indígenas finalmente se debilitan; muchos indígenas norteamericanos se ven obligados a abandonar sus hogares.
Guerra de Yemassee (1715)	Colonias del Sur	Se acrecienta el conflicto entre los colonos y los indígenas creek por la búsqueda de nuevos territorios; los colonos consiguen el apoyo de los indígenas cherokee y los yemassee para vencer a los creek.
Batalla de Kittanning (1756)	Colonias Centrales	Los colonos de Pensilvania atacan la aldea de los delaware en Kittanning; se desatan una serie de conflictos violentos entre los indígenas norteamericanos y los colonos por los derechos sobre el territorio.

8. Según la información de la tabla, el primer conflicto entre los indígenas norteamericanos y los colonos tuvo lugar en la región de

   ____________________.

9. Durante la guerra de Yemassee, los colonos lucharon contra los indígenas creek y los vencieron con la ayuda de los indígenas

   __________ y __________.

10. Según la información de la tabla, ¿en qué pueblo indígena se desarrolló la batalla en la que participaron los colonos de Pensilvania?

    ____________________.

11. Según la información de la tabla, los conflictos entre los indígenas norteamericanos y los colonos de los Estados Unidos se desataban, en general, a causa de las disputas por

    ____________________.

12. Según la información de la tabla, ¿cuál de los siguientes acontecimientos ocurrió primero: la destrucción de la aldea de los pequot, por parte de los colonos y los indígenas narragansett, o el ataque de los pequot a un pueblo de Connecticut?

    ____

13. En la frase "la aldea de los delaware en Kittanning", ¿el término *delaware* se refiere a la colonia Delaware o a la tribu de los Delaware?

    ____

INSTRUCCIONES: Estudia la tabla y la información, lee las preguntas y elige la **mejor** respuesta.

DIFERENCIAS REGIONALES

Región	Economía	Patrones de asentamiento
Nueva Inglaterra	Agricultura, pesca, transporte marítimo, madera, comercio	Pueblos
Colonias Centrales	Agricultura, comercio, pequeñas industrias	Granjas pequeñas y algunas ciudades grandes
Colonias del Sur	Agricultura	Plantaciones grandes y granjas pequeñas

Si bien las primeras trece colonias estaban unidas bajo el dominio británico, cada región colonial tenía un estilo de vida diferente. En Nueva Inglaterra, la mayoría de los colonos vivían en pueblos. Algunos de los colonos de esa región eran agricultores y otros trabajaban en industrias como la de la madera, la pesca, el transporte marítimo y el comercio.

En las Colonias Centrales, la mayoría de los pobladores vivían y trabajaban en granjas pequeñas. Sin embargo, en la región también había ciudades grandes, como Filadelfia y Nueva York. Además eran importantes el comercio y algunas industrias pequeñas.

Las Colonias del Sur contaban con extensas plantaciones. La agricultura era la actividad económica predominante en esa región.

14. A partir de la información de la tabla y del pasaje, ¿qué actividad económica se llevaba a cabo en todas las regiones?

    A. agricultura
    B. comercio
    C. pesca
    D. pequeñas industrias

15. ¿Qué tema se incluye en la segunda columna de la tabla?

    A. las Colonias de Nueva Inglaterra
    B. las Colonias Centrales
    C. las actividades económicas de cada región
    D. los patrones de asentamiento de cada región

16. ¿La mayoría de los colonos vivían en pueblos de cuál de las siguientes colonias?

    A. en Maryland
    B. en Carolina del Sur
    C. en Massachusetts
    D. en Georgia

17. ¿Qué información obtuviste del pasaje que no aparece en la tabla?

    A. el número de personas que vivía en cada región colonial
    B. ejemplos específicos de ciudades importantes de las Colonias Centrales
    C. los tipos de plantaciones que había en las Colonias del Sur
    D. las industrias en las que trabajaron los colonos de Nueva Inglaterra

18. ¿Con qué futuro acontecimiento histórico se relacionan directamente los patrones económicos que se establecieron durante la época colonial?

    A. con la Guerra contra la Alianza Franco-Indígena
    B. con la Guerra de Independencia
    C. con la Gran Depresión
    D. con la Guerra de Secesión

19. ¿Cuál de las siguientes razones crees que explica mejor por qué se diferenciaban las colonias?

    A. La geografía y el clima desempeñaron un papel importante en las diferencias entre las colonias.
    B. El clima templado de Nueva Inglaterra fomentó el cultivo de grandes plantaciones.
    C. Como las Colonias del Sur estaban muy al sur, el clima y la geografía fomentaron las industrias.
    D. Los grandes bosques y los territorios rocosos de las Colonias Centrales fomentaron la caza (por las pieles) y la industria maderera.

20. Según el mapa y el pasaje, ¿qué patrón de asentamiento pertenece únicamente a las colonias centrales?

    A. pueblos
    B. plantaciones grandes
    C. ciudades grandes
    D. granjas pequeñas

Idea principal y detalles

Usar con el ***Libro del estudiante,*** págs. 30–31.

TEMAS DE ESTUDIOS SOCIALES: I.USH.a, I.USH.b.1, I.USH.b.5, I.CG.a, I.CG.b.2, I.CG.b.3, I.CG.b.4, I.CG.b.5, I.CG.b.6, I.CG.c.1, I.CG.c.3, II.CG.d.1, II.CG.d.2, I.E.f, , II.G.c.1, II.G.c.3
PRÁCTICAS DE ESTUDIOS SOCIALES: SSP.1.a, SSP.1.b, SSP.2.a, SSP.2.b, SSP.4.a, SSP.6.a, SSP.6.b, SSP.6.c

1 *Repasa la destreza*

La **idea principal** es el tema más importante de un pasaje o un párrafo. Los **detalles de apoyo** ofrecen información adicional sobre la idea principal. Estos detalles pueden incluir datos, estadísticas, explicaciones, descripciones y elementos gráficos. Las ideas principales pueden ser claramente expresadas, ya sea en un título o en una oración principal, o implícitas. Si la idea principal es implícita, tienes que usar la lógica y hacer suposiciones para determinarla. La idea principal es un concepto global, no un detalle pequeño.

2 *Perfecciona la destreza*

Al perfeccionar la destreza de comprender la idea principal e identificar detalles, mejorarás tus capacidades de estudio y evaluación, especialmente en relación con la prueba de Estudios Sociales de GED®. Estudia el pasaje y el mapa que aparecen a continuación. Luego responde las preguntas.

El territorio original de los Estados Unidos, como lo definen los tratados con Gran Bretaña que se firmaron el 30 de noviembre de 1782 y el 3 de septiembre de 1783, limitaba al norte con Canadá, al sur con las colonias españolas de Florida Occidental y Oriental, al este con el océano Atlántico y al oeste con el río Misisipi. El territorio incluía las Trece Colonias originales y las áreas reclamadas por dichas colonias. Uno de los problemas más difíciles que afrontó la nueva nación fue la existencia de un amplio territorio que no estaba ocupado entre las Trece Colonias originales y el río Misisipi. Siete de las colonias reclamaban amplias partes de este territorio y parte de los reclamos eran conflictivos.

Fuente: Estudio Geológico de los Estados Unidos.

a En la clave de este mapa se dan detalles acerca de las fronteras que separaban a los diferentes territorios.

1. ¿Cuál es la idea principal del pasaje?

   A. Las colonias estaban en conflicto con Gran Bretaña por ciertos territorios de Canadá.
   B. Había reclamos por territorios en disputa entre las colonias.
   C. Las colonias discutían con España por el dominio de los territorios de Florida Occidental y Oriental.
   D. Existían reclamos conflictivos entre las colonias por los territorios del oeste del río Misisipi.

2. ¿De qué manera el mapa brinda un detalle de apoyo para la idea principal del pasaje?

   A. Muestra las trece colonias.
   B. Muestra los territorios de Florida Occidental y Oriental.
   C. Muestra el gran tamaño del territorio que no estaba ocupado.
   D. Muestra que los Grandes Lagos comparten una frontera con Canadá.

USAR LA LÓGICA

Los escritores pueden respaldar una idea principal con un elemento gráfico, como un mapa. Para comprender las relaciones entre las ideas, busca conexiones entre el pasaje y el elemento gráfico.

3 Domina la destreza

★ Ítem en foco: **PUNTO CLAVE**

INSTRUCCIONES: Estudia el mapa y la información, y lee cada pregunta. Luego marca el lugar adecuado del mapa.

Fragmento traducido de "Relato de un testigo de la batalla de Trenton" de William S. Styker:

27 de diciembre de 1776: Aquí estamos otra vez en el campamento con los prisioneros y los trofeos (...)

Es una victoria gloriosa. Se alegrarán los corazones de nuestros amigos en todas partes y se revitalizarán nuestras fortunas que, hasta ahora, han sido decrecientes. Washington desconcertó a los enemigos en su retirada de Nueva York (...) Si ya no hiciera nada más, siempre será recordado como un gran militar.

3. La primera victoria de los colonos después de declarar la independencia el 4 de julio de 1776 fue muy importante. Marca en el mapa el estado en el cual ocurrió esa victoria.

4. En el mapa, marca con una ***X*** la batalla a la que **más probablemente** se refiere Styker cuando menciona la retirada de Washington.

UNIDAD 2

INSTRUCCIONES: Estudia la información, lee cada pregunta y elige la **mejor** respuesta.

Fragmento de la Declaración de Independencia:

Nosotros, los representantes de los Estados Unidos de América, reunidos en Congreso general, acudimos (...) en el nombre y con el poder pleno del buen pueblo de estas colonias damos a conocer solemnemente y declaramos que estas colonias unidas son y por derecho han de ser Estados libres e independientes; que están exentas de todo deber de súbditos para con la Corona británica y que queda completamente rota toda conexión política entre ellas y el Estado de la Gran Bretaña, y que, como Estados libres e independientes, poseen pleno poder para hacer la guerra, concertar la paz, anudar relaciones comerciales y todos los demás actos y cosas que los Estados independientes pueden hacer por derecho.

5. ¿Cuál es la idea principal de la Declaración de Independencia?

A. derrocar al gobierno de Gran Bretaña
B. poner fin a la lealtad política a Gran Bretaña
C. declarar la guerra a Gran Bretaña
D. poner fin a los gobiernos opresivos en todo el mundo

6. ¿Qué detalle **mejor** respalda la idea principal de que los colonos se gobernarán a sí mismos?

A. "Nosotros (...) en nombre y con el poder pleno del buen pueblo de estas colonias (...)"
B. "estas colonias unidas son (...) libres e independientes"
C. "queda completamente rota toda conexión política entre ellas y el Estado de Gran Bretaña"
D. "como Estados libres e independientes, poseen pleno poder para hacer la guerra"

3 Domina la destreza

INSTRUCCIONES: Estudia la tabla y la información, lee cada pregunta y elige la **mejor** respuesta.

COMPARACIÓN DE LOS PLANES DEL GOBIERNO

	Artículos de la Confederación	Constitución de los EE. UU.
Gobierno	Gobierno central débil sin poder ejecutivo	Gobierno central fuerte, con presidente
Asamblea legislativa	Una cámara; un voto por estado	Dos cámaras; un voto por senador o representante
Impuestos	Recaudados por los estados	Recaudados por el gobierno nacional
Nuevos estados	Aceptados a través de un acuerdo con nueve estados	Aceptados a través de un acuerdo con el Congreso
Enmiendas	Acordadas por todos los estados	Acordadas por las tres cuartas partes de los estados

Después de declarar la independencia de Gran Bretaña, las colonias norteamericanas se disponían a gobernarse a sí mismas. Sin embargo, primero necesitaban crear un plan de gobierno. En 1776 y 1777, los líderes coloniales escribieron los Artículos de la Confederación. Los líderes norteamericanos habían concebido los Artículos para que limitaran el poder del gobierno nacional para redactar leyes y para hacerlas cumplir. El Congreso adoptó los Artículos el 15 de noviembre de 1777 y el 1 de marzo de 1781 todos los estados los ratificaron.

Gracias a los Artículos, se obtuvieron algunos logros importantes, entre ellos un plan para los nuevos estados de la Ordenanza del Noroeste de 1787. Sin embargo, no fue fácil para los estados funcionar como una nación por el débil gobierno central. En especial, bajo los Artículos de la Confederación, el gobierno nacional fue incapaz de gravar o regular el comercio entre los estados. En 1787, los líderes estadounidenses propusieron la Constitución de los Estados Unidos, que estableció un gobierno nacional fuerte.

7. ¿Cuál de los siguientes títulos expresa **mejor** la idea principal del pasaje?

   A. El nacimiento de la Ordenanza del Noroeste
   B. El fin de la Guerra de Independencia
   C. El primer plan de gobierno
   D. La Constitución de los Estados Unidos

8. Según los detalles de la tabla, ¿qué acción hubiera sido posible bajo los Artículos de la Confederación?

   A. Los representantes y los senadores votan para declarar la guerra.
   B. El estado de Virginia recauda impuestos.
   C. Seis de los estados acuerdan aceptar a un nuevo estado.
   D. Pensilvania recibe más representantes que Nueva Jersey.

9. Según los detalles de la tabla, ¿de qué manera la Constitución de los Estados Unidos cambió la estructura del gobierno nacional?

   A. No existe el jefe de gobierno central.
   B. Los estados son liderados por gobernadores.
   C. El Congreso es el jefe de gobierno.
   D. Un presidente lidera el gobierno central.

INSTRUCCIONES: Estudia la información, lee la pregunta y elige la **mejor** respuesta.

Cuando terminó la Guerra de Independencia en 1783, los Estados Unidos tenían muchísimas deudas. La situación era tan mala que el gobierno no pudo pagarle a muchos soldados por sus servicios durante la guerra. Es más, ni siquiera pudieron pagar los sueldos de los funcionarios del gobierno. El país tenía una deuda nacional de casi $40 millones y le debía $12 millones a otros países. Los estados individuales cargaban con una deuda total de $25 millones.

10. Según los detalles de la tabla, ¿por qué le resultaría difícil al gobierno nacional resolver su problema de endeudamiento bajo la estructura de los Artículos de la Confederación?

    A. Solamente los estados tenían el poder de recaudar impuestos.
    B. No había presidente para poder presentar un presupuesto nacional.
    C. Los estados no tenían un plan económico.
    D. El Congreso tenía que negociar préstamos con gobiernos extranjeros.

INSTRUCCIONES: Estudia la información y la tabla, lee cada pregunta y elige la **mejor** respuesta.

En el verano de 1787, un total de 55 delegados asistieron a la Convención Constitucional en Filadelfia. La Constitución de los Estados Unidos que habían presentado en septiembre para que se ratificara difería mucho de los Artículos de la Confederación. La Constitución establecía un gobierno nacional fuerte, con un presidente, una asamblea legislativa bicameral (con dos cámaras) y una Corte Suprema. La asamblea legislativa era una mezcla de representación equitativa y proporcional.

Los tres poderes del gobierno nacional eran fuertes, pero tenían un sistema de equilibrio y control mutuo. Al momento de presentar su ratificación, la Constitución no contaba con ninguna disposición para proteger las libertades personales. Muchos estados recordaron de qué manera la opresión de aquellas libertades había provocado la ruptura de las colonias estadounidenses con Gran Bretaña y estaban preocupados por tener un gobierno nacional fuerte que no asegurara la libertad en los nuevos Estados Unidos. No obstante, la Constitución se convertiría en ley después de la ratificación de nueve estados. La Carta de Derechos se agregó a la Constitución en 1791.

RATIFICACIÓN DE LA CONSTITUCIÓN DE LOS EE. UU.

Fecha	Estado	Voto
7 de diciembre de 1787	Delaware	30–0
12 de diciembre de 1787	Pensilvania	46–23
18 de diciembre de 1787	Nueva Jersey	38–0
9 de enero de 1788	Connecticut	128–40
2 de febrero de 1788	Georgia	26–0
6 de febrero de 1788	Massachusetts	187–168
28 de abril de 1788	Maryland	63–11
23 de mayo de 1788	Carolina del Sur	149–73
21 de junio de 1788	New Hampshire	57–47
25 de junio de 1788	Virginia	89–79
26 de julio de 1788	Nueva York	30–27
21 de noviembre de 1789	Carolina del Norte	194–77
29 de mayo de 1790	Rhode Island	34–32

11. Según los detalles del pasaje, ¿qué estado pudo haber estado **más** preocupado por la representación proporcional en el Congreso?

   A. Rhode Island
   B. Pensilvania
   C. Nueva York
   D. Carolina del Sur

12. Según los detalles del pasaje, ¿cuál puede haber sido la razón por la que el voto para la ratificación se definiera por un margen mínimo en el estado de Massachusetts?

   A. John Adams no fue electo como el primer presidente.
   B. El estado quería ser su propio país.
   C. Los líderes estaban preocupados por la falta de protección de las libertades personales.
   D. Massachusetts contaba con pocos delegados.

13. ¿Cuál de los siguientes títulos expresa **mejor** la idea principal del pasaje?

   A. El sistema de equilibrio de poderes
   B. La Convención Constitucional
   C. La protección de las libertades personales
   D. De la Convención a la ratificación

14. ¿Cuál de los siguientes enunciados expresa **mejor** la idea principal del pasaje con el apoyo de la tabla?

   A. Nueva York y Virginia preferían los Artículos de la Confederación antes que la Constitución.
   B. Los estados se preocuparon bastante por los programas de ratificación de la Constitución.
   C. La mayoría de los estados ratificaron la Constitución de manera unánime.
   D. La ratificación de la Constitución por parte de New Hampshire llevó a que Nueva York y Virginia hiciesen lo mismo.

15. ¿Qué información de la tabla no aparece en el pasaje?

   A. Los estados del sur ratificaron la Constitución en 1787.
   B. La mayoría de los estados ratificaron la Constitución en 1788.
   C. La mayoría de los estados ratificaron la Constitución de manera unánime.
   D. Massachusetts fue el último estado en ratificar la Constitución.

Lección de alto impacto: Determinar la idea principal

Usar con el ***Libro del estudiante,*** págs. 32–35.

TEMAS DE ESTUDIOS SOCIALES: I.CG.a.1, I.CG.b.3, I.USH.a.1, I.USH.b.5, II.CG.e.1
PRÁCTICAS DE ESTUDIOS SOCIALES: SSP.1.a, SSP.1.b, SSP.2.a

1 *Repasa la destreza*

Para **determinar la idea principal** de un pasaje, presta atención al asunto más importante del pasaje. En los textos informativos, la idea principal es el mensaje que el autor busca comunicar a sus lectores. Esta puede estar expresada directamente o puede estar implícita. Las ideas principales expresadas suelen encontrarse en el primer párrafo. Si la idea principal no está expresa, es necesario servirse del razonamiento y los detalles de apoyo para determinarla. Un **resumen** es un enunciado o reafirmación breve de las ideas principales de un texto y de los detalles de apoyo más importantes.

En la prueba de Ciencias Sociales de GED® tendrás que mostrar que entiendes cómo determinar la idea principal de una fuente primaria o secundaria. Es posible que se pida que identifiques el tema, la idea principal y los detalles de apoyo, que diferencies el tema de la idea principal o tal vez que resumas un texto.

UNIDAD 2

2 *Perfecciona la destreza*

(a) El tema indica de qué trata el texto en términos generales. El título a veces ofrece pistas sobre el tema del texto. El tema de este pasaje es la Carta de Derechos.

(b) Cada artículo tiene su propia idea principal que puede estar implícita y para deducirla es necesario leer el artículo completo y buscar cada idea principal. La idea principal de cada párrafo apoya a la idea principal de todo el pasaje.

(a) PREÁMBULO DE LA CARTA DE DERECHOS

En septiembre de 1789, el Primer Congreso de los Estados Unidos propuso 12 enmiendas a la Constitución. Dos años después, 10 de estas enmiendas fueron aprobadas. Estas se conocen como la Carta de Derechos. El siguiente es un fragmento del preámbulo, o introducción, a la Carta de Derechos.

(b) Las convenciones de un número de Estados, habiendo en el momento de adoptar la Constitución, expresado el deseo, con el fin de prevenir el abuso o malinterpretación de sus poderes, de que cláusulas adicionales declaratorias y restrictivas deberían ser añadidas: Y al extender el ámbito de confianza pública hacia el Gobierno, es la mejor forma de asegurar el fin benéfico de su institución.

(b) Resuelto por el Senado y la Cámara de Representantes de los Estados Unidos, reunidos como Congreso, concurriendo con dos tercios de ambas cámaras, que los siguientes artículos sean propuestos a las asambleas legislativas de los distintos estados, como enmiendas a la Constitución de los Estados Unidos, con todos, o algunos de estos artículos, cuando sean ratificados por tres cuartos de dichas asambleas legislativas, sean válidos para todos los fines y propósitos, como parte de la Constitución.

1. ¿Cuál es la idea principal del Preámbulo de la Carta de Derechos?

   A. La Carta de Derechos sería aprobada al ser ratificada por dos tercios del Congreso.
   B. La Carta de Derechos proponía 12 enmiendas que se convirtieron en la Carta de Derechos.
   C. La Carta de Derechos fue aprobada para añadir provisiones a la Constitución.
   D. La Carta de Derechos fue aprobada dos años después de ser propuesta por el Congreso.

La idea principal de un texto es su asunto más importante. La idea más importante es que la Carta de Derechos fue aprobada para complementar la Constitución y para agregarle provisiones. La respuesta correcta es **C**.

2. ¿Cuál de los siguientes detalles respalda la idea principal?

   A. Un grupo de estados quería agregar cláusulas a la constitución para aclarar ciertos detalles e impedir el abuso de poderes.
   B. Las dos cámaras del Congreso se reunieron para crear la Carta de Derechos.
   C. Al ser aprobada, la Carta de Derechos debía servir como introducción a la Constitución.
   D. Tras su aprobación, la Carta de Derechos sería considerada una parte válida de la Constitución.

El detalle que respalda a la idea principal es que los estados querían agregar cláusulas que aclararan la Constitución aún más para evitar que fuera malinterpretada. La respuesta correcta es **A**.

3 Domina la destreza

INSTRUCCIONES: Estudia la información, lee cada pregunta y elige la **mejor** respuesta.

LA FORMACIÓN DE PARTIDOS POLÍTICOS

Al redactar la Constitución, los autores no planificaron el nuevo gobierno de los Estados Unidos en función de los partidos políticos. De hecho, muchos pensaban que los partidos políticos se prestarían a corrupción. Por ello, cuando George Washington se convirtió en el primer presidente en 1789, no representaba a ningún partido político. Sin embargo, al poco tiempo, se formaron los primeros partidos políticos de los Estados Unidos principalmente para promover diferentes perspectivas de cómo debía funcionar el gobierno.

El Partido Federalista, dirigido por el vicepresidente John Adams y el Tesorero Alexander Hamilton, creía en un gobierno central fuerte. La mayoría de los federalistas estaban concentrados en Nueva Inglaterra y muchos eran de clase alta. Los federalistas tenían el apoyo de fabricantes y comerciantes, y mantenían lazos fuertes con Gran Bretaña.

El segundo partido que se estableció en aquel entonces fue el Partido Demócrata-Republicano, formado por el secretario de estado Thomas Jefferson y el congresista de Virginia, James Madison. Los demócratas-republicanos no creían en un gobierno central fuerte. Argumentaban, de hecho, que la Constitución limitaba los poderes del gobierno federal para dar más poder a los estados y a la gente. Los demócratas-republicanos querían que el gobierno no estuviera integrado solamente por las élites. Creían que todos los hombres blancos adultos debían tener derecho a votar y a ocupar cargos públicos siempre y cuando fueran propietarios de tierras, grandes o pequeñas. Los demócratas-republicanos creían que los Estados Unidos debían ser un país agricultor; por ello, el partido encontró su mayor popularidad entre agricultores y sureños.

Con el paso del tiempo, estos dos partidos originales cambiaron, se dividieron y crecieron. Desde la década de 1850, los dos principales partidos en los Estados Unidos han sido el Partido Republicano y el Partido Demócrata. Al igual que los dos primeros partidos políticos, tienen ideologías particulares y visiones diferentes sobre el poder del gobierno.

3. ¿Cuál es el tema de este pasaje?

   A. la primera elección presidencial
   B. los federalistas
   C. los partidos políticos
   D. las visiones distintas sobre el gobierno

4. ¿Cuál es la idea principal de este pasaje?

   A. El Partido Federalista creía en un gobierno central fuerte y tenía lazos con Gran Bretaña.
   B. El Partido Demócrata-Republicano fue el primer partido político que se formó en los Estados Unidos.
   C. Los primeros dos partidos políticos fueron el Partido Federalista y el Partido Demócrata-Republicano.
   D. Los partidos políticos se formaron para promover visiones diferentes de cómo debe funcionar el gobierno.

5. ¿Cuál de los detalles siguientes respalda a la idea principal?

   A. En la Constitución se especificaba que no se debían establecer partidos políticos en los Estados Unidos.
   B. Los federalistas y los demócratas-republicanos ya no son los dos partidos políticos principales.
   C. Los federalistas y los demócratas-republicanos tenían perspectivas opuestas sobre el gobierno federal.
   D. Los demócratas-republicanos argumentaban que la Constitución limitaba los poderes del gobierno.

6. ¿Cuál de los siguientes detalles NO sería necesario en un resumen del pasaje?

   A. George Washington se convirtió en el primer presidente de los Estados Unidos en 1789.
   B. Los federalistas creían en un gobierno central fuerte.
   C. Los dos partidos políticos principales en la actualidad son el Partido Republicano y el Partido Demócrata.
   D. Los demócratas-republicanos pensaban que todos los hombres blancos adultos debían tener derecho a votar.

7. ¿Qué pensaban los autores originales de la Constitución sobre los partidos políticos?

   A. Eran necesarios para formar un gobierno central fuerte.
   B. Podían conducir a la corrupción, y no los mencionaron.
   C. Debían tener ideologías diferentes respecto al poder del gobierno.
   D. Debían ser establecidos por el primer presidente de los Estados Unidos.

LECCIÓN

Categorizar

Usar con el ***Libro del estudiante,*** págs. 36–37.

TEMAS DE ESTUDIOS SOCIALES: I.USH.b.3, I.USH.b.4, I.USH.b.6, II.USH.e, II.G.b.1, II.G.c.1, II.G.c.3, II.G.d.1, II.G.d.2, II.G.d.3, II.G.d.4, II.CG.e.1, I.E.a, II.E.g
PRÁCTICAS DE ESTUDIOS SOCIALES: SSP.1.a, SSP.1.b, SSP.2.b, SSP.6.b

1 *Repasa la destreza*

Categorizar significa ordenar información en grupos, o categorías, de elementos similares o relacionados. En estudios sociales puedes categorizar personas, ideas o sucesos. También puedes agrupar eventos en categorías históricas de diferentes tipos, como social, militar, política o historias de género. Categorizar te permite comprender mejor la información que se presenta.

Cuando tengas que categorizar información, busca términos paralelos que puedas identificar como categorías. Por ejemplo, cuando aprendas sobre la historia de un lugar, puedes crear categorías basadas en la población, el origen étnico y la distribución por género.

UNIDAD 2

2 *Perfecciona la destreza*

Al perfeccionar la destreza de categorizar información, mejorarás tus capacidades de estudio y evaluación, especialmente en relación con la prueba de Estudios Sociales de GED®. Estudia la tabla y la información que aparecen a continuación. Luego responde las preguntas.

(a) Las estadísticas suelen categorizarse de maneras diferentes. Por ejemplo, estos porcentajes se pueden categorizar en números altos, números bajos o por género.

(b) El título de esta tabla hace referencia al género; por eso, busca que los porcentajes se organicen en dos categorías: masculina y femenina. También se categorizan por años.

(b) INMIGRACIÓN POR GÉNERO A LOS ESTADOS UNIDOS, 1820–1830

Año	Porcentaje (a)	
	Masculina	Femenina
1820	69.8	30.2
1821	74.2	25.8
1822	77.5	22.5
1823	79.0	21.0
1824	80.1	19.9
1825	74.2	25.8
1826	70.9	29.1
1827	71.7	28.3
1828	65.4	34.6
1829	65.2	34.8
1830	72.5	27.5

CONSEJOS PARA REALIZAR LA PRUEBA

Observa con atención el título de la tabla y los encabezamientos de las columnas. El título y los encabezamientos describen el contenido de la tabla, lo que te permite entender cómo se ha organizado la información.

1. ¿Qué afirmación describe **mejor** la categoría 1824?

   A. el año con porcentajes iguales de inmigración masculina y femenina
   B. el año con el menor porcentaje de inmigración masculina
   C. el año con el menor porcentaje de inmigración femenina
   D. el año con el mayor porcentaje de inmigración femenina

2. ¿En que otras categorías se podrían organizar **mejor** estas estadísticas de inmigración?

   A. países de origen
   B. sucesos militares
   C. federalistas y antifederalistas
   D. historias políticas y económicas

Domina la destreza

★ Ítem en foco: COMPLETAR LOS ESPACIOS

INSTRUCCIONES: Estudia el mapa y lee cada pregunta. Luego escribe tus respuestas en los recuadros.

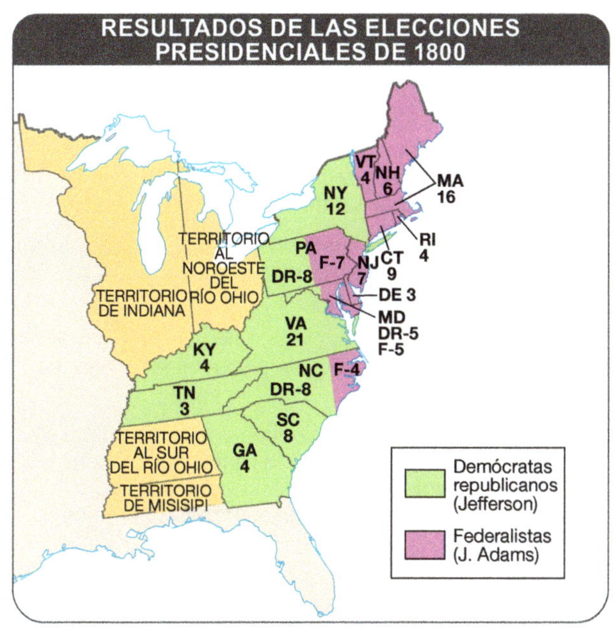

3. ¿Qué estado tuvo la **mayor** cantidad de votos electorales en la categoría de votantes demócratas republicanos?

4. ¿Qué estados tienen votantes electorales de las dos categorías, demócratas republicanos y federalistas?

   ______, ______ y ______

5. ¿En qué categoría está el estado de Vermont?

INSTRUCCIONES: Estudia la información, lee cada pregunta y elige la **mejor** respuesta.

George Washington creía que los partidos políticos perjudicarían a los nuevos Estados Unidos. En su discurso de despedida como presidente en 1796, expresó sus opiniones sobre estos partidos y de sus preocupaciones sobre el impacto que tendrían en el país:

"... las injurias comunes y continuas del espíritu de partido son suficientes para hacer que sea el interés y el deber de un pueblo sabio el desalentarlo y restringirlo.

Sirve siempre para distraer a los consejeros públicos y debilitar la administración pública. Inquieta a la comunidad con infundadas rivalidades y falsas alarmas, enciende la animosidad de unos contra otros, fomenta insurrecciones y disturbios ocasionales. Abre la puerta a la influencia extranjera y a la corrupción, la cual encuentra un acceso fácil al gobierno mismo a través de los canales de las pasiones del partido".

6. En el pasaje, Washington describe varios tipos de efectos de los partidos políticos potencialmente perjudiciales. ¿Bajo cuál de los siguientes efectos perjudiciales se puede categorizar el hecho de que otro gobierno soborne a un funcionario electo?

   A. consejeros públicos distraídos
   B. animosidad entre grupos
   C. disturbios e insurrección
   D. influencia extranjera y corrupción

7. Actualmente, ¿en qué dos grandes partidos políticos se categorizan los estadounidenses?

   A. Consejo y Administración
   B. Demócrata y Republicano
   C. Federalista y Antifederalista
   D. Libertario e Independiente

UNIDAD 2

3 Domina la destreza

INSTRUCCIONES: Estudia la información, lee cada pregunta y elige la **mejor** respuesta.

En 1803, el emperador francés Napoleón Bonaparte, ante una inminente guerra con Gran Bretaña, finalmente estuvo de acuerdo en vender el territorio de Luisiana a los Estados Unidos. Napoleón temía que Gran Bretaña intentara ocupar el territorio. La compra de Luisiana, como se la conoció, incluyó más de 800,000 millas cuadradas de tierra al oeste del río Misisipi. Los Estados Unidos pagaron $15 millones por el territorio. El presidente Thomas Jefferson quería adquirir las tierras para continuar la expansión de los Estados Unidos hacia el Oeste y conseguir el control absoluto del río Misisipi.

8. ¿Cómo se categoriza **mejor** la decisión de Bonaparte de vender Luisiana?

   A. Fue una decisión económica.
   B. Fue una decisión religiosa.
   C. Fue una decisión política.
   D. Fue una decisión social.

9. ¿Cómo se categoriza **mejor** la decisión del presidente Jefferson de concretar la compra de Luisiana con el fin de incrementar el territorio?

   A. Fue una decisión geográfica.
   B. Fue una decisión política.
   C. Fue una decisión de seguridad.
   D. Fue una decisión militar.

10. ¿Cómo se caracteriza **mejor** la decisión del presidente Jefferson de concretar la compra de Luisiana para lograr el control del río Misisipi?

    A. Fue una decisión religiosa.
    B. Fue una decisión económica.
    C. Fue una decisión política.
    D. Fue una decisión social.

11. ¿Bajo qué categoría de la historia de los Estados Unidos se categorizaría **mejor** la compra de Luisiana?

    A. Artículos de la Confederación
    B. Destino Manifiesto
    C. política indígena
    D. esclavitud

INSTRUCCIONES: Estudia la tabla, lee cada pregunta y elige la **mejor** respuesta.

LA EXPEDICIÓN DE LEWIS Y CLARK

La expedición cumplía las órdenes del presidente Thomas Jefferson; se denominó oficialmente Cuerpo de Descubrimiento; su objetivo principal era encontrar una ruta marítima entre el océano Atlántico y el Pacífico.
La expedición era comandada por los oficiales del Ejército Meriwether Lewis y William Clark; duró desde mayo de 1804 hasta septiembre de 1806.
El viaje comenzó y terminó en St. Louis; el Cuerpo llegó al océano Pacífico por las fronteras de lo que hoy es Oregón.
Clark sirvió de naturalista y llevó un diario detallado de todas las especies nuevas de plantas y animales que iban descubriendo.
Fallaron en la misión principal de encontrar un pasaje al noroeste; la información que reunieron sobre la tierra, las plantas y los animales, y la interacción exitosa con grupos de indígenas norteamericanos resultaron muy valiosas.

12. ¿Cómo se puede categorizar **mejor** el objetivo principal de la misión de Jefferson?

    A. interacción con indígenas norteamericanos
    B. expansión hacia el Oeste
    C. seguridad nacional y militar
    D. comercio e intercambio

13. ¿Bajo qué categorías se pueden poner los resultados de la expedición de Lewis y Clark?

    A. intercambio y comercio
    B. ciencia y cultura
    C. artes y voluntariado
    D. militar y defensa

14. ¿Bajo qué categoría se puede poner la justificación por la compra de Luisiana y la expedición de Lewis y Clark?

    A. religión
    B. política
    C. economía
    D. derechos civiles

INSTRUCCIONES: Estudia la tabla y la información, lee cada pregunta y elige la **mejor** respuesta.

ESTADOS DEL TERRITORIO DEL NOROESTE

Estado	Año en que se convirtió en estado	Orden de convertirse en estado
Ohio	1803	17
Indiana	1816	19
Illinois	1818	21
Míchigan	1837	26
Wisconsin	1848	30

Después de que el Congreso aprobó la Ordenanza del Noroeste en julio de 1787, se creó el Territorio del Noroeste. El nuevo territorio era un área extensa de tierras federales al este del río Misisipi entre los Grandes Lagos y el río Ohio. Al mismo tiempo, el Congreso estableció una forma de gobierno para el Territorio del Noroeste y declaró de qué manera las distintas áreas del territorio podrían convertirse en estados en el futuro.

La Ordenanza del Noroeste requería la creación de no menos de tres ni más de cinco estados en el Territorio del Noroeste. También se definían los límites de cada uno de los estados nuevos. La Ordenanza prohibía la esclavitud y fijaba como requisito para cada uno de los estados nuevos que sumaran por lo menos 60,000 habitantes para que pudieran considerarse estados.

15. ¿Qué estado se puede poner en una categoría de estados formados después de 1840?

    A. Ohio
    B. Indiana
    C. Míchigan
    D. Wisconsin

16. La información de la tabla y el pasaje categoriza a los estados que se crearon en el Territorio del Noroeste. ¿De qué otra manera se puede categorizar a este grupo de estados?

    A. estados libres
    B. estados al oeste del río Misisipi
    C. estados al sur del río Ohio
    D. estados esclavistas

INSTRUCCIONES: Estudia la información, lee cada pregunta y elige la **mejor** respuesta.

En octubre de 1803, el presidente Thomas Jefferson dio un discurso para el Congreso y alentó a los legisladores a que aprobaran la compra de Luisiana.

Fragmento traducido del tercer mensaje anual de Thomas Jefferson al Congreso, 1803:

Mientras que la prosperidad y la soberanía del Misisipi y sus aguas aseguran una salida independiente para los productos de los estados occidentales y una navegación sin control a través de todo su curso, libre de enfrentamientos con otros poderes y peligros que atenten contra nuestra paz, la fertilidad de la región, su clima y su extensión prometen importantes aportes a nuestro tesoro, una amplia provisión para nuestra prosperidad y un vasto terreno para las bendiciones de libertad y leyes igualitarias.

17. ¿Cuáles son las dos categorías de beneficios que, según Jefferson, recibirán los Estados Unidos por la compra de Luisiana?

    A. alianzas con España y el control del golfo de México
    B. oportunidades para construir fábricas y el uso de instalaciones militares de la región
    C. un pasaje seguro a través del área y beneficios financieros por los recursos de la zona
    D. apoyo de los colonos franceses y la adquisición de un territorio bien establecido

18. ¿Qué categoría de la economía de la nación menciona Jefferson dos veces?

    A. industria
    B. agricultura
    C. transporte
    D. turismo

19. ¿Bajo qué categoría coloca Jefferson la libertad y las leyes igualitarias?

    A. derechos
    B. libertades
    C. bendiciones
    D. responsabilidades

UNIDAD 2

Ordenar en secuencia

LECCIÓN 5

Usar con el ***Libro del estudiante,*** págs. 38–39.

TEMAS DE ESTUDIOS SOCIALES: II.CG.e.3, I.USH.a, I.USH.b.2, I.USH.b.6, I.USH.b.7, II.G.b.1, II.G.c.1, II.G.d.1, II.G.d.2, II.G.d.3, II.G.d.4
PRÁCTICAS DE ESTUDIOS SOCIALES: SSP.1.a, SSp.1.b, SSP.2.a, SSP.2.b, SSP.3.a, SSP.3.b, SSP.6.b, SSP.10.c

1 Repasa la destreza

Ordenar en secuencia sucesos significa organizarlos según el tiempo en que ocurren. Entender el orden en el que ocurren los sucesos es fundamental para el estudio de estudios sociales. Ordenar en secuencia es especialmente importante cuando estudias historia. El orden en el que ocurren los sucesos históricos puede ayudarte a explicar cómo un suceso puede ser el resultado de un suceso anterior y también cómo puede afectar a un suceso posterior.

Busca con atención palabras o frases que indiquen una secuencia de sucesos. Los autores suelen escribir acerca de sucesos históricos en orden cronológico, es decir, en el orden en que ocurren. Sin embargo, a veces los autores pueden ir hacia adelante y hacia atrás en el tiempo para escribir acerca de un tema específico.

UNIDAD 2

2 Perfecciona la destreza

Al perfeccionar la destreza de ordenar en secuencia sucesos, mejorarás tus capacidades de estudio y evaluación, especialmente en relación con la prueba de Estudios Sociales de GED®. Estudia el organizador gráfico y la información que aparecen a continuación. Luego responde las preguntas.

En 1815 comenzó un largo período de paz en Europa. → Los líderes políticos de los Estados Unidos comenzaron a centrar su atención en asuntos internos. → Los estadounidenses comenzaron a desplazar a los indígenas norteamericanos de sus tierras en el este del río Misisipi. → Muchos estadounidenses establecieron granjas en tierras que pertenecían a los indígenas norteamericanos.

a Los organizadores gráficos secuenciales muestran el orden en secuencia de los sucesos de izquierda a derecha o de arriba abajo. Las flechas indican el movimiento de un suceso a otro.

b Busca palabras clave en los pasajes que indiquen secuencias. Aquí, el autor usa la palabra *después* para indicar cuándo fue Monroe a Nueva Inglaterra.

La época que se conoció como la "era de los buenos sentimientos" comenzó aproximadamente cuando James Monroe asumió su primer mandato como presidente de los Estados Unidos. Monroe representaba al Partido Demócrata Republicano, que se había hecho más fuerte que el Partido Federalista. Monroe resultó ser un presidente muy popular entre los estadounidenses. Después de su victoria en las elecciones de 1816, el presidente Monroe emprendió un recorrido por Nueva Inglaterra. Durante ese recorrido de celebración, un periódico de Massachusetts acuñó el término "era de los buenos sentimientos".

1. ¿Cuál de los siguientes sucesos precedió el recorrido de Monroe por Nueva Inglaterra?

   A. el uso del término "era de los buenos sentimientos"
   B. la caída del Partido Demócrata Republicano
   C. la reelección de Monroe como presidente
   D. las elecciones de 1816

2. ¿Por qué muchos indígenas norteamericanos perdieron sus tierras?

   A. Comenzó una guerra en Europa.
   B. Querían mudarse hacia el oeste del río Misisipi.
   C. Los colonos querían cultivar las tierras.
   D. El presidente Monroe ordenó que abandonaran sus tierras.

CONSEJOS PARA REALIZAR LA PRUEBA

Cuando tengas que ordenar los sucesos históricos de un pasaje en una evaluación, usa el tablero borrable para hacer una lista cronológica de los sucesos importantes.

3 Domina la destreza

★ Ítem en foco: **PUNTO CLAVE**

INSTRUCCIONES: Estudia el organizador gráfico y lee cada pregunta. Luego marca en el organizador gráfico la **mejor** respuesta.

LA BATALLA DE NUEVA ORLEANS

Los británicos esperan conseguir el acceso al valle del río Misisipi al tomar la ciudad de Nueva Orleans.

↓

Las fuerzas británicas y estadounidenses llegan cerca de Nueva Orleans a fines de 1814.

↓

El 24 de diciembre de 1814, los diplomáticos británicos y estadounidenses hacen la paz en Bélgica y firman el Tratado de Gante.

↓

Siendo el caso que aún no llega a los Estados Unidos la noticia del tratado, se producen muchos conflictos pequeños cerca de Nueva Orleans a fines de 1814 y principios de 1815.

↓

La batalla principal de Nueva Orleans ocurre el 8 de enero de 1815.

↓

Los estadounidenses obtienen una victoria decisiva.

↓

Los británicos abandonan sus planes y vuelven a Gran Bretaña.

3. Encierra en un círculo la información del organizador gráfico que describa lo que sucedió después de que los estadounidenses obtuvieran una victoria decisiva en la batalla de Nueva Orleans.

4. Haz una tilde en el organizador gráfico junto al recuadro que explica en qué lugar estaban ubicadas las fuerzas británicas y estadounidenses cuando se firmó el Tratado de Gante.

5. Dibuja una estrella en el organizador gráfico junto al recuadro que explique por qué los británicos querían tomar control de Nueva Orleans.

INSTRUCCIONES: Estudia la información, lee cada pregunta y elige la **mejor** respuesta.

Fragmento traducido del discurso inaugural de James Monroe en 1817:

Nuestro país, entonces, tiene una condición que nos favorece más, y será beneficioso para todos los ciudadanos mantenerla. ¿Cuáles son los peligros que nos amenazan? Si existe alguno, debemos determinarlo y defendernos de él.

Al explicar los sentimientos que tengo respecto de este tema, se pueden preguntar: ¿Qué nos trajo a este presente de felicidad? ¿Cómo logramos la revolución? ¿Cómo remediar los defectos del primer instrumento de nuestra Unión [...]? ¿Cómo soportar y superar con gloria la última guerra? El gobierno ha estado en manos del pueblo.

6. ¿Cuál de los siguientes sucesos ocurrió primero?

   A. la asunción de Monroe a la presidencia
   B. las elecciones de 1816
   C. la Guerra de Independencia
   D. la redacción de los Artículos de la Confederación

7. ¿A cuál de los siguientes sucesos se refiere el último desafío que describe Monroe, el de soportar con "gloria la última guerra"?

   A. a la Guerra de Secesión
   B. a la Guerra de 1812
   C. a la Guerra de Independencia
   D. a la Guerra contra la Alianza Franco-Indígena

8. ¿A qué documento reciente es probable que se refiera el presidente Monroe cuando afirma: "El gobierno ha estado en manos del pueblo"?

   A. a los Artículos de la Confederación
   B. al Tratado de Gante
   C. a la Declaración de Independencia
   D. a un artículo de un periódico de Massachusetts

3 Domina la destreza

INSTRUCCIONES: Estudia la información, lee cada pregunta y elige la **mejor** respuesta.

Fragmento traducido del mensaje al Congreso acerca de la remoción indígena, de Andrew Jackson, 1830:

Es un placer para mí anunciar al Congreso que la política benevolente del gobierno, proseguida con perseverancia durante casi treinta años, respecto de la remoción de los indígenas más allá de los asentamientos blancos, está llegando a su final feliz. Dos tribus importantes han aceptado la disposición que se ha hecho para su traslado durante la última sesión del Congreso y se cree que su ejemplo inducirá a las tribus restantes a buscar las mismas evidentes ventajas (...)

La política actual del gobierno no es más que una continuación del mismo cambio progresista, aunque a través de un proceso más leve. Las tribus que ocupaban los territorios donde ahora se establecieron los estados orientales fueron aniquiladas o se han esfumado para hacer lugar a los blancos. Las olas de población y civilización se están dirigiendo hacia el Oeste, y ahora nos proponemos adquirir las tierras ocupadas por los hombres rojos del sur y del oeste por un intercambio justo y, a expensas de los Estados Unidos, enviarlos a tierras donde su existencia pueda prolongarse quizás para siempre.

9. Según el discurso de Jackson, ¿cuál de los siguientes sucesos ya ha ocurrido?

   A. La mayoría de los grupos de indígenas norteamericanos ya se han ido del este de los Estados Unidos.
   B. Los dos últimos grupos de indígenas norteamericanos del este de los Estados Unidos se niegan a abandonar sus tierras.
   C. La migración de colonos blancos hacia las áreas occidentales de los Estados Unidos ha disminuido.
   D. La política que ha usado el gobierno durante los últimos treinta años para trasladar a los indígenas norteamericanos ha fallado.

10. ¿Qué sugiere Jackson acerca de las políticas de los Estados Unidos respecto de los indígenas norteamericanos?

   A. Las políticas han tenido un éxito aceptable.
   B. Las políticas se han vuelto menos violentas y agresivas con ellos.
   C. Las políticas han llevado a un consenso entre los grupos de indígenas que enfrentaban traslados.
   D. Las políticas han sido inconsistentes entre las diferentes presidencias.

INSTRUCCIONES: Estudia la información, lee cada pregunta y elige la **mejor** respuesta.

Después de ocupar el cargo de secretario de estado, James Monroe recibió la nominación para presidente del Partido Demócrata Republicano en 1816 y ganó fácilmente las elecciones generales. Monroe se enfrentó con muchos desafíos respecto de las políticas exteriores. En 1817, a partir de un acuerdo, se redujo el número de las fuerzas británicas y estadounidenses en los Grandes Lagos. Y con otro acuerdo se oficializó el control del estado de Florida por parte de los Estados Unidos.

Monroe ganó la reelección en 1820. El suceso más destacado del segundo mandato de Monroe resultó ser la aprobación del Destino Manifiesto y la propuesta de la Doctrina Monroe en 1823. La Doctrina Monroe se convirtió en uno de los fundamentos de la política exterior de la joven nación. El gobierno de los Estados Unidos conserva esta doctrina hasta la actualidad. La Doctrina Monroe establece que las naciones europeas no deben interferir con ninguna nación del hemisferio occidental, ni intentar adquirir nuevos territorios allí.

11. ¿Cuántos años pasaron desde el momento en que Monroe fue elegido presidente por primera vez hasta su propuesta de la Doctrina Monroe?

   A. dos años
   B. cuatro años
   C. cinco años
   D. siete años

12. ¿Por qué los votantes reeligieron a Monroe en 1820?

   A. Monroe dio por terminadas muchas disputas con países extranjeros.
   B. Monroe había sido secretario de estado.
   C. Monroe salvó al Partido Federalista.
   D. Monroe propuso la Doctrina Monroe.

13. ¿Cuál de los siguientes sucesos ocurrió después de 1820?

   A. El presidente Monroe ganó la reelección.
   B. El presidente Monroe respaldó el Destino Manifiesto y propuso la Doctrina Monroe.
   C. El presidente Monroe ayudó a formar un acuerdo entre los británicos y los estadounidenses acerca de los Grandes Lagos.
   D. El presidente Monroe aseguró Florida para los Estados Unidos.

 Ítem en foco: **COMPLETAR LOS ESPACIOS**

INSTRUCCIONES: Estudia el organizador gráfico y lee cada pregunta. Luego escribe tu respuesta en cada recuadro.

LA EXPANSIÓN DE LOS ESTADOS UNIDOS A PRINCIPIOS DEL SIGLO XIX

1804: La expedición de Lewis y Clark inicia la exploración de la compra de Luisiana.

↓

1812: Luisiana se convierte en el primer estado de los Estados Unidos al oeste del río Misisipi.

↓

1821: Misuri se une a los Estados Unidos.

↓

Década de 1830: Los Estados Unidos empezaron a designar algunas áreas occidentales como Territorios Indígenas.

↓

1835: Los colonos estadounidenses de Texas lideran la Revolución de Texas contra las fuerzas mexicanas.

↓

1836: Arkansas se une a los Estados Unidos.

14. ¿Qué estado ganó su condición de estado antes que Misuri?

15. Según el organizador gráfico, ¿qué suceso ocurrió primero que llevó a la expansión occidental de los Estados Unidos?

UNIDAD 2

INSTRUCCIONES: Estudia la información, lee cada pregunta y elige la **mejor** respuesta.

Después de la guerra de 1812, muchos líderes políticos estadounidenses creían que la nación debía buscar la expansión de sus fronteras. Uno de ellos era el secretario de estado de James Monroe, John Quincy Adams. Adams ayudó a desarrollar la política de la Doctrina Monroe. Esta política establecía que la colonización europea en el continente americano se consideraría un acto de agresión hacia los Estados Unidos. Además, la Doctrina Monroe permitía la futura expansión de los Estados Unidos en el continente americano.

Fragmento traducido del séptimo mensaje anual al Congreso de James Monroe, 2 de diciembre de 1823:

No nos hemos entrometido, ni lo haremos, con las colonias o dependencias europeas existentes. Pero con los gobiernos que han declarado y mantenido su independencia,... y cuya independencia hemos reconocido, no consideraremos ninguna intervención con el propósito de oprimirlos o de controlar su destino de cualquier manera por parte de cualquier potencia europea más que como una manifestación de hostilidad hacia los Estados Unidos.

16. ¿Después de qué suceso es probable que se haya promulgado la Doctrina Monroe?

A. Los Estados Unidos anexaron el estado de Texas.
B. John Quincy Adams fue elegido presidente.
C. Gran Bretaña acordó detener su continua expansión hacia América del Norte occidental.
D. España pidió a otras naciones europeas que detuvieran las revueltas en las colonias españolas en el continente americano.

17. ¿Qué suceso posterior reflejó la importancia de la Doctrina Monroe para los Estados Unidos?

A. la Guerra de Vietnam
B. la Guerra de Corea
C. la Guerra Mexicano-Estadounidense
D. la Guerra de Secesión

6 LECCIÓN Causa y efecto

Usar con el ***Libro del estudiante,*** págs. 40–41.

TEMAS DE ESTUDIOS SOCIALES: I. USH.a.1, I.USH.c.1, I.USH.c.2, I.USH.c.3, I.USH.c.4, I.CG.d.2, II.CG.e.1, II.CG.e.3, II.G.b.1, II.G.c.2, II.G.d.2, II.G.d.3, I.E.a
PRÁCTICAS DE ESTUDIOS SOCIALES: SSP.1.a, SSP.1.b, SSP.2.a, SSP.2.b, SSP.3.b, SSP.3.c, SSP.4.a, SSP.6.b, SSP.11.a

1 *Repasa la destreza*

Al entender **causas** y **efectos**, puedes examinar cómo se relacionan los sucesos históricos entre sí. Por ejemplo, el efecto de un suceso puede ser la causa de otro suceso o de varios de ellos. De esta manera, puedes vincular una serie de sucesos para entender cómo se relacionan entre sí y producen un resultado final.

Una sola causa tendrá probablemente más de un efecto y un solo efecto suele tener muchas causas. Esto es particularmente cierto cuando se estudian sucesos históricos.

UNIDAD 2

2 *Perfecciona la destreza*

Al perfeccionar la destreza de entender causas y efectos, mejorarás tus capacidades de estudio y evaluación, especialmente en relación con la prueba de Estudios Sociales de GED®. Estudia el mapa y el pasaje que aparecen a continuación. Luego responde las preguntas.

El 20 de diciembre de 1860, Carolina del Sur se separó de la Unión e instó a los demás estados del sur a hacer lo mismo. [...] Aunque Lincoln todavía no había asumido su cargo, sus acciones y opiniones eran influyentes. Lincoln recibió muchas cartas acerca de la crisis por la separación en las que le consultaban su postura y le ofrecían consejos. [...] Dentro de los siguientes cuarenta días, Misisipi, Florida, Alabama, Georgia, Luisiana y Texas siguieron los pasos de Carolina del Sur. Así establecieron los Estados Confederados de América y nombraron presidente a Jefferson Davis, de Misisipi, todo antes de que Lincoln asumiera su cargo. El 4 de marzo de 1861, Lincoln dio su discurso inaugural ante una Unión dividida.

Fragmento traducido de loc.gov, visitado en 2021

a

a Un recurso visual, como un mapa, puede ayudarte a esclarecer causas y efectos.

b Observa dónde vivían las personas que votaron a Lincoln. ¿Dónde vivían la mayoría de sus oponentes?

USAR LA LÓGICA

A veces, una secuencia de sucesos sugiere una causa. Puedes hacerte estas preguntas: ¿Qué sucedió primero? ¿Qué sucedió después? ¿Cómo se relacionan estos dos sucesos?

1. ¿Cuál fue la causa de que los estados del Sur se separaran de la Unión?

   A. la elección de Davis
   B. la elección de Lincoln
   C. los votos de los territorios
   D. el establecimiento de la Confederación

2. ¿Cuál de las siguientes opciones es un efecto de la separación del Sur?

   A. una nación dividida
   B. la renuncia de Lincoln a su cargo
   C. la designación de la condición de estados de los territorios
   D. la unión de Oregón a la Confederación

3 Domina la destreza

INSTRUCCIONES: Estudia la información y la tabla, lee cada pregunta y elige la **mejor** respuesta.

La creación de la desmotadora de algodón en 1793 cambió drásticamente la industria del algodón en los Estados Unidos. La desmotadora separaba las fibras de algodón de las semillas, lo que reducía la cantidad de mano de obra necesaria para el proceso de producción. Ahora, el algodón era una industria mucho más rentable. En los estados del Sur, el algodón se convirtió en un cultivo comercial importante. La producción del algodón sin procesar en los Estados Unidos aumentó de 3,000 fardos en 1790 a casi 4,000,000 en 1860. Otros cultivos comerciales, como el arroz y el tabaco, también eran importantes para la economía del Sur. Las plantaciones de los estados sureños necesitaban mano de obra barata para trabajar en los campos de algodón y otros cultivos comerciales.

POBLACIÓN DE CAROLINA DEL SUR

Año	Blancos	Afroamericanos esclavizados
1790	140,178	107,094
1820	237,440	258,475
1840	259,084	327,038
1860	291,300	402,406

Fuente: Oficina de Censos de EE. UU.

3. ¿Cuál de las siguientes opciones es **más probable** que haya contribuido a aumentar la población de afroamericanos esclavizados en Carolina del Sur?

   A. Se sancionaron nuevas leyes contra los esclavos fugitivos en 1850, lo que dificultó que los afroamericanos esclavizados escaparan.
   B. Se trajeron muchos más esclavos de África a Carolina del Sur durante este período.
   C. Se necesitaba a los afroamericanos esclavizados para trabajar en los campos de las enormes plantaciones del Sur.
   D. Muchos esclavos escaparon del Norte por las rutas del Ferrocarril Subterráneo.

4. ¿Qué efecto tuvo la desmotadora de algodón sobre la industria del algodón?

   A. La industria del algodón se desmoronó.
   B. La industria del algodón no cambió.
   C. La industria del algodón se volvió menos lucrativa.
   D. La industria del algodón se volvió más lucrativa.

INSTRUCCIONES: Estudia la información, lee cada pregunta y elige la **mejor** respuesta.

De la Proclamación de Emancipación publicada por Abraham Lincoln el 1 de enero de 1863:

En el primer día de enero, en el año de nuestro Señor mil ochocientos sesenta y tres, todas las personas detenidas como esclavas dentro de cualquier estado o parte designada de un estado cuya población esté en rebelión contra los Estados Unidos deben ser, de ahora en adelante y por siempre, libres; y el gobierno ejecutivo de los Estados Unidos, incluyendo a la autoridad militar y naval, reconocerá y mantendrá la libertad de esas personas y no hará nada para reprimirlas en ningún esfuerzo que hagan para lograr su libertad.

Que el gobierno ejecutivo, en el primer día de enero del año mencionado ... designa a los Estados y partes de los Estados ... en donde las personas, respectivamente, estén en rebelión contra los Estados Unidos; y el hecho de que cualquier Estado, o su población, en ese día, de buena fe, debe estar representado en el Congreso de los Estados Unidos por miembros elegidos en elecciones donde la mayoría de los votantes calificados de dicho Estado haya participado, debe ... considerarse prueba concluyente de que dicho Estado, y su población, no están en rebelión contra los Estados Unidos.

5. ¿Cómo afectó la Proclamación de Emancipación a los esclavos de los Estados Unidos y a la Confederación?

   A. Les dio la posibilidad de obtener su libertad si servían en las fuerzas armadas de los EE. UU.
   B. Liberó a los esclavos que vivían en los estados del Sur en lucha contra la Unión.
   C. Liberó a los esclavos de los Estados Unidos y la Confederación.
   D. Reclutó a miles de esclavos para la fuerza militar de la Unión.

6. ¿Qué efecto buscaba obtener Lincoln al ofrecer esos términos?

   A. Buscaba castigar a los estados del Sur por permitir la esclavitud.
   B. Deseaba sumar tropas a la fuerza militar de la Unión.
   C. Esperaba obtener el apoyo de los representantes del Sur en el Congreso.
   D. Quería preservar los Estados Unidos a cualquier costo.

3 *Domina la destreza*

INSTRUCCIONES: Estudia la información y la tabla, lee cada pregunta y elige la **mejor** respuesta.

ENMIENDAS DE LA GUERRA DE SECESIÓN

Decimotercera Enmienda	Decimocuarta Enmienda	Decimoquinta Enmienda
La Decimotercera Enmienda se ratificó el 6 de diciembre de 1865. Abolió la esclavitud "en los Estados Unidos y en cualquier lugar sujeto a su jurisdicción".	El Congreso ratificó la Decimocuarta Enmienda, a veces llamada la "Gran Enmienda", el 9 de julio de 1868.	La Decimoquinta Enmienda se ratificó el 3 de febrero de 1870, y protegió los derechos a votar de los afroamericanos liberados.
Aunque el Congreso abolió la esclavitud en el distrito de Columbia en 1862 y la Proclamación de Emancipación del presidente Abraham Lincoln terminó con la práctica de la esclavitud en los Estados Confederados en 1863, la esclavitud no fue abolida en todo el país hasta que la Decimotercera Enmienda fuera ratificada.	La enmienda otorgó la ciudadanía a "todas las personas nacidas o naturalizadas en los Estados Unidos", también incluyó a las personas que habían sido esclavizadas y estableció la "protección de las leyes que se aplican igualmente para todos" los ciudadanos, lo que extendió los artículos de la Declaración de Derechos a los estados.	Prohibió al gobierno nacional y a los gobiernos estatales que priven a los votantes de su derecho a votar "por motivos de raza, color o de su anterior condición de esclavos".
Muchos estados aprobaron leyes para proteger los derechos de los afroamericanos, pero los blancos que se oponían a la igualdad racial, la mayoría de ellos del Sur, lucharon contra leyes similares cuando el Congreso intentó aprobarlas.	También prohibió que los estados hagan o apliquen leyes que priven a los individuos de sus derechos civiles o los perjudiquen.	Después de la aprobación de la Decimoquinta Enmienda, un gran número de hombres liberados votó desde fines de la década de 1860 hasta la década de 1880.

Antes de la victoria de la Unión en la Guerra de Secesión en 1865, el Congreso había planeado hacer frente a los desafíos con los que se iban a enfrentar los Estados Unidos, especialmente la integración de cuatro millones de afroamericanos liberados y la readmisión para que los ex estados rebeldes tuvieran representación federal.

La Reconstrucción del Congreso incluyó la Decimotercera, la Decimocuarta y la Decimoquinta Enmiendas a la Constitución, que otorgaron protección civil y legal a las personas que habían sido esclavizadas.

Algunos dueños de las plantaciones del Sur querían que el gobierno les pagara por los que habían sido sus trabajadores esclavos. Muchas personas del Norte querían que los afroamericanos liberados permanecieran en el Sur, porque temían perder sus trabajos. Muchos hombres liberados no podían conseguir buenos trabajos debido a su falta de educación y a la discriminación descontrolada. El derecho a votar era un tema importante para los afroamericanos liberados.

Aunque muchas personas del Sur y del Norte estaban en contra de las enmiendas, la Decimotercera, la Decimocuarta y la Decimoquinta Enmiendas desempeñaron un papel importante en el Movimiento por los Derechos Civiles del siglo siguiente.

7. ¿Cuál fue la causa principal de la ratificación de la Decimotercera, la Decimocuarta y la Decimoquinta Enmiendas?

   A. Los estados del Sur ya no tenían la necesidad de tener trabajadores esclavos.
   B. Los estados del Norte decidieron que ellos también tenían derecho a tener trabajadores esclavos.
   C. Terminó la Guerra de Secesión y los estados centraron su energía en la reconstrucción.
   D. Terminó la Guerra de Secesión y el Sur perdió.

8. ¿Cuál de las siguientes opciones fue un efecto directo de la ratificación de la Decimocuarta Enmienda?

   A. Se abolió la esclavitud a nivel federal.
   B. Los antiguos esclavos se convirtieron en ciudadanos de los Estados Unidos.
   C. El presidente Lincoln publicó la Proclamación de Emancipación.
   D. Los hombres afroamericanos ganaron el derecho a votar.

INSTRUCCIONES: Estudia la información, lee cada pregunta y elige la **mejor** respuesta.

La Reconstrucción del Congreso, que duró desde 1866 hasta 1877, tuvo como objetivo reorganizar los estados del Sur después de la Guerra de Secesión. La Reconstrucción también tuvo entre sus objetivos proveer los medios para volver a admitir en la Unión a los antiguos Estados Confederados y para definir los medios por los cuales los blancos y los afroamericanos liberados vivirían juntos en una sociedad donde se había abolido la esclavitud. Sin embargo, el Sur no recibió con agrado la Reconstrucción.

Durante los años posteriores a la Guerra de Secesión, las iglesias para blancos y afroamericanos, las organizaciones misioneras y las escuelas comenzaron el proceso de dar a la población emancipada la oportunidad de aprender. Las personas de todas las edades que habían sido esclavizadas agradecieron la oportunidad de aprender a leer y a escribir.

Con la protección de la Decimotercera, la Decimocuarta y la Decimoquinta Enmiendas y la Ley de los Derechos Civiles de 1866, los afroamericanos disfrutaron de libertades como el derecho a votar, la participación activa en procesos políticos, la compra de tierras (incluso de tierras que pertenecían a sus antiguos dueños), la obtención de trabajos importantes y el uso de los servicios públicos. Sin embargo, los que se oponían a este progreso rápidamente se manifestaron en contra de los afroamericanos liberados en un intento de menoscabar los logros que ofrecían las enmiendas.

Muchos trabajadores emancipados huyeron de sus dueños; otros continuaron trabajando para ellos como empleados pagos. Y, lo que es más importante, los afroamericanos pudieron tomar sus propias decisiones acerca de dónde querían trabajar y qué tipo de trabajos querían realizar.

La mayoría de los afroamericanos no estaban conformes con trabajar a cambio de los salarios mínimos que los dueños de las plantaciones estaban dispuestos a pagar. Tampoco les gustaba trabajar en grupos bajo supervisión, como lo habían hecho durante la esclavitud. Como resultado de esto, gradualmente se estableció un nuevo sistema para reemplazar el sistema de trabajo por salarios. En lugar de trabajar por un salario, los afroamericanos comenzaron a recibir una parte de los cultivos de sus empleadores. Este acuerdo recibió el nombre de aparcería. Para fines de la década de 1870, la mayoría de los afroamericanos y muchos sureños blancos en condiciones de pobreza eran aparceros.

9. ¿Qué efecto de la Reconstrucción pudo haber afectado la economía del Sur?

   A. La esclavitud costó más dinero durante la Reconstrucción.
   B. Se había abolido la esclavitud con la Proclamación de Emancipación.
   C. No había trabajadores para emplear después de la Guerra de Secesión.
   D. Se había abolido la esclavitud y había que pagarles a los trabajadores por su trabajo.

10. ¿Cuál de las siguientes opciones describe la causa principal de la Reconstrucción?

   A. Los estados del Norte querían castigar a los estados del Sur por los daños ocasionados durante la Guerra de Secesión.
   B. Los estados del Sur querían brindarles educación y trabajos a los afroamericanos liberados.
   C. Después de la Guerra de Secesión, el Congreso necesitaba un plan de gobierno para los estados del Sur y para el tratamiento de los trabajadores que habían sido esclavos.
   D. Durante los últimos años de la Guerra de Secesión, el Congreso necesitaba un plan para gobernar los estados del Sur.

11. ¿Cuál de las siguientes opciones describe una de las formas en las que cambiaron las prácticas agrícolas en el Sur como resultado de la Reconstrucción?

   A. Los estados del Norte plantaron más cultivos comerciales para alimentar a los afroamericanos liberados.
   B. Los terratenientes del Sur permitieron que los agricultores conservaran parte de los cultivos en lugar de recibir un salario.
   C. Los agricultores del Sur tuvieron que producir más alimentos para alimentar a las personas que vivían cerca de sus antiguas plantaciones.
   D. Los agricultores del Sur enviaban la mayor parte de sus alimentos hacia otras partes del país para que otras personas se alimentaran.

Lección de alto impacto: Analizar conexiones y relaciones

TEMA DE ESTUDIOS SOCIALES II.G.b.1
PRÁCTICAS DE ESTUDIOS SOCIALES SSP.1.a, SSP.2.b, SSP.3.c

1 Repasa la destreza

Cuando **analizas conexiones y relaciones** entre personas, lugares, sucesos, ambientes o procesos en un texto, examinas cómo se relacionan estos elementos. Un texto podría describir cómo afectó a la nación la Guerra Civil estadounidense o comentar la conexión entre la Primera Guerra Mundial y la Gran Depresión.

Frases y palabras indicadoras

Las frases y palabras indicadoras permiten identificar y entender las conexiones entre los elementos de un texto. Por ejemplo, *porque* y *por lo tanto*, indican una relación de causa y efecto; *primero* y *finalmente* indican una secuencia; *de la misma manera* marca una comparación; *al contrario* indica un contraste.

Hacer conexiones

Algunos escritores se basarán en la cultura general de los lectores acerca de personas, lugares o sucesos famosos para ayudarlos a hacer conexiones nuevas con la información de un texto. Por ejemplo, un texto biográfico o histórico podría mencionar hechos del pasado para proporcionar contexto o para atraer la atención sobre las conexiones entre los sucesos que se están discutiendo. Los escritores conectan los elementos de un texto subrayando el orden de importancia, los pasos de un proceso, el problema y la solución, las similitudes y las diferencias, las causas y los efectos o el orden cronológico. Estas conexiones pueden estar enunciadas directamente o bien ser implícitas.

En la prueba de Estudios Sociales de GED®, se espera que muestres que comprendes cómo se relacionan personas, lugares, ambientes, procesos y sucesos, y que demuestres que eres capaz de analizar las conexiones entre ellos. Es posible que te encuentres con preguntas que te pidan describir estos elementos clave de un texto o bien identificar o explicar sus relaciones.

2 Perfecciona la destreza

a Observa las fechas en el primer párrafo. El escritor incluye fechas para poner en contexto los sucesos que describe. Las palabras indicadoras *Después que* y *cuando* ayudan a los lectores a entender el orden de los acontecimientos.

b Las palabras indicadoras *después de* y *mientras* ayudan a los lectores a entender el orden de los sucesos.

LA BATALLA DE JUMONVILLE GLEN

La batalla de Jumonville Glen (28 de mayo de 1754) suele ser considerada la primera batalla de la guerra franco-india (1754-1763) y fue la primera vez que George Washington lideró tropas en combate. Después de que los franceses construyeran Fort Duquesne, Washington llevó a la zona una fuerza de virginianos e indígenas norteamericanos aliados. Cuando le informaron que tropas francesas habían acampado en las cercanías, decidió sorprenderlas con un ataque al amanecer.

Su plan resultó un éxito; después de un breve intercambio de disparos, los franceses se rindieron. Pero mientras el comandante francés, Joseph Coulon de Villiers de Jumonville, era mantenido prisionero, el jefe iroqués Tanacharison, indígena norteamericano aliado de Washington, lo mató. Otros indígenas norteamericanos lo imitaron y nueve prisioneros franceses más fueron asesinados. Los franceses acusaron a Washington de ser un criminal de guerra.

1. ¿Por qué los franceses declararon que Washington era un criminal de guerra?

   A. Lideró un ataque sobre Fort Duquesne.
   B. Sorprendió a las fuerzas francesas con un ataque al amanecer
   C. Soldados franceses fueron asesinados en la batalla de Jumonville Glen.
   D. Prisioneros franceses fueron asesinados por personas que estaban bajo su mando.

Las palabras indicadoras *por qué* muestran una conexión de causa/efecto. La relación puede hallarse en el segundo párrafo. Vuelve a leer el párrafo antes de responder la pregunta. La respuesta correcta es **D**.

3 Domina la destreza

INSTRUCCIONES: Estudia la información, lee cada pregunta y elige la **mejor** respuesta.

LA BATALLA DE FORT NECESSITY

La batalla de Fort Necessity (3 de julio de 1754) tuvo lugar poco después de la batalla de Jumonville Glen. Sabiendo que los franceses iban a contraatacar, Washington pidió a sus hombres que fortificaran el campamento. Estos erigieron una empalizada circular (cerca de estacas de madera fijadas al suelo) y cavaron una trinchera a su alrededor. Washington llamó Fort Necessity a su nueva base. Sin embargo, este fuerte tenía puntos débiles de los que su comandante no era consciente o que decidió ignorar. Era un terreno bajo que se inundaba fácilmente y además resultaba vulnerable a los disparos de fusil desde bosques cercanos situados en tierras más elevadas.

El 3 de julio comenzó a llover torrencialmente. Junto con la lluvia, llegó una columna de 800 franceses y sus indígenas norteamericanos aliados. Las fuerzas francesas estaban lideradas por Louis Coulon de Villiers, medio hermano del oficial francés que había sido asesinado después de la batalla de Jumonville Glen. Los franceses rodearon Fort Necesssity y dispararon sobre los hombres de Washington al amparo de los bosques.

La batalla no favoreció a los defensores del fuerte. Después de cuatro horas, la trinchera que habían cavado estaba inundada, la pólvora se había humedecido, muchos yacían muertos o heridos y continuaban siendo blanco de los disparos de las fuerzas francesas apostadas en los árboles. Finalmente, de Villiers propuso los términos de la rendición.

Consciente de que sus tropas no ganarían esta batalla, Washington aceptó los términos y firmó el documento que le ofrecía de Villiers. Lo que Washington no sabía, dado que el documento le fue entregado en francés, es que también estaba firmando la confesión de haber "asesinado" al medio hermano de de Villiers en la batalla de Jumonville Glen.

En la mañana del 4 de julio, Washington y los hombres que le quedaban abandonaron el fuerte, que los franceses procedieron a quemar. La batalla de Fort Necessity fue una temprana victoria francesa en la guerra que finalmente estos perdieron y fue la única vez que Washington se rindió ante un adversario militar.

2. ¿Por qué les ordenó Washington a sus hombres que construyeran Fort Necessity?
   - A. Esperaba un ataque francés.
   - B. Quería reclamar el área circundante para Virginia.
   - C. Creía que construir el fuerte infundiría disciplina entre sus hombres.
   - D. Estaba preocupado por el peligro que suponían los árboles cercanos al campamento.

3. ¿Qué problemas de Fort Necessity contribuyeron a la derrota de Washington?
   - A. La cerca circundante era demasiado baja y la trinchera de protección no era lo bastante profunda.
   - B. Había poca agua en las cercanías y el fuerte tenía dificultades para abastecerse.
   - C. La tierra era propensa a inundarse y los bosques cercanos ofrecían protección a las tropas enemigas.
   - D. Había indígenas norteamericanos hostiles que acampaban en las inmediaciones y espías entre los defensores del fuerte.

4. ¿Qué extraño golpe del destino ocurrió en la batalla de Fort Necessity?
   - A. Los indígenas norteamericanos que luchaban junto a los franceses habían sido aliados de Washington en la batalla de Jumonville Glen.
   - B. Los franceses eran liderados por el medio hermano del oficial asesinado en la batalla de Jumonville Glen.
   - C. Washington llamó Fort Necessity a su nueva base, pero su ubicación distaba de ser ideal.
   - D. Washington creyó que perdería la batalla de Jumonville Glen pero pensó que ganaría la batalla de Fort Necessity.

5. ¿Por qué se rindió Washington?
   - A. Estaba tratando de ganar tiempo mientras esperaba que llegaran refuerzos.
   - B. Se dio cuenta de que los franceses saldrían finalmente victoriosos.
   - C. Sus hombres lo amenazaban con amotinarse.
   - D. Sus aliados indígenas norteamericanos estaban por abandonarlo.

6. ¿Por qué confesó Washington el asesinato del medio hermano de de Villiers?
   - A. Creyó que firmar la confesión salvaría las vidas de los hombres que le quedaban.
   - B. Se sintió culpable de que un prisionero hubiera sido asesinado por fuerzas que estaban bajo su mando.
   - C. Pensó que nadie creería su confesión.
   - D. No se dio cuenta de que el documento incluía una confesión porque estaba redactado en francés.

Interpretar líneas cronológicas

Usar con el ***Libro del estudiante,*** págs. 46–47.

1 *Repasa la destreza*

TEMAS DE ESTUDIOS SOCIALES: II.G.b.1, I.USH.d.2, II.USH.f.1, II.USH.f.2, II.USH.f.4, II.USH.f.5, II.USH.f.6, II.USH.f.8, II.USH.f.9
PRÁCTICAS DE ESTUDIOS SOCIALES: SSP.1.a, SSP.1.b, SSP.2.a, SSP.2.b, SSP.3.a, SSP.4.a, SSP.6.b

Las **líneas cronológicas** son representaciones visuales de secuencias de sucesos. Una línea cronológica presenta intervalos equivalentes para dividir un período de tiempo en segmentos más pequeños. Los puntos ubicados en las líneas cronológicas indican las fechas reales en las que ocurrieron los sucesos que se presentan.

Los detalles específicos pueden ayudar a descubrir tendencias históricas que relacionan los sucesos de una línea cronológica. Recuerda que una tendencia no es siempre la culminación de todos los sucesos de una línea cronológica. Una tendencia general puede darse a lo largo del tiempo, pero las tendencias pueden darse también durante períodos más cortos. Por ejemplo, los últimos meses antes de una elección pueden mostrar una tendencia pequeña, mientras que evaluar cuál fue el partido político que controló la Casa Blanca o el Congreso durante muchas décadas puede revelar una tendencia mayor.

UNIDAD 2

2 *Perfecciona la destreza*

Al perfeccionar la destreza de interpretar líneas cronológicas, mejorarás tus capacidades de estudio y evaluación, especialmente en relación con la prueba de Estudios Sociales de GED®. Estudia la información y la línea cronológica que aparecen a continuación. Luego responde las preguntas.

Cuando la Asociación Americana Nacional por el Sufragio Femenino publicó *The Blue Book*, la intención del grupo era cuestionar las objeciones al derecho que tenían las mujeres a votar. Por ejemplo, una de las objeciones contra el sufragio femenino consistía en que ese derecho duplicaría el número de votantes de personas sin educación. El libro citaba estadísticas que mostraban que se graduaban más mujeres de la escuela secundaria que hombres, por lo que aseguraba que el sufragio igualitario aumentaría el número de votantes con educación.

Otra de las objeciones era que votar impediría que las mujeres se ocuparan de sus familias. El libro sostenía que el acto de votar llevaba muy poco tiempo y que la mayoría de las mujeres podían leer los periódicos y educarse en cuestiones políticas antes de votar. Algunas personas creían que las mujeres eran muy emocionales y sentimentales y que no se podía confiar en ellas para votar. Las autoras del libro mencionaron muchos casos en los que los hombres del gobierno tomaron decisiones emocionales o sentimentales sobre la guerra o sobre políticas económicas en vez de usar la lógica.

SUFRAGIO FEMENINO: FECHAS Y SUCESOS IMPORTANTES

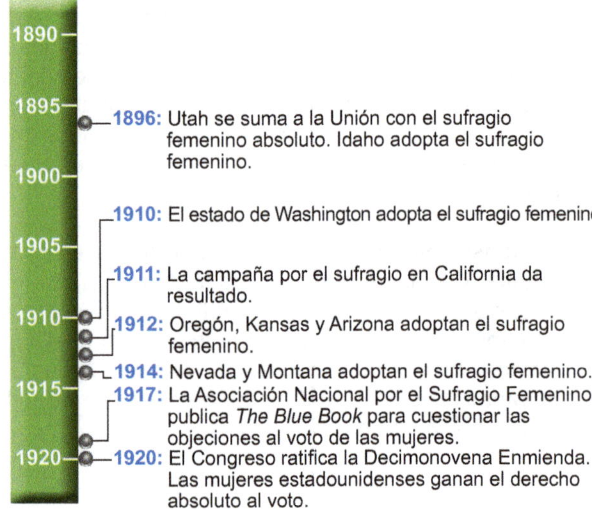

HACER SUPOSICIONES

Se puede suponer que todos los sucesos de una línea cronológica se relacionan con algún tipo de tendencia. Si la relación de los sucesos no es clara al principio, revisa los sucesos y luego saca tus conclusiones.

1. ¿Qué puedes inferir acerca de las autoras de *The Blue Book*?

   A. Estaban relativamente desinformadas acerca de las cuestiones políticas.
   B. Se divertían con las objeciones al sufragio femenino.
   C. Incluso cuando una objeción era cierta, la negaban.
   D. Usaban un enfoque lógico y metódico para ganar una discusión.

2. ¿Cuántos estados adoptaron el sufragio femenino antes de la publicación de ese libro?

   A. ocho
   B. nueve
   C. siete
   D. diez

3 Domina la destreza

INSTRUCCIONES: Estudia la información y la línea cronológica, lee cada pregunta y elige la **mejor** respuesta.

SUCESOS PRINCIPALES DE LA PRIMERA GUERRA MUNDIAL

La Primera Guerra Mundial, también conocida como la Gran Guerra, fue un conflicto mundial que duró desde 1914 hasta 1919, con batallas que se libraron hasta 1918. Un nacionalista serbio asesinó al archiduque austro-húngaro Franz Ferdinand en Sarajevo el 28 de junio de 1914, lo que comenzó una guerra que incluyó, entre otras atrocidades, el primer bombardeo aéreo a gran escala del siglo y las primeras masacres de civiles a gran escala.

Las potencias europeas se aliaron después del asesinato, una medida que intensificó los conflictos en la guerra. Los aliados (principalmente Gran Bretaña, Rusia y Francia) lucharon contra las potencias centrales (principalmente Alemania, el Imperio Otoman y Austria-Hungría). La guerra se extendió, y Europa solicitó la ayuda de sus amigos y sus colonias. Gran Bretaña estaba decidida a mantener sus territorios coloniales y temió que, si no entraba en guerra, su rival, Alemania, controlaría Europa occidental. Los Estados Unidos se unieron a la guerra en 1917, cuando el presidente Woodrow Wilson instó a los estadounidenses a "hacer del mundo un lugar seguro para la democracia". El Tratado de Versalles, que se firmó el 28 de junio de 1919, obligó a Alemania a aceptar las responsabilidades por la guerra y le ordenó que pagara reparaciones costosas. La guerra puso fin a los imperios alemán y austro-húngaro.

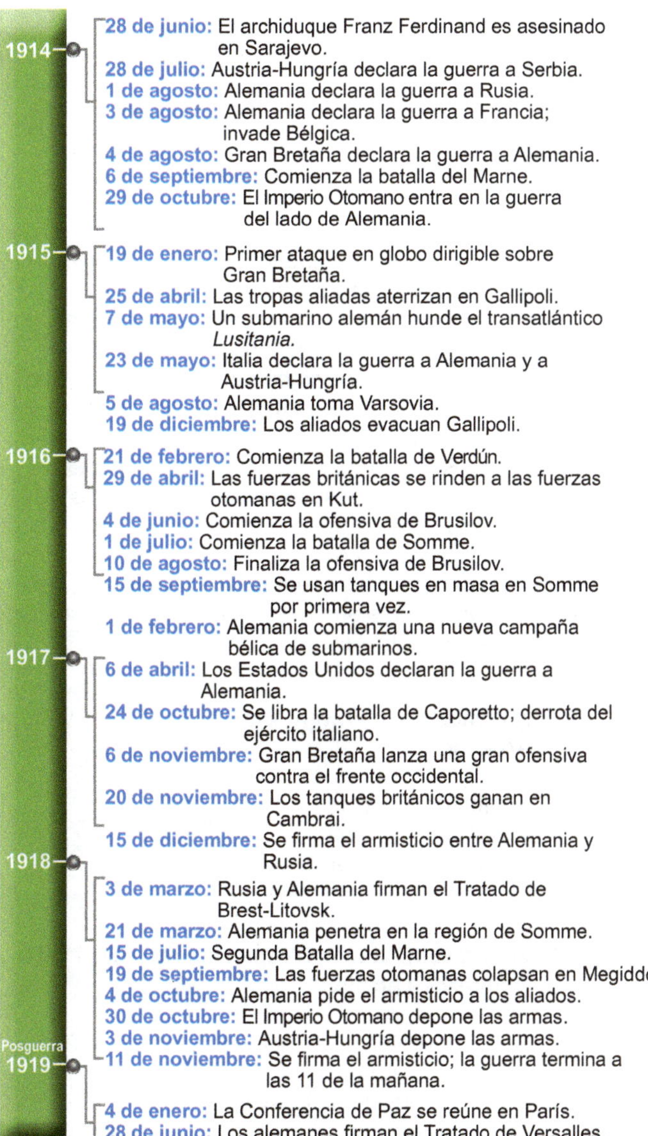

3. ¿Cuál de los siguientes fue lo que **más** contribuyó a que los conflictos que dieron inicio a la Primera Guerra Mundial se convirtieran en una guerra mundial?

   A. el nacionalismo en Austria-Hungría
   B. las amplias alianzas formadas entre las naciones
   C. las disputas territoriales en Asia
   D. la carrera armamentística entre las naciones europeas

4. ¿Cuántos meses pasaron desde el asesinato del archiduque Ferdinand hasta la firma del Tratado de Versalles?

   A. 45 meses
   B. 50 meses
   C. 60 meses
   D. 65 meses

5. ¿La rivalidad entre qué naciones se convirtió en una causa importante de la Primera Guerra Mundial?

   A. Gran Bretaña y Alemania
   B. Serbia y Alemania
   C. Rusia y Austria-Hungría
   D. los Estados Unidos y Francia

6. ¿Cuál de los siguientes sucesos precedió a los demás?

   A. Las fuerzas otomanas colapsan en Megiddo.
   B. Comienza la Batalla del Marne.
   C. Los tanques británicos ganan en Cambrai.
   D. Finaliza la ofensiva de Brusilov.

3 Domina la destreza

INSTRUCCIONES: Estudia la información y las líneas cronológicas, lee cada pregunta y elige la **mejor** respuesta.

PERÍODO POSTERIOR A LA PRIMERA GUERRA MUNDIAL Y LA ASCENSIÓN DE HITLER AL PODER

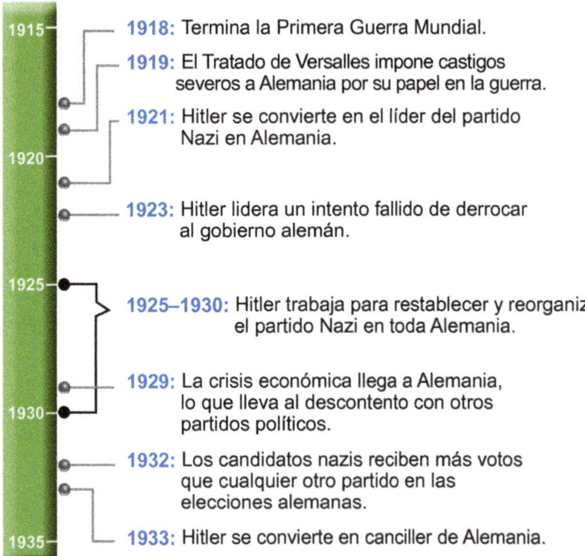

Esta línea cronológica muestra los sucesos que llevaron a la ascensión de Hitler a la cancillería de Alemania. La tendencia de esta línea cronológica conecta la derrota de Alemania en la Primera Guerra Mundial con el papel de Hitler en el partido Nazi, con la crisis económica y el descontento político, y con la ascensión de Hitler y el partido Nazi.

7. ¿Qué suceso llevó a que el partido Nazi recibiera la mayor cantidad de votos en las elecciones alemanas de 1932?

   A. el descontento alemán con otros políticos debido a la crisis económica
   B. los castigos hacia los alemanes por parte de los aliados victoriosos en Versalles
   C. la decisión de Hitler de liderar el partido Nazi
   D. el fin de la Primera Guerra Mundial en 1918

8. Según la tabla, ¿durante cuántos años estuvo Hitler al mando del partido Nazi antes de convertirse en canciller de Alemania?

   A. 10 años
   B. 11 años
   C. 12 años
   D. 13 años

LOS ESTADOS UNIDOS SE UNEN A LA SEGUNDA GUERRA MUNDIAL

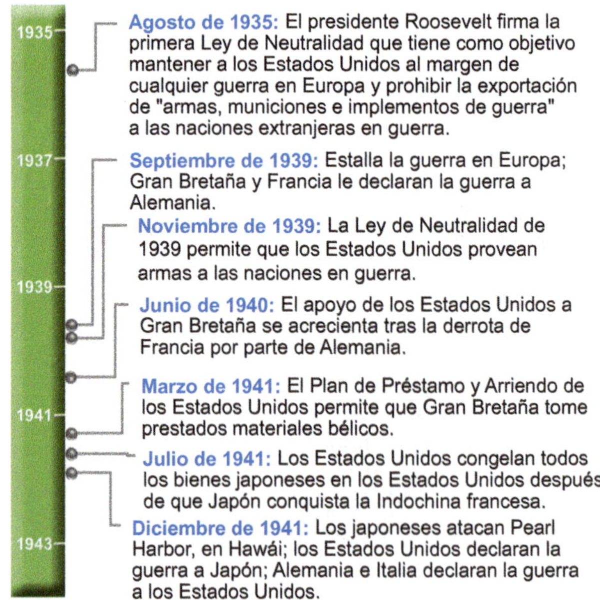

Las leyes de neutralidad tenían como objetivo limitar la participación estadounidense en guerras futuras. La Ley de Neutralidad de 1935 prohibió las exportaciones de armas a países hostiles y restringió los viajes estadounidenses en las embarcaciones de esas naciones. La ley de 1939 alentó el apoyo de los aliados, pero generó una escasez de productos a nivel local. El presidente Franklin D. Roosevelt debilitó aún más la neutralidad cuando ofreció embarcaciones estadounidenses excedentes a Gran Bretaña a cambio de acceso a bases navales y aéreas, y proveyó de equipamientos militares estadounidenses a los enemigos de Alemania y Japón bajo el Plan de Préstamo y Arriendo. El Congreso derogó las Leyes de Neutralidad en 1941.

9. ¿Cuándo entró en vigencia el Plan de Préstamo y Arriendo?

   A. en agosto de 1935
   B. en junio de 1940
   C. en marzo de 1941
   D. en diciembre de 1941

10. ¿Por qué introdujo el presidente Roosevelt la Ley de Neutralidad en 1939?

   A. El movimiento "aislacionismo" crecía más fuerte.
   B. Proveer armas a los aliados favoreció a la economía de los Estados Unidos.
   C. Roosevelt no se presentó como candidato para la reelección.
   D. Los japoneses atacaron Pearl Harbor.

INSTRUCCIONES: Estudia la línea cronológica, lee cada pregunta y elige la **mejor** respuesta.

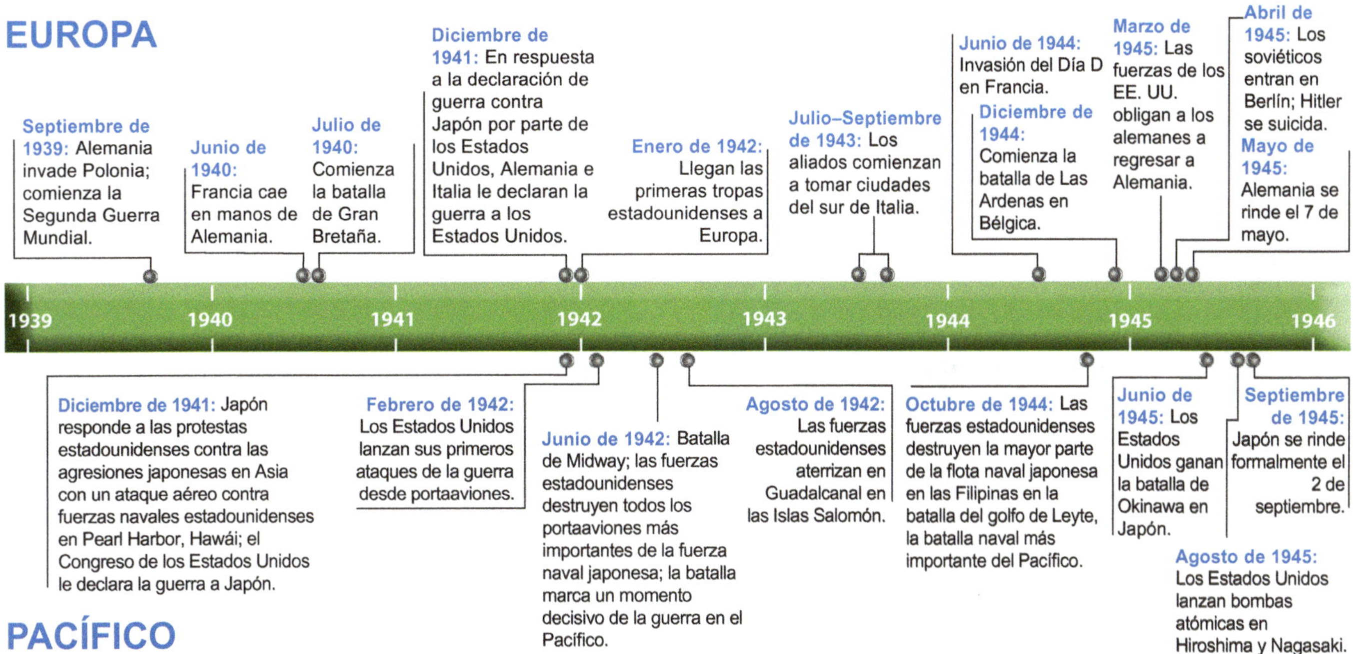

11. ¿Cuál de las siguientes opciones da las fechas de sucesos análogos en Europa y en el Pacífico, respectivamente?

    A. septiembre de 1939 y febrero de 1942
    B. mayo de 1945 y septiembre de 1945
    C. diciembre de 1941 y junio de 1942
    D. abril de 1945 y agosto de 1945

12. El proyecto Manhattan, que comenzó en 1939, fue una operación secreta del gobierno que sirivió para desarrollar la bomba atómica. ¿Qué evento de la línea cronológica fue un resultado directo del trabajo del proyecto Manhattan?

    A. la invasión del Día D en Francia
    B. la batalla de Midway
    C. Los Estados Unidos lanzan bombas atómicas sobre Hiroshima y Nagasaki
    D. la muerte de Hitler

13. Según la información de la línea cronológica, ¿cuál de las siguientes afirmaciones es verdadera?

    A. La batalla de Midway obligó a los japoneses a rendirse.
    B. Alemania controlaba a la Unión Soviética.
    C. Japón se unió a la guerra en defensa de Alemania.
    D. La fuerza naval de los Estados Unidos fue fundamental en la guerra contra Japón.

14. ¿Cuál de las siguientes tendencias es respaldada por la línea cronológica?

    A. El Día D fue el momento más decisivo en la guerra.
    B. Antes de atacar directamente a Japón y Alemania, los aliados atacaron los territorios que controlaban esos países.
    C. En 1945, los Estados Unidos centraron toda su atención en el Pacífico.
    D. Japón tenía una fuerza aérea superior.

DERECHO, SEGURIDAD PÚBLICA, CORRECCIONALES Y SEGURIDAD

INSTRUCCIONES: Estudia la información, lee cada pregunta y elige la **mejor** respuesta.

Como agente del orden público, sabes que a toda persona acusada de un delito, que no pueda pagar un abogado, se le asigna un abogado. A los sospechosos se les debe informar de este derecho como parte de sus derechos antes de cualquier interrogatorio. Este importante derecho de los acusados penales a contar con un abogado fue establecido después del fallo de la Corte Suprema en el caso *Gideon v. Wainwright* en 1963.

EL DERECHO A UN ABOGADO

El caso comenzó en 1961 cuando Clarence Gideon fue arrestado en Panama City, Florida, por haber supuestamente ingresado ilícitamente a una sala de billar con el fin de cometer un robo. Antes del juicio, Gideon, que no podía pagar un abogado, solicitó que se le asignara uno. El juez en Florida le dijo que el estado solo asignaba abogados a aquellos acusados que, de ser hallados culpables, se les impusiera la pena de muerte. Gideon, por tanto, tuvo que representarse a sí mismo en el tribunal. Fue hallado culpable y sentenciado a cinco años de prisión estatal. Gideon estudió derecho en prisión y presentó una petición ante la Corte Suprema de Florida donde afirmaba que su condena había sido inconstitucional. La corte rechazó su petición, por lo que Gideon apeló ante la Corte Suprema de los Estados Unidos que aceptó escuchar el caso en 1963.

Antes de este caso, la Sexta Enmienda, que establece en parte, que en "todo proceso penal, el acusado gozará del derecho... a ser asistido por un abogado defensor", había sido interpretada de manera que este derecho solo estuviera garantizado en juicios federales. Pero en *Gideon v. Wainwright*, la Corte Suprema dictaminó que la Sexta Enmienda requiere que los estados asignen un abogado a todo acusado penal por un delito o acusado por un crimen que conlleva una sentencia superior a un año en prisión. La Corte insistió en que los juicios justos requerían que los acusados penales tuvieran abogados de los Estados Unidos. Nueve años más tarde, en un caso diferente, la Corte Suprema dictaminó que los acusados de cualquier delito que conllevara encarcelamiento tenían derecho a un abogado.

Después del fallo de 1963, se designó un abogado al caso de Clarence Gideon y se le concedió un nuevo juicio. Fue declarado no culpable de todos los cargos en su contra.

1. ¿Por qué Clarence Gideon presentó una petición ante la Corte Suprema de Florida?

   A. Pensaba que cinco años de prisión por robo era una sentencia demasiado larga.
   B. Consideraba inconstitucional que no se le asignara un abogado.
   C. Quería ser juzgado ante la Suprema Corte de los Estados Unidos.
   D. Quería convertirse en abogado para representarse a sí mismo ante la corte.

2. Si Clarence Gideon hubiera sido acusado de asesinato con la posibilidad de recibir la pena de muerte como castigo, ¿qué hubiera cambiado en relación con su primer juicio?

   A. Se le habría concedido un nuevo juicio.
   B. Habría sido hallado culpable en Florida.
   C. Se le habría asignado un abogado.
   D. Hubiera tenido que ser sometido a un interrogatorio policial.

3. ¿Cuál es la razón **más probable** por la que Clarence Gideon fue hallado culpable en su primer juicio?

   A. No era capaz de defenderse a sí mismo debido a que no era abogado.
   B. Había apelado su caso ante la Corte Suprema de Florida.
   C. Afirmó que había cometido el delito de ingreso ilícito y robo.
   D. No estuvo dispuesto a cooperar con la policía durante su interrogatorio.

4. ¿Cuál de los siguientes derechos están garantizados por la Sexta Enmienda?

   A. el derecho de los acusados penales a contar con la asistencia de un abogado
   B. el derecho de los acusados penales a apelar sus casos ante la Corte Suprema
   C. el derecho a permanecer en silencio durante un interrogatorio policial
   D. el derecho de los estados a asignar un abogado a los acusados penales

5. ¿Qué afirmación es verdadera acerca de los acusados de delitos hoy en día?

   A. Si no tienen un abogado, la sentencia de prisión no puede ser de más de cinco años.
   B. Si la sentencia es de más de cinco años, tienen derecho a un abogado.
   C. Si no cuentan con un abogado, el caso puede ser apelado ante la Corte suprema.
   D. Tienen derecho a un abogado si son acusados de un crimen que conlleva prisión.

HOTELERÍA Y TURISMO

INSTRUCCIONES: Estudia el mapa y la información. Luego lee cada pregunta y elige la **mejor** respuesta.

Fuente: Servicio Nacional de Parques

Eres guía en el Sendero de la Herencia Negra, que forma parte del Sitio Histórico Nacional Afroamericano de Boston. Lee sobre su historia y usa el mapa para dirigir un tour informativo y responder las preguntas de los visitantes.

SENDERO DE LA HERENCIA NEGRA

El Sitio Histórico Nacional Afroamericano de Boston es un sendero de 1.6 millas que recorre el vecindario de Beacon Hill en Boston. Se convirtió en sitio histórico nacional en 1980. El Sendero de la Herencia Negra incluye 15 casas y sitios históricos relacionados con la historia afroamericana de Boston en el siglo XIX. Antes de la Guerra Civil, más de la mitad de los 2,000 afroamericanos de Boston vivía en este vecindario.

La mayoría de los sitios del sendero son edificios privados que solo pueden ser observados desde el exterior. Sin embargo, tanto la escuela Abiel Smith, primera escuela pública para niños afroamericanos, como la Casa de reuniones de africanos, que es la iglesia afroamericana más antigua de los Estados Unidos, están abiertas al público. El monumento al 54 Regimiento de Massachusetts, que conmemora uno de los primeros regimientos afroamericanos que combatieron en la Guerra Civil bajo la dirección del coronel Robert Gould Shaw, también puede ser visto de cerca.

6. ¿Cuáles de los siguientes edificios del Sendero de la Herencia Negra están abiertos al público?

   A. la casa de John Coburn
   B. la casa de reuniones de africanos
   C. la casa de George Middleton
   D. la casa de reuniones de la calle Charles

7. Si el tour comienza en el monumento al 54 Regimiento de Massachusetts, ¿qué casa es la primera que sigue?

   A. la casa de George Middleton
   B. la casa de reuniones de africanos
   C. la casa de John J. Smith
   D. la casa de Lewis y Harriet Hayden

8. ¿Cuál es la razón más probable por la cual la gente visita el Sitio Nacional Histórico Afroamericano de Boston?

   A. para averiguar cuántos afroamericanos vivieron en Boston en el Siglo XIX
   B. para ver cómo era el interior de las casas afroamericanas del siglo XIX
   C. para recorrer el mismo sendero que alguna vez recorrieron los afroamericanos en Boston
   D. para entender más sobre la historia y la cultura afroamericanas a través de sus edificios históricos

Interpretar diagramas

Usar con el ***Libro del estudiante,*** págs. 62–63.

1 Repasa la destreza

TEMAS DE ESTUDIOS SOCIALES: I.CG.a.1, I.CG.b.5, I.CG.b.6, I.CG.b.7, I.CG.b.9, I.CG.c.1, I.CG.c.2, I.CG.c.3, I.CG.c.4, I.CG.c.6, II.G.b.3, II.G.b.5,
PRÁCTICAS DE ESTUDIOS SOCIALES: SSP.1.a, SSP.1.b, SSP.3.c, SSP.6.b

Los autores suelen utilizar **diagramas** como ayuda para mostrar cómo se relaciona la información. Los diagramas permiten mostrar secuencias de sucesos o comparar y contrastar. Cuando examines un diagrama, lee el título y los encabezamientos para identificar el tema principal del diagrama y sus elementos individuales. Luego observa cómo se relacionan los elementos. Al **interpretar diagramas** correctamente y comprender las relaciones entre esos elementos, puedes empezar a sacar conclusiones sobre la información que se presenta en el diagrama.

2 Perfecciona la destreza

Al perfeccionar la destreza de interpretar diagramas, mejorarás tus capacidades de estudio y evaluación, especialmente en relación con la prueba de Estudios Sociales de GED®. Estudia la información que aparece a continuación. Luego responde las preguntas.

UNIDAD 3

a *Gobierno* es la idea en común que relaciona las partes de este diagrama. ¿Cómo se muestran en el diagrama los cambios en el gobierno?

Diagrama 1

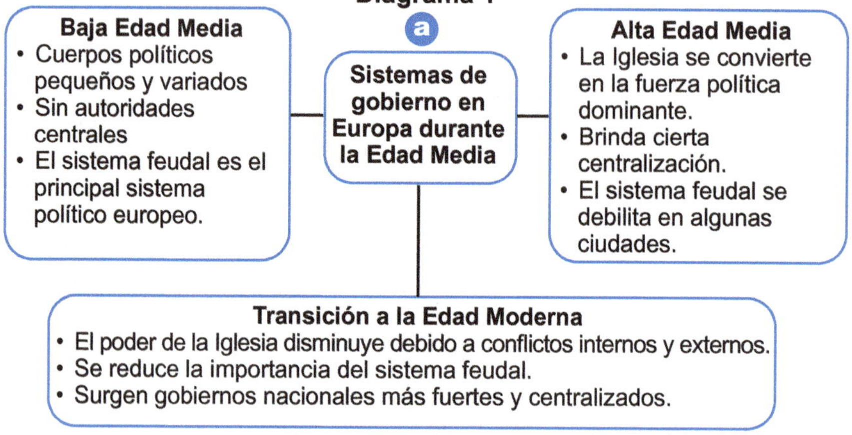

a

Sistemas de gobierno en Europa durante la Edad Media

Baja Edad Media
- Cuerpos políticos pequeños y variados
- Sin autoridades centrales
- El sistema feudal es el principal sistema político europeo.

Alta Edad Media
- La Iglesia se convierte en la fuerza política dominante.
- Brinda cierta centralización.
- El sistema feudal se debilita en algunas ciudades.

Transición a la Edad Moderna
- El poder de la Iglesia disminuye debido a conflictos internos y externos.
- Se reduce la importancia del sistema feudal.
- Surgen gobiernos nacionales más fuertes y centralizados.

b Las flechas del Diagrama 2 sugieren una progresión o secuencia de información. Generalmente, los sucesos que aparecen en un diagrama de secuencia están unidos por algún elemento.

Diagrama 2

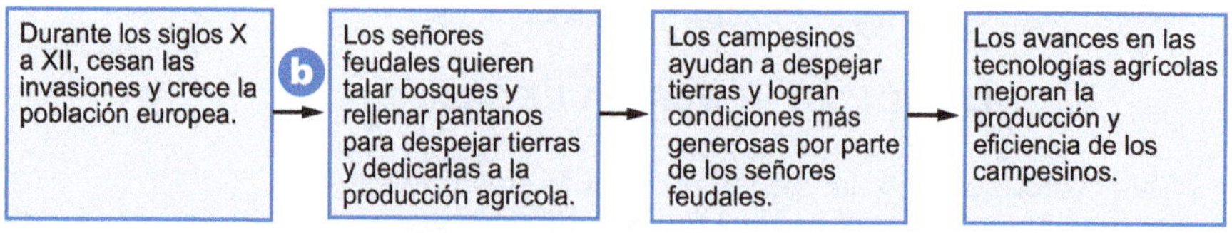

Durante los siglos X a XII, cesan las invasiones y crece la población europea.

→ Los señores feudales quieren talar bosques y rellenar pantanos para despejar tierras y dedicarlas a la producción agrícola.
→ Los campesinos ayudan a despejar tierras y logran condiciones más generosas por parte de los señores feudales.
→ Los avances en las tecnologías agrícolas mejoran la producción y eficiencia de los campesinos.

1. A partir del Diagrama 1, ¿cuál de las siguientes opciones puedes determinar acerca de la Alta Edad Media?

   A. La Iglesia se convirtió en la fuerza política dominante en Europa.
   B. En Europa no existía ninguna autoridad de gobierno centralizado.
   C. Los sistemas feudales se fortalecieron en muchas ciudades.
   D. Muchos partidos políticos pequeños y variados llegaron al poder por primera vez.

2. ¿Cuál de estas ideas explica el suceso 4 del Diagrama 2?

   A. Las tierras despejadas para la producción agrícola se llamaban rozas.
   B. El uso de herramientas de metal facilitó el cultivo.
   C. Los campesinos y las campesinas tenían a cargo diferentes tareas.
   D. Los nobles a menudo controlaban los molinos que se usaban para moler harina.

USAR LA LÓGICA

Cuando estudies un diagrama, examina su forma y piensa en las pistas que te brinda esa forma. ¿Sugiere una secuencia o un flujo de información? ¿Invita a comparar dos o más cosas?

3 Domina la destreza

★ Ítem en foco: **MENÚ DESPLEGABLE**

INSTRUCCIONES: El pasaje que aparece a continuación está incompleto. Usa información del diagrama para completar el pasaje. En cada ejercicio con menú desplegable, elige la opción que complete correctamente la oración.

Derechos y poderes	Artículos de la Confederación	Constitución de los Estados Unidos
Tipo de gobierno	Confederación en la que los estados retienen la mayor parte del poder	Sistema federal, con el poder dividido entre los estados y el gobierno central
Estructura del gobierno central	Un poder: Congreso	3 poderes: ejecutivo, legislativo y judicial
Poder Ejecutivo	Sin poder ejecutivo a nivel nacional; gobernadores de los estados	Presidente y su gabinete
Poder Legislativo	Congreso unicameral; los estados tienen entre 2 y 7 delegados, pero cada estado tiene 1 voto.	Congreso bicameral: Senado y Cámara de Representantes
Poder Judicial	Ninguno a nivel nacional; solamente tribunales estatales	Sistema de tribunales federales y estatales
Comercio	Regula el comercio con otras naciones, pero no entre estados.	Regula el comercio con otras naciones y entre los estados.
Relaciones exteriores	Mantiene relaciones diplomáticas con otras naciones.	Mantiene relaciones diplomáticas con otras naciones.
Declaración de guerra	A cargo del gobierno nacional	A cargo del gobierno nacional
Servicio de correo	A cargo del gobierno nacional	A cargo del gobierno nacional
Dinero	Cada estado acuña su propia moneda; no hay una moneda nacional.	El gobierno federal acuña la moneda de toda la nación.
Impuestos	Los gobiernos de los estados pueden imponer cargas impositivas; sin poder impositivo a nivel nacional.	Tanto el gobierno federal como los gobiernos de los estados tienen poder impositivo.
Otros derechos no mencionados	Los estados retienen todos los poderes no expresados.	Los estados retienen todos los poderes no expresados.

☐ Poderes que se mantienen iguales en los Artículos y en la Constitución

3. Los Artículos de la Confederación fueron el primer plan de gobierno de los Estados Unidos. Estuvieron en vigencia durante pocos años hasta que fueron reemplazados por la Constitución. El diagrama muestra que el gobierno central de los Estados Unidos durante la vigencia de los Artículos era mucho más [3. Menú desplegable 1] que cuando entró en vigencia la Constitución. Sin embargo, algunos poderes se mantuvieron iguales en ambos documentos. Por ejemplo, el gobierno central tiene el poder para declarar la guerra, controla las relaciones exteriores y el comercio exterior y tiene a su cargo el servicio de [3. Menú desplegable 2] tanto en los Artículos como en la Constitución.

   Sin embargo, la estructura del gobierno que establece la Constitución es muy diferente de la que establecían los Artículos. Los Artículos no contemplaban un poder [3. Menú desplegable 3] ni un poder [3. Menú desplegable 4] del gobierno que tuvieran alcance nacional.

Opciones de respuesta del menú desplegable

3.1 A. fuerte
B. grande
C. débil
D. estricto

3.2 A. impuestos
B. moneda
C. tribunales
D. correo

3.3 A. ejecutivo
B. legislativo
C. postal
D. bélico

3.4 A. postal
B. judicial
C. legislativo
D. regulatorio

UNIDAD 3

★ Ítem en foco: MENÚ DESPLEGABLE

INSTRUCCIONES: El pasaje que aparece a continuación está incompleto. Usa información del diagrama para completar el pasaje. En cada ejercicio con menú desplegable, elige la opción que complete correctamente la oración.

EQUILIBRIO DE PODERES

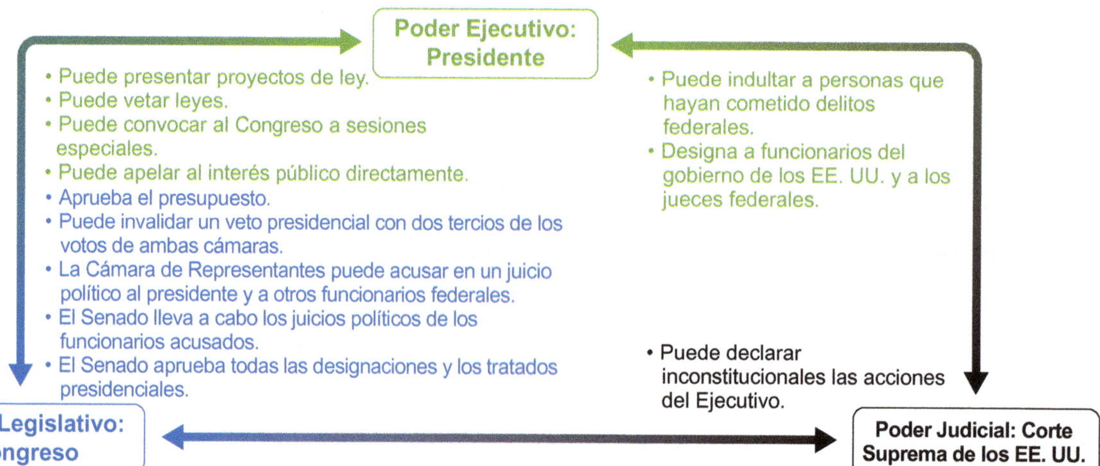

4. El sistema federal de gobierno de los Estados Unidos divide las responsabilidades entre tres poderes iguales. Cada uno tiene poderes que pueden controlar o equilibrar los poderes de las otras ramas. Por ejemplo, el presidente puede rechazar, o [4. Menú desplegable 1], las leyes que aprueba el Congreso. Sin embargo, el Congreso puede, de todos modos, aprobar una ley vetada, ya que con dos tercios de los votos se [4. Menú desplegable 2] la acción presidencial. Los creadores del plan de gobierno de los Estados Unidos incluyeron este equilibrio de poderes por temor [4. Menú desplegable 3].

Este equilibrio de poderes se ve principalmente en los gobiernos constitucionales. Su importancia es fundamental en los gobiernos tripartitos, como el de los Estados Unidos, en el que los poderes están divididos entre las ramas legislativa, ejecutiva y [4. Menú desplegable 4].

Opciones de respuesta del menú desplegable

4.1 A. reescribir
B. vetar
C. corregir
D. posponer

4.2 A. sostiene
B. lleva a cabo
C. invalida
D. confirma

4.3 A. a un poder centralizado
B. a los gobiernos locales
C. al poder judicial
D. a las potencias extranjeras

4.4 A. política
B. administrativa
C. electoral
D. judicial

UNIDAD 3

INSTRUCCIONES: El pasaje que aparece a continuación está incompleto. Usa información del diagrama para completar el pasaje. En cada ejercicio con menú desplegable, elige la opción que complete correctamente la oración.

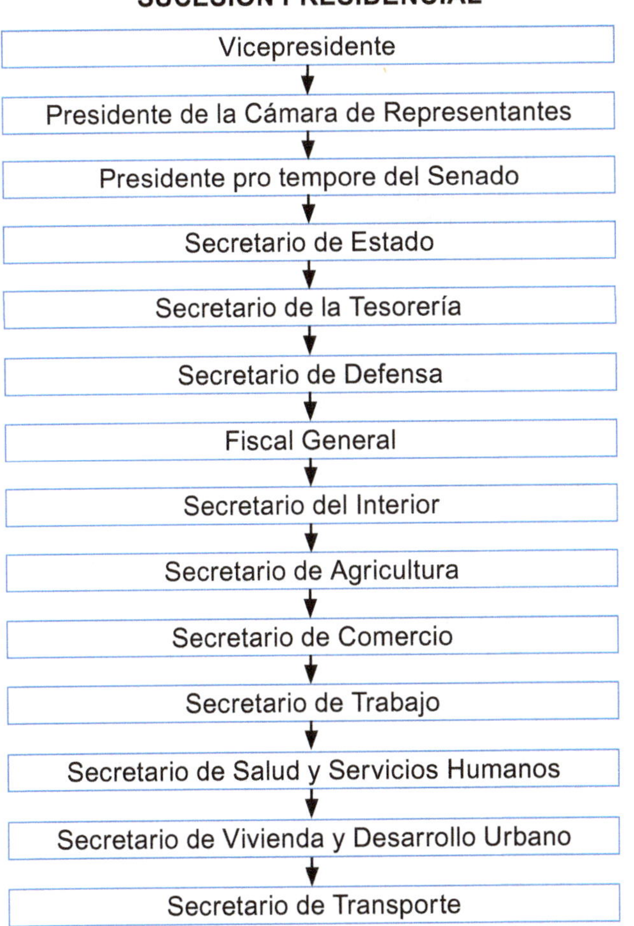

5. Si, por algún motivo, el presidente de los Estados Unidos no es capaz de cumplir con sus funciones, el [5. Menú desplegable 1] asume la presidencia. Según la ley, existe una línea de sucesión presidencial: una secuencia específica de quiénes deben asumir la presidencia en caso de que el presidente u otros que forman parte de la línea de sucesión no puedan hacerlo. Por ejemplo, la segunda persona en la sucesión presidencial es el [5. Menú desplegable 2] Después del presidente pro tempore del Senado, la persona que sigue en la línea de sucesión es el [5. Menú desplegable 3]. Los secretarios que ocupan los puestos más altos en la línea de sucesión tienen a su cargo las relaciones exteriores, las finanzas y [5. Menú desplegable 4]. La línea de sucesión garantiza la continuidad del funcionamiento del gobierno de los Estados Unidos en caso de crisis nacional.

Opciones de respuesta del menú desplegable

5.1
A. presidente de la Cámara
B. secretario de Seguridad Nacional
C. vicepresidente
D. presidente de la Corte Suprema de los Estados Unidos

5.2
A. vicepresidente
B. presidente pro tempore del Senado
C. secretario de Estado
D. presidente de la Cámara de Representantes

5.3
A. fiscal general
B. vicepresidente
C. secretario de Estado
D. presidente pro tempore del Senado

5.4
A. las fuerzas armadas
B. la agricultura
C. el comercio
D. el trabajo

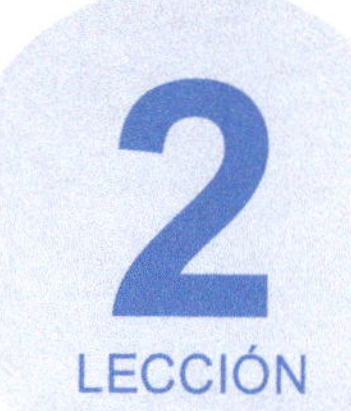

Interpretar la Constitución

Usar con el ***Libro del estudiante,*** págs. 64–65.

1 Repasa la destreza

TEMAS DE ESTUDIOS SOCIALES: I.CG.b.3, I.CG.b.5, I.CG.b.6, I.CG.b.7, I.CG.b.9, I.CG.b.8, I.CG.c.1, I.CG.c.2, I.CG.c.3, I.CG.c.5, I.CG.d.1, I.CG.d.2, I.USH.a
PRÁCTICAS DE ESTUDIOS SOCIALES: SSP.1.a, SSP.1.b, SSP.3.b, SSP.4.a

Para **interpretar la Constitución de los Estados Unidos**, debes observar atentamente el lenguaje de ese documento. Halla palabras conocidas que te ayuden a determinar el significado del texto. Busca palabras clave que puedan ayudarte a identificar los temas principales. Al tener en claro cuáles son las ideas principales, podrás comprender de manera más completa el plan de gobierno diseñado en la Constitución.

Para la mayoría de los lectores, el lenguaje de la Constitución es una combinación de ideas conocidas y desconocidas. Expresar estas ideas con tus propias palabras puede ayudarte a comprender mejor aquellos conceptos que no conoces.

2 Perfecciona la destreza

Al perfeccionar la destreza de interpretar la Constitución, mejorarás tus capacidades de estudio y evaluación, especialmente en relación con la prueba de Estudios Sociales de GED®. Estudia la información que aparece a continuación. Luego responde las preguntas.

a Algunas de las palabras que se usan en el texto de la Constitución son sinónimos de palabras que se usan más comúnmente hoy en día. *Determinado* es un sinónimo de *decidido* o *resuelto.*

Fragmento de la Declaración de Derechos de la Constitución de los Estados Unidos:

Sexta Enmienda

En todas las causas penales, el acusado gozará del derecho a un juicio rápido y en público con un jurado imparcial del distrito y estado en que se cometió el delito, distrito que deberá haber sido **a** determinado previamente por la ley; así como del derecho a ser informado de la naturaleza y causa de la acusación; a someterse a un careo con los testigos que declaren en su contra; a que se **b** obligue a comparecer a los testigos que le favorezcan y a disponer de la ayuda de un **abogado** defensor.

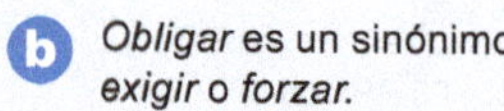
b *Obligar* es un sinónimo de *exigir* o *forzar.*

1. ¿Cuál de los siguientes sería el **mejor** título para el contenido de la Sexta Enmienda?

   A. libertad de expresión
   B. poderes de los tribunales
   C. derechos de los acusados
   D. procedimientos de los juicios con jurado

2. ¿Qué significa la palabra *abogado* en este fragmento?

   A. plan de acción
   B. comportamiento
   C. meta o propósito
   D. asesor legal

TEMAS

Las primeras 10 enmiendas de la Constitución se llaman, en conjunto, la Declaración de Derechos. Estas enmiendas protegen los derechos individuales de la interferencia del gobierno.

3 Domina la destreza

INSTRUCCIONES: Estudia la información, lee cada pregunta y elige la **mejor** respuesta.

Fragmento del Artículo II de la Constitución de los Estados Unidos:

Sección 2. El presidente será comandante en jefe del ejército y la marina de los Estados Unidos y de la milicia de los distintos estados cuando se llame al servicio activo de los Estados Unidos; podrá solicitar la opinión por escrito del funcionario principal en cada uno de los departamentos ejecutivos acerca de cualquier asunto relacionado con los deberes de sus respectivos cargos y podrá conceder conmutaciones e indultos en los casos de delitos contra los Estados Unidos, salvo en los casos de juicio político.

Con el asesoramiento y consentimiento del Senado, tendrá la facultad de celebrar tratados, siempre que cuente con la **aprobación** de dos tercios de los senadores presentes; (...)

3. ¿Cuál de los siguientes poderes otorga la Constitución de los Estados Unidos al presidente?

   A. el poder de solicitar consejos a los funcionarios ejecutivos
   B. el poder de rechazar tratados aprobados por el Senado
   C. el poder de conceder indultos en casos de juicio político
   D. el poder de comandar las milicias de los estados en tiempos de paz

4. ¿Cuál de las siguientes opciones puede reemplazar la palabra *aprobación* para dar una interpretación **más** precisa del texto?

   A. admisión
   B. acuerdo
   C. investigación
   D. negación

5. ¿Cuál de las siguientes es la **mejor** explicación de por qué se indica que el presidente será el comandante en jefe del ejército y la marina estadounidenses, pero **no** se hace mención de la fuerza aérea estadounidense?

   A. Los autores de la Constitución de los Estados Unidos no deseaban que el presidente fuera el comandante en jefe de la fuerza aérea estadounidense.
   B. El vicepresidente es el comandante en jefe de la fuerza aérea estadounidense.
   C. La fuerza aérea estadounidense se encontraba bajo la jurisdicción del Senado.
   D. La fuerza aérea estadounidense no existía cuando el artículo II de la Constitución fue escrito.

INSTRUCCIONES: Estudia la información, lee cada pregunta y elige la **mejor**.

Fragmento del Artículo V de la Constitución de los Estados Unidos:

Cada vez que las dos terceras partes de ambas cámaras lo juzguen necesario, el Congreso propondrá enmiendas a esta Constitución o, a petición de las legislaturas de los dos tercios de los distintos estados, convocará a una convención para proponer enmiendas que, en ambos casos, poseerán la misma validez, desde todos los puntos de vista y para cualesquiera fines, que las demás partes de esta Constitución, en cuanto las ratifiquen las legislaturas de las tres cuartas partes de los distintos estados o por medio de convenciones reunidas en tres cuartos de los mismos, según que el Congreso haya propuesto uno u otro modo de hacer la ratificación; a condición de que antes del año de mil ochocientos ocho no se haga ninguna enmienda que modifique en cualquier forma las cláusulas primera y cuarta de la sección novena del artículo primero y de que a ningún estado se le prive, sin su consentimiento, de la igualdad de **voto** en el Senado.

6. ¿Quién tiene autoridad para proponer enmiendas a la Constitución de los Estados Unidos?

   A. la Corte Suprema
   B. los jueces federales
   C. el Congreso y las legislaturas de los estados
   D. el presidente y las legislaturas de los estados

7. ¿Cuándo pasan las enmiendas propuestas a formar parte de la Constitución de los Estados Unidos?

   A. cuando las ratifican tres cuartos de las legislaturas de los estados o de las convenciones
   B. cuando el presidente las refrenda
   C. cuando las ratifican dos tercios de las legislaturas de los estados o de las convenciones
   D. cuando las ratifican tres cuartos del Senado

8. ¿Cuál de las siguientes opciones puede reemplazar la palabra *voto* para dar una interpretación **más** precisa del texto?

   A. poder impositivo
   B. derecho al sufragio
   C. capacidad para investigar
   D. libertad de reunión

3 Domina la destreza

INSTRUCCIONES: Estudia la información, lee cada pregunta y elige la **mejor** respuesta.

Las primeras diez enmiendas de la Constitución de los Estados Unidos se conocen, en conjunto, con el nombre de Declaración de Derechos. El siguiente fragmento comienza con el Preámbulo, o declaración introductoria, de la Declaración de Derechos. El fragmento incluye también las primeras cuatro enmiendas que siguen al Preámbulo.

Preámbulo de la Declaración de Derechos

Congreso de los Estados Unidos iniciado y celebrado en la Ciudad de Nueva York el miércoles cuatro de marzo de mil setecientos ochenta y nueve.

LAS convenciones de algunos de los Estados, habiendo expresado en el momento de adoptar la Constitución el deseo de que, para prevenir la mala interpretación o el abuso de sus poderes, se agreguen ciertas cláusulas declaratorias y restrictivas: y sabiendo que ampliar las bases de la confianza pública en el Gobierno garantizará mejor que se cumplan los fines **benéficos** de su institución.

RESOLVIERON por medio del Senado y la Cámara de Representantes de los Estados Unidos de América, reunidos en el Congreso con la presencia de dos terceras partes de ambas cámaras, que los siguientes artículos fueran propuestos a las asambleas legislativas de los diferentes estados como enmiendas a la Constitución de los Estados Unidos, considerando que todos o cualquiera de sus artículos, una vez ratificados por tres cuartas partes de las susodichas asambleas legislativas, serán válidos para todos los fines y propósitos, como parte de dicha Constitución; a saber.

ARTÍCULOS adicionales y que constituyen una enmienda de la Constitución de los Estados Unidos de América, los cuales fueron propuestos por el Congreso y ratificados por las asambleas legislativas de los distintos Estados, de conformidad con el quinto artículo de la Constitución original.

Primera Enmienda

El Congreso no hará ninguna ley que imponga el ejercicio de una religión, prohíba practicarla libremente, restrinja la libertad de expresión, de prensa o el derecho del pueblo a unirse pacíficamente y a pedir al gobierno la reparación de quejas.

Segunda Enmienda

Siendo necesaria una milicia bien regulada para la seguridad de un estado libre, no se violará el derecho del pueblo a poseer y portar armas.

Tercera Enmienda

En tiempos de paz, ningún soldado se alojará en casa alguna sin el consentimiento del propietario; ni tampoco en tiempos de guerra, como no sea en la forma que prescriba la ley.

Cuarta Enmienda

Será inviolable el derecho de los habitantes a que sus personas, domicilios, documentos y efectos se hallen a salvo de pesquisas y aprehensiones arbitrarias y no se dictarán al efecto órdenes de cateo que no se fundamenten en una causa probable, bajo juramento o protesta, y no describan particularmente el lugar que deba registrarse, las personas que deban quedar detenidas ni las cosas que deban quedar embargadas.

9. ¿Cuál de las siguientes opciones protege la Primera Enmienda?

   A. la negativa a alojar tropas federales
   B. el derecho de una milicia a poseer armas
   C. la capacidad para expresar opiniones contra el gobierno
   D. el derecho a participar en milicias locales

10. ¿Cuál de las siguientes opciones protege la Segunda Enmienda?

   A. la negativa a alojar tropas federales
   B. el derecho de una milicia a poseer armas
   C. la protección contra registros arbitrarios
   D. el derecho de interferir en una milicia bien regulada

11. ¿Cuál de las siguientes opciones puede reemplazar la palabra *benéfico* para dar una interpretación **más** precisa del texto?

   A. que lleva a una tregua con otro país
   B. que lleva a perdonar a los otros
   C. que lleva a una conclusión
   D. que lleva a un buen resultado

INSTRUCCIONES: Estudia la información, lee cada pregunta y elige la **mejor** respuesta.

Como viste en la página anterior, la Declaración de Derechos está formada por las primeras diez enmiendas a la Constitución de los Estados Unidos. A continuación, se presentan las seis enmiendas finales.

Quinta Enmienda

Nadie estará obligado a responder por un delito castigado con la pena capital o con otra pena infamante salvo a través de una denuncia o proceso de un gran jurado, a excepción de los casos que surjan en las fuerzas de mar, tierra o en la milicia, cuando se encuentre en servicio efectivo en tiempos de guerra o peligro público; tampoco se pondrá a ninguna persona dos veces en peligro de perder la vida o algún miembro por el mismo delito; ni se obligará a que declare contra sí misma en ningún juicio penal; ni se privará de la vida, la libertad o los bienes sin el debido proceso legal; ni se ocupará la propiedad privada para uso público sin una justa compensación.

Sexta Enmienda

En todas las causas penales, el acusado gozará del derecho a un juicio rápido y en público con un jurado imparcial del distrito y estado en que se cometió el delito, distrito que deberá haber sido determinado previamente por la ley; así como del derecho a ser informado de la naturaleza y causa de la acusación; a someterse a un careo con los testigos que declaren en su contra; a que se obligue a comparecer a los testigos que le favorezcan y a disponer de la ayuda de un abogado defensor.

Séptima Enmienda

En los pleitos que competen al derecho de usos y costumbres (consuetudinario) en que el valor que origina la controversia exceda los veinte dólares, se preservará el derecho a juicio por jurado, y ningún hecho juzgado por un jurado se reexaminará en ninguna corte de los Estados Unidos de manera diferente a la establecida por las normas del derecho de usos y costumbres.

Octava Enmienda

No se exigirán fianzas excesivas, ni se impondrán multas excesivas, ni se infligirán penas crueles e inusuales.

Novena Enmienda

La enumeración de ciertos derechos en la Constitución no implica la negación ni el menosprecio de otros derechos del pueblo.

Décima Enmienda

Los poderes que la Constitución no delega a los Estados Unidos ni prohíbe a los estados quedan reservados respectivamente a los estados o al pueblo.

12. ¿Cuál de las siguientes enmiendas de la Constitución de los Estados Unidos prohíbe las fianzas y las multas excesivas?

    A. la Enmienda X
    B. la Enmienda IX
    C. la Enmienda VI
    D. la Enmienda VIII

13. ¿Cuál de las siguientes Enmiendas de la Constitución de los Estados Unidos prohíbe lo que popularmente se conoce como "doble riesgo"?

    A. la Enmienda V
    B. la Enmienda VI
    C. la Enmienda IX
    D. la Enmienda X

14. Si la Constitución de los Estados Unidos **no** concede ni prohíbe al gobierno estadounidense un derecho en particular y **no** prohíbe ese derecho a los estados, ¿a quién se otorga ese derecho?

    A. solamente a los estados
    B. a las personas y, en segunda instancia, a los estados
    C. a las personas
    D. a los estados, o a las personas

15. ¿Cuál de las siguientes enmiendas de la Constitución de los Estados Unidos garantiza el derecho al juicio por jurado en las causas penales?

    A. la Enmienda V
    B. la Enmienda VI
    C. la Enmienda VII
    D. la Enmienda VIII

Resumir

LECCIÓN 3

Usar con el ***Libro del estudiante,*** págs. 66–67.

1 *Repasa la destreza*

TEMAS DE ESTUDIOS SOCIALES: I.CG.b.2, I.CG.b.3, I.CG.b.4, I.CG.b.7, I.CG.b.8, I.CG.b.9, I.CG.d.1, I.USH.a.1, I.USH.b.1
PRÁCTICAS DE ESTUDIOS SOCIALES: SSP.1.a, SSP.1.b, SSP.2.a, SSP.2.b, SSP.3.c, SSP.5.a, SSP.6.b, SSP.9.a, SSP.9.b, SSP.9.c

Para **resumir** información, intenta identificar las ideas o los temas principales que expresa esa información. Luego, piensa cómo puedes volver a exponer esas ideas con tus propias palabras. La capacidad de resumir información te ayudará a aclarar cuáles son los datos más importantes de un párrafo o un elemento visual.

Asegúrate de leer o estudiar los pasajes o recursos visuales con atención antes de empezar a resumir. Las ideas importantes pueden estar en cualquier parte del texto.

2 *Perfecciona la destreza*

Al perfeccionar la destreza de resumir, mejorarás tus capacidades de estudio y evaluación, especialmente en relación con la prueba de Estudios Sociales de GED®. Estudia la información que aparece a continuación. Luego responde las preguntas.

a Volver a exponer la idea principal es fundamental para escribir un buen resumen. Los títulos de las tablas suelen transmitir la idea principal. A partir del título de la tabla, sabes que la Declaración de Derechos es la idea principal.

b Cuando resumes una tabla, observa si tiene subtítulos. Suelen describir los detalles principales que incluye la tabla.

LA DECLARACIÓN DE DERECHOS **a**

ENMIENDA	DERECHOS GARANTIZADOS **b**
I	Libertad de expresión, de prensa y culto, derecho de reunión; derecho a protestar contra las acciones del gobierno
II	Derecho a portar armas para el servicio en milicias
III	El gobierno no puede obligar a los ciudadanos a alojar a soldados en tiempos de paz.
IV	Impide al gobierno realizar registros impropios de las personas, sus propiedades y domicilios.
V	Derecho de los acusados a un juicio de acusación en caso de delitos graves; no se puede juzgar dos veces a una persona por el mismo delito, ni obligarla a declarar contra sí misma; el gobierno no puede confiscar la propiedad sin una compensación justa.
VI	Garantiza un juicio público, rápido e imparcial por jurado; derecho a tener un abogado; derecho de careo con la parte acusadora.
VII	Derecho a juicio por jurado para la mayoría de los casos civiles
VIII	Prohíbe las fianzas o multas excesivas a los acusados; declara ilegales los castigos crueles e inusuales.
IX	Declara que los derechos de las personas no están limitados por el texto de la Constitución.
X	Declara que todo derecho no concedido expresamente al gobierno federal queda en manos de los estados o de las personas.

1. ¿Cuál de los siguientes enunciados es el resumen **más** preciso de la tabla?

   A. En la tabla se enumeran los derechos que garantiza la Declaración de Derechos.
   B. En la tabla se muestra el texto exacto de la Declaración de Derechos.
   C. En la tabla se enumeran todas las enmiendas de la Constitución de los Estados Unidos.
   D. En la tabla se muestran diferentes artículos de la Constitución de los Estados Unidos.

2. ¿Cuál de estas opciones podría incluirse en un resumen de la tabla?

   A. el texto completo de cada enmienda
   B. la cantidad de enmiendas que forman la Declaración de Derechos
   C. la fecha en que se ratificó la Declaración de Derechos
   D. ejemplos de cómo se aplica cada uno de los derechos en la vida cotidiana

CONSEJOS PARA REALIZAR LA PRUEBA

En las tablas se presenta información organizada en una o más categorías. Saber qué tipo de información se muestra puede ayudarte a resumir el contenido de la tabla.

3 Domina la destreza

INSTRUCCIONES: Estudia la información, lee cada pregunta y elige la **mejor** respuesta.

El siguiente pasaje es un fragmento de *El sentido común*, un panfleto escrito por Thomas Paine antes de la Guerra de la Independencia. En este texto, Paine argumenta a favor de que los colonos estadounidenses formen un nuevo gobierno, separado de la corona británica.

He oído aseverar a algunos que, como los Estados Unidos florecieron bajo su antigua conexión con Gran Bretaña, esta misma conexión es necesaria para su felicidad futura y siempre tendrá el mismo efecto. Nada puede ser tan falaz como esta clase de argumento. De la misma manera podríamos aseverar entonces que, como los niños crecen sanos gracias a la leche, esto significa que nunca deberán comer carne, o que los primeros veinte años de nuestras vidas constituyen un precedente de los veinte siguientes. Pero aun esto significa admitir más que la verdad. Pues respondo categóricamente que los Estados Unidos habrían florecido igualmente, y probablemente mucho más, si ninguna potencia europea hubiera sabido de él. El comercio por el cual el país se ha enriquecido a sí mismo son las necesidades básicas de la vida y siempre tendrá un mercado mientras comer siga siendo la costumbre de Europa.

Pero Gran Bretaña nos ha protegido, por decir algo. (...) Nos hemos jactado de la protección de Gran Bretaña sin considerar que su motivación era el interés y no su compromiso con nosotros; que no nos protegía de nuestros propios enemigos en nuestro beneficio, sino de sus enemigos en su propio beneficio, de aquellos que no tenían nada en nuestra contra por ninguna otra razón y que siempre serán nuestros enemigos por la misma razón. Que deje Bretaña a un lado sus pretensiones en el continente, o que el continente rechace su dependencia de ella; así, estaríamos en paz con Francia y España, si ellas estuvieran en guerra con Bretaña.

3. ¿Cuál de las opciones es un detalle que usa Thomas Paine para respaldar su punto principal?

   A. Las personas que están en desacuerdo con Paine no tienen en cuenta el beneficio para los Estados Unidos.
   B. Los primeros veinte años de la vida de alguien sientan un precedente para los veinte años siguientes.
   C. Los Estados Unidos son mejores que Gran Bretaña en hacer guerras.
   D. Hay un amplio mercado en Europa para los productos estadounidenses.

4. Thomas Paine sostiene que algunas personas están en desacuerdo con sus ideas. ¿En qué están en desacuerdo esas personas?

   A. Piensan que Paine no entiende las implicancias de su propuesta.
   B. Creen que Gran Bretaña nunca ha protegido a los Estados Unidos de sus enemigos.
   C. Creen que lo único que impide una guerra entre Francia y los Estados Unidos es Gran Bretaña.
   D. Piensan que los Estados Unidos no florecerán sin Gran Bretaña.

5. ¿Cuál de los detalles siguientes **no** sería necesario en un resumen del fragmento?

   A. la analogía de Paine sobre los lactantes para señalar que los Estados Unidos no necesitan continuar su relación con Gran Bretaña
   B. la idea de Paine de que hay gente que asevera que los Estados Unidos necesitan su conexión con Gran Bretaña para florecer
   C. la idea de Paine de que Gran Bretaña arrastró a los Estados Unidos a las guerras a título de protección
   D. la idea de Paine de que el comercio no se verá afectado por no tener conexión con Gran Bretaña

6. ¿Cuál de las siguientes afirmaciones proporciona el **mejor** resumen del fragmento?

   A. Los Estados Unidos florecieron bajo la protección de Gran Bretaña y estarían en riesgo sin ella, de modo que se deben tomar medidas para fortalecer esta conexión.
   B. Los Estados Unidos deben cortar su conexión con Gran Bretaña, porque la actividad comercial no se verá afectada y la corona protegió al país en su propio beneficio y no en beneficio de los Estados Unidos.
   C. En el caso de un futuro conflicto con otra potencia europea, los Estados Unidos deben permanecer en una posición neutral.
   D. Gran Bretaña ha protegido a los Estados Unidos contra los enemigos de la corona británica, pero los Estados Unidos no tienen enemigos propios.

3 Domina la destreza

INSTRUCCIONES: Estudia la información, lee cada pregunta y elige la **mejor** respuesta.

Una vez enviada la Constitución a los estados para que la ratificaran, James Madison fue uno de los tres estadounidenses destacados que escribieron ensayos para ayudar a las personas a comprender la nueva forma de gobierno y animarlas a apoyar la Constitución. Estos 85 ensayos se conocieron como *Federalist Papers* y fueron publicados bajo el seudónimo de "Publius". Describían la estructura y las funciones de los poderes ejecutivo, legislativo y judicial del gobierno. También explicaban cómo administraría el gobierno el comercio, cómo proveería a la defensa y cómo recaudaría ingresos. Periódicos de Nueva York y de otros estados publicaron los ensayos para ponerlos a disposición del público, que tenía opiniones diversas acerca de la Constitución.

En el ensayo *Federalist N° 37*, Madison describió las dificultades que enfrentaban los delegados en su esfuerzo por redactar la Constitución. Primero, no tenían precedentes que seguir; solo sabían que la Confederación existente era débil y que debían tratar de evitar errores cometidos por otras naciones. Además, los delegados debían diseñar un gobierno estable, que brindara seguridad y asegurara el cumplimiento de las leyes y que, a su vez, garantizara las libertades individuales. Por último, era necesario hallar el equilibrio de poderes apropiado entre el gobierno nacional y los gobiernos estatales. Madison concluyó el ensayo con su opinión sobre las razones por las que la convención fue un éxito: hubo pocas divisiones por cuestiones partidarias y los delegados comprendieron la importancia de sacrificar los intereses personales en pos del bien común.

7. ¿Por qué el segundo párrafo es un buen ejemplo de un resumen?

   A. El autor solo enuncia con sus palabras las ideas principales de *Federalist N° 37.*
   B. El autor describe en detalle los argumentos de Madison en favor de la Constitución.
   C. El autor describe en detalle las deliberaciones de la Convención constitucional.
   D. El autor enuncia la idea principal y los detalles con sus palabras

8. ¿Cuál era la idea principal del *Federalist N° 37?*

   A. La Constitución se escribió para crear un gobierno que brindara libertades personales y necesidades básicas al pueblo.
   B. La Constitución se escribió como un referente después de los débiles Artículos de la Confederación.
   C. Tenía que haber un equilibrio de poder entre los diferentes poderes de gobierno.
   D. Las dificultades que se presentaron durante la redacción de la Constitución se superaron gracias a la imparcialidad de los delegados.

9. ¿Cuál de los detalles siguientes **no** es necesario en un resumen del pasaje?

   A. Los *Federalist Papers* se escribieron antes de la ratificación de la Constitución.
   B. Los *Federalist Papers* se publicaron bajo el seudónimo de "Publius".
   C. Los *Federalist Papers* explicaban cómo funcionaría el nuevo gobierno propuesto en la Constitución.
   D. *Federalist N° 37* se escribió para explicar los estándares usados por los delegados para redactar el borrador de la Constitución.

10. ¿Cuál de los enunciados siguientes proporciona el **mejor** resumen del primer párrafo?

   A. Una vez redactada la Constitución, James Madison escribió un ensayo, *Federalist N° 37*, que se publicó en varios periódicos.
   B. Para que se ratificara la Constitución, tenían que votar los delegados de cada uno de los estados.
   C. Los *Federalist Papers* fueron una serie de ensayos que describieron el reciente borrador de la Constitución con el fin de obtener para ella el apoyo del público.
   D. James Madison ayudó a escribir los *Federalist Papers* para convencer al pueblo de que la Constitución se había escrito para el bien común y no para beneficio personal de cada delegado.

INSTRUCCIONES: Estudia la caricatura y la información, lee cada pregunta y elige la **mejor** respuesta.

Esta caricatura política se publicó por primera vez en el periódico *Pennsylvania Gazette* de Benjamin Franklin en 1754 y fue reimpresa en muchos otros medios. Las partes de la serpiente representan las distintas colonias y la región de Nueva Inglaterra. En principio, la caricatura se refería a uno de los primeros planes para unificar las colonias británicas de Norteamérica. Franklin pensaba que las colonias unidas podrían ayudar a Inglaterra a triunfar en su conflicto con Francia por la posesión de las tierras ubicadas al oeste de las colonias británicas. Al igual que la serpiente partida en pedazos, las colonias se arriesgaban a "morir" si no se unían. Al mismo tiempo, muchas personas creían en una superstición popular que indicaba que, si se volvían a unir los pedazos de una serpiente antes de la puesta de sol, la serpiente reviviría. Más tarde, una vez aprobada la Ley del Sello y tras otros sucesos que llevaron a la Guerra de la Independencia, los patriotas volvieron a usar esta caricatura para apoyar la causa de la independencia.

11. ¿Cómo se relaciona la leyenda de la caricatura política "Únete o muere" con el contexto histórico de la época en la que se creó?

    A. Hace referencia a un sentimiento popular entre los patriotas de la Revolución estadounidense.
    B. Hace referencia a las convicciones de Franklin sobre el futuro de las colonias británicas en su conflicto con Francia.
    C. Actúa como un grito de guerra para la Confederación durante la Guerra Civil.
    D. Insta a cada una de las colonias a ratificar la Constitución para convertirse en los Estados Unidos.

12. ¿Por qué se usó la imagen de una serpiente en la caricatura?

    A. La serpiente era un símbolo común usado en esa época para representar a las colonias británicas.
    B. Las partes de la serpiente ilustran un camino físico entre las diversas colonias.
    C. Demuestra creencias religiosas sobre las serpientes como criaturas del mal.
    D. Se relaciona con una antigua superstición sobre unir las partes de una serpiente para evitar su muerte.

13. ¿Cuál de los detalles siguientes **no** sería necesario en un resumen del pasaje?

    A. La caricatura se publicó al principio como reacción al conflicto con Francia.
    B. La caricatura se volvió a usar después de la aprobación de la Ley del Sello.
    C. La caricatura apareció en un periódico llamado *Pennsylvania Gazette*.
    D. La caricatura hace referencia a una superstición popular en esa época.

14. ¿Cuál de los enunciados siguientes brinda el **mejor** resumen del pasaje?

    A. La caricatura política "Únete o muere" se usó en la historia estadounidense para respaldar la unificación de las colonias contra un enemigo común.
    B. Benjamin Franklin publicó la famosa caricatura política con el fin de desalentar la participación en la Revolución Americana.
    C. En el siglo dieciocho existía una superstición divulgada sobre cortar una serpiente en partes.
    D. La caricatura política fue una declaración radical que cambió el curso de la historia estadounidense y su estatus bajo la ley inglesa.

Comparar y contrastar

LECCIÓN

Usar con el ***Libro del estudiante,*** págs. 68–69.

1 Repasa la destreza

TEMAS DE ESTUDIOS SOCIALES: I.CG.b.7, I.CG.b.8, I.CG.c.3, I.CG.d.2, USH.c.1, I.USH.c.3, I.USH.c.4, I.USH.d.1
PRÁCTICAS DE ESTUDIOS SOCIALES: SSP.1.a, SSP.1.b, SSP.2.a, SSP.2.b, SSP.3.c, SSP.6.b, SSP.6.c

Comparar y contrastar es examinar en qué se parecen y en qué se diferencian dos o más cosas. A veces, las comparaciones se presentan de manera explícita en un texto o una gráfica. Otras veces, debes estudiar las descripciones, usar la lógica y hacer suposiciones para determinar cuáles son las similitudes y diferencias entre dos cosas.

En los fragmentos que leerás en esta lección, los datos no se comparan y contrastan explícitamente en el texto. Debes leerlos con atención para reconocer las similitudes y las diferencias. Estudia los temas, los estilos de escritura y los argumentos principales.

2 Perfecciona la destreza

Al perfeccionar la destreza de comparar y contrastar, mejorarás tus capacidades de estudio y evaluación, especialmente en relación con la prueba de Estudios Sociales de GED®. Estudia la información que aparece a continuación. Luego responde las preguntas.

UNIDAD 3

a Los títulos de pasajes como estos te indican qué información tratan. Los títulos pueden brindar pistas sobre las similitudes y diferencias que puedes encontrar entre los pasajes.

b Ten en cuenta los propósitos que tuvieron los autores al escribir estos pasajes. ¿En qué se parecen sus propósitos de escritura y en qué se diferencian?

a

Fragmento traducido de la Ordenanza de secesión de Carolina del Sur:

Nosotros, el pueblo del Estado de Carolina del Sur, reunidos en convención, declaramos y ordenamos (...) Que la ordenanza aprobada por nuestra convención (...) por la que se ratificó la Constitución de los Estados Unidos de América, y también todas las leyes e incisos de leyes de la Asamblea General del Estado, por las que se ratificaron las enmiendas a la mencionada Constitución, quedan revocadas por medio de este acto; y que la unión que subsiste entre Carolina del Sur y otros estados, bajo el nombre de "Estados Unidos de América" queda disuelta por medio de este acto. b

Fragmento traducido de la Declaración de causas inmediatas de Carolina del Sur:

(...) el Estado de Carolina del Sur, habiendo reasumido su posición separada e igualitaria respecto de otras naciones, considera que es necesario, por el propio Estado, por los restantes Estados Unidos de América, y por las naciones del mundo, que se declaren las causas inmediatas que han derivado en este acto.

CONSEJOS PARA REALIZAR LA PRUEBA

Cuando respondas una pregunta de una prueba en la que debas comparar y contrastar, lee atentamente las ideas principales de cada pasaje o gráfica. Pregúntate en qué se parecen o en qué se diferencian esas ideas.

1. ¿Cuál de los siguientes temas tratan **ambos** pasajes?

   A. la secesión de Carolina del Sur de los Estados Unidos
   B. los conflictos entre los estados del Norte y del Sur
   C. la esclavitud en los Estados Unidos
   D. la posición de Carolina del Sur entre las naciones del mundo

2. ¿Cuál de las siguientes características es la **más** diferente entre los dos fragmentos?

   A. el estilo de escritura
   B. el propósito
   C. el momento en el que se escribieron
   D. el tema que tratan

3 Domina la destreza

INSTRUCCIONES: Estudia la información, lee cada pregunta y elige la **mejor** respuesta.

Un sistema agrícola conocido como *aparcería* surgió en el Sur al final de la Guerra Civil. Los terratenientes contrataron a muchos antiguos esclavos para que trabajaran zonas específicas de las plantaciones, con cultivos como el algodón. Estos trabajadores llegaron a las granjas del Sur con sus familias y aportaron la mano de obra que los dueños de las plantaciones necesitaban para seguir cultivando. Los terratenientes proporcionaban casi todos los equipos y provisiones que necesitaban los trabajadores. Además, los terratenientes solían prestar dinero a los trabajadores para cubrir sus gastos básicos.

Al terminar la cosecha, normalmente los trabajadores recibían la mitad de las ganancias por la venta de los cultivos. Sin embargo, los terratenientes, por lo general, descontaban gastos, dinero que les debían los trabajadores y sus intereses, de la parte de las ganancias de los trabajadores. Estos factores, además de otras prácticas deshonestas por parte de muchos de los terratenientes, evitaban que los trabajadores pudieran ganarse la vida con la aparcería. Las reformas federales que buscaban ayudar a los antiguos esclavos no tuvieron efectos duraderos en el Sur. Tanto los gobiernos locales como los estatales se reafirmaron para mantener el control económico y social sobre los afroamericanos recién liberados.

3. ¿En cuál de estos aspectos se diferenciaba el sistema de aparcería de la esclavitud en el Sur?

   A. Los trabajadores de las plantaciones a menudo eran maltratados.
   B. Los trabajadores podían recibir un pago por su trabajo en las plantaciones.
   C. Los trabajadores usaban materiales provistos por los terratenientes.
   D. Los trabajadores ayudaban al cultivo comercial del algodón.

4. ¿En qué se parecían las experiencias de los aparceros a las de los esclavos?

   A. Ambos recibían préstamos para cubrir el costo de sus gastos básicos.
   B. Ambos viajaban con sus familias.
   C. Ambos tenían cierto control del proceso de cultivo.
   D. Ambos se dedicaban principalmente a tareas agrícolas.

INSTRUCCIONES: Estudia la información, lee cada pregunta y elige la **mejor** respuesta.

Fragmento de la Decimotercera Enmienda de la Constitución de los Estados Unidos:

Sección 1. Ni en los Estados Unidos ni en ningún lugar sujeto a su jurisdicción habrá esclavitud ni trabajo forzado, excepto como castigo de un delito del que el responsable haya quedado debidamente convicto.

Sección 2. El Congreso podrá hacer cumplir este artículo mediante las leyes adecuadas.

Fragmento de la Decimoquinta Enmienda de la Constitución de los Estados Unidos:

Sección 1. Ni los Estados Unidos ni ningún estado podrán negar ni restringir el derecho al voto a los ciudadanos de los Estados Unidos por motivos de raza, color o de su anterior condición de esclavos.

Sección 2. El Congreso tendrá la facultad de hacer cumplir este artículo mediante las leyes adecuadas.

5. ¿En qué se parecen estas enmiendas?

   A. Ambas tratan del derecho al voto de los ciudadanos de los Estados Unidos.
   B. Ambas describen los requisitos necesarios para ejercer cargos públicos federales o estatales.
   C. Ambas conceden al Congreso la autoridad necesaria para hacer cumplir sus disposiciones.
   D. Ambas prohíben la esclavitud dentro del territorio de los Estados Unidos.

6. ¿Cuál de las siguientes opciones queda marcada como ilegal en la Decimoquinta Enmienda, pero **no** se menciona en la Decimotercera Enmienda?

   A. restricciones de voto basadas en la raza
   B. la encarcelación de criminales convictos
   C. las campañas de registro de votantes
   D. el trabajo forzado en los territorios de los Estados Unidos

3 Domina la destreza

INSTRUCCIONES: Estudia la información, lee cada pregunta y elige la **mejor** respuesta.

Después de la Reconstrucción, 22 afroamericanos del Sur representaron a sus estados en el Congreso. Sin embargo, hacia finales del siglo XIX, las leyes de Jim Crow comenzaron a influir en los resultados de las elecciones en el Sur. Ningún afroamericano de ningún estado accedió al Senado entre 1881 y 1967. Del mismo modo, la Cámara de Representantes no tuvo ningún miembro afroamericano entre 1901 y 1929. Pese a esto, desde entonces ha habido representantes afroamericanos continuamente en el Congreso. A partir de 2020, en la Cámara ha habido 154 miembros afroamericanos y en el Senado, diez.

PRIMEROS LEGISLADORES AFROAMERICANOS POR LOS ANTIGUOS ESTADOS CONFEDERADOS

Nombre	Estado	Logro
Hiram Revels	Misisipi	Primer miembro afroamericano del Senado de los EE. UU., elegido por la asamblea legislativa del estado de Misisipi el 23 de febrero de 1870
Blanche K. Bruce	Misisipi	Primer afroamericano en cumplir un mandato completo en el Senado de los EE. UU.; de 1875 a 1881; elegido por la asamblea legislativa del estado de Misisipi; último Senador afroamericano hasta 1967
Joseph Hayne Rainey	Carolina del Sur	Primer afroamericano elegido por voto popular para el Congreso; antiguo esclavo, llegó al Congreso en 1870 y cumplió cuatro mandatos en la Cámara.
George Henry White	Carolina del Norte	Último antiguo esclavo que se desempeñó en el Congreso, y último miembro afroamericano de la Cámara hasta 1929; se desempeñó entre 1897 y 1901.

7. ¿Cuál de las siguientes opciones describe una similitud entre el Senado y la Cámara de Representantes?

   A. Hiram Revels fue miembro de ambas cámaras del Congreso.
   B. En ambas hubo largos períodos en el siglo XX sin miembros afroamericanos.
   C. En ambas cámaras del Congreso ha habido al menos un miembro afroamericano desde 1929.
   D. En 1870 se eligieron candidatos afroamericanos por voto popular para ambas cámaras del Congreso.

8. A partir de la tabla y la información, ¿cuál de las siguientes opciones describe una diferencia entre el Senado y la Cámara de Representantes?

   A. La Cámara de Representantes tuvo muchos más miembros afroamericanos que el Senado.
   B. El Senado tuvo muchos más miembros afroamericanos que la Cámara de Representantes.
   C. Durante todo el siglo XX hubo representantes afroamericanos en la Cámara.
   D. Durante todo el siglo XX hubo miembros afroamericanos en el Senado.

9. ¿En qué se diferenciaban Hiram Revels y Joseph Hayne Rainey?

   A. Hiram Revels fue elegido años después que Joseph Hayne Rainey.
   B. Joseph Hayne Rainey fue elegido para el Senado y Hiram Revels, para la Cámara de Representantes.
   C. Hiram Revels fue un antiguo esclavo; Joseph Hayne Rainey, no.
   D. Joseph Hayne Rainey fue elegido por voto popular; Hiram Revels, no.

10. ¿En qué se parecen las carreras de Blanche K. Bruce y George Henry White?

    A. Ambos cumplieron funciones durante un solo mandato.
    B. Durante muchos años fueron los últimos afroamericanos en ocupar puestos en sus respectivas cámaras del Congreso.
    C. Ambos fueron elegidos por voto popular.
    D. Ambos representaron al mismo estado en el Congreso.

INSTRUCCIONES: Estudia la información, lee cada pregunta y elige la **mejor** respuesta.

1863: El presidente Lincoln propone el plan de Reconstrucción.

1864: El Congreso aprueba la ley Wade-Davis, que exige un juramento de lealtad al cincuenta por ciento de los votantes masculinos de los estados. El presidente Lincoln veta la ley.

1865: Asesinato del presidente Lincoln

1865: El presidente Andrew Johnson cimienta su plan de reconstrucción en el plan de Lincoln y firma una proclama de amnistía que busca arrebatar el control de la Reconstrucción a la aristocracia del Sur.

1865: La Decimotercera Enmienda, de abolición de la esclavitud, se presenta a los estados el 31 de enero de 1865 y se ratifica el 6 de diciembre de 1865.

1865: El Congreso niega puestos a antiguos Confederados; el presidente Johnson critica a los republicanos y veta su legislación de Reconstrucción.

1866: El Congreso aprueba la ley de Derechos Civiles.

1866: La mayoría de los estados del Sur rechaza la Decimocuarta Enmienda, que garantiza la ciudadanía a todos los nacidos en los Estados Unidos, entre ellos los antiguos esclavos.

1867: Se aprueban las leyes de Reconstrucción en el Congreso y se establecen jurisdicciones militares para gobernar el Sur.

1868: El Congreso acusa en un juicio político al presidente Johnson, pero no logra retirarlo del cargo.

1868: Seis estados de la Confederación vuelven a sumarse a la Unión. Los estados ratifican la Decimocuarta Enmienda.

1870: El resto de los estados de la Confederación vuelven a sumarse a la Unión.

1870: Se ratifica la Decimoquinta Enmienda, que garantiza a todos los ciudadanos el derecho al voto, independientemente de su grupo étnico, color o antigua condición de esclavos.

1877: Termina la Reconstrucción con el Compromiso de 1877, que declaró a Rutherford B. Hayes como presidente después de que los resultados de la elección de 1876 fueron disputados.

11. ¿A cuál de estas opciones se parecen **más** las políticas de Reconstrucción de Andrew Johnson?

    A. a las políticas de los republicanos radicales
    B. a las políticas de Rutherford B. Hayes
    C. a las políticas de Abraham Lincoln
    D. a las políticas de los antiguos confederados

12. ¿Cuál de estas opciones es una diferencia entre la Decimotercera y la Decimocuarta Enmiendas?

    A. Una se ocupó de la Reconstrucción; la otra, de las relaciones exteriores.
    B. Una fue ratificada en un año y la otra fue ratificada en dos años.
    C. Una fue ratificada durante la Reconstrucción mientras que la otra fue ratificada después de la Reconstrucción.
    D. Los republicanos radicales apoyaron una de las enmiendas, pero no la otra.

13. ¿Con cuál de las siguientes acciones demostró Andrew Johnson una estrategia de Reconstrucción similar a las de los republicanos radicales?

    A. vetar las leyes de Reconstrucción
    B. criticar la decisión de no aceptar a los antiguos confederados en el Congreso
    C. oponerse a que se establecieran distritos militares en el Sur
    D. arrebatar el control de la Reconstrucción a la aristocracia del Sur

14. ¿En qué se parecen la Decimocuarta y la Decimoquinta Enmiendas?

    A. Ambas garantizaban derechos que los afroamericanos no habían tenido hasta el momento.
    B. Ambas fueron rechazadas por los estados del Sur.
    C. Ambas fueron ratificadas rápidamente.
    D. Ambas recibieron el apoyo del presidente Rutherford B. Hayes.

Lección de alto impacto: Analizar fuentes primarias y secundarias

Usar con el ***Libro del estudiante***, págs. 70–73.

1 *Repasa la destreza*

TEMAS DE ESTUDIOS SOCIALES: I.USH.c.2, I.USH.d.2, II.CG.d.2
PRÁCTICAS DE ESTUDIOS SOCIALES: SSP.6.b, SSP.8.a

Las **fuentes primarias** son información de primera mano sobre un tema e incluyen cartas, discursos, anotaciones de un diario, mapas, fotografías, videos, artefactos y otros objetos de un momento específico de la historia. Las **fuentes secundarias** interpretan y analizan los sucesos históricos e incluyen libros de historia, libros de texto y entradas de una enciclopedia. Para analizar fuentes primarias y secundarias sobre un mismo tema, presta atención al punto de vista de cada fuente. Considera de qué manera las dos fuentes trabajan juntas para explicar por completo el tema histórico. Piensa en cómo se complementan las fuentes entre sí y en cómo revelan perspectivas alternativas sobre el mismo período o suceso.

En la prueba de Estudios Sociales de GED®, se espera que demuestres comprensión acerca de cómo analizar fuentes primarias y secundarias sobre un mismo tema y que notes las similitudes y las diferencias entre ellas. Es posible que te encuentres con preguntas que te pidan que identifiques un tema común en fuentes múltiples, que describas las similitudes y las diferencias en el enfoque de un mismo tema en fuentes múltiples y que expliques de qué manera cualquiera de las diferencias de enfoque afectan tu comprensión del tema.

2 *Perfecciona la destreza*

UNIDAD 3

a Las fuentes secundarias, tal como un pasaje sobre un suceso histórico, presentan un informe general, y frecuentemente neutral, sobre un suceso.

Durante la Guerra de Secesión, Richmond, Virginia, era la capital de los Estados Confederados de América. Era una importante fuente de armas y suministros, y la terminal de cinco ferrocarriles. Después de un prolongado sitio, el general de la Unión, Ulysses S. Grant, tomó Richmond a principios de abril de 1865. Mientras sus tropas avanzaban, se les ordenó a los soldados confederados en retirada que prendieran fuego a puentes, arsenal y depósitos de suministros por toda la ciudad. El fuego se propagó fuera de control y se dañaron extensas partes de Richmond. Finalmente, las tropas de la Unión pudieron apagar los incendios, pero la caída de Richmond fue la señal más significativa de que la Confederación había llegado a su fin. Alrededor de una semana más tarde, el general confederado Robert E. Lee se rindió ante Grant.

b Las imágenes, como las fotografías, son un tipo de fuente primaria. Esta foto, tomada en abril de 1865, muestra la ciudad de Richmond en ruinas después de que los confederados le prendieran fuego.

Una fuente primaria y una secundaria en conjunto pueden brindar una imagen completa de un suceso histórico. Observa de qué manera la foto añade detalles al párrafo. La respuesta correcta es **C**.

1. ¿Qué añade la foto a tu comprensión sobre la caída de Richmond?

   A. La ciudad de Richmond había sido una importante fuente de armamento y suministros.
   B. Las tropas de la Unión que habían entrado en la ciudad de Richmond apagaron los incendios.
   C. La ciudad de Richmond había quedado completamente destruida después de la huida de los confederados.
   D. Los soldados de la Unión habían exagerado enormemente los informes del daño a Richmond.

3 Domina la destreza

INSTRUCCIONES: Estudia el cartel y la información, lee cada pregunta y elige la **mejor** respuesta.

La mujer de la Guerra Santa: La gran carga sobre las obras del enemigo

Los activistas progresistas de finales del siglo XIX pretendían reformar casi todos los aspectos sociales y políticos de la sociedad estadounidense. Consideraban que la prohibición de consumir alcohol resolvería muchos de los peores problemas de la sociedad, entre ellos la pobreza y el delito. Muchos líderes del movimiento por la sobriedad, o anti-alcohol, eran mujeres. Esas mujeres, que a menudo habían experimentado de primera mano los efectos negativos del alcohol en las familias, defendían con tenacidad que se prohibieran por completo las bebidas alcohólicas. Además, muchos reformistas de esa época consideraban que las mujeres eran moralmente superiores a los hombres y, por lo tanto, debían liderar un movimiento que aspirara a proteger la vida familiar.

El movimiento por la sobriedad también atrajo a las mujeres porque les daba espacio para tener una voz política en una época en la que no podían votar en las elecciones nacionales. Muchas mujeres involucradas en el movimiento por la sobriedad eran al mismo tiempo activistas por los derechos de las mujeres, ya que ambos movimientos estaban estrechamente relacionados.

La Unión Cristiana de Mujeres por la Sobriedad, que fue la organización femenina más grande del país en esa época, fue fundada en 1874. Los integrantes de los grupos ejercieron presión ante los funcionarios electos para promulgar leyes que prohibieran el consumo de alcohol. Algunas de las integrantes más activas interrumpían la actividad comercial en las tiendas de licor y las tabernas.

En diciembre de 1917, a causa de la creciente presión que ejercían las diversas organizaciones del movimiento por la sobriedad, el Congreso aprobó la Decimoctava Enmienda, que declaró ilegales la producción, el transporte y la venta de bebidas alcohólicas en los Estados Unidos. Entró en vigor oficialmente en enero de 1920.

2. ¿De qué tratan ambas fuentes?

   A. la aprobación de la Decimoctava Enmienda
   B. la Unión Cristiana de las Mujeres por la Sobriedad
   C. la violencia de las mujeres contra las bebidas alcohólicas
   D. la participación de las mujeres en el movimiento por la sobriedad

3. ¿Qué es similar en las dos fuentes?

   A. Demuestran el modo en que los progresistas lidiaban con los problemas de la sociedad.
   B. Muestran que solo las mujeres eran capaces de liderar el movimiento por la sobriedad.
   C. Demuestran que las mujeres desempeñaron un papel activo en el movimiento por la sobriedad.
   D. Muestran que las bebidas alcohólicas tenían un impacto negativo en las familias.

4. ¿En qué sentido el cartel difiere del pasaje?

   A. Explica que algunas líderes femeninas por la sobriedad interrumpían la actividad comercial de las tiendas de alcohol y las tabernas.
   B. Rechaza la violencia cometida por las líderes femeninas del movimiento por la sobriedad.
   C. Insinúa que tener mujeres a cargo del movimiento por la sobriedad era una mala idea.
   D. Insinúa que las mujeres tenían total control como líderes del movimiento por la sobriedad.

5. ¿Cómo te ayudan el pasaje y el cartel combinados a entender el movimiento por la sobriedad?

   A. Muestran que la sociedad reconoció el importante papel de las mujeres en el movimiento por la sobriedad.
   B. Explican por qué se aprobó la Decimoctava Enmienda en esas circunstancias.
   C. Muestran de qué manera los activistas progresistas pretendían reformar los aspectos sociales y políticos de la sociedad.
   D. Explican por qué se fundó el Movimiento Cristiano de las Mujeres por la Sobriedad.

Tablas, gráficas y diagramas de flujo

LECCIÓN

Usar con el ***Libro del estudiante,*** págs. 74–75.

1 Repasa la destreza

TEMAS DE ESTUDIOS SOCIALES: II.CG.e.2, II.CG.e.3, II.G.c.3, II.G.d.1, II.G.d.3, II.G.d.4, II.USH.g.3
PRÁCTICAS DE ESTUDIOS SOCIALES: SSP.1.a, SSP.1.b, SSP.2.a, SSP.2.b, SSP.3.a, SSP.3.c, SSP.6.b, SSP.6.c, SSP.10.a

Las **tablas**, las **gráficas** y los **diagramas de flujo** son recursos para presentar diferentes tipos de información de forma visual. Las gráficas lineales y las de barras son especialmente útiles para mostrar cambios a lo largo del tiempo. Las gráficas circulares muestran la relación entre partes que forman un todo. Los diagramas de flujo son útiles para presentar información ordenada en una secuencia. Normalmente, cada paso se explica con un texto que queda encerrado en una figura y, en general, se usan flechas para mostrar el orden de la secuencia. Un diagrama de flujo puede describir una secuencia simple, una secuencia compleja e interconectada, o un ciclo.

Asegúrate de determinar con exactitud qué información se presenta en una tabla, una gráfica o un diagrama de flujo. Los títulos de estos recursos visuales pueden ayudarte. Además, lee con atención todos los rótulos incluidos en la tabla, la gráfica o el diagrama de flujo. Los rótulos te ayudan a comprender qué representa cada parte del elemento visual.

2 Perfecciona la destreza

Al perfeccionar la destreza de interpretar tablas, gráficas y diagramas de flujo, mejorarás tus capacidades de estudio y evaluación, especialmente en relación con la prueba de Estudios Sociales de GED®. Estudia las siguientes gráficas. Luego responde las preguntas.

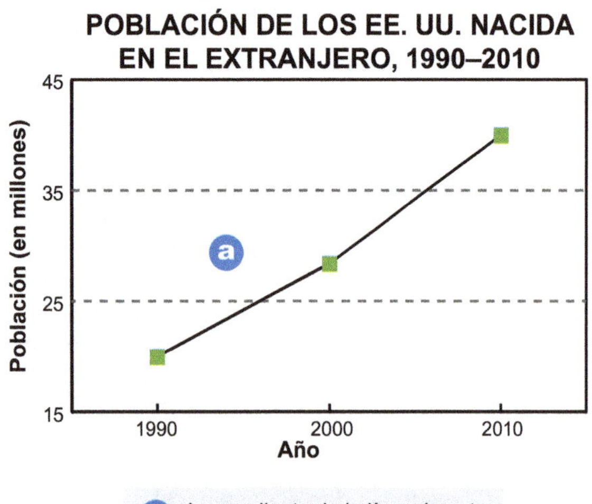

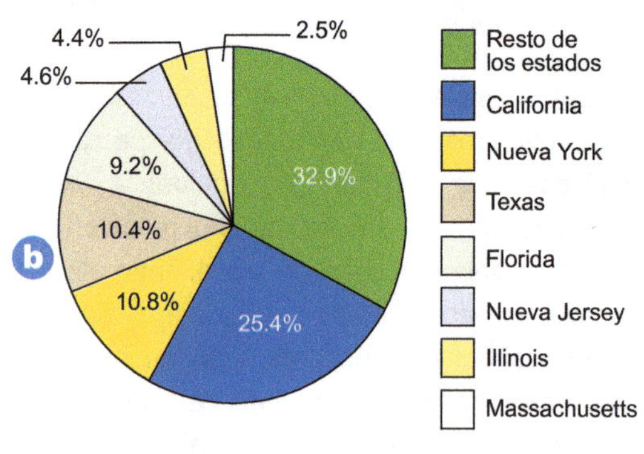

a La pendiente de la línea de esta gráfica representa el aumento de la población estadounidense nacida en el extranjero en cada año.

b Los rótulos de la gráfica circular identifican las partes del entero que corresponden a cada segmento.

TEMAS

Una disminución en una gráfica o tabla no siempre es algo malo, y un aumento no siempre es algo bueno. Si una tabla muestra un cambio en la tasa de mortalidad infantil, una disminución sería algo positivo y un aumento sería preocupante.

1. ¿Cuál de los siguientes estados ocupa el tercer puesto en número total de residentes nacidos en el extranjero?

   A. Nueva York
   B. Texas
   C. Florida
   D. Nueva Jersey

2. ¿Cuánto aumentó, aproximadamente, la población estadounidense nacida en el extranjero entre 1990 y 2010?

   A. aproximadamente 500,000
   B. aproximadamente 6,000,000
   C. aproximadamente 10,000,000
   D. aproximadamente 20,000,000

UNIDAD 3

3 Domina la destreza

INSTRUCCIONES: Estudia la información y el diagrama de flujo, lee cada pregunta y elige la **mejor** respuesta.

La Guerra Hispano-Estadounidense fue un conflicto breve (duró menos de un año) pero, para cuando finalizó, los Estados Unidos habían cambiado como nación. Como resultado de haber ganado esta guerra, los Estados Unidos tomaron control de territorios anteriormente españoles, desde Cuba hasta las Filipinas.

SUCESOS QUE LLEVARON A LA GUERRA HISPANO-ESTADOUNIDENSE

Rebeldes cubanos inician una guerra para independizarse de España.

↓

España toma duras medidas para suprimir la rebelión.

↓

Los periódicos publican artículos exagerados sobre la brutalidad de los españoles y llevan a los estadounidenses a volverse contra España.

↓

El presidente McKinley envía el acorazado *Maine* a Cuba.

↓

El 15 de febrero de 1898, una explosión por causas desconocidas destruye al *Maine* y mueren 267 tripulantes.

↓

Aunque se desconoce la causa de la explosión, diferentes periódicos de los Estados Unidos avivan la llama del odio de los estadounidenses hacia España.

↓

El presidente McKinley declara la guerra; la victoria de los Estados Unidos llega apenas ocho meses después.

3. ¿Cuáles eran los motivos de la guerra entre España y Cuba, antes de la Guerra Hispano-Estadounidense?

   A. España quería independizarse de Cuba.
   B. España intentaba suprimir una rebelión en Cuba.
   C. España era una aliada de los Estados Unidos, que luchaba contra Cuba.
   D. Había habido una explosión en un buque español, en la bahía de La Habana.

4. ¿Cómo influyeron los periódicos en las acciones del gobierno de los Estados Unidos antes de la Guerra Hispano-Estadounidense?

   A. Los periódicos se rehusaban a publicar artículos sobre las acciones de España en Cuba.
   B. Los miembros del Congreso controlaban qué imprimían los periódicos acerca de España.
   C. Los periódicos publicaron artículos sensacionalistas y lograron que la opinión pública estadounidense se volviera en contra de España.
   D. Los editores de los periódicos aportaban fondos para la rebelión de Cuba contra España.

5. ¿Cuál de las siguientes opciones es un cambio que se dio en los Estados Unidos por la Guerra Hispano-Estadounidense?

   A. Ya no se consideraba que Cuba fuera una nación enemiga.
   B. Se decidió participar en otros conflictos para ganar nuevos territorios.
   C. Se transformó en una potencia mundial y se debió tener esto en cuenta para las acciones futuras.
   D. Comenzó la restricción de los derechos individuales en territorio estadounidense.

INSTRUCCIONES: Estudia las gráficas circulares, lee la pregunta y elige la **mejor** respuesta.

ELECCIÓN PRESIDENCIAL DE 1908

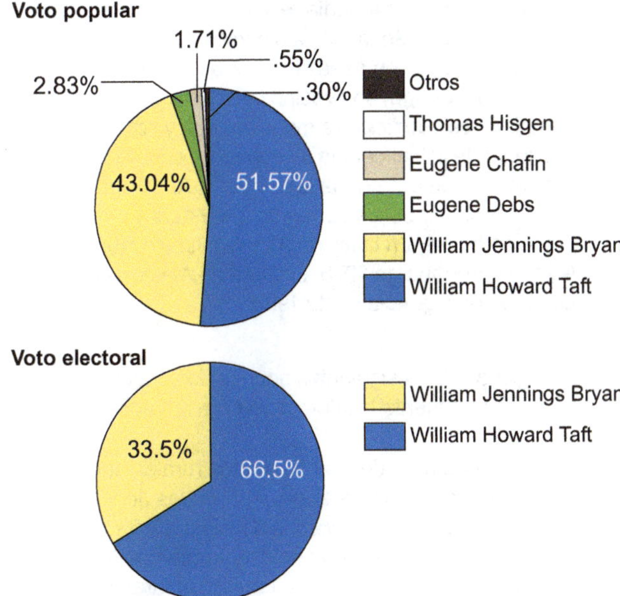

6. ¿Cuál de los siguientes enunciados es correcto?

   A. De los candidatos nombrados, tres candidatos no recibieron votos electorales.
   B. Taft obtuvo un porcentaje mayor del voto popular que del voto electoral.
   C. Bryan obtuvo el primer puesto, según el voto popular.
   D. Los dos candidatos con más votos obtuvieron menos del 75% de los votos, tanto populares como electorales.

3 Domina la destreza

INSTRUCCIONES: Estudia la gráfica de barras y la información, lee cada pregunta y elige la **mejor** respuesta.

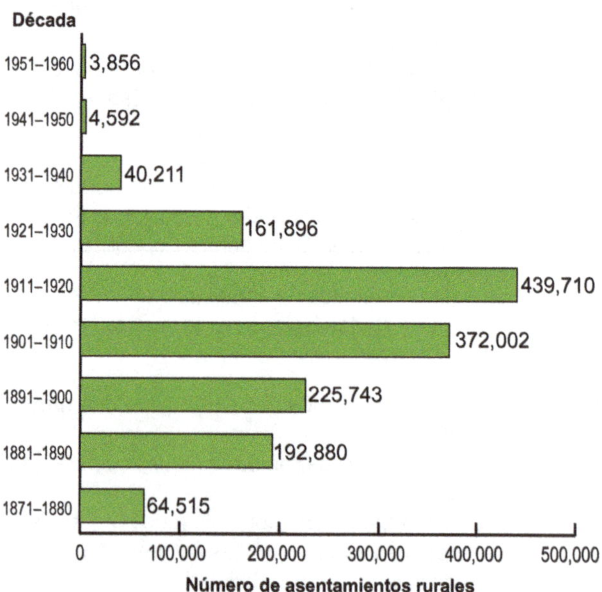

La ley de Asentamientos Rurales de 1862 brindó la posibilidad de acceder a tierras propias a millones de personas de todas las clases soiales–entre ellas mujeres solteras, antiguos trabajadores esclavos, inmigrantes y agricultores–que no tenían tierras propias. Por un arancel de $12, una persona podía reclamar para sí 160 acres de tierras públicas. Se le exigía a cambio que construyera una casa, viviera en esas tierras y las cultivara durante cinco años. Luego, dos vecinos debían testificar que había cumplido las condiciones mencionadas y, tras un pago adicional de $6, el colono se convertía en dueño legal de la tierra y se le entregaba la escritura. Aproximadamente el 10 por ciento de las tierras de los Estados Unidos fueron colonizadas según la ley de Asentamientos Rurales. Esta ley fue derogada en 1976, excepto en Alaska, donde continuó en vigencia hasta 1986.

7. ¿Cuál de los siguientes enunciados describe correctamente la información presentada en la gráfica?

   A. El número de asentamientos rurales aumentó a un ritmo constante entre las décadas de 1870 y 1960.
   B. Las primeras décadas del siglo XX fueron el período de mayor cantidad de asentamientos rurales.
   C. No hubo nuevos asentamientos rurales a partir de 1950.
   D. Se crearon más asentamientos rurales entre 1911 y 1920 que en todas las décadas anteriores combinadas.

8. ¿Cuál de las siguientes es la consecuencia **más probable** de la ley de Asentamientos Rurales?

   A. Hubo menos dueños de tierras en todo el territorio de los Estados Unidos.
   B. La esclavitud continuó muchos años más que los que hubiera durado sin esa ley.
   C. Muchas personas sintieron una conexión más fuerte con el gobierno federal.
   D. Las personas abandonaron las ciudades y fueron a establecerse en los asentamientos rurales.

INSTRUCCIONES: Estudia la gráfica de barras, lee cada pregunta y elige la **mejor** respuesta.

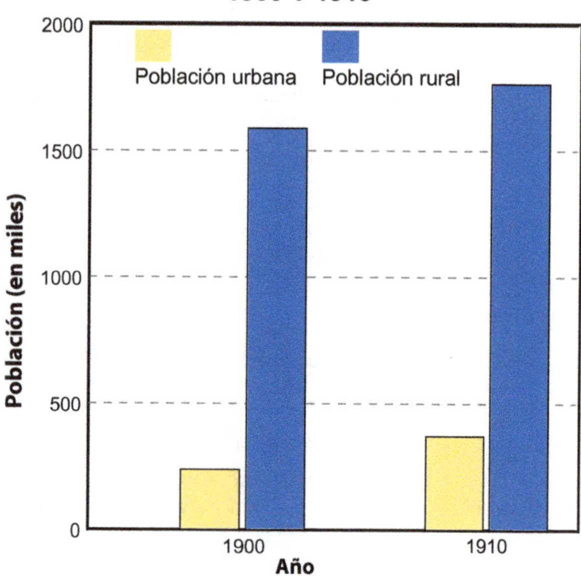

9. ¿Cuál es la **mejor** descripción de la población de Alabama tanto en 1900 como en 1910?

   A. La población de Alabama estaba repartida en partes aproximadamente iguales entre las áreas urbanas y rurales.
   B. La población del estado era preponderantemente urbana.
   C. La mayoría de los pobladores de Alabama vivía en áreas rurales.
   D. El estado tenía más de 2,000,000 de habitantes.

10. Hacia el año 1910, ¿de qué manera había cambiado la población de Alabama?

   A. La población aumentó en menos de 1,000.
   B. La población estaba apenas un poco más urbanizada.
   C. Más del 90 por ciento de la población vivía en áreas urbanas.
   D. Disminuyó la población tanto en las áreas rurales como en las urbanas.

Ítem en foco: **MENÚ DESPLEGABLE**

INSTRUCCIONES: El pasaje que aparece a continuación está incompleto. Usa información de la gráfica para completar el pasaje. En cada ejercicio con menú desplegable, elige la opción que complete correctamente la oración.

GASTOS DE CAMPAÑA: CÁMARA DE REPRESENTANTES, 2008–2018, VALOR NETO EN DÓLARES

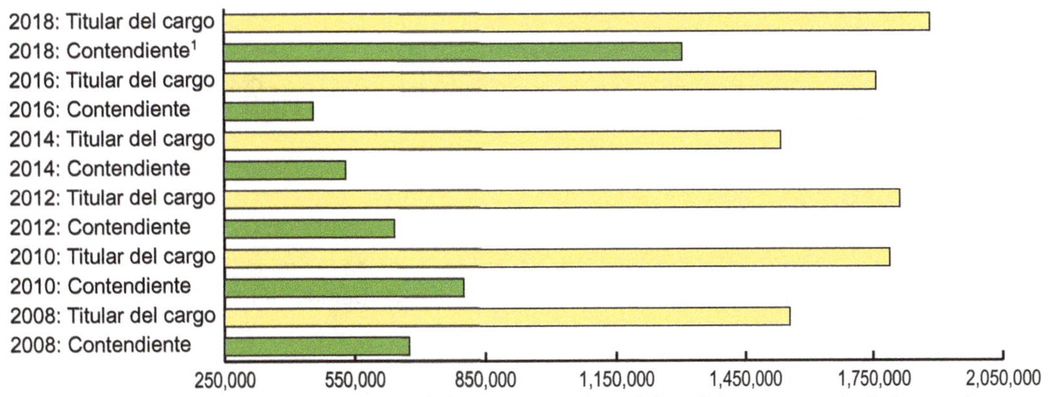

[1] Incluye uno o más candidatos independientes, que se incluyen solamente si eran titulares de los cargos o contendientes ganadores.

GASTOS DE CAMPAÑA DE CANDIDATOS A LA CÁMARA DE REPRESENTANTES

11. El aumento del costo de las campañas para acceder a la Cámara de Representantes, especialmente el costo de [11. Menú desplegable 1] en los medios, ha convertido a muchos representantes en legisladores virtuales a tiempo parcial y [11. Menú desplegable 2] a tiempo completo. Si bien la búsqueda de financiamiento para las campañas es una carga pesada para los legisladores, estos tienen una significativa ventaja frente a los [11. Menú desplegable 3] que se postulan. Los [11. Menú desplegable 4] también tienen la ventaja de ser más conocidos para los votantes, gracias a sus apariciones en los medios y a los asesores que reciben un salario del congreso por asistirlos. El desequilibrio cada vez más pronunciado entre las recaudaciones de fondos de contendientes y titulares de los cargos contribuyó a la alta tasa de [11. Menú desplegable 5] al Congreso, lo que llevó a reclamos de reformar los métodos para recaudar fondos de campaña e incluso de limitar los mandatos.

Opciones de respuesta del menú desplegable

11.1
- A. las campañas para alentar el voto
- B. los debates en universidades
- C. los anuncios políticos
- D. las campañas de puerta en puerta

11.2
- A. recaudadores de fondos
- B. congresistas
- C. candidatos presidenciales
- D. actores de televisión

11.3
- A. periodistas de medios
- B. recaudadores de fondos profesionales
- C. candidatos presidenciales
- D. candidatos contendientes

11.4
- A. candidatos contendientes
- B. titulares de los cargos
- C. medios informativos
- D. candidatos presidenciales

11.5
- A. falsificaciones de resultados de elecciones
- B. pérdidas en las elecciones
- C. reelecciones
- D. falta de candidatos

UNIDAD 3

Hacer inferencias

Usar con el ***Libro del estudiante,*** págs. 76–77.

1 Repasa la destreza

TEMAS DE ESTUDIOS SOCIALES: I.CG.b.6, I.CG.b.8, I.CG.c.1, I.CG.c.3, I.CG.c.4, I.CG.c.5, I.CG.c.6, I.CG.d.2, II.CG.e.2, II.CG.e.3, I.USH.d.2, II.USH.f.4, II.USH.f.5, II.USH.g.3
PRÁCTICAS DE ESTUDIOS SOCIALES: SSP.1.a, SSP.1.b, SSP.2.a, SSP.2.b, SSP.3.a, SSP.3.c, SSP.5.a, SSP.6.b

Una **inferencia** es una suposición lógica que se hace teniendo en cuenta dos o más datos y los conocimientos previos. A medida que continúas leyendo un texto, encontrarás información nueva que confirma o contradice tu inferencia. Tal vez sea necesario revisar esa inferencia. Al **hacer inferencias**, puedes usar la información que tienes para elaborar nuevas ideas sobre un tema en particular. Cuando lees información histórica, hacer inferencias te permite relacionar personas, sucesos e ideas de maneras que no aparecen explícitamente en el texto.

A medida que lees, piensa en las conexiones entre los datos. Una inferencia es como un rompecabezas o un problema de suma. Si conoces el dato X y el dato Y, puedes relacionarlos para obtener un dato nuevo.

2 Perfecciona la destreza

Al perfeccionar la destreza de hacer inferencias, mejorarás tus capacidades de estudio y evaluación, especialmente en relación con la prueba de Estudios Sociales de GED®. Estudia la información que aparece a continuación. Luego responde las preguntas.

a Este párrafo da información sobre el comienzo del segundo mandato del presidente Wilson. Presta mucha atención a los hechos y tenlos en cuenta mientras lees su discurso.

La Primera Guerra Mundial arreciaba en Europa durante el segundo mandato del presidente Woodrow Wilson. En 1916, Alemania anunció que sus submarinos ya no se abstendrían de atacar a los buques estadounidenses, por más que los Estados Unidos se mantuvieran oficialmente neutrales. El 2 de abril de 1917, el presidente Wilson se presentó ante el Congreso para tratar el tema de la escalada del conflicto con Alemania.

b Identifica detalles del discurso que puedas relacionar con la información del párrafo anterior y también con tus conocimientos previos. Usa la información para hacer una inferencia sobre el presidente Wilson y su mensaje.

Fragmento traducido del discurso del presidente Wilson ante el Congreso:

b Es un deber penoso y abrumador, señores del Congreso, el que me toca desempeñar al dirigirme a ustedes. Nos esperan, posiblemente, muchos meses de duras pruebas y sacrificio. Es pavoroso llevar a este pueblo grande y pacífico a la guerra, a la más terrible y desastrosa de todas las guerras, una guerra en la que la propia civilización pareciera correr peligro. Pero el derecho es más precioso que la paz y lucharemos en defensa de los principios que llevamos arraigados en el corazón.

1. ¿Cuál de las siguientes situaciones llevó al presidente Wilson a dirigirse al Congreso?

   A. el estado de la guerra en Europa
   B. el inicio del segundo mandato del presidente Wilson
   C. el aumento del poder militar de Alemania
   D. el anuncio de que Alemania atacaría buques de los EE. UU.

2. ¿Qué inferencia puedes hacer sobre la perspectiva del presidente Wilson acerca del ingreso de los Estados Unidos en la Primera Guerra Mundial?

   A. Creía que pronto sería necesario.
   B. Estaba más decidido que nunca a permanecer neutral.
   C. Creía que los Estados Unidos podían ganar rápidamente la guerra.
   D. Creía que los motivos por los que se peleaba la guerra eran económicos.

CONSEJOS PARA REALIZAR LA PRUEBA

A veces, harás inferencias basadas en información presentada en un pasaje o en un elemento visual. Otras veces, deberás combinar nueva información con tus conocimientos anteriores para hacer una conjetura razonable.

3 Domina la destreza

INSTRUCCIONES: Estudia la información, lee cada pregunta y elige la **mejor** respuesta.

En 1872, Susan B. Anthony votó en las elecciones presidenciales y la arrestaron y multaron. Se rehusó a pagar la multa y usó su arresto para destacar sus ideas acerca de los derechos de las mujeres, especialmente el derecho al voto. La campaña para lograr el derecho al voto femenino a nivel nacional en los Estados Unidos continuó hasta bien entrado el siglo XX y no alcanzó el éxito sino hasta después de finalizada la Primera Guerra Mundial.

Fragmento traducido de un discurso de Susan B. Anthony de 1873:

Amigos y conciudadanos: me presento ante ustedes esta noche acusada del supuesto delito de haber votado en las recientes elecciones presidenciales sin tener el legítimo derecho para hacerlo. Será mi tarea esta noche probarles que, con ese voto, no solo no cometí ningún delito, sino que simplemente ejercí mis derechos de ciudadana, garantizados a todos los ciudadanos de los Estados Unidos en la Constitución Nacional, y que ningún estado tiene el poder de negar.

Fuimos "nosotros, el pueblo"; y no "nosotros, los ciudadanos blancos de sexo masculino"; ni siquiera "nosotros, los ciudadanos de sexo masculino"; sino que "nosotros, todo el pueblo", que formamos esta Unión. (...) Y es una burla descarada decirles a las mujeres que gozan de los beneficios de la libertad, cuando se les niega ejercer el único recurso que los garantiza y que ofrece este gobierno democrático republicano: el voto.

3. ¿A qué texto se refiere Anthony en el segundo párrafo de su discurso?

   A. al Preámbulo de la Constitución de los Estados Unidos
   B. a la Declaración de Independencia
   C. a la Decimosegunda Enmienda
   D. a la Proclamación de Emancipación

4. ¿Cuál de las siguientes inferencias puedes hacer a partir de la información?

   A. Susan B. Anthony se burla de la Constitución.
   B. Susan B. Anthony cree que la Constitución, tal como está redactada, garantiza a las mujeres el derecho al voto.
   C. Susan B. Anthony cree que las mujeres disfrutan de la libertad.
   D. Susan B. Anthony se opone a enmendar la Constitución por cualquier motivo.

INSTRUCCIONES: Estudia la información, lee cada pregunta y elige la **mejor** respuesta.

España cedió Puerto Rico a los Estados Unidos tras la Guerra Hispano-Estadounidense. Puerto Rico quedó bajo mandato militar hasta 1900, cuando los Estados Unidos establecieron allí un gobierno administrativo. En 1917, la Ley Jones estableció a Puerto Rico oficialmente como territorio de los Estados Unidos y concedió a los puertorriqueños la ciudadanía estadounidense. Por la Ley Jones se delimitaron los tres poderes del gobierno de Puerto Rico, se brindaron derechos civiles a las personas y se creó una asamblea legislativa bicameral elegida por el voto local. Sin embargo, el gobernador de Puerto Rico y el presidente de los Estados Unidos tenían el poder de vetar cualquier ley aprobada por la asamblea legislativa. Además, el Congreso de los Estados Unidos tenía el poder de anular cualquier acción entablada por la asamblea legislativa de Puerto Rico. Los Estados Unidos mantuvieron el control de los asuntos fiscales y económicos y retuvieron bajo su autoridad los servicios de correos, migraciones, defensa y otras cuestiones básicas de administración nacional.

Fragmento traducido de la Decimoctava Enmienda:

Sección 1. Un año después de la ratificación de este artículo quedarán prohibidos por el presente la fabricación, la venta y el transporte de bebidas embriagantes dentro de los Estados Unidos y en todos los territorios sometidos a su jurisdicción, así como su importación y exportación para utilizarlos como bebidas.

Sección 2. El Congreso y los distintos estados tendrán poderes concurrentes para hacer cumplir este artículo mediante las leyes adecuadas.

5. ¿Cuál de las siguientes inferencias puedes hacer sobre Puerto Rico?

   A. Puerto Rico se oponía al gobierno por parte de España.
   B. Los puertorriqueños estaban sujetos a las mismas reglas que los ciudadanos estadounidenses bajo la Decimoctava Enmienda.
   C. Se permitió que Puerto Rico continuara con cualquier producción de bebidas alcohólicas.
   D. Puerto Rico debió ratificar la Decimoctava Enmienda antes de que se convirtiera en ley.

6. La Decimoctava Enmienda se ratificó en 1919. ¿En qué año puedes inferir que entraron en vigencia las medidas de esta enmienda?

   A. 1918
   B. 1919
   C. 1920
   D. 1921

UNIDAD 3

3 Domina la destreza

INSTRUCCIONES: Estudia la información, lee cada pregunta y elige la **mejor** respuesta.

Con el nombre de "Ley Seca" se designa un período durante el cual la fabricación, el transporte y la venta de bebidas alcohólicas estaban prohibidos, es decir, eran ilegales. En los Estados Unidos, el movimiento que buscaba prohibir el alcohol comenzó a mediados del siglo XIX y rápidamente captó la atención del país. Luego, la Decimoctava Enmienda a la Constitución estableció la Ley Seca como ley nacional. Sin embargo, hacer cumplir esta ley resultó muy difícil. Muchos estadounidenses participaron en la producción ilegal y el contrabando de alcohol. Las tabernas y los bares clandestinos y el crimen organizado prosperaron. En 1933, la Ley Seca quedó derogada por la Vigesimoprimera Enmienda. Llegado 1966, ya no quedaba vigente ninguna ley seca de los estados.

7. ¿Qué puede inferirse a partir de la derogación de la Ley Seca mediante la Vigesimoprimera Enmienda?

   A. Hacia el año 1933, el Congreso ya no apoyaba la Ley Seca.
   B. La Gran Depresión llevó a las personas a reducir el consumo de alcohol.
   C. El contrabando demostró no ser rentable.
   D. Era más difícil hacer cumplir la Ley Seca a nivel local.

8. ¿Qué puedes inferir a partir del pasaje acerca de las leyes secas de los estados?

   A. Esas leyes quedaron anuladas por la Vigesimoprimera Enmienda.
   B. Las leyes de los estados tenían como objetivo el control de las tabernas y los bares clandestinos.
   C. Esas leyes fueron más fáciles de hacer cumplir que la Ley Seca nacional.
   D Algunas asambleas legislativas de los estados creían que el consumo de alcohol era peligroso e inmoral.

9. ¿Qué inferencia puedes hacer a partir del hecho de que muchos estadounidenses formaron parte de la producción y el consumo ilegales de alcohol?

   A. La mayoría de los estadounidenses no eran personas respetuosas de la ley.
   B. Los estadounidenses creían que la Ley Seca restringía sus derechos individuales de ciudadanos.
   C. La policía no intentaba hacer cumplir la ley.
   D. El empleo de la mayoría de los estadounidenses dependía de la producción de alcohol.

INSTRUCCIONES: Estudia la tabla, lee cada pregunta y elige la **mejor** respuesta.

HITOS DE LA DÉCADA DE 1920

Por primera vez en el mundo...	1920: Primera transmisión radial comercial de la estación de radio KDKA 1920: La producción en línea de ensamblaje del Modelo T dio inicio a la era del automóvil. 1920: El oficial de policía William Potts inventa el semáforo de tres colores. 1927: Charles Lindbergh completa el primer vuelo transatlántico en avión. 1927: Estreno de la primera película sonora, *El cantor de jazz.*
Artes y Cultura	1921: Louis Armstrong se une a la banda de King Oliver, *Creole Jazz Band.* 1921: Edith Wharton gana el Premio Pulitzer por su novela *La edad de la inocencia.*
Sociedad	1925: Las mujeres se cortan el cabello y dejan de lado los corsés para sumarse a la moda *flapper.* 1929: Asesinan a miembros del crimen organizado de Chicago en la Masacre del día de San Valentín.
Empleos y Legales	1920: Se disuelve la Sociedad de Naciones, aunque los Estados Unidos nunca fueron un país miembro. 1923: Se instituye una jornada laboral de ocho horas en la acería *U.S. Steel.* 1929: *Ford Motor Company* aumenta el salario mínimo de $6.00 a $7.00 por día.

10. A partir de los hitos de la tabla, ¿qué inferencia puede hacerse acerca de la década de 1920?

    A. La vida en la década de 1920 era peligrosa.
    B. La vida de los trabajadores era más difícil en la década de 1920, en comparación con décadas anteriores.
    C. Los artistas y los músicos alcanzaron fama internacional en la década de 1920.
    D. La década de 1920 fue un tiempo de entusiasmo e innovación.

11. De las siguientes experiencias, ¿cuál puede inferirse que dio más poder a las mujeres en la década de 1920?

    A. trabajar en fábricas durante la Segunda Guerra Mundial
    B. ir a ver obras de teatro y películas
    C. obtener el derecho al voto
    D. poder conducir automóviles

INSTRUCCIONES: Estudia la tabla y la información, lee cada pregunta y elige la **mejor** respuesta.

ADMINISTRACIONES DE HOOVER Y ROOSEVELT

Administración de Hoover
Ley de marketing agrícola: El gobierno compra el excedente de la producción agrícola para impulsar los precios de los productos agrícolas.
Aranceles de Hawley-Smoot: Aranceles altos para proteger los productos agrícolas estadounidenses
Corporación financiera de reconstrucción: Préstamos del gobierno a bancos y empresas en riesgo de cierre
Acuerdos voluntarios entre el gobierno y las empresas para mantener las empresas en funcionamiento y a los trabajadores empleados
Se pide a la Cruz Roja que distribuya a quienes los necesitaran el excedente de alimentos con el que contaba el gobierno.
El gobierno federal otorga préstamos a los estados para ayudar a financiar planes de asistencia a nivel estatal y local.
Administración de Roosevelt
Ley de emergencia bancaria: Estabiliza el sistema bancario y reabren los bancos.
Ley Glass-Steagall de reforma bancaria: El gobierno asegura los depósitos bancarios para restablecer la confianza en los bancos.
Administración de obras civiles: Aporta fondos del gobierno para emplear a personas en la construcción de caminos, puentes y escuelas.
Cuerpo civil de conservación: Se emplea a hombres jóvenes para plantar árboles, trabajar en proyectos de conservación de suelos y en las instalaciones de los parques nacionales.
Administración de obras públicas: Da trabajo a los desempleados en proyectos de obras públicas, como caminos, aeropuertos, parques; incluye brindar empleo a miles de artistas para pintar murales en los edificios públicos, a escritores de guías de viaje y a actores y músicos que brinden funciones gratuitas.
Oficina de crédito agrícola: El gobierno otorga préstamos a agricultores con deudas para evitar la quiebra de las granjas.
Administración de electrificación rural: Presta dinero a las empresas de servicios públicos, para hacer llegar la electricidad a la mayor parte de las zonas rurales de los Estados Unidos.
Ley de ajuste agrícola: Otorga fondos a los agricultores para que dejen de producir excedentes de cultivo con el fin de aumentar los precios de los cultivos.
Autoridad del valle de Tennessee: Da empleo para construir un sistema de represas y así proveer electricidad y control de inundaciones a zonas rurales de seis estados.

Tras la caída de los mercados de valores en 1929, los Estados Unidos se hundieron en una profunda crisis económica llamada la Gran Depresión. Quebraron bancos de todo el país y, con ellos, desaparecieron los ahorros de millones de estadounidenses. En pocos años, casi un cuarto de los trabajadores estaba sin empleo. Aumentaba constantemente el número de personas hambrientas, sin techo y con pocas esperanzas. El presidente Hoover puso en marcha diversas medidas para sacar a la nación de la crisis económica, pero la situación empeoró. Llegadas las elecciones presidenciales de 1932, los estadounidenses querían un cambio de rumbo y, con la elección de Franklin D. Roosevelt, obtuvieron el "Nuevo Acuerdo", a diferencia de las políticas del presidente Hoover.

12. ¿Qué puedes inferir a partir de la tabla sobre las diferencias entre las políticas de Hoover y de Roosevelt?

    A. Hoover solo implementó políticas que dieron estabilidad a los bancos.
    B. Hoover implementó menos políticas de ayuda directa a los trabajadores.
    C. Roosevelt no abordó el problema de infraestructura.
    D. Roosevelt no se ocupó de las necesidades de la gente del campo.

13. ¿Qué puedes inferir a partir de la tabla sobre la administración de Hoover en términos de agricultura?

    A. La renta de los granjeros dependió de los países extranjeros.
    B. Protegió a las granjas de las ejecuciones hipotecarias.
    C. No hubo suficientes granjas para abastecer de alimento a los ciudadanos estadounidenses.
    D. No resolvió el problema del excedente de cultivo.

14. ¿Qué puedes inferir a partir de la tabla sobre la administración de Roosevelt en términos de infraestructura?

    A. No dio empleo a trabajadores para tratar específicamente este problema.
    B. Hizo de esto una parte importante de una serie de programas del Nuevo Acuerdo.
    C. La infraestructura era algo de lo que Hoover ya se había ocupado antes del Nuevo Acuerdo.
    D. Se requería que los estados abordaran internamente los problemas de infraestructura.

15. ¿Qué puedes inferir sobre las maneras en que Hoover y Roosevelt consideraron las responsabilidades y poderes del gobierno federal?

    A. Hoover consideraba que el gobierno federal era necesario para dar estabilidad a los bancos, mientras que Roosevelt creía que estabilizar el sistema bancario dependía de los estados.
    B. Roosevelt consideraba que el gobierno federal debía emplear gente para mejorar la infraestructura, pero Hoover entendía que el gobierno debía hacer más que eso.
    C. Roosevelt consideraba que el gobierno federal tenía que asumir un rol activo en dar empleo a la gente, a diferencia de Hoover.
    D. Hoover creía que el gobierno federal debía dar empleo a los trabajadores rurales, a diferencia de Roosevelt.

7 LECCIÓN

Interpretar caricaturas políticas y la propaganda

Usar con el ***Libro del estudiante,*** págs. 78–79.

1 Repasa la destreza

TEMAS DE ESTUDIOS SOCIALES: I.CG.c.1, I.CG.c.3, I.CG.c.6, II.CG.e.1, II.E.d.7, II.E.d.10, II.USH.f.8, II.USH.f.9
PRÁCTICAS DE ESTUDIOS SOCIALES: SSP.1.a, SSP.1.b, SSP.2.a, SSP.2.b, SSP.5.a, SSP.5.b, SSP.6.b, SSP.7.a

Para **interpretar caricaturas políticas** se deben estudiar atentamente sus diversos elementos a fin de determinar cómo el caricaturista crea un mensaje a través de las imágenes y el texto. Los artistas **editorializan**, es decir, expresan sus opiniones sobre temas de actualidad o controvertidos.

Una de las maneras en que los **caricaturistas políticos** transmiten sus ideas a los lectores es a través de las caricaturas. Una **caricatura** exagera o distorsiona las características de una persona o cosa para expresar una opinión sobre ella y, así, editorializarla. Los caricaturistas políticos también usan símbolos y detalles visuales para transmitir significado.

2 Perfecciona la destreza

Al perfeccionar la destreza de interpretar caricaturas políticas, mejorarás tus capacidades de estudio y evaluación, especialmente en relación con la prueba de Estudios Sociales de GED®. Estudia la caricatura que aparece a continuación. Luego responde las preguntas.

ⓐ Los títulos y el texto de las caricaturas suelen dar pistas valiosas para interpretar su significado.

ⓑ Los caricaturistas políticos no suelen mostrar las situaciones de manera realista. Observa las maneras en que se exageran o distorsionan las imágenes en una caricatura. Considera qué propósito puede tener el caricaturista para incluir esas exageraciones y distorsiones.

ⓐ **ECONOMÍA DE GOTEO**

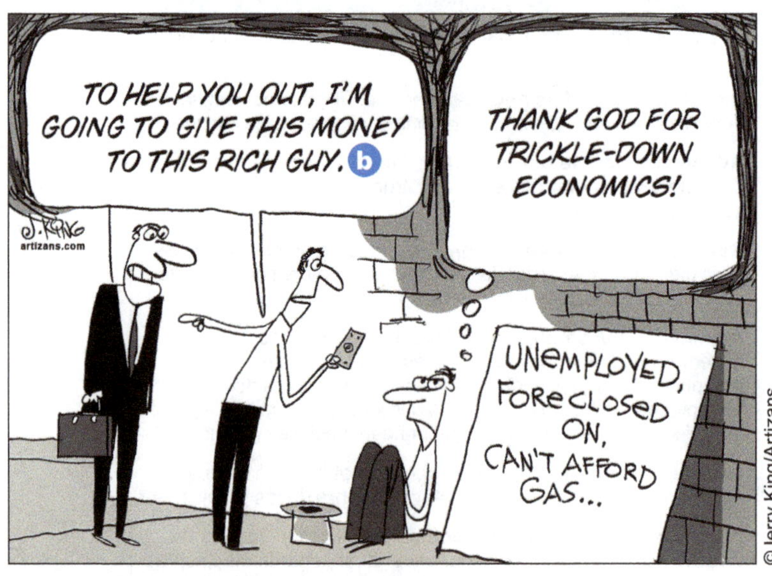

"Para ayudarlo a usted, voy a darle dinero a este hombre rico".
"Qué suerte que existe la economía de goteo...".
"Desempleado, desalojado, sin gas...".

1. ¿Cuál de los siguientes elementos de la caricatura puede considerarse caricaturesco?

   A. el letrero
   B. el hombre que tiene dinero en la mano
   C. el hombre con el maletín
   D. el hombre sentado contra la pared

2. ¿Cuál de los siguientes enunciados describe **mejor** la opinión del caricaturista sobre la economía de goteo?

   A. La economía de goteo transfiere la riqueza del rico al pobre.
   B. La economía de goteo reduce la tasa de desempleo.
   C. La economía de goteo reduce el costo de la gasolina.
   D. La economía de goteo transfiere la riqueza del pobre al rico.

USAR LA LÓGICA

En esta caricatura, un hombre está sentado en la acera contra la pared. Otros dos hombres están de pie en la acera. A partir de su ubicación, puedes inferir que el hombre sentado contra la pared es pobre y los otros, no.

3 Domina la destreza

★ Ítem en foco: MENÚ DESPLEGABLE

INSTRUCCIONES: El pasaje que aparece a continuación está incompleto. Usa información de la caricatura para completar el pasaje. En cada ejercicio con menú desplegable, elige la opción que complete correctamente la oración.

En la caricatura, el médico (F. D. R.) le explica a la enfermera (el Congreso) que, si el paciente no mejora, habrá que probar con nuevos remedios.

Esta caricatura política presenta el punto de vista de un caricaturista acerca de los programas del Nuevo Acuerdo del presidente Franklin Roosevelt. El presidente Roosevelt (F. D. R.) aparece como un [3. Menú desplegable 1] que trata de curar al enfermo que está sentado en la silla. El enfermo representa [3. Menú desplegable 2]. Hay diferentes botellas de remedios sobre la mesa. Las iniciales en las botellas representan a [3. Menú desplegable 3] cuyo objetivo es curar al enfermo. Se puede inferir que la actitud del artista ante el Nuevo Acuerdo es, en general, [3. Menú desplegable 4].

Opciones de respuesta del menú desplegable

3.1 A. miembro del Congreso
B. enfermero
C. empresario
D. médico

3.2 A. al Nuevo Acuerdo
B. a la Constitución
C. a los Estados Unidos
D. al Congreso

3.3 A. los programas del Nuevo Acuerdo
B. los miembros del Congreso
C. los remedios populares de la época
D. los bancos estadounidenses que quebraron

3.4 A. extremadamente negativa
B. indiferente
C. cautelosamente optimista
D. de total apoyo

INSTRUCCIONES: Estudia la caricatura, lee cada pregunta y elige la **mejor** respuesta.

"¡AYÚDELOS!"
"¡NO HAGA NADA!"

4. En esta caricatura, ¿a quién representa la figura que está en el medio?

   A. a Herbert Hoover
   B. a Franklin D. Roosevelt
   C. a las Naciones Unidas
   D. a los Estados Unidos

5. ¿Cuál de los siguientes sentimientos transmite el caricaturista mediante la combinación de las imágenes y el texto?

   A. tensión
   B. escepticismo
   C. optimismo
   D. calma

3 Domina la destreza

INSTRUCCIONES: Estudia la información y el cartel, lee cada pregunta y elige la **mejor** respuesta.

Al igual que las caricaturas políticas, los anuncios y los carteles políticos son creaciones de artistas que buscan editorializar o expresar mensajes o creencias. A veces, estos carteles se usan como propaganda, que es algo diseñado para promover una idea o doctrina en particular. Este cartel promueve uno de los programas más populares del Nuevo Acuerdo: el Cuerpo Civil de Conservación. Conocido por sus siglas, "CCC", este programa creó puestos de trabajo con mano de obra intensiva para los desempleados.

Library of Congress Prints & Photographs Division

UNA OPORTUNIDAD PARA LOS JÓVENES
TRABAJO, DIVERSIÓN, ESTUDIOS Y SALUD

6. ¿Cuál de las siguientes es la **mejor** descripción del joven trabajador del Cuerpo Civil de Conservación representado por el artista en este cartel?

   A. enojado
   B orgulloso
   C. amable
   D. cansado

7. ¿Cuál de estas opciones corresponde a lo que **más probablemente** buscaba combatir el programa publicitado en el cartel?

   A. las quiebras bancarias
   B. la corrupción política
   C. los brotes de enfermedades
   D. el desempleo

8. ¿Cuál es la razón **más probable** por la que el mensaje de propaganda del cartel era optimista?

   A. Demasiadas personas se postulaban para estos empleos.
   B. Eran trabajos muy deseados.
   C. Eran trabajos muy difíciles.
   D. Los salarios eran muy buenos.

INSTRUCCIONES: Estudia el cartel, lee cada pregunta y elige la **mejor** respuesta.

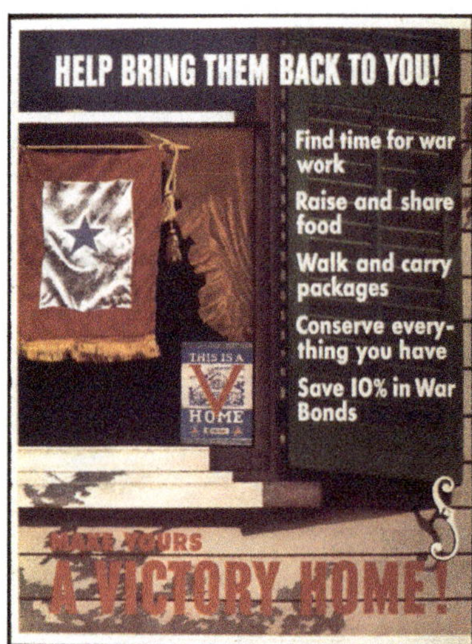

Este cartel insta a la población a "salir victoriosos" en sus hogares y colaborar con el esfuerzo bélico compartiendo alimentos, caminando y trasladando paquetes a pie, evitando malgastar recursos y destinando 10% de los ahorros a comprar bonos de guerra.

9. A partir de la información del cartel, ¿cuál de las siguientes características describe **mejor** un hogar donde las personas han salido "victoriosas"?

   A. Hay una bandera estadounidense en el hogar.
   B. Las personas que viven en la casa tienen ahorros en bonos de guerra.
   C. En una de las ventanas del hogar hay una calcomanía de la victoria.
   D. Las personas que viven en la casa buscan varias maneras de colaborar en los esfuerzos bélicos.

10. ¿Cuál de las medidas que se mencionan en el cartel está directamente relacionada con evitar la escasez de gasolina?

   A. hacerse tiempo para trabajar en pos de la guerra
   B. conseguir y compartir alimentos
   C. caminar y trasladar paquetes a pie
   D. evitar malgastar recursos

11. A partir de la información del cartel, ¿qué conclusión puede sacarse acerca del impacto de la guerra en la sociedad?

   A. La mayoría de las personas trabajaban con entusiasmo en pos de la guerra.
   B La guerra consumía muchos recursos críticos, y por eso había escasez.
   C. La guerra ofreció una buena manera de invertir dinero.
   D. El esfuerzo bélico estaba restringido solo a los integrantes de las fuerzas armadas y sus familias.

INSTRUCCIONES: Estudia la información y la caricatura, lee cada pregunta y elige la **mejor** respuesta.

La Constitución de los Estados Unidos no especifica cuántos mandatos puede ejercer un presidente, pero el presidente George Washington estableció el precedente de que los presidentes estuvieran en el cargo por solo dos mandatos. Sin embargo, el presidente Franklin D. Roosevelt ganó las elecciones cuatro veces: 1932, 1936, 1940 y 1944. En respuesta a los cuatro mandatos de F.D.R., los republicanos lograron que el Congreso aprobara una enmienda en 1947, en la que se limitaba el mandato presidencial a dos períodos. Esto se ratificó como la Vigesimosegunda Enmienda en 1951.

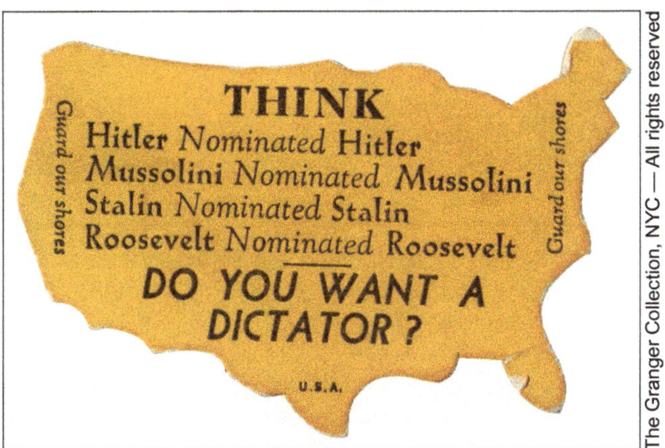

PIENSE:
Hitler nominó a Hitler; Mussolini, a Mussolini; Stalin, a Stalin; Roosevelt, a Roosevelt
¿Y USTED QUIERE UN DICTADOR EN EL GOBIERNO?

12. Este es un cartel en contra de Roosevelt, de la campaña de 1940, a favor del republicano Wendell Willkie. ¿Qué quería expresar el autor?

    A. que Roosevelt no había defendido adecuadamente las costas de los Estados Unidos de dictadores invasores
    B. que, al igual que Hitler, Mussolini y Stalin, Roosevelt tenía una ambición desmedida de poder
    C. que, al igual que Hitler, Mussolini y Stalin, Roosevelt se había convertido en un dictador
    D. que Roosevelt no había seguido el procedimiento legal para ser candidato

13. ¿Cuál de las siguientes opciones puede ser una razón por la que un Congreso controlado por los republicanos haya apoyado la Vigesimosegunda Enmienda?

    A. Querían asegurarse de que los futuros presidentes estuvieran en el cargo por lo menos durante dos mandatos.
    B. Procuraban satisfacer a la opinión pública, que estaba a favor de limitar la cantidad de mandatos presidenciales.
    C. Querían hacer realidad el deseo de Roosevelt de ser el único presidente elegido para cuatro mandatos.
    D. Querían asegurarse de que ningún otro demócrata ganara las elecciones más de dos veces.

INSTRUCCIONES: Estudia la información y la caricatura, lee cada pregunta y elige la **mejor** respuesta.

Los Estados Unidos se resistían a involucrarse en los asuntos europeos de los años anteriores a la Segunda Guerra Mundial. Aun cuando la Alemania Nazi invadió y ocupó la mayor parte de Europa, muchos estadounidenses no querían participar en la Segunda Guerra Mundial. Después de que los japoneses bombardearan Pearl Harbor, a finales de 1941, los Estados Unidos sí se lanzaron a participar. Durante casi cuatro años, los estadounidenses lucharon en Europa contra la Alemania Nazi y sus aliados, y contra Japón en el océano Pacífico.

"Sí, tengo cosas extraordinarias que agradecer."

14. ¿Cuál de las siguientes opciones está representada por el hombre que está frente a la ventana?

    A. la Alemania Nazi y sus aliados
    B. los Estados Unidos
    C. los estadounidenses que querían luchar contra los nazis
    D. los refugiados que huyeron de la Europa ocupada

15. ¿Qué opción describe **mejor** la perspectiva del caricaturista sobre los ciudadanos estadounidenses?

    A. Reaccionaron exageradamente ante la amenaza de la ocupación nazi.
    B. No se puede responsabilizar a los ciudadanos por lo que sucede en Europa.
    C. Deben estar agradecidos por la paz de la que goza.
    D. Están en peligro de sufrir la ocupación nazi.

16. ¿Cuál de las siguientes opciones es **más probable** que describa la opinión del caricaturista sobre el fascismo europeo?

    A. El fascismo europeo es un problema pero, por ahora, los Estados Unidos están a salvo.
    B. El fascismo europeo es una amenaza para los Estados Unidos y debe detenerse.
    C. El fascismo europeo será bienvenido en los Estados Unidos.
    D. El fascismo europeo mejoró la calidad de vida de los estadounidenses.

Sacar conclusiones

Usar con el ***Libro del estudiante,*** págs. 80–81.

1 Repasa la destreza

TEMAS DE ESTUDIOS SOCIALES: I.CG.b.3, I.CG.b.9, I.CG.c.1, I.CG.c.2, I.CG.c.3, I.CG.c.4, I.CG.c.6, E.a
PRÁCTICAS DE ESTUDIOS SOCIALES: SSP.1.a, SSP.1.b, SSP.2.a, SSP.3.c, SSP.4.a, SSP.6.b

Recuerda que una inferencia es una suposición lógica que se basa en hechos o evidencia. Para **sacar conclusiones**, lee la selección completa y combina las inferencias que has hecho a medida que leías. Reflexiona sobre esas inferencias a partir de tus conocimientos previos y de los datos de la selección. Luego, da una opinión.

Una conclusión efectiva debería expresar una nueva idea o una nueva comprensión sobre una información que no aparece explícitamente en el texto leído. Verifica que tus conclusiones vayan más allá de la información tal como está expresada.

2 Perfecciona la destreza

Al perfeccionar la destreza de sacar conclusiones, mejorarás tus capacidades de estudio y evaluación, especialmente en relación con la prueba de Estudios Sociales de GED®. Estudia la información que aparece a continuación. Luego responde las preguntas.

La Oficina Ejecutiva del Presidente, o EOP (por sus siglas en inglés), fue creada en 1939 por el presidente Franklin D. Roosevelt. En la actualidad, en la EOP trabajan más de 1,800 personas. **a**

a F. D. Roosevelt fue presidente durante la Segunda Guerra Mundial. Piensa en las responsabilidades adicionales que implica para un presidente que su mandato coincida con tiempos de guerra como ayuda para sacar tus conclusiones.

La EOP está bajo la supervisión del jefe del estado mayor de la Casa Blanca y es la organización en la que trabajan muchos de los asesores más cercanos al presidente. Algunos de estos asesores deben ser aprobados por el Congreso, pero la mayoría son nombrados directamente por el presidente. Estos asesores, a su vez, supervisan a diferentes departamentos y oficinas que varían en tamaño y personal en función de las necesidades del presidente en funciones. Algunas de estas oficinas se formaron a pedido del Congreso, otras, a pedido de cada presidente, en la medida en que fueron necesarias.

Además de los sectores más visibles de la EOP, como la Oficina de Comunicaciones de la Casa Blanca, existen otras oficinas responsables del mantenimiento de la Casa Blanca y de brindar apoyo logístico al presidente. **b** La Oficina Militar de la Casa Blanca tiene a su cargo el avión presidencial, *Air Force One*, mientras que la Oficina de Avanzada Presidencial es responsable de los preparativos previos en los diferentes destinos de los viajes presidenciales.

b Usa tus conocimientos previos como ayuda para sacar conclusiones. Sabes que los presidentes viajan mucho y que la seguridad que los rodea debe ser siempre estricta. Usa esta información para responder la segunda pregunta.

1. ¿Por qué se creó la Oficina Ejecutiva del Presidente?

   A. para poder estar al corriente de las responsabilidades, cada vez mayores, de la presidencia
   B. para crear más puestos de trabajo en el gobierno federal
   C. para que el presidente pueda imponer su agenda con más claridad
   D. para aumentar el número de asesores que tiene el Presidente

2. ¿Cuál de las siguientes es la razón principal por la que la Oficina de Avanzada Presidencial debe llevar a cabo distintos preparativos en los destinos de los viajes presidenciales?

   A. Debe programar reuniones.
   B. Debe armar el itinerario del presidente.
   C. Debe recopilar información y entregarla al presidente.
   D. Es responsable de la seguridad del presidente.

CONSEJOS PARA REALIZAR LA PRUEBA

Cuando realices una prueba, primero debes hacer inferencias. Mira las opciones de respuesta para hallar la conclusión que puedas sacar a partir de las inferencias que hiciste.

3 Domina la destreza

INSTRUCCIONES: Estudia la información, lee cada pregunta y elige la **mejor** respuesta.

La Vigesimoprimera Enmienda de la Constitución de los Estados Unidos, que revocó oficialmente la Ley Seca, da a los estados individuales el derecho de regular la distribución y la venta de alcohol. Sin embargo, la Ley de Edad Mínima Legal para Beber Alcohol, de 1984, exige específicamente que todos los estados aumenten la edad mínima para la compra y posesión pública de bebidas alcohólicas a 21 años. Los estados que no cumplan con la ley enfrentan una reducción en los fondos para obras viales contemplados por la Ley de Asistencia Federal para Carreteras.

El Departamento de Transporte de los Estados Unidos determinó que ya todos los estados **cumplen** con lo dispuesto por la ley de 1984. La frase "posesión pública" tiene una definición estricta y no se aplica a la posesión en cualquiera de los siguientes casos: para un propósito religioso establecido; cuando los menores están acompañados por uno de sus padres, o por un cónyuge o tutor de 21 años de edad o mayor; para propósitos médicos, cuando se cuenta con la receta de un médico, farmacéutico, odontólogo, enfermero, hospital o institución médica autorizados; en clubes o establecimientos privados; y en caso de empleo legal por parte de un fabricante o vendedor mayorista o minorista que cuenta con la debida licencia.

3. ¿Qué conclusión puedes sacar acerca de la razón por la que el gobierno federal necesitó imponer una reducción de los fondos para obras viales a los estados que **no** cumplieran con la norma relativa a la edad mínima para beber alcohol?

   A. Los estados recibían habitualmente recompensas financieras por aceptar las normas nacionales.
   B. Los estados pueden establecer sus propias edades mínimas para el consumo de alcohol y la única influencia que tenía el gobierno federal era la financiera.
   C. El gobierno federal podría ahorrar dinero al reducir los fondos destinados a las obras viales.
   D. El gobierno federal multa con regularidad a los estados por no cumplir con sus normas.

4. A partir de la información del pasaje, ¿cuál de los siguientes significados puedes concluir que tiene la palabra *cumplen*?

   A. reprenden
   B. oponen
   C. comparan
   D. aceptan

INSTRUCCIONES: Estudia la información, lee cada pregunta y elige la **mejor** respuesta.

Del testimonio del Allan M. Winkler ante el Comité del Senado sobre Banca, Vivienda y Asuntos Urbanos, 31 de marzo de 2009

Algunas partes del Nuevo Acuerdo funcionaron; otras, no. El Nuevo Acuerdo restauró la sensación de seguridad, pues puso a la gente a trabajar. Creó el marco para un estado regulador que protegiera los intereses de todos los estadounidenses —ricos y pobres— y, por lo tanto, ayudara al sistema empresarial a funcionar de forma más productiva. Reconstruyó la infraestructura de los Estados Unidos al proporcionar una red de escuelas, hospitales y carreteras que nos sirvieron con creces durante los siguientes 70 años.

¿El Nuevo Acuerdo —como algunos han dicho— exacerbó y extendió la Gran Depresión? Difícilmente. El estado regulador brindó una protección que benefició a todos los estadounidenses. El gobierno podría haber manejado a los intereses empresariales de mejor manera, pero a menudo los mismos empresarios fueron responsables del antagonismo que persistió a lo largo de la década de 1930. La política fiscal habría funcionado ciertamente mejor si se la hubiera entendido mejor. (...)

Hoy, las lecciones son claras. El gobierno puede marcar una diferencia. Un gran estímulo es esencial y sirve para fomentar la recuperación. Debemos asegurarnos de que las medidas no funcionen de forma contradictoria frente al estímulo. Podemos hacer algo con respecto al desempleo. Es tan importante hoy —como lo fue en la década de 1930— reforzar la seguridad, al enfocar nuestra atención en la reforma al sistema de salud, de igual manera que cuando el Nuevo Acuerdo elaboró un programa, pionero para nosotros, de asistencia a la jubilación. El Nuevo Acuerdo dejó una marca indeleble en la vida de las personas y en la vida de nuestra nación. Ahora nos corresponde aprender de las lecciones de la década de 1930 y tomar las medidas necesarias para promover el retorno a la prosperidad.

5. De acuerdo con este testimonio, ¿a qué conclusión llega Winkler sobre el papel del gobierno federal durante una crisis económica?

   A. Las regulaciones impuestas por el gobierno federal pueden prolongar una crisis económica.
   B. La infraestructura construida durante el Nuevo Acuerdo ha durado más de 70 años.
   C. El gobierno federal debe poner en marcha políticas y programas que fomenten la recuperación económica y mejorar la vida de las personas.
   D. Las lecciones aprendidas del Nuevo Acuerdo de la década de 1930 no pueden aplicarse a la Gran Recesión de 2008.

3 Domina la destreza

INSTRUCCIONES: Estudia la información, lee la pregunta y elige la **mejor** respuesta.

Fragmento traducido de "Una breve historia de la NASA":

"Una ley para proveer a la investigación sobre los problemas de vuelo en el interior y exterior de la atmósfera de la Tierra y para otros fines". Con este preámbulo simple, el Congreso y el presidente de los Estados Unidos crearon la Administración Nacional de la Aeronáutica y del Espacio (NASA, por sus siglas en inglés) el 1 de octubre de 1958. El nacimiento de la NASA estuvo muy relacionado con las presiones por la defensa nacional. Tras la Segunda Guerra Mundial, los Estados Unidos y la Unión Soviética mantuvieron la llamada Guerra Fría, un enfrentamiento de amplio alcance sobre las ideologías y las alianzas de los países no alineados. Durante este período, la exploración espacial resultó ser una de las principales áreas de competencia, en lo que se conoció como la carrera espacial.

Durante los últimos años de la década de 1940, el Departamento de Defensa se abocó a la investigación y creación de cohetes y a la ciencia de estudio de las capas superiores de la atmósfera como un medio para garantizar el liderazgo tecnológico de los Estados Unidos. Uno de los principales avances se produjo cuando el presidente Dwight D. Eisenhower aprobó un plan para poner en órbita un satélite científico en el período comprendido entre el 1 de julio de 1957 y el 31 de diciembre de 1958, como parte del Año Geofísico Internacional, una iniciativa de cooperación para reunir información científica acerca de la Tierra. La Unión Soviética rápidamente imitó el gesto y anunció planes para poner en órbita su propio satélite.

El Proyecto *Vanguard* del Laboratorio de Investigaciones Navales fue elegido el 9 de septiembre de 1955 para dar apoyo a la iniciativa del Año Geofísico Internacional, principalmente porque no interfería con los programas de desarrollo de misiles balísticos de alta prioridad. El proyecto se basó en el cohete no militar *Viking*, mientras que una propuesta del ejército de usar el misil balístico *Redstone* como vehículo de lanzamiento esperaba tras los bastidores. El proyecto *Vanguard* gozó de una excepcional publicidad durante la segunda mitad del año 1955 y todo el año 1956, pero los requisitos tecnológicos del programa eran demasiados y los niveles de financiación demasiado escasos para garantizar el éxito.

Una crisis de envergadura sobrevino el 4 de octubre de 1957, cuando la Unión Soviética lanzó el Sputnik 1, el primer satélite artificial del mundo, en calidad de contribución al Año Geofísico Internacional. Esto tuvo un efecto similar al de Pearl Harbor en la opinión pública estadounidense, ya que se generó la ilusión de una brecha tecnológica y eso dio ímpetu al aumento del gasto destinado a emprendimientos aeroespaciales, programas educativos técnicos y científicos y la fundación de nuevas agencias federales para administrar la investigación y el desarrollo aeroespaciales.

Fuente: nasa.gov, visitado en 2021

6. ¿Cuál de las siguientes conclusiones puedes sacar a partir de la información?

   A. La NASA se creó con el propósito principal de defender las fronteras de la nación.
   B. El *Sputnik* reunió datos científicos acerca de la Tierra para compartirlos con la comunidad internacional.
   C. La NASA es la principal agencia de exploración espacial del mundo.
   D. El público tiene un papel importante en la toma de decisiones sobre qué agencias del gobierno reciben más financiación y apoyo.

INSTRUCCIONES: Estudia la información, lee la pregunta y elige la **mejor** respuesta.

Fragmento traducido del sitio web de la Corte Suprema de los Estados Unidos:

"JUSTICIA IGUALITARIA AL AMPARO DE LA LEY"

Esta frase, que corona la entrada principal al edificio de la Corte Suprema, expresa la responsabilidad que recae, en última instancia, en esta institución. La Corte Suprema es el máximo tribunal de la nación para todos los casos y controversias que se originan bajo la Constitución o las leyes de los Estados Unidos. En su carácter de árbitro final de la ley, la Corte Suprema se encarga de asegurar al pueblo estadounidense la promesa de una justicia igualitaria al amparo de la ley, y es por ello que también es la guardiana y la intérprete de la Constitución.

El carácter singular de la Corte Suprema obedece, en gran parte, al profundo compromiso del pueblo estadounidense con el imperio de la ley y el gobierno constitucional. Los Estados Unidos han demostrado una determinación sin precedentes de preservar y proteger su Constitución, ofreciendo así al "experimento democrático" la Constitución escrita más antigua todavía vigente.

El artículo III, §1, de la Constitución establece que: "Se depositará el poder judicial de los Estados Unidos en un Tribunal Supremo y en los tribunales inferiores que el Congreso instituya y establezca en lo sucesivo".

Fuente: supremecourt.gov, visitado en 2021

7. ¿Quién le otorga su poder a la Corte Suprema?

   A. el pueblo de los Estados Unidos
   B. el presidente
   C. el Congreso
   D. el gabinete presidencial

INSTRUCCIONES: Estudia la información y la tabla, lee cada pregunta y elige la **mejor** respuesta.

Antes de la ratificación de la Constitución, las trece colonias originales tenían un sistema de gobierno basado principalmente en los gobiernos de los estados. Si bien las colonias habían formado una especie de "liga amistosa" regida por los Artículos de la Confederación, en esencia, cada estado se gobernaba a sí mismo. Las personas temían que las condiciones de vida bajo un gobierno centralizado y fuerte fueran demasiado parecidas a las que ya habían conocido bajo el gobierno de Gran Bretaña. Pronto descubrieron, sin embargo, que este sistema no daba resultado y, por eso, se redactó la Constitución. La Constitución define explícitamente las facultades y los límites del gobierno federal (o nacional) y aclara la relación entre el gobierno de la nación y los gobiernos de los estados. Este sistema en el que el poder se comparte entre los gobiernos federal y estatales se denomina federalismo.

Poderes exclusivos del gobierno federal	Poderes exclusivos de los gobiernos de los estados	Poderes compartidos	Servicios que habitualmente proveen los gobiernos locales
Emitir moneda Declarar la guerra Crear el ejército y la armada Ratificar tratados con gobiernos extranjeros Regular el comercio entre los estados y el comercio internacional Establecer oficinas de correos e imprimir estampillas o sellos postales	Establecer gobiernos locales Otorgar licencias Regular el comercio interior del estado Realizar elecciones Ratificar enmiendas a la Constitución de los EE. UU. Ejercer los poderes no delegados al gobierno nacional ni negados a los estados por la Constitución de los EE. UU. Redactar una constitución del estado	Crear tribunales Imponer y recaudar impuestos Construir carreteras Tomar préstamos de dinero Crear leyes y hacerlas cumplir Destinar fondos a mejorar el bienestar general de los residentes Transporte	Educación Policía Bomberos Servicios sociales Obras públicas Desarrollo económico Parques y recreación

8. ¿Cuál de los niveles de gobierno es responsable de reservar espacios verdes dentro de las comunidades?

   A. el gobierno federal
   B. el gobierno estatal
   C. el gobierno local
   D. todos los niveles de gobierno

9. ¿Por qué algunos poderes son compartidos entre los gobiernos estatales y el gobierno federal?

   A. para garantizar que ningún nivel del gobierno sea más poderoso que otro nivel de gobierno
   B. porque ambos niveles de gobierno necesitan poseer esos poderes para poder gobernar
   C. para que no haya interferencias entre esos dos niveles de gobierno
   D. para asegurarse de que todos los niveles de gobierno cumplan con todas sus responsabilidades de gobierno para con los ciudadanos

10. ¿Por qué los poderes exclusivos de los gobiernos de los estados incluyen "ejercer los poderes no delegados al gobierno nacional ni negados a los estados por la Constitución de los Estados Unidos?

   A. A los estados les preocupaba que el gobierno federal fuera demasiado poderoso, por eso se aseguraron de poder ejercer los derechos que no quedaban explícitamente delegados ni prohibidos.
   B. Los estados resignaron su derecho de firmar tratados con gobiernos extranjeros a cambio de retener todos los derechos que no estaban explícitamente delegados ni prohibidos.
   C. Los estados querían asegurarse de tener, en última instancia, poder sobre el gobierno federal.
   D. Los estados creían que el gobierno federal solo debía poder adquirir nuevos poderes con la aprobación de dos tercios de los estados.

9 LECCIÓN

Determinar el punto de vista

Usar con el ***Libro del estudiante,*** págs. 82–83.

1 *Repasa la destreza*

TEMAS DE ESTUDIOS SOCIALES: I.CG.a.1, I.CG.b.2, I.CG.b.3, I.CG.b.4, I.CG.b.5, I.CG.b.6, I.CG.b.7, I.CG.b.8, I.CG.c.1, I.CG.c.3, I.CG.d.2
PRÁCTICAS DE ESTUDIOS SOCIALES: SSP.1.a, SSP.1.b, SSP.2.a, SSP.2.b, SSP.5.a, SSP.5.c, SSP.5.d

Determinar el punto de vista es crucial para lograr una comprensión completa de la obra de un escritor. El propósito del autor, como informar o persuadir, puede ayudarte a aclarar cuál es su punto de vista. Los historiadores procuran presentar los hechos de manera imparcial, sin un punto de vista claro, pero cuando se examinan documentos históricos, en general, el punto de vista es evidente.

Eso no sucede solo con los textos escritos; otras obras, como las caricaturas políticas, las pinturas o las esculturas pueden expresar el punto de vista de sus creadores. Como en los textos escritos, el punto de vista es la perspectiva que expresa un artista a través de su obra.

2 *Perfecciona la destreza*

Al perfeccionar la destreza de determinar el punto de vista, mejorarás tus capacidades de estudio y evaluación, especialmente en relación con la prueba de Estudios Sociales de GED®. Estudia la información que aparece a continuación. Luego responde las preguntas.

La Asociación Nacional del Rifle *(National Rifle Association)* enfrenta críticas de la asociación Dueños de Armas de los Estados Unidos *(Gun Owners of America)* por no ser lo suficientemente rígida en el control de las armas. Es como si se criticara que una hamburguesa doble con queso no contiene suficiente colesterol.

(a) El 91 por ciento de los estadounidenses están a favor de las revisiones universales de antecedentes. Sin embargo, en el Congreso hay una enorme resistencia a aprobar una ley lo suficientemente estricta que evite que las armas caigan en las manos equivocadas. (b) ¿Qué significa "gobierno del pueblo", si un tema en el que hay 9 personas a favor por cada 1 en contra tiene tantas dificultades para avanzar?

Por otra parte, consideremos la encuesta de la semana pasada de *Morning Joe/ Marist* que demuestra que el 64 por ciento de los estadounidenses opinan que la creación de empleo debe ser la máxima prioridad de los funcionarios electos. Solo el 33 por ciento dice que su prioridad debe ser reducir el déficit. A la luz del decepcionante informe de empleos del viernes pasado, el instinto del público es acertado. Sin embargo, los políticos en la capital de nuestra nación están tan obsesionados con el déficit que cualquiera podría imaginar que ignoran cuántos estadounidenses carecen de empleo o lo tienen, pero en condiciones precarias.

Fragmento traducido del artículo ¿EL FIN DEL GOBIERNO DE LAS MAYORÍAS?, de E.J. Dionne Jr., *The Washington Post,* © 2013

(a) Busca los datos o las razones usadas para respaldar el punto de vista del autor. En este pasaje, el autor cita estadísticas para respaldar su punto de vista.

(b) Para determinar el propósito del autor, piensa en el tema, en el público destinatario y en el efecto del texto en sus lectores. ¿El autor quiere simplemente transmitir información o provocar un cambio?

1. ¿Cuál de las siguientes es la **mejor** descripción del punto de vista del autor?

   A. Los legisladores no obedecen a la voluntad del pueblo.
   B. La Asociación Nacional del Rifle no es lo suficientemente rígida en cuanto al control de las armas.
   C. El Congreso debería aprobar una ley de control de armas más estricta.
   D. Los funcionarios electos deben concentrar sus esfuerzos en reducir el déficit.

2. ¿Cuál de las siguientes es la **mejor** descripción del propósito del autor al escribir este artículo?

   A. felicitar al Congreso por su postura firme sobre el tema del control de armas
   B. reprender al Congreso por sus inacciones con respecto al control de armas
   C. explicar las razones por las que el Congreso se resiste al control de armas
   D. elogiar al Congreso por su compromiso con la reducción del déficit

HACER SUPOSICIONES

Siempre debes suponer que los autores tienen creencias que se expresan en sus escritos, aunque no aparezcan explícitamente en el texto. Busca opiniones y determina cuál es el punto de vista que transmiten.

UNIDAD 3

3 Domina la destreza

INSTRUCCIONES: Estudia la información y el pasaje, lee cada pregunta y elige la **mejor** respuesta.

El rey Enrique VIII de Inglaterra cerró los monasterios católicos y otras órdenes religiosas cuando se declaró jefe de la Iglesia de Inglaterra, en 1536. Los pobres, junto con los ancianos y las personas con discapacidades, que previamente contaban con el alivio que les brindaban estas organizaciones religiosas, tuvieron que recurrir al apoyo del gobierno.

Fragmento traducido de *Pasado y presente del sistema inglés de leyes de beneficencia (Poor Laws)*, del Dr. P. F. Aschrott ©1888

Esta Ley hace responsable a cada parroquia de la manutención de sus pobres y distingue bien entre "pobres, imposibilitados, enfermos o incapacitados para trabajar por cuestiones de salud", quienes pueden recibir "manutención, ayuda y alivio" y "otros que están sanos, con las extremidades fuertes para el trabajo", quienes "pueden tener trabajo continuo a diario, a partir del cual puedan mantenerse por sí mismos gracias al fruto de sus manos". Son muy importantes las disposiciones especiales relacionadas a la asistencia que ha de otorgarse a los ancianos y enfermos. El clero y los funcionarios locales han de obtener donaciones benéficas. (...) Las contribuciones han de ser administradas como "fondo común, reserva de la parroquia", y se llevará una cuenta precisa de la distribución. Están prohibidas las limosnas privadas a los mendigos ("cualquier subsidio de desempleo común abierto") so pena de ser multado con un monto correspondiente a diez veces el valor dado.

3. ¿Qué puede decirse acerca del punto de vista del rey acerca de los pobres de Inglaterra?

   A. El rey les tiene cariño.
   B. El rey los observa con suspicacia.
   C. El rey se siente culpable por su situación.
   D. El rey cree que tienen muchas ventajas.

4. A partir del tono de esta ley, ¿cuál de las siguientes opciones es **más probable** que haya sido una de las disposiciones de la ley?

   A. Toda persona que manifieste necesitar ayuda la recibirá.
   B. Se brindarán empleos a todas las personas pobres.
   C. Mendigar será una actividad legal.
   D. Los niños pobres serán aceptados como aprendices.

INSTRUCCIONES: Estudia la información, lee cada pregunta y elige la **mejor** respuesta.

Fragmento traducido de *Los edictos sagrados* del emperador chino K'ang Hsi (1670):

1. Respeta a tus padres y hermanos para tener buenas relaciones con los demás.

2. Respeta a tu familia para que haya armonía en tu vida.

3. Mantén en buenos términos las relaciones con los vecinos para evitar riñas y controversias.

4. Da la debida importancia a las tareas agrícolas y al cultivo de las moreras para asegurarte de disponer de alimentación y vestimenta en cantidades suficientes.

5. Sé moderado y frugal a fin de conservar el dinero y los bienes.

6. Aprovecha al máximo las escuelas y academias a fin de honrar las prácticas de los eruditos.

7. Ignora religiones extranjeras y exalta las verdaderas enseñanzas.

8. Explica las leyes para advertir a ignorantes y obstinados.

9. Sé amable y cortés para mejorar los modales.

10. Sé aplicado para desarrollar tus talentos y así estar satisfecho.

5. ¿Cuál de las siguientes opciones puede usarse para caracterizar la segunda parte de cada uno de los edictos?

   A. amenazante
   B. explicativa
   C. persuasiva
   D. críptica

6. Piensa en el propósito del autor de estos edictos. ¿A cuál de las siguientes opciones se parecen **más** los edictos?

   A. a las instrucciones para ensamblar un electrodoméstico
   B. una lista de consecuencias de romper las reglas
   C. a una lista de responsabilidades cívicas
   D. los pasos para aprobar una ley

3 Domina la destreza

INSTRUCCIONES: Estudia la caricatura política y la información, lee la pregunta y elige la **mejor** respuesta.

©Kirk Anderson/Artizans

En el aeropuerto, dos puertas de acceso rotuladas "estadounidenses" (con una cruz en "blancos") y "estadounidenses de origen árabe" (con una cruz en "personas de color").

El 11 de septiembre de 2001, unos terroristas tomaron el control de cuatro aviones comerciales y los usaron como armas para atacar lugares de Washington D.C. y de la ciudad de Nueva York. Los piratas aéreos estrellaron un avión contra cada una de las torres del World Trade Center. Otro avión fue dirigido al Pentágono (la oficina central del Departamento de Defensa en las afueras de Washington D.C.). Un cuarto avión secuestrado se estrelló en un campo de Pensilvania. Los Estados Unidos determinaron que los piratas aéreos eran miembros de un grupo terrorista islámico fundamentalista llamado Al-Qaeda. Este grupo era liderado por un saudita acaudalado y desterrado, Osama bin Laden. Tras los ataques, muchos estadounidenses de origen árabe, así como otros musulmanes, fueron víctimas de la discriminación.

7. ¿Qué opción podría interpretarse como el punto de vista del autor de la caricatura?

   A. Como la seguridad de los aeropuertos es tan importante, lo mejor es que los estadounidenses de origen árabe se mantengan separados de otros estadounidenses.
   B. La discriminación contra los estadounidenses de origen árabe recuerda a la discriminación contra los afroamericanos en el pasado.
   C. La discriminación contra los estadounidenses de origen árabe es muy diferente de la discriminación contra los afroamericanos en el pasado.
   D. Como los árabes estuvieron involucrados en los ataques del 11 de septiembre de 2001, la segregación de los estadounidenses de origen árabe es justificable.

INSTRUCCIONES: Estudia la información, lee cada pregunta y elige la **mejor** respuesta.

El siguiente es un fragmento del discurso de Lyndon B. Johnson en ocasión de la firma de la Ley de Derechos Civiles de 1964.

Compatriotas estadounidenses, estoy a punto de firmar la Ley de Derechos civiles de 1964. (...)

Estadounidenses de toda raza y color han muerto en batalla para proteger nuestra libertad, y han trabajado para construir una nación de crecientes oportunidades. Ahora, nuestra generación ha sido llamada a continuar la búsqueda incesante de justicia dentro de nuestras propias fronteras. Creemos que todos los hombres son creados iguales. Sin embargo, a muchos se les niega un tratamiento igualitario. Creemos que todos los hombres tienen ciertos derechos inalienables. Sin embargo, muchos estadounidenses no gozan de esos derechos. Creemos que todos los hombres tienen derecho a las bendiciones de la libertad. Sin embargo, se priva a millones de esas bendiciones. No a causa de sus propias fallas, sino por el color de su piel. Las razones están profundamente incrustadas en la historia, la tradición y la naturaleza del hombre. Podemos entender sin rencor u odio cómo fue que ocurrió todo esto, pero no puede continuar. Nuestra Constitución, el fundamento de nuestra república, lo prohíbe. Los principios de nuestra libertad lo prohíben. La moralidad lo prohíbe. Y la ley que firmaré esta noche lo prohíbe. (...)

8. ¿Cuál de las siguientes oraciones caracteriza **mejor** el punto de vista del presidente Johnson?

   A. Cree que solo ciertas personas deben poseer derechos civiles.
   B. Cree que nadie debe poseer derechos civiles.
   C. Cree que todos deben poseer derechos civiles igualitarios.
   D. Cree que la Constitución es confusa acerca de quiénes deben poseer ciertos derechos.

9. ¿Cuál de las siguientes técnicas usa el presidente Johnson para enfatizar su punto de vista?

   A. repetir la frase *toda raza y color* para mostrar respaldo popular a su punto de vista
   B. repetir la palabra *prohíbe* para brindar una variedad de justificativos para su punto de vista
   C. citar la Declaración de la Independencia para mostrar cómo cambiaron las convicciones con el tiempo
   D. hacer referencia a la Constitución de los EE. UU. para brindar contexto histórico

INSTRUCCIONES: Estudia la información, lee la pregunta y elige la **mejor** respuesta.

Fragmento traducido de *La política de privilegios del ejecutivo*, por Louis Fisher:

Los presidentes y sus asesores citan varios principios legales cuando se abstienen de presentar documentos ante el Congreso y se rehúsan a permitir que funcionarios del ejecutivo den testimonio ante los comités del Congreso. El Congreso puede reunir su propia lista impresionante de citas legales para defender el acceso del legislativo a la información, incluso en casos en los que los presidentes aducen privilegios ejecutivos. Estos principios legales y constitucionales, por más refinadamente que puedan ser presentados, quedan invalidados por las políticas del momento y por consideraciones prácticas. Los esfuerzos por descubrir normas duraderas y factibles de hacer cumplir en cuanto a este tema nunca son suficientes (...)

(...) Es tentador pensar que estos enfrentamientos entre el ejecutivo y el legislativo son solo una disputa entre dos poderes en la que habrá un ganador y un perdedor. Son más que eso. El acceso por parte del Congreso representa un principio de la fe de los redactores en el gobierno representativo. Cuando los legisladores no pueden (o no quieren) obtener información del poder ejecutivo que es necesaria para las deliberaciones en el Congreso, pierde el público, pierde la democracia y pierde el gobierno constitucional. Desde la Segunda Guerra Mundial en adelante, se ha producido un flujo continuo de poder político otorgado al presidente. Algunas personas están cómodas con esta tendencia porque creen que el poder ejecutivo es más eficiente y efectivo en el ejercicio del poder. El costo, sin embargo, es grande en términos del equilibrio de poderes y de la separación de los poderes que los redactores creían esenciales para proteger los derechos y las libertades individuales.

Fragmento traducido de LA POLÍTICA DEL PRIVILEGIO EJECUTIVO, de Louis Fisher © 2004

10. ¿Cuál de las siguientes opciones expresa **mejor** el punto de vista del autor?

    A. Aumentar el poder político del presidente es un error.
    B. El Congreso no tiene autoridad legal para exigir documentación al poder ejecutivo.
    C. Los privilegios del ejecutivo se extienden a todas las áreas del gobierno.
    D. El poder ejecutivo ejerce el poder de la manera más efectiva.

INSTRUCCIONES: Estudia la información, lee la pregunta y elige la **mejor** respuesta.

El siguiente fragmento, escrito por Robert C. Post y Reva B. Siegel, es una respuesta a la conferencia Jorde de 2002 por parte de Larry Kramer, en la que Kramer argumenta a favor de un "constitucionalismo popular". El término "constitucionalismo popular" se refiere a un sistema en el que las personas toman control de la interpretación y el cumplimiento del derecho constitucional:

A diferencia de Kramer, no consideramos que la supremacía judicial y el constitucionalismo popular sean sistemas mutuamente excluyentes de ordenamiento constitucional. Kramer indica que la supremacía judicial está basada en el concepto de la irrevocabilidad judicial. Sin embargo, algunas formas de irrevocabilidad judicial son esenciales para el imperio de la ley, el cual es necesario para que una democracia funcione. Por este motivo, tanto la supremacía judicial como el constitucionalismo popular aportan beneficios indispensables al sistema de gobierno constitucional estadounidense. De hecho, están interrelacionadas en términos dialécticos y han coexistido durante mucho tiempo.

Tal como Kramer presenta el problema, la supremacía judicial y el constitucionalismo popular son formas distintas y rivales de ordenamiento constitucional; la nación debe escoger institucionalizar una u otra. O el pueblo o la Corte Suprema deben tener la última palabra y Kramer elige que la tenga el pueblo. Si bien coincidimos con Kramer en que puede haber fuertes tensiones entre la supremacía judicial y el constitucionalismo popular, creemos que también existen interdependencias vitales entre ambas, que Kramer no llega a apreciar. La cuestión que planteamos es, por ende, cómo puede la nación lograr un equilibrio viable entre el imperio de la ley y la autoridad del pueblo para expresarse sobre los temas relacionados con la interpretación constitucional.

Fragmento traducido de CONSTITUCIONALISMO POPULAR, DEPARTAMENTALISMO Y SUPREMACÍA JUDICIAL, de Robert C. Post y Reva B. Siegel, © 2004

11. ¿Cuál de los siguientes enunciados es el **mejor** resumen del punto de vista de Post y Siegel?

    A. Para que una democracia pueda funcionar, se debe respetar el constitucionalismo popular.
    B. Se debe mantener la supremacía judicial en detrimento del constitucionalismo popular.
    C. La Corte Suprema tiene el veredicto final en todos los casos.
    D. Tanto el imperio de la ley como el constitucionalismo popular son necesarios.

UNIDAD 3

Lección de alto impacto: Analizar el contexto histórico

Usar con el ***Libro del Estudiante***, págs. 84–87.

1 *Repasa la destreza*

TEMA DE ESTUDIOS SOCIALES: II.CG.f, II.USH.f.8, II.USH.h
PRÁCTICAS DE ESTUDIOS SOCIALES: SSP.5.a, SSP.5.c

El **contexto histórico** hace referencia al escenario social, político y cultural que moldeó las vidas de las personas y los sucesos en el pasado. El contexto histórico puede influir en el **punto de vista** de un autor. Al evaluar información de textos, debes considerar el tiempo y el lugar en los cuales se escribieron. Es especialmente importante tener en cuenta el contexto histórico cuando se evalúan **fuentes primarias**, pero incluso las **fuentes secundarias** pueden recibir influencia del contexto histórico. Piensa en lo que pasaba en la época en que se escribió un texto y en el modo en que sucesos importantes, personas influyentes o movimientos sociales o políticos de la época moldearon el punto de vista del autor.

En la prueba de Estudios Sociales de GED®, se espera que muestres que comprendes cómo analizar de qué manera el contexto histórico moldea el punto de vista de un autor. Es posible que te encuentres con preguntas que te pidan que identifiques el punto de vista de un autor en una fuente primaria, que identifiques una época importante en la historia de los Estados Unidos en relación con un texto, que identifiques sucesos históricos, personas o ideas relacionadas con un texto y que expliques cómo se relaciona un contexto histórico con el punto de vista de un autor.

2 *Perfecciona la destreza*

a Considera el contexto histórico de este discurso. En diciembre de 1941, la Segunda Guerra Mundial ya llevaba dos años, pero los Estados Unidos todavía no habían entrado en la guerra.

b En su discurso, Roosevelt explica que los Estados Unidos estaban en paz con Japón cuando atacaron Pearl Harbor.

Del "Discurso adjunto al Congreso" del presidente Franklin Roosevelt, 8 de diciembre de 1941.

Ayer, 7 de diciembre de 1941 —una fecha que quedará en la infamia— los Estados Unidos de América fueron atacados repentinamente y deliberadamente por fuerzas navales y aéreas del imperio del Japón.

Los Estados Unidos estaban en paz con esa nación y, a petición de Japón, se hallaba todavía en conversaciones con su gobierno y su emperador en la búsqueda del mantenimiento de la paz en el Pacífico (...)

Que quede constancia de que la distancia a Hawái desde Japón pone en evidencia que el ataque fue deliberadamente planeado hace varios días o incluso semanas atrás. Durante ese tiempo el gobierno japonés buscó deliberadamente engañar a los Estados Unidos mediante declaraciones falsas y expresiones de esperanza en favor de la continuidad de la paz (...)

No se puede ignorar el hecho de que nuestro pueblo, nuestro territorio y nuestros intereses están en grave peligro (...) Pido que el Congreso declare que desde el ataque no provocado y vil de Japón el domingo 7 de diciembre de 1941, existe un estado de guerra entre los Estados Unidos y el Imperio japonés.

Recuerda que el contexto histórico es el escenario social, político y cultural en el cual se dio este discurso. Ten en cuenta esto cuando consideres el punto de vista del presidente Roosevelt. La respuesta correcta es **A**.

1. Considera el contexto histórico en el cual dio este discurso el presidente Roosevelt. ¿Cuál es el punto de vista de Roosevelt?

   A. Roosevelt sintió que el ataque a Pearl Harbor significaba que a él no le quedaba más opción que declarar la guerra a Japón.
   B. Roosevelt creyó que el ataque a Pearl Harbor era un incidente aislado y que los Estados Unidos y Japón seguían siendo aliados.
   C. Roosevelt sintió que los Estados Unidos se veían obligados a atacar Pearl Harbor solo porque Japón acababa de declarar la guerra.
   D. Roosevelt creyó que la guerra entre los Estados Unidos y Japón terminaría finalmente debido al ataque a Pearl Harbor.

3 Domina la destreza

INSTRUCCIONES: Estudia la información, lee cada pregunta y elige la **mejor** respuesta.

Del "Discurso adjunto al Congreso" de George W. Bush, 20 de septiembre de 2001.

El 11 de septiembre, los enemigos de la libertad cometieron un acto de guerra contra nuestro país. Los estadounidenses han experimentado guerras, pero en los últimos 136 años han sido guerras en suelo extranjero, con excepción de un domingo de 1941. Los estadounidenses han experimentado las bajas de una guerra, pero no en el centro de una gran ciudad una mañana pacífica (...)

A partir de este día, toda nación que continúe amparando o respaldando el terrorismo será considerada por los Estados Unidos un régimen hostil. Nuestra nación ha sido puesta sobre aviso, no somos inmunes al ataque. Tomaremos medidas defensivas en contra del terrorismo para proteger a los estadounidenses (...)

Se nos ha hecho un gran daño. Hemos sufrido una enorme pérdida. Y en nuestro dolor y nuestra cólera, hemos hallado nuestra misión y nuestra importancia.

La libertad y el miedo están en guerra. El avance de la libertad humana, la gran hazaña de nuestro tiempo y la gran esperanza de todo tiempo dependen ahora de nosotros.

Nuestra nación, esta generación, quitará la oscura amenaza de la violencia de nuestro pueblo y de nuestro futuro. Nos uniremos al mundo en esta causa mediante nuestros esfuerzos, mediante nuestra valentía. No nos cansaremos, no vacilaremos y no fracasaremos.

Tengo la esperanza de que en los meses y años por venir la vida retorne casi a la normalidad. Volveremos a nuestras vidas y rutinas, y eso es bueno (...)

Pero nuestra determinación no debe pasar. Cada uno de nosotros recordará lo que ocurrió ese día y a quién le ocurrió (...)

No olvidaré la herida infligida a nuestro país ni a aquellos que la infligieron. No me rendiré, no descansaré ni cederé en la conducción de esta lucha por la libertad y la seguridad del pueblo estadounidense.

El curso de este conflicto no se conoce, aunque su resultado es certero. La libertad y el miedo, la justicia y la crueldad siempre han estado en guerra y sabemos que Dios no es neutral entre ellos.

Ciudadanos compatriotas, enfrentaremos la violencia con justicia paciente, en la certeza de la rectitud de nuestra causa y confiados en las victorias por venir (...)

2. ¿Cuál es el punto de vista del presidente Bush en este discurso?

   A. La vida finalmente volverá a la normalidad en los años siguientes al ataque del 11 de septiembre.
   B. Los estadounidenses han sufrido diversas guerras y siempre han salido más fuertes.
   C. El ataque del 11 de septiembre fue un acto de guerra y Estados Unidos ahora está comprometido en una guerra contra el terrorismo.
   D. Los estadounidenses nunca podrán olvidar lo que pasó el 11 de septiembre.

3. ¿Qué relevancia tiene para el punto de vista del presidente Bush el hecho de que este discurso se diera nueve días después de los ataques del 11 de septiembre?

   A. Como los ataques habían sido tan recientes, él quería llevar tranquilidad a los estadounidenses de que nada de eso volvería a ocurrir nuevamente.
   B. Como los ataques habían ocurrido una semana antes, quería asegurarse de que los estadounidenses no olvidarían nunca lo que les había sucedido.
   C. Como los ataques habían sido tan recientes, quería llevar tranquilidad a los estadounidenses de que sus vidas con el tiempo volverían a la normalidad.
   D. Como los ataques habían ocurrido una semana antes, quería explicar que en realidad no había cambiado nada desde entonces.

4. ¿Cuál es la razón **más probable** de que el presidente Bush hiciera referencia en su discurso al ataque de 1941 a Pearl Harbor?

   A. Quería mostrar que los estadounidenses habían enfrentado numerosos ataques en su territorio desde 1941.
   B. Quería hacer una conexión con otro ataque que cambió el curso de las vidas estadounidenses.
   C. Quería dejar en claro que los japoneses también eran responsables de los ataques del 11 de septiembre.
   D. Quería mostrar que los estadounidenses atacarían de inmediato cualquier país que los atacara a ellos.

Analizar fuentes de información

Usar con el ***Libro del estudiante,*** págs. 88–89.

1 *Repasa la destreza*

TEMAS DE ESTUDIOS SOCIALES: I.CG.b.9, I.CG.c.3, I.CG.c.4, I.CG.c.5, I.CG.c.6
PRÁCTICAS DE ESTUDIOS SOCIALES: SSP.1.a, SSP.1.b, SSP.2.a, SSP.3.d, SSP.5.a, SSP.5.b, SSP.6.b, SSP.8.a

Al **analizar fuentes de información**, puedes comprender mejor lo que se espera que aprendas de estas fuentes. También puedes determinar la confiabilidad de la información hallada en cada una. Como todas las fuentes tienen un grado de **parcialidad**, haz una evaluación crítica de cada una de ellas.

La capacidad de analizar fuentes de información se vuelve especialmente importante cuando usas información de Internet. Es muy importante verificar que la información de Internet provenga de una fuente confiable. Típicamente, los sitios web que terminan en *.edu, .gov* o *.org* muestran información más confiable que aquellos que terminan en *.com*. Un sitio web que termina en *.gov* es un sitio web del gobierno; uno que termina en *.edu* es un sitio web de una institución educativa (como una universidad) y uno que termina en *.org,* a menudo, es un sitio web de una organización sin fines de lucro. Los sitios web que terminan en *.com* son sitios comerciales que tienen como objetivo las ventas o el marketing.

2 *Perfecciona la destreza*

Al perfeccionar la destreza de analizar fuentes de información, mejorarás tus capacidades de estudio y evaluación, especialmente en relación con la prueba de Estudios Sociales de GED®. Estudia la información que aparece a continuación. Luego responde las preguntas.

a Esta información proviene de un sitio web *.gov*. Entonces, generalmente, se debe considerar que es digna de confianza.

De un sitio web *.gov*:

El Departamento de Seguridad Nacional fue creado en 2002, en respuesta a los ataques terroristas a los Estados Unidos del 11 de septiembre de 2001. El objetivo de esta organización era proporcionar una agencia antiterrorismo unificada, centrada en crear conciencia sobre las amenazas terroristas a la nación, así como en impedir que ocurran futuros ataques terroristas.

b La información de un sitio web *.com* como este tiende a ser menos confiable que la información de un sitio web *.gov*. Asegúrate de confirmar la información de fuentes *.com* con información de una fuente más confiable.

De un sitio web *.com*:

El Departamento de Seguridad Nacional se formó el 11 de septiembre de 2001, después de los ataques terroristas que ocurrieron ese día. El Departamento de Seguridad Nacional fue creado por George W. Bush. Actualmente, está dedicado a rastrear terroristas en todo el mundo. Esta agencia ha sido muy exitosa.

1. ¿Cuál de las siguientes opciones se puede prestar directamente a discusión entre los dos pasajes?

   A. la fecha en que se creó el Departamento de Seguridad Nacional
   B. la razón de la creación del Departamento de Seguridad Nacional
   C. las responsabilidades del Departamento de Seguridad Nacional
   D. el creador del Departamento de Seguridad Nacional

2. En comparación con el tono del segundo pasaje, ¿cómo se podría describir el tono del primer pasaje?

   A. académico
   B. parcial
   C. informal
   D. emocional

HACER SUPOSICIONES

Usa siempre tu mejor criterio cuando evalúes información. Si parece que la fuente es injustamente parcial, debes verificarla con información de una fuente de mejor reputación.

★ Ítem en foco: MENÚ DESPLEGABLE

INSTRUCCIONES: El pasaje que aparece a continuación está incompleto. Usa la información de la tabla para completarlo. En cada ejercicio con menú desplegable, elige la opción que completa correctamente la oración.

Tipo de federalismo	Período de tiempo	Características
Federalismo dual	1789–1901	Los gobiernos estatales y federales son socios igualitarios con esferas de autoridad distintas y separadas. Los poderes del gobierno federal se limitan a los que están detallados en la Constitución.
Federalismo cooperativo	1901–1960	Era de mayor cooperación entre los niveles de gobierno. El gobierno federal era considerado un "sirviente de los estados" por el tipo de actividades financiadas. El sistema federal de subvenciones, resultado de la Gran Depresión, se expandió.
Federalismo creativo	1960–1968	El federalismo creativo del presidente Lyndon Johnson cambia la relación de poder entre los niveles de gobierno aún más hacia el gobierno nacional a través de la expansión del sistema de subvenciones da apoyo y el aumento de regulación.
Federalismo contemporáneo	1970–2000	Cambios en el sistema intergubernamental de subvenciones, el crecimiento de mandatos federales no financiados, preocupación por las regulaciones federales y disputas continuas sobre la naturaleza del sistema federal.

Fuente: Federalismo en los EE.UU., de 1776 a 2000: Sucesos significativos Servicio de Investigación del Congreso

Desde sus principios como nación, los Estados Unidos fueron moldeados por el federalismo. La imagen misma del federalismo ha cambiado con el tiempo. La tabla, cuya fuente es **muy probable** que haya sido [3. Menú desplegable 1], describe la historia de las diferentes formas de federalismo y sus características. Ilustra la forma en que la relación entre los gobiernos estatales y el gobierno federal ha tenido altibajos con el paso del tiempo en un intento por encontrar un equilibrio entre los gobiernos estatales y el federal.

La información de la tabla es [3. Menú desplegable 2], a juzgar por su fuente. La tabla es **muy** útil para [3. Menú desplegable 3]. Aunque la tabla contiene información objetiva sobre el federalismo y su historia en los Estados Unidos, la información se puede interpretar de diferentes formas. Por ejemplo, un enunciado como "el federalismo dual fue el más efectivo como lo demuestra su vigencia en el tiempo" es una interpretación [3. Menú desplegable 4] de la tabla.

Opciones de respuesta del menú desplegable

3.1 A. una entrada de un diario
B. un editorial de un periódico
C. un discurso político
D. una publicación gubernamental

3.2 A. poco confiable
B. imparcial
C. parcial
D. una propaganda

3.3 A. descubrir cómo se denominaron los tipos de federalismo
B. aprender las características de los diferentes tipos de federalismo
C. determinar los puntos de vista del presidente sobre el federalismo
D. categorizar los derechos del gobierno

3.4 A. parcial
B. imparcial
C. resentida
D. airada

UNIDAD 3

3 Domina la destreza

INSTRUCCIONES: Estudia la información, lee cada pregunta y elige la **mejor** respuesta.

Fragmento traducido de "Federalismo fiscal", de Chris Edwards del Instituto CATO, febrero de 2009:

La Constitución le otorgó poderes específicos limitados al gobierno federal y la mayor parte de las funciones gubernamentales fueron delegadas a los estados. Para asegurar que las personas entiendan los límites del poder federal, los redactores agregaron la Décima Enmienda a la Constitución: "Los poderes que la Constitución no delega a los Estados Unidos ni prohíbe a los estados, quedan reservados a los estados respectivamente o al pueblo".

La Décima Enmienda representa el federalismo, la idea de que los gobiernos federal y estatales tienen áreas separadas de actividad, y que las responsabilidades federales eran "pocas y definidas", como observó James Madison. Históricamente, el federalismo actuó como garantía de las libertades estadounidenses. En efecto, el presidente Ronald Reagan observó en una orden ejecutiva de 1987: "El federalismo está arraigado en el conocimiento de que nuestras libertades políticas están mejor garantizadas limitando el tamaño y el alcance del gobierno nacional".

Lamentablemente, los legisladores y los tribunales han descartado el federalismo en las últimas décadas. El Congreso ha emprendido actividades que tradicionalmente estaban reservadas a los estados y al sector privado. Las subvenciones son un mecanismo que el gobierno federal ha usado para ampliar su poder en los asuntos estatales y locales. Las subvenciones son programas de subsidios combinados con controles federales regulatorios para supervisar actividades locales y estatales.

El gobierno federal gasta aproximadamente $500 mil millones por año en asistencia a los estados, lo que lo convierte en la tercera partida más importante del presupuesto después de la Seguridad Social y la defensa nacional. El número de programas de asistencia ha crecido de 463 en 1990 a 814 en 2006.

(...) los legisladores federales y estatales están más interesados en los niveles de gastos de los programas y en el cumplimiento de la normativa que en prestar servicios de calidad. (...) el sistema de asistencia crea una falta de responsabilidad. El Congreso debe reconsiderar los programas de asistencia y empezar a eliminar actividades que podrían ser mejor realizadas por los estados o el sector privado.

Fragmento traducido de downsizinggovernment.org, visitado en 2021

4. ¿Cuál opción describe **mejor** el tono del artículo?

   A. insatisfecho
   B. esquivo
   C indiferente
   D. furioso

5. ¿Qué opción describe **mejor** la parcialidad de esta fuente?

   A. en contra de la responsabilidad
   B. a favor de los programas de asistencia federal
   C. en contra de los derechos de los estados
   D. a favor del federalismo

INSTRUCCIONES: Estudia la información, lee la pregunta y elige la **mejor** respuesta.

De "Propuestas para la reforma del Colegio Electoral", Cámara de Representantes, 4 de septiembre de 1997

Soy Becky Cain, presidenta de la Liga de mujeres votantes de los Estados Unidos. Me complace estar hoy aquí para expresar el apoyo de la Liga para una enmienda constitucional destinada a abolir el colegio electoral. (...)

En el siglo XX hemos evitado por muy poco una serie de crisis constitucionales en las cuales el colegio electoral podría haber prevalecido sobre el voto popular. En la elección presidencial de 1916, una diferencia de solo 2,000 votos en California habría dado a Charles Evans Hughes los votos electorales necesarios para derrotar a Woodrow Wilson, a pesar de la mayoría de medio millón de votos a nivel nacional de Wilson. En 1948, una diferencia de solo 30,000 votos en tres estados habría entregado la Casa Blanca al gobernador Dewey pese a que había quedado rezagado detrás del presidente Truman por unos 2.1 millones de votos populares. En 1960, una diferencia de solo 13,000 en cinco estados ... habría hecho presidente a Richard Nixon. En 1968, una diferencia de 42,000 votos en tres estados ... habría negado a Nixon una victoria en el colegio electoral y habría depositado la elección en la Cámara de Representantes. En 1976, una diferencia de solo 9,300 votos [en dos estados] habría elegido a Gerald Ford, aunque había quedado detrás de Jimmy Carter en el voto popular por 1,600,000 boletas.

6. ¿De qué manera respalda la autora su argumento?

   A. Enumera los estados que tienen la mayoría de los votos electorales.
   B. Da detalles sobre el colegio electoral.
   C. Enumera elecciones en las cuales el voto popular podría haber quedado invalidado por el colegio electoral.
   D. Hace referencia a su posición en la Liga de mujeres votantes.

INSTRUCCIONES: Estudia la información, lee cada pregunta y elige la **mejor** respuesta.

Fragmento traducido del Centro de Archivos Legislativos, parte de los Archivos Nacionales y Administración de Documentos:

Martha Griffiths (demócrata de Míchigan) fue miembro de la Cámara de Representantes de los Estados Unidos desde 1955 hasta 1974. Fue la primera mujer miembro del poderoso Comité de Medios y Arbitrios de la Cámara y fue una pieza fundamental para obtener la prohibición de la discriminación por sexo agregada a la emblemática Ley de Derechos Civiles de 1964. Griffiths también es conocida por restablecer la Enmienda de Igualdad de Derechos (ERA, por sus siglas en inglés). La ERA fue una enmienda propuesta para la Constitución de los Estados Unidos que garantizaba igualdad de derechos ante la ley para los estadounidenses independientemente de su sexo. La ERA fue esbozada en 1923 por la sufragista Alice Paul. Tras la promulgación de la Decimonovena Enmienda, que otorgó a las mujeres el derecho a votar, Paul pensaba que la ERA sería el siguiente paso para garantizar la igualdad ante la ley para todos los ciudadanos.

Desde 1923 hasta 1970, se presentó alguna forma de la ERA en todas las sesiones del Congreso. Pero, casi siempre que se presentaba, era retenida por el comité. En 1970, Griffiths presentó una petición de descargo para exigir que toda la Cámara escuchara la ERA. Una petición de descargo, que requiere las firmas de una mayoría de los miembros de la Cámara, exige la salida del comité de la legislación propuesta para que pueda ser considerada por toda la Cámara de Representantes. Tras el éxito de la petición de descargo de Griffiths, la ERA fue promulgada por la Cámara. Sin embargo, el Senado intentó agregar disposiciones excluyendo a las mujeres de la primera versión, lo que efectivamente anuló las posibilidades de que la ERA se aprobara en esa sesión.

Tras algunos cambios en la redacción de la enmienda, Griffiths volvió a introducir la ERA en el 92do Congreso como la Resolución 208 del Comité de Justicia de la Cámara. Luego de meses de debate, audiencias y cambios propuestos por el mencionado comité, la ERA fue aprobada por la Cámara de Representantes tal como la había presentado Griffiths el 12 de octubre de 1971. El Senado aprobó una versión idéntica el 22 de marzo de 1972, y envió la ERA a los estados con un plazo de siete años para su ratificación. En 1978, cerca de la fecha de vencimiento del plazo de siete años, no contaba con la ERA el número de ratificaciones necesarias. Por eso, el Congreso prolongó el límite de tiempo al 30 de junio de 1982. Sin embargo, cuando llegó la fecha prorrogada, la ERA solo había sido ratificada por 35 estados, tres estados menos que los tres cuartos requeridos para la ratificación de enmiendas constitucionales.

La controversia que rodeaba a la Enmienda de Igualdad de Derechos todavía continúa en la actualidad. A pesar de que no se logró reunir el respaldo suficiente de los estados antes de la fecha límite, algunos defensores argumentan que las 35 ratificaciones existentes aún son válidas y que solo se necesita la ratificación de otros tres estados para aprobar la ERA. Recientemente, en 2005, se han presentado resoluciones al Congreso para tratar de revivir la ERA, pero ninguna de estas resoluciones condujo a la votación mínima ni en la Cámara de Representantes ni en el Senado.

Fragmento traducido de archives.gov, visitado en 2021

7. ¿Cuál de las siguientes opciones describe **mejor** esta fuente de información?

   A. poco confiable
   B. equilibrada
   C. incorrecta
   D. apasionada

8. ¿Cuál de las siguientes interpretaciones se puede considerar que tiene prejuicios en contra de la Enmienda de Igualdad de Derechos?

   A. La Enmienda de Igualdad de Derechos garantizaría igualdad ante la justicia para todos los ciudadanos independientemente de su sexo.
   B. La Enmienda de Igualdad de Derechos fue el resultado del movimiento sufragista.
   C. La Enmienda de Igualdad de Derechos no debió ser escuchada por toda la Cámara de Representantes.
   D. La Enmienda de Igualdad de Derechos debía ser ratificada por otros tres estados.

9. ¿Cuál de las siguientes opciones se puede determinar a partir de esta fuente de información?

   A. el representante que presentó la Enmienda de Igualdad de Derechos al Congreso
   B. la fracción de estados que deben ratificar una enmienda para que forme parte de la Constitución
   C. el número de senadores que aprobó la Enmienda de Igualdad de Derechos en 1972, y la envió a los estados para su ratificación
   D. los miembros de la Cámara de Representantes que votaron a favor de sacar del comité a la Enmienda de Igualdad de Derechos

LECCIÓN

Generalizar

Usar con el ***Libro del estudiante,*** págs. 90–91.

TEMAS DE ESTUDIOS SOCIALES: I.CG.c.1, I.CG.c.3, I.CG.c.5, I.CG.c.6, II.CG.f, II.G.b.3
PRÁCTICAS DE ESTUDIOS SOCIALES: SSP.1.a, SSP.1.b, SSP.2.a, SSP.5.a

1 *Repasa la destreza*

Una **generalización** es una afirmación amplia que puede aplicarse a un grupo entero de sujetos. Puedes **generalizar** sobre personas, lugares, cosas, sucesos y demás. Para hacer una generalización válida, debes poder respaldar tu generalización con evidencia basada en los hechos o con ejemplos. Una generalización inválida, como *todas las ranas son verdes*, no se corresponde con el hecho de que las ranas tienen muchos colores diferentes de piel.

Los historiadores pueden generalizar sobre un tema cuando la mayor parte de la evidencia basada en los hechos apunta a una conclusión, aun cuando puedan existir excepciones.

2 *Perfecciona la destreza*

Al perfeccionar la destreza de generalizar, mejorarás tus capacidades de estudio y evaluación, especialmente en relación con la prueba de Estudios Sociales de GED®. Estudia la información que aparece a continuación. Luego responde la pregunta.

a Puedes usar hechos e información de un pasaje para hacer tus propias generalizaciones.

b Busca palabras que proporcionen claves para indicar que el autor está haciendo una generalización. Es posible que estas claves no siempre sean obvias.

El poder del ejecutivo yace en el presidente de los Estados Unidos, que también es el jefe de estado y comandante en jefe de las fuerzas armadas (...)

El poder ejecutivo mantiene relaciones diplomáticas con otras naciones y el presidente tiene el poder de negociar y firmar tratados, que deben ser ratificados por dos tercios del Senado. El presidente puede emitir órdenes ejecutivas, que dan indicaciones a los funcionarios ejecutivos o aclaran y promueven leyes existentes. El presidente también tiene poder ilimitado para otorgar indultos y clemencias por delitos federales, excepto en los casos de juicio político.

Estos poderes están acompañados de varias responsabilidades, entre ellas un requisito constitucional de "presentar periódicamente al Congreso informes sobre el Estado de la Unión y recomendar las medidas que estime necesarias y oportunas". **b** Aunque el presidente puede cumplir con este requisito en la forma que elija, los presidentes tradicionalmente han pronunciado un discurso sobre el Estado de la Unión en una sesión conjunta del Congreso en el mes de enero (excepto en años de toma de posesión), dando una idea general de su agenda para el año entrante.

Fragmento traducido de whitehouse.gov, visitado en 2021

1. "(...) Los presidentes tradicionalmente han pronunciado un discurso sobre el Estado de la Unión en una sesión conjunta del Congreso cada mes de enero (excepto en años de toma de posesión), dando una idea general de su agenda para el año entrante". ¿Cuál de las siguientes palabras proporciona una clave de que el autor está haciendo una generalización en este enunciado?

   A. tradicionalmente
   B. conjunta
   C. cada
   D. dando una idea general

HACER SUPOSICIONES

Un sitio web del gobierno es una fuente confiable. Puedes suponer que en un artículo informativo de ese sitio web, las generalizaciones son válidas y la información se puede usar para respaldar otras generalizaciones.

3 Domina la destreza

INSTRUCCIONES: Estudia la información, lee la pregunta y elige la **mejor** respuesta.

Fragmento traducido de "¿Qué es el recorte automático? ¿Por qué ahora?", febrero de 2013:

En los últimos años, el presidente Obama y ambos partidos del Congreso han trabajado en conjunto para reducir nuestro déficit en más de $2.5 mil millones, mediante una combinación de recortes de gastos y aumento de las tasas impositivas.

En 2011, el Congreso aprobó una ley argumentando que si no podían ponerse de acuerdo en un plan para reducir nuestro déficit en $4 mil millones, incluyendo los $2.5 mil millones de reducción de déficit que los legisladores de ambos partidos ya habían logrado en los últimos años, comenzarían a aplicarse en 2013 recortes de presupuesto automáticos, arbitrarios y globales por aproximadamente mil millones de dólares.

Lamentablemente, el Congreso no ha acordado un compromiso y, en consecuencia, empezarán a producirse recortes perjudiciales, conocidos como recortes automáticos, el 1 de marzo.

Estos recortes pondrán en peligro nuestra preparación militar y destruirán las inversiones que generan puestos de trabajo en educación y energía e investigación médica, y no toman en cuenta si eliminan algún programa sobredimensionado que ya no tiene razón de ser o si recortan un servicio vital del que dependen los estadounidenses cada día.

"Todo el diseño de esos recortes arbitrarios tenía el propósito de hacerlos tan poco atractivos y poco agradables que, de hecho, los demócratas y los republicanos se reunirían para encontrar una buena solución de recortes sensatos así como la eliminación de los vacíos legales en impuestos y otras cosas. Así que todo eso se diseñó para decir que no podemos hacer estos recortes tan malos; hagamos algo más sensato. Ese era el propósito en sí del llamado recorte automático".

—Presidente Obama

Fragmento traducido de archives.gov, visitado en 2021

2. ¿Cuál de las siguientes generalizaciones se puede hacer a partir de la información del pasaje?

    A. Muchos programas de gobierno cuestan demasiado dinero y ya no tienen razón de ser.
    B. Solo los servicios del gobierno de los que dependen los estadounidenses todos los días no deberían ser recortados.
    C. A menudo, los demócratas y los republicanos se ven obligados a hacer concesiones.
    D. El plan de recortes automáticos fue aprobado por todos en el Congreso.

INSTRUCCIONES: Estudia la información, lee la pregunta y elige la **mejor** respuesta.

Como establece el Artículo II, Sección 4, de la Constitución de los Estados Unidos, "Se destituirá al presidente, al vicepresidente y a todos los funcionarios civiles de los Estados Unidos si, mediante juicio político, son acusados y declarados culpables por traición, soborno u otro delito o falta graves".

El poder exclusivo de juicio político recae en la Cámara de Representantes. La Constitución no establece exactamente la forma de hacerlo pero, históricamente, la Cámara de Representantes emite una resolución autorizando al Comité Judicial a investigar los cargos. Si este Comité respalda los cargos, emite una resolución de juicio político que incluye Artículos del Juicio Político. La Cámara de Representantes luego debate y vota los Artículos del juicio político. Un voto mayoritario en cualquiera de los Artículos es considerado juicio político por la Cámara.

El Senado tiene el poder exclusivo de procesar todos los juicios políticos, según el Artículo 1, Sección 3, de la Constitución de los Estados Unidos. Durante el juicio, los miembros de la Cámara actúan como querellantes y todo el Senado actúa como jurado. Los senadores se reúnen en una sesión cerrada para discutir un veredicto. Se hace una votación en la sesión abierta sobre cada Artículo del Juicio Político. Si los dos tercios del Senado votan a favor de la condena, el funcionario es destituido. El funcionario es absuelto si ningún Artículo del Juicio Político es aprobado por dos tercios del Senado. Hasta la fecha, ningún presidente o vicepresidente de los Estados Unidos ha sido destituido por el Senado.

3. ¿Qué evidencia del pasaje respalda la siguiente generalización?

    Todos los funcionarios que han sido condenados a juicio político por la Cámara de Representantes han sido absueltos por el Senado.

    A. Hasta la fecha, ningún presidente o vicepresidente ha sido destituido por el Senado.
    B. Se hace una votación sobre cada Artículo del Juicio Político en la sesión abierta.
    C. El poder exclusivo de juicio político recae sobre la Cámara de Representantes.
    D. El Senado discute y vota sobre la destitución al mismo tiempo que la Cámara de Representantes.

3 Domina la destreza

INSTRUCCIONES: Estudia la información, lee cada pregunta y elige la **mejor** respuesta.

De "Gobierno digital: construcción de una plataforma del siglo XXI para servir mejor a los estadounidenses", 2012

1 En la actualidad, la asombrosa combinación de la computación en la nube, los celulares cada vez más inteligentes y las herramientas de colaboración están cambiando el panorama del consumidor y difundiéndose en el gobierno como una oportunidad y un desafío. Las nuevas expectativas requieren que el gobierno federal esté listo para enviar y recibir información digital y servicios en cualquier momento, en cualquier lugar y con cualquier dispositivo. Debe hacerlo sin problemas, con seguridad y con menos recursos. Para prepararse para el futuro, el gobierno federal necesita una estrategia digital que incluya la oportunidad de innovar más con menos y que permita a los emprendedores hacer un mejor uso de los datos del gobierno para mejorar la calidad de los servicios para los estadounidenses.

2 (...) Prepararnos para el futuro requiere que pensemos más allá de las líneas programáticas. Para seguir el ritmo del cambio tecnológico, necesitamos diseñar de forma segura nuestros sistemas de interoperatividad y apertura desde la concepción misma. Necesitamos tener estándares comunes y compartir más rápidamente las lecciones aprendidas por los primeros usuarios. Necesitamos producir mejores contenidos y datos, y presentarlos a través de múltiples canales de una manera que sea independiente del programa y el dispositivo que se usen. Necesitamos optar por un acercamiento coordinado para asegurar la privacidad y la seguridad en una era digital.

3 Tradicionalmente, el gobierno ha diseñado sistemas (p. ej. bases de datos o aplicaciones) para usos específicos en oportunidades específicas. (...) Esto necesariamente ha tenido como consecuencia una duplicación de esfuerzos y la construcción de múltiples sistemas para atender a diferentes usuarios donde habría bastado solo uno. Por ejemplo, la mayoría de los sitios web se construyen normalmente con páginas web del tamaño específico de las pantallas de computadora. Para atender a los usuarios de teléfonos celulares, muchas agencias construyen un sitio enteramente nuevo que presenta el mismo contenido a los empleados federales y al público. (...)

4 Actualmente la mayoría de las agencias carecen de medidas de rendimiento empresarial para evaluar sistemáticamente el éxito y la facilidad de uso de sus sitios web. Esto limita su capacidad para destinar recursos de modo efectivo a la inversión en áreas con necesidades críticas. Asimismo, la falta de una visión gubernamental de rendimiento para la concesión de un servicio digital dificulta la atención correcta de las interrupciones o duplicaciones en los servicios (...)

5 Las agencias necesitan continuar integrando medidas de seguridad y privacidad efectivas en el diseño y la adopción de todas las nuevas tecnologías introducidas en el ámbito federal, lo que comprende dispositivos de telefonía celular, aplicaciones y redes inalámbricas, de acuerdo con las políticas existentes, e incorporando posibilidades comerciales de seguridad y privacidad por defecto, mediante un aumento de los controles y las políticas según se requiera.

4. ¿Cuál de las siguientes frases indica que el autor está haciendo una generalización?

   A. "optar por un acercamiento coordinado"
   B. "la mayoría de los sitios web se construyen normalmente"
   C. "necesitamos tener estándares comunes"
   D. "enviar y recibir información digital"

5. ¿Cuál de las siguientes generalizaciones puede hacerse según la información de los párrafos 1 y 2?

   A. Más personas podrán acceder a la información si se presenta de una manera independiente del dispositivo.
   B. Seguir el ritmo del cambio tecnológico siempre es fácil.
   C. El gobierno por lo general trata de ser uno de los primeros usuarios de la nueva tecnología.
   D. Muchas agencias gubernamentales ya usan estándares comunes.

6. En el párrafo 4, el autor declara: "Actualmente la mayoría de las agencias carecen de medidas de rendimiento empresarial para evaluar sistemáticamente el éxito y la facilidad de uso de sus sitios web". ¿Cuál de las siguientes palabras proporciona una pista de que el autor está haciendo una generalización en este enunciado?

   A. actualmente
   B. mayoría
   C. medidas
   D. sistemáticamente

7. ¿Qué evidencia del pasaje respalda la generalización siguiente?

   Las agencias gubernamentales con frecuencia duplican esfuerzos y servicios.

   A. El gobierno necesita hacer un mejor uso de sus datos para mejorar los servicios.
   B. El gobierno necesita producir mejores contenidos y datos.
   C. Las agencias necesitan continuar integrando medidas de seguridad y privacidad en las nuevas tecnologías.
   D. El gobierno ha construido múltiples sistemas donde habría bastado solo uno.

INSTRUCCIONES: Estudia la información, lee la pregunta y elige la **mejor** respuesta.

Fragmento traducido de "El proceso de enmienda constitucional", Archivos Nacionales y Administración de Documentos:

La Constitución estipula que una enmienda puede ser propuesta tanto por el Congreso con una mayoría de dos tercios de los votos tanto en la Cámara de Representantes como en el Senado o por una convención constitucional convocada por dos tercios de las asambleas legislativas estatales. Ninguna de las 27 enmiendas a la Constitución ha sido propuesta por una convención constitucional. El Congreso propone una enmienda bajo la forma de una resolución conjunta. Como el presidente no tiene un papel constitucional en el proceso de enmienda, la resolución conjunta no va a la Casa Blanca para su firma o aprobación. El documento original se envía directamente a la Oficina del Registro Federal (OFR, por sus siglas en inglés) de Archivos Nacionales y Administración de Documentos (NARA, por sus siglas en inglés) para su procesamiento y publicación. La OFR agrega notas de historia legislativa a la resolución conjunta y la publica (...) La OFR también prepara un paquete de información para los estados que incluye (...) copias de la resolución conjunta (...) y el procedimiento reglamentario para su ratificación bajo la sección 106b del Código de los Estados Unidos.

El archivista eleva la enmienda propuesta a los estados para su consideración enviando una carta de notificación a cada gobernador junto con el material informativo preparado por la OFR. Luego los gobernadores elevan formalmente la enmienda a sus asambleas legislativas estatales. En el pasado, algunas asambleas legislativas estatales no esperaban a recibir la notificación oficial para actuar con respecto a la enmienda propuesta. Cuando un estado ratifica una enmienda propuesta, envía el original o una copia certificada de la acción del estado al archivista, que, a su vez, es enviada inmediatamente al director del Registro Federal. La OFR revisa los documentos de ratificación para constatar su suficiencia legal aparente y una firma certificada. Si el documento está en orden, el director acusa recibo y mantiene su custodia. La OFR retiene estos documentos hasta que se apruebe o rechace una enmienda y luego los transfiere a los Archivos Nacionales para su preservación.

Fragmento traducido de archives.gov, visitado en 2021

8. ¿Cuál de las siguientes opciones es una generalización válida sobre las enmiendas propuestas según el pasaje?

   A. Las enmiendas constitucionales son típicamente propuestas por el Congreso.
   B. A menudo, las asambleas legislativas estatales no toman acción sobre una enmienda propuesta antes de haber recibido la notificación oficial.
   C. A menudo, el presidente está involucrado en el proceso de enmienda.
   D. La mayoría de las enmiendas son ratificadas por las asambleas legislativas estatales.

INSTRUCCIONES: Estudia la información, lee la pregunta y elige la **mejor** respuesta.

De "Autoridad legal", Departamento de Justicia de los Estados Unidos:

Cuando en 1870, después del aumento de litigios que involucraban a los Estados Unidos en el período posterior a la Guerra Civil, aumento que requería la onerosa contratación de un gran número de abogados privados, un Congreso preocupado aprobó la Ley para Crear el Departamento de Justicia, cap. 150, 16 Est. 162 (1870) y lo creó como "un departamento ejecutivo del gobierno de los Estados Unidos" con el fiscal general como administrador. Creado oficialmente el 1 de julio de 1870, el Departamento de Justicia, en cumplimiento de la Ley de 1870, debía manejar los temas legales de los Estados Unidos. La ley dio al departamento el control sobre todas las acusaciones criminales y las demandas civiles en las que los Estados Unidos tenían un interés. Además, la ley dio al fiscal general y al departamento el control sobre el cumplimiento de la legislación federal. Para colaborar con el fiscal general, la Ley de 1870 creó la Oficina del Procurador General.

Fragmento traducido de justice.gov, visitado en 2021

9. ¿Qué evidencia del pasaje objeta la siguiente generalización incorrecta?

   El gobierno de los Estados Unidos está involucrado en todos los casos judiciales de todo nivel.

   A. Es muy costoso contratar abogados privados para manejar los negocios del gobierno.
   B. El Departamento de Justicia es un departamento ejecutivo del gobierno de los Estados Unidos.
   C. El Departamento de Justicia está involucrado solo en casos en los que los Estados Unidos tienen un interés.
   D. El fiscal general y el Departamento de Justicia tienen control sobre el cumplimiento de la legislación federal.

Identificar problemas y soluciones

LECCIÓN

Usar con el ***Libro del estudiante,*** págs. 92–93.

1 *Repasa la destreza*

TEMAS DE ESTUDIOS SOCIALES: I.CG.c.1, I.CG.c.2, I.CG.c.3, II.CG.e.1, II.CG.e.3, II.CG.f, II.G.b.5
PRÁCTICAS DE ESTUDIOS SOCIALES: SSP.1.a, SSP.1.b, SSP.2.a, SSP.2.b, SSP.4.a, SSP.5.a, SSP.5.c, SSP.6.b

Al aprender sobre estudios sociales, tendrás muchas oportunidades de **identificar problemas** y sus **soluciones**. Al pensar en un problema, ten en cuenta los distintos factores que pueden haberlo causado. Luego puedes evaluar las posibles soluciones a partir de la eficacia con la que cada uno aborda el problema.

Para evaluar la eficacia de una solución, intenta predecir cómo impactaría sobre el problema. Además, ten en cuenta los posibles beneficios o desventajas de la solución. Entonces puedes comparar cada solución posible para determinar cuál es mejor.

2 *Perfecciona la destreza*

Al perfeccionar la destreza de identificar problemas y soluciones, mejorarás tus capacidades de estudio y evaluación, especialmente en relación con la prueba de Estudios Sociales de GED®. Estudia el pasaje que aparece a continuación. Luego responde las preguntas.

UNIDAD 3

a Esta información comienza exponiendo la solución a un problema. Busca detalles sobre las nuevas reglamentaciones como ayuda para responder la segunda pregunta.

b Este pasaje describe una solución. El problema no es evidente de inmediato. A medida que lees, debes inferir cuál es el problema teniendo en cuenta los efectos de la solución.

El siguiente artículo se publicó en la versión en Internet de *The Washington Post*, el 28 de agosto de 2012:

a El martes, el gobierno de Obama anunció nuevos estándares sobre eficiencia de consumo de gasolina para vehículos, los que requieren que el parque automotor de los Estados Unidos tenga la capacidad de recorrer un promedio de 54.5 millas por galón de gasolina antes de 2025; una movida no controvertida que, a diferencia de otras políticas energéticas del gobierno, fue respaldada por la industria y también por los ambientalistas.

Las nuevas reglamentaciones, que anunciaron el Secretario de Transporte, Ray LaHood, y la administradora de la Oficina de Protección Ambiental, Lisa P. Jackson, amplían los estándares existentes que exigen que los carros y camionetas livianas fabricados en los Estados Unidos puedan recorrer un promedio de 34.5 millas por galón de gasolina antes de 2016. Según la Oficina de Protección Ambiental (EPA, por sus siglas en inglés), para cuando estén completamente implementados, estos estándares reducirán significativamente el consumo de petróleo y las emisiones de gases de efecto invernadero en los Estados Unidos.

b "Estos estándares de consumo de gasolina representan el paso más importante que hemos dado para reducir nuestra dependencia del petróleo extranjero", dijo el presidente Obama en una declaración.

Traducido de *The Washington Post*, 28 de agosto, 2012

CONSEJOS PARA REALIZAR LA PRUEBA

El conocimiento previo puede ayudarte a responder preguntas. Usa lo que ya sabes sobre la gasolina, cómo se fabrica y los precios fluctuantes del combustible como ayuda para identificar el problema que abordan los nuevos estándares de eficiencia de la gasolina.

1. ¿Cuál de los siguientes problemas abordarán los estándares sobre eficiencia de consumo de combustible de los vehículos?

   A. el consumo de petróleo
   B. las políticas energéticas
   C. los vehículos que no se fabrican en los Estados Unidos
   D. la contaminación producida por las fábricas

2. ¿Cuál de las siguientes opciones caracteriza **mejor** la solución?

   A. excesiva
   B. continua
   C. instantánea
   D. desproporcionada

3 Domina la destreza

INSTRUCCIONES: Estudia la información, lee cada pregunta y elige la **mejor** respuesta.

Del discurso que pronunció el presidente Barack H. Obama, titulado "Observaciones sobre la energía", en el Laboratorio Nacional Argonne, Illinois, el 15 de marzo de 2013:

El Dr. Isaacs dijo que estos cortes lo obligarán a detener cualquier nuevo proyecto que esté por llegar. Y lo cito; él dice: "Este repentino freno a nuevos comienzos congelará la ciencia estadounidense en su lugar mientras que el resto del mundo se adelanta e impedirá que una generación de científicos jóvenes avance en sus investigaciones, lo que, en definitiva, costará miles de millones de dólares en futuras oportunidades perdidas". Quiero decir, fundamentalmente por este recorte presupuestario, estamos contemplando dos años en los que no comenzaremos nuevas investigaciones. Y en tiempos en los que cada mes uno tiene que cambiar su teléfono inteligente porque ha surgido algo nuevo, imaginen lo que eso significa cuando China, Alemania y Japón sigan desarrollando sus investigaciones básicas, y nosotros aquí, sentados, sin hacer nada.

No podemos permitirnos perder estas oportunidades, mientras el resto del mundo avanza. Tenemos que aprovechar estas oportunidades. Quiero los próximos grandes avances en la creación de empleos (ya sea en energía o nanotecnología o bioingeniería); quiero que esos grandes avances sucedan precisamente aquí, en los Estados Unidos de América, para crear empleos estadounidenses y mantener nuestro liderazgo tecnológico.

Así que quiero ser claro. Estos recortes dañarán, no ayudarán a nuestra economía. No son la forma inteligente de reducir nuestro déficit. Y es por ello que me dirijo a los republicanos y a los demócratas, para que se unan en un enfoque equilibrado, un enfoque inteligente y progresivo para la reducción del déficit, que incluya recortes de gastos inteligentes, reformas de ayuda social y nuevas fuentes de ingresos, y que no perjudique a nuestra clase media ni desacelere el crecimiento económico. Y, si logramos eso, entonces podremos ir más allá de gobernar de crisis en crisis en crisis y centrar nuestra atención en políticas que realmente creen empleos y permitan que nuestra economía crezca y avance para enfrentar todos los demás desafíos que tenemos, desde organizar nuestro sistema migratorio fracturado hasta educar a nuestros niños para mantenerlos alejados de la violencia relacionada con las armas de fuego.

Fragmento traducido de archives.gov, visitado en 2021

3. ¿Cuál de las siguientes opciones es el principal problema que se resalta en este discurso?

   A. la investigación en otros países
   B. el recorte presupuestario
   C. una crisis energética
   D. la reducción del déficit

4. ¿Cuál de las siguientes opciones propone el presidente Obama como solución a este problema?

   A. crear puestos de trabajo
   B. aumentar el financiamiento para investigaciones
   C. nuevos impuestos a los más adinerados
   D. un plan multifacético para reducir el déficit

INSTRUCCIONES: Estudia la información, lee cada pregunta y elige la **mejor** respuesta.

De la decisión de la Suprema Corte de los Estados Unidos sobre las elecciones presidenciales del año 2000:

La cercanía de estas elecciones, y la cantidad de desafíos legales que dejaron como estela han centrado la atención en un fenómeno común, aunque hasta ahora inadvertido. En el ámbito nacional, las estadísticas revelan que aproximadamente un 2% de las boletas no registran un voto para presidente, cualquiera sea la razón, lo que incluye no elegir deliberadamente a ningún candidato o algún error por parte del votante, tal como votar por dos candidatos o marcar mal la boleta (...) Al certificar los resultados de las elecciones, los votos que poseen los requisitos para ser considerados en la certificación son aquellos que cumplen adecuadamente con los requisitos legales establecidos.

Este caso mostró que las máquinas de tarjetas perforadas para votar pueden producir una cantidad desafortunada de votos que el votante no perforó completa y adecuadamente. Después del recuento actual, es probable que los organismos legislativos de toda la nación examinen formas de mejorar los mecanismos y la maquinaria para votar.

5. ¿A cuál de los siguientes grupos ordena la Corte Suprema resolver este problema?

   A. a las juntas electorales locales
   B. a los tribunales estatales
   C. a los legisladores
   D. a la Comisión Federal Electoral

6. ¿Cuál de las siguientes opciones puede reemplazar al término **estela** para dar la interpretación **más** exacta del texto?

   A. consecuencia
   B. señal o rastro
   C. monumento conmemorativo
   D. corriente

3 Domina la destreza

INSTRUCCIONES: Estudia la información, lee cada pregunta y elige la **mejor** respuesta.

De la Enmienda XXIII a la Constitución de los Estados Unidos (1961):

Sección 1. El distrito que constituye la sede del gobierno de los Estados Unidos nombrará de la manera en que disponga el Congreso:

Un número de electores para elegir al presidente y vicepresidente igual al número total de senadores y representantes ante el Congreso que correspondería al distrito si este fuera un estado, pero en ningún caso dicho número será mayor que el del estado menos poblado; estos electores se sumarán a los nombrados por los estados, pero para fines de la elección del presidente y vicepresidente, deberán ser considerados como electores nombrados por un estado, celebrarán sus reuniones en el distrito y cumplirán con los deberes prescritos en la Duodécima Enmienda.

7. ¿Cuál de los siguientes problemas aborda esta solución?

   A. la representación desequilibrada en el colegio electoral
   B. la confusión respecto de los límites de Washington D.C.
   C. la controversia sobre el lugar de reuniones del colegio electoral
   D. la participación de Washington D.C. en el colegio electoral

8. ¿Cuál de los siguientes grupos de personas podría haber propuesto oficialmente esta solución?

   A. los legisladores de Washington D.C.
   B. el Congreso
   C. los ciudadanos de Washington D.C.
   D. la Corte Suprema de los Estados Unidos

INSTRUCCIONES: Estudia la caricatura política, lee cada pregunta y elige la **mejor** respuesta.

Cuando el presidente Abraham Lincoln emitió la Proclamación de la Emancipación en 1862, a los estados de la confederación se les dio la oportunidad de reincorporarse a la Unión. Si no lo hacían, los esclavos de esos estados serían declarados libres el 1 de enero de 1863.

ÚLTIMA ADVERTENCIA DE LINCOLN: "Ahora bien, si no bajas, cortaré el Árbol *por debajo de donde estás*".

9. ¿Sobre cuál de los siguientes problemas busca llamar la atención el caricaturista con esta imagen?

   A. la necesidad de más leña para el esfuerzo de la guerra
   B. la necesidad de unir el Norte y el Sur
   C. la esclavitud en el Sur
   D. la falta de recortes en el gasto militar

10. ¿Cuál de las oraciones siguientes describe **mejor** la evaluación que hace el caricaturista de la reacción de la Confederación a este problema?

    A. La Confederación se niega a ceder y confía en imponerse.
    B. La Confederación se aferra obstinadamente a su postura, pero no se impondrá.
    C. La Confederación luchará honorablemente para defender sus convicciones.
    D. La Confederación es suficientemente fuerte como para cortar lazos con la Unión y aun así prosperar.

INSTRUCCIONES: Estudia la información, lee cada pregunta y elige la **mejor** respuesta.

De la primera "Charla junto al fuego" del presidente Franklin D. Roosevelt, 12 de marzo de 1933:

Como la confianza del público estaba **socavada**, hubo una estampida general de un gran número de nuestros habitantes que quisieron convertir los depósitos bancarios en dinero en efectivo u oro; fue una estampida tan grande que los bancos más sólidos no pudieron conseguir suficientes billetes para satisfacerla. La causa de ello fue que, naturalmente, fue imposible vender rápidamente activos absolutamente sólidos de un banco y convertirlos en dinero en efectivo, salvo a precios provocados por el pánico, muy inferiores a su valor real. (...)

Fue entonces cuando emití el anuncio que establecía el primer feriado bancario nacional y este fue el primer paso en la reconstrucción del tejido económico-financiero que llevó a cabo el gobierno. El segundo paso fue la rápida y patriótica legislación aprobada por el Congreso, que confirmaba mi anuncio y ampliaba mis competencias (...) para prolongar el feriado y levantar ese feriado de manera gradual. Esta ley también me otorgó la autoridad para desarrollar un programa de rehabilitación de nuestros servicios bancarios.

11. ¿Cuál de los siguientes problemas provocó que el presidente Roosevelt proclamara el feriado bancario (cierre de los bancos)?

    A. El Congreso amplió sus poderes.
    B. El público tenía confianza en los bancos.
    C. Los bancos querían convertir la moneda en oro.
    D. La estampida habría provocado que los bancos vendieran sus activos por menos de su valor real.

12. ¿Por qué podría considerarse como peligrosa la solución del presidente Roosevelt?

    A. Entregó todos los bancos al gobierno.
    B. Cerró los bancos cuando los ciudadanos querían dinero.
    C. Logró que el Congreso otorgara poderes adicionales al presidente.
    D. Cambió el sistema de aceptación y pago de los depósitos bancarios.

13. ¿Cuál de las siguientes opciones puede reemplazar al término *socavada* para brindar una interpretación más precisa del texto?

    A. oculta
    B. desestabilizada
    C. ilegal
    D. olvidada

INSTRUCCIONES: Estudia la información, lee cada pregunta y elige la **mejor** respuesta.

Durante muchos años, las sustancias conocidas como clorofluorocarbonos (CFC) se usaron en una amplia variedad de productos, como solventes y refrigerantes. Sin embargo, a comienzos de la década de 1970, los científicos comenzaron a expresar su preocupación por el impacto de estas sustancias sobre la capa de ozono de la Tierra. A medida que surgían nuevos usos de los CFC, durante la década de 1980, algunos temores sobre el daño a la capa de ozono cobraron mayor importancia. Con la firma del Protocolo de Montreal, las naciones de todo el mundo acordaron cooperar para reducir los CFC. A comienzos de la década de 1990, a medida que fue saliendo a la luz nueva evidencia que demostraba que la reducción de la capa de ozono era peor de lo que se esperaba, las mismas naciones se comprometieron a poner fin a la producción de todos los CFC en 1996. Como resultado, la emisión de sustancias nocivas para la capa de ozono ya ha comenzado a disminuir. Incluso algunas personas esperan que la capa de ozono se "cure" naturalmente dentro de aproximadamente 50 años.

14. ¿Cuál de las siguientes opciones describe **mejor** la manera en la cual se resolvió el problema de los CFC?

    A. cooperación internacional
    B. movilización de los ciudadanos
    C. leyes y reglamentaciones más estrictas
    D. colaboración entre grupos de intereses especiales

15. ¿Cuál de las siguientes opciones caracteriza **mejor** a esta solución?

    A. inmediata
    B. divisiva
    C. controvertida
    D. a largo plazo

INSTRUCCIONES: Estudia la información, lee la pregunta y elige la **mejor** respuesta.

Del discurso de Barack H. Obama al aceptar la candidatura a la presidencia por el Partido Demócrata, 28 de agosto de 2008

Como ven, nosotros, los demócratas, tenemos una medida muy distinta de lo que es el progreso en este país. Medimos el progreso según el número de personas que encuentran un trabajo con el que pueden pagar una hipoteca; si se puede ahorrar algo de dinero a fin de mes. (...)

16. ¿Cuál de los siguientes problemas aborda la solución que propuso Barack Obama?

    A. la elevada tasa de desempleo de los Estados Unidos
    B. elevados impuestos para la clase media
    C. impedir que los demócratas ocupen un cargo
    D. impedir que los republicanos ocupen un cargo

LECCIÓN 13

Mapas con fines específicos

Usar con el ***Libro del estudiante,*** págs. 94–95.

TEMAS DE ESTUDIOS SOCIALES: II.CG.e.1, II.CG.e.3, II.G.b.2, II.G.b.4, II.G.c.1, II.G.c.2, II.G.c.3, II.G.d.1, II.G.d.3, II.G.d.4
PRÁCTICAS DE ESTUDIOS SOCIALES: SSP.1.a, SSP.2.b, SSP.4.a, SSP.6.b, SSP.6.c

1 *Repasa la destreza*

Los **mapas con fines específicos** comparten importantes semejanzas con los mapas políticos. Al igual que los mapas políticos, con frecuencia muestran características políticas tales como naciones, regiones y ciudades. Sin embargo, a través del uso de símbolos, estos mapas también presentan características adicionales tales como productos, patrones electorales o cambios en la población.

Como pueden presentar una variedad de información, siempre deberías tratar de determinar cuál es el centro de atención de los mapas con fines específicos. Identificar y ubicar las características especiales en estos mapas es vital para interpretarlos correctamente.

2 *Perfecciona la destreza*

Al perfeccionar la destreza de leer mapas con fines específicos, mejorarás tus capacidades de estudio y evaluación, especialmente en relación con la prueba de Estudios Sociales de GED®. Estudia el mapa y la información que aparecen a continuación. Luego responde las preguntas.

a Las características políticas que se muestran en este mapa incluyen las fronteras de cada estado y de los Estados Unidos.

b Los íconos indican que este es un mapa con fines específicos. Al examinar los íconos y los números de votos electorales que se muestran en el mapa, puedes determinar quién ganó la elección.

MAPA ELECTORAL, 2012

Victoria demócrata: Barack Obama
Victoria republicana: Mitt Romney

USAR LA LÓGICA

En los mapas con fines específicos, generalmente se usan símbolos, rótulos e íconos para representar características. Al usar la lógica para descodificar estos elementos, puedes comenzar a interpretar un mapa y responder preguntas a partir de sus contenidos.

1. ¿Cuál de los siguientes estados probablemente aportó el mayor beneficio electoral al candidato ganador?

   A. California
   B. Nueva York
   C. Georgia
   D. Texas

2. A partir del mapa, ¿cuál de los siguientes enunciados es exacto?

   A. El candidato que ganó en más estados no ganó la elección.
   B. El candidato victorioso ganó en los tres estados electorales más grandes.
   C. La Costa Oeste respaldó mayoritariamente a los republicanos.
   D. Todos los estados de Nueva Inglaterra respaldaron a los demócratas.

UNIDAD 3

3 *Domina la destreza*

INSTRUCCIONES: Estudia el mapa, lee cada pregunta y elige la **mejor** respuesta.

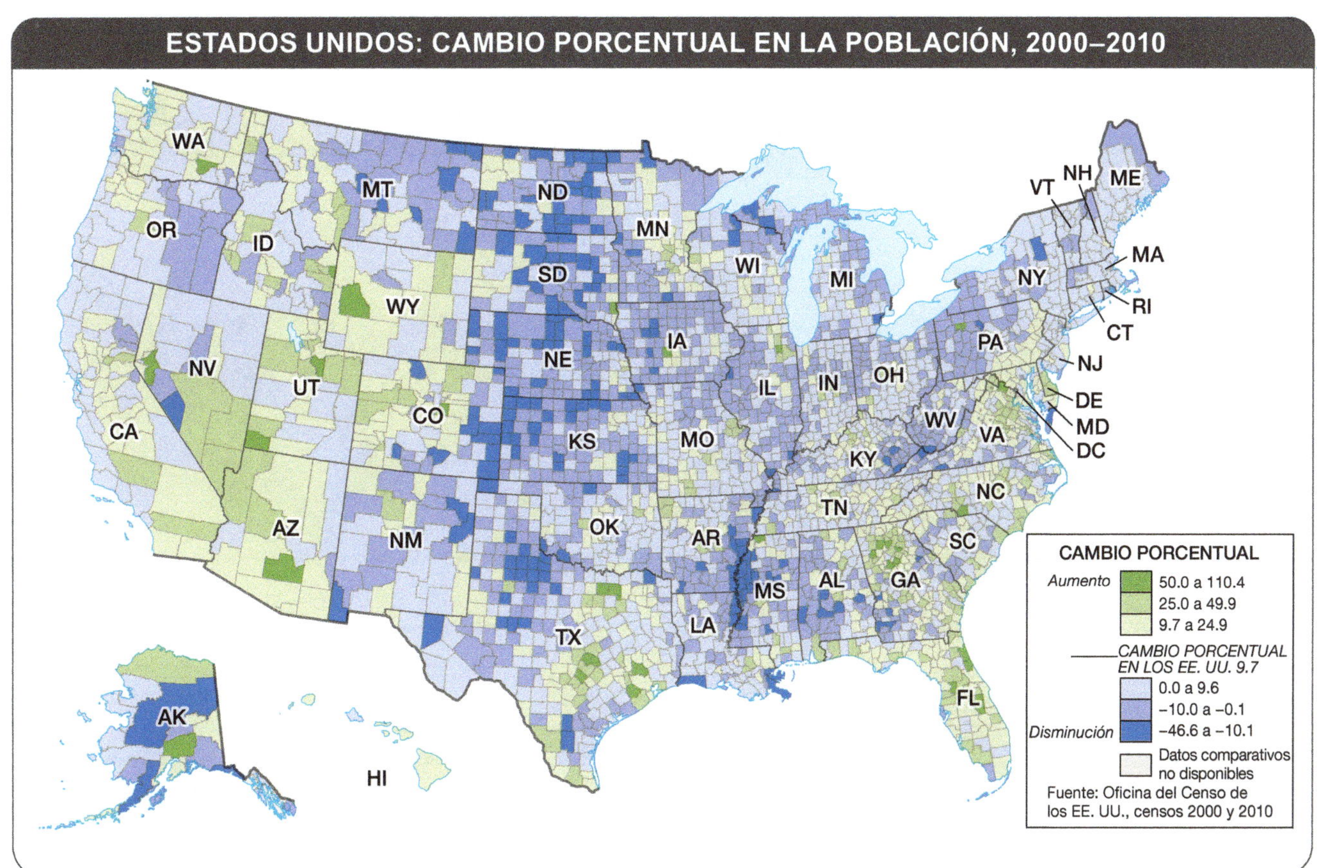

3. ¿Cuál de los siguientes estados experimentó la mayor disminución de la población entre 2000 y 2010?

   A. Dakota del Norte
   B. Florida
   C. Utah
   D. Hawái

4. ¿En qué partes del país hubo más disminución de la población?

   A. en la Costa Oeste
   B. en la costa del Atlántico Sur
   C. en las Grandes Llanuras
   D. en el suroeste de Florida

5. En general, ¿cuál de las siguientes partes del país experimentó la mayor tasa de crecimiento poblacional entre 2000 y 2010?

   A. el noreste
   B. el suroeste
   C. Hawái y Alaska
   D. las Llanuras Centrales

6. ¿Qué generalización puedes hacer sobre el área noreste del mapa?

   A. Experimentó el mayor crecimiento poblacional.
   B. Experimentó la mayor disminución poblacional.
   C. La mayor parte del área experimentó una reducción en la población.
   D. La población aumentó en la mayor parte del área.

7. A partir del mapa, ¿cuál de los siguientes enunciados puedes inferir sobre la población de los Estados Unidos entre 2000 y 2010?

   A. El área norte es más atractiva que el área sur.
   B. Ni Hawái ni Alaska son atractivos para los nuevos residentes.
   C. Todos los estados tienen áreas que perdieron población cada año.
   D. De los tres estados de la Costa Oeste, el este de Oregón es el menos atractivo para los nuevos residentes.

3 Domina la destreza

INSTRUCCIONES: Estudia el mapa, lee cada pregunta y elige la **mejor** respuesta.

PRODUCTOS DE COLORADO

WY
NE
Fort Collins
Boulder
Denver
Colorado Springs
Pueblo
NM
OK
TX

Carbón
Heno
Ganado ovino
Maíz
Gas natural
Verduras
Ganado vacuno para carne
Petróleo
Trigo

8. ¿Cuál de los siguientes productos se puede encontrar cerca de Pueblo?

   A. carbón
   B. petróleo
   C. gas natural
   D. ganado ovino

9. A partir del mapa, ¿dónde es **más probable** encontrar montañas en Colorado?

   A. a lo largo de la frontera con Wyoming
   B. en la región este
   C. a lo largo de la frontera oeste
   D. en la región centro-oeste del estado

10. ¿En qué área del estado está ubicada la **mayor** parte de las cosechas agrícolas?

   A. en el este
   B. a lo largo de la frontera con Nuevo México
   C. en el sector noroeste
   D. al sur de Boulder

INSTRUCCIONES: Estudia el mapa del **número de puestos** de cada estado **en la Cámara de Representantes de los Estados Unidos,** lee cada pregunta y elige la **mejor** respuesta.

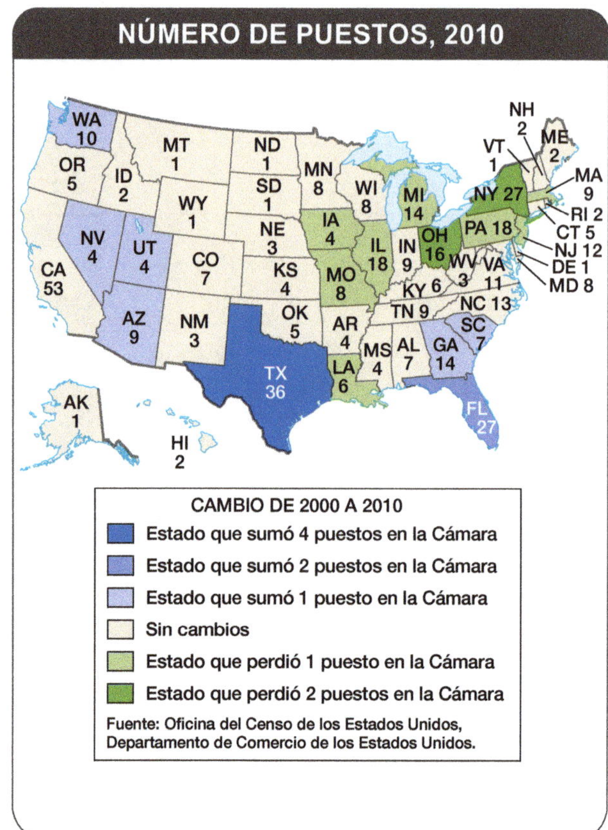

11. ¿Cuántos puestos tenía Texas en 2010 y cuántos tenía en 2000 en la Cámara de Representantes de los Estados Unidos?

   A. 36; 32
   B. 37; 36
   C. 40; 36
   D. 36; 34

12. ¿Cuál de los siguientes estados sumó **mayor** cantidad de puestos en la Cámara de Representantes de los Estados Unidos como resultado de la redistribución de 2010?

   A. Washington
   B. Florida
   C. Nueva York
   D. Georgia

13. ¿Cuál de los siguientes estados perdió dos puestos en la Cámara como resultado de la redistribución de 2010?

   A. Nueva Jersey
   B. Pensilvania
   C. Massachusetts
   D. Ohio

Ítem en foco: **MENÚ DESPLEGABLE**

INSTRUCCIONES: El pasaje que aparece a continuación está incompleto. Usa información del mapa para completar el pasaje. En cada ejercicio con menú desplegable, elige la opción que complete correctamente la oración.

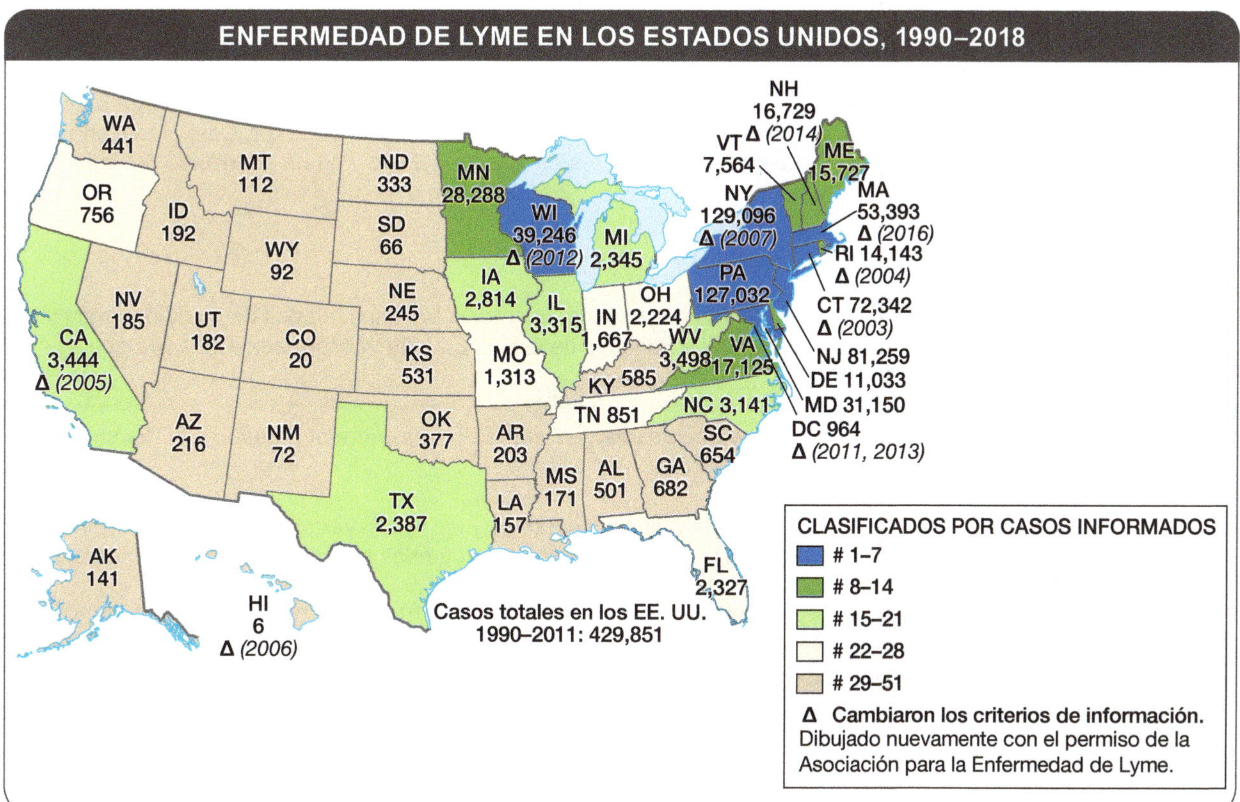

14. Entre 1990 y 2011, se informaron casos de la enfermedad de Lyme en los 50 estados y en Washington D. C. Según este mapa proporcionado por la Asociación para la Enfermedad de Lyme, el estado con el mayor número de casos informados fue [14. Menú desplegable 1], con más de 100,000.

La **mayoría** de los casos están concentrados en el área [14. Menú desplegable 2] del país, aunque [14. Menú desplegable 3] tiene la segunda mayor concentración. El estado que informó la menor cantidad de casos de la enfermedad de Lyme fue [14. Menú desplegable 4], con solamente seis casos informados.

Opciones de respuesta del menú desplegable

14.1
A. Nueva York
B. Rhode Island
C. Connecticut
D. Massachusetts

14.2
A. noroeste
B. suroeste
C. noreste
D. de las Grandes Llanuras

14.3
A. Misisipi
B. el noroeste
C. Alaska
D. el Medio Oeste

14.4
A. Vermont
B. Hawái
C. Montana
D. Nueva Jersey

UNIDAD 3

Hechos y opiniones

Usar con el ***Libro del estudiante,*** págs. 96–97.

1 Repasa la destreza

TEMAS DE ESTUDIOS SOCIALES: II.CG.e.1, II.CG.e.3, II.CG.f
PRÁCTICAS DE ESTUDIOS SOCIALES: SSP.2.a, SSP.5.a, SSP.5.b, SSP.5.c, SSP.5.d, SSP.7.a, SSP.7.b

En los materiales de estudios sociales, para distinguir entre **hechos y opiniones** debes evaluar los enunciados que hace un orador o un autor. Los enunciados en los que se puede demostrar si la información es verdadera o falsa son **hechos**, mientras que los enunciados en los que no se puede demostrar si la información es verdadera o falsa son **opiniones**.

Recuerda que las opiniones expresan el punto de vista o la creencia del orador o del autor. Como resultado, toma nota de palabras como *pensar, sentir* y *creer*, que con frecuencia marcarán una opinión y no un enunciado de un hecho.

2 Perfecciona la destreza

Al perfeccionar la destreza de reconocer hechos y opiniones, mejorarás tus capacidades de estudio y evaluación, especialmente en relación con la prueba de Estudios Sociales de GED®. Estudia la información que aparece a continuación. Luego responde las preguntas.

a Este párrafo expone un hecho. Hay varias fuentes que podrías consultar para verificar si esta información es precisa.

b En su discurso, el presidente Barack Obama usa preguntas para expresar su opinión sobre las posiciones que adoptaron sus opositores republicanos en el Congreso.

Discurso del presidente Barack Obama sobre el Estado de la Unión, 12 de febrero de 2013:

La Ley de Cuidado de Salud a Bajo Precio ya está ayudando a reducir los costos de la atención médica. Las reformas que propongo van aún más lejos.

Vamos a reducir los subsidios que pagan los contribuyentes a las compañías de medicamentos bajo receta y pediremos más a las personas mayores más ricas. Para reducir los costos, cambiaremos la manera en que nuestro gobierno paga a Medicare. (...)

Estoy abierto a nuevas reformas que propongan ambos partidos, mientras que no violen la garantía de tener un retiro seguro. Nuestro gobierno no debería hacer promesas que no podamos cumplir, pero debemos cumplir las promesas que ya hemos hecho.

Para lograr el resto del objetivo de reducción del déficit, debemos hacer lo que los líderes de ambos partidos han sugerido y ahorrar cientos de miles de millones de dólares mediante la eliminación de los vacíos legales en materia impositiva y las deducciones para los acaudalados y aquellos que tienen buenas conexiones. Después de todo, ¿por qué elegiríamos hacer mayores reajustes a la educación y a Medicare solo para proteger los beneficios fiscales de intereses especiales? ¿Es justo eso?

1. ¿En qué fuente podrías confirmar el hecho que se menciona en la primera oración?

   A. un diccionario de términos médicos
   B. un informe reciente del gobierno federal sobre los costos del cuidado de la salud
   C. un panfleto político escrito por el Partido Republicano
   D. un debate sobre la salud en un noticiero de televisión

2. ¿Cómo describirías la opinión del presidente Obama sobre el papel del gobierno en el cuidado de la salud? El presidente Obama quiere

   A. asegurarse de que las personas paguen sus facturas médicas.
   B. garantizar un buen cuidado de la salud a buen precio.
   C. hallar nuevos tratamientos para los problemas de salud más importantes.
   D. bajar los costos del cuidado de la salud para reducir el déficit.

HACER SUPOSICIONES

En discursos políticos, en general, puedes suponer que los oradores emplearán una combinación de hechos y enunciados de opinión para presentar un argumento.

UNIDAD 3

Domina la destreza

★ Ítem en foco: COMPLETAR LOS ESPACIOS

INSTRUCCIONES: Estudia la información, lee cada pregunta y escribe tus respuestas en los recuadros.

De un editorial en *The New York Times*, 2004:

El principal problema con el colegio electoral es que en cada elección incorpora la posibilidad (...) de que el presidente sea el candidato que perdió el voto popular (...) También favorece enormemente a los estados pequeños. Que todos obtengan tres electores automáticos (uno por cada senador y un miembro de la Cámara de Representantes) significa que los estados que tendrían derecho a solo uno o dos votos electorales, terminan consiguiendo tres, cuatro o cinco.

La mayoría no gobierna y los votos no son todos iguales; esas son razones suficientes para abolir el sistema. Pero también existen otras consecuencias (...) Unos pocos estados clave cobran una importancia exagerada, lo que lleva a los candidatos a centrar su atención, su dinero y sus promesas en una pequeña porción del electorado.

Fragmento traducido de *The New York Times,* 29 de agosto de 2004

3. A partir de las opiniones de este texto, ¿el autor está a favor de usar el voto popular o el Colegio Electoral en las elecciones presidenciales?

4. Según las opiniones expresadas en el fragmento, ¿el autor considera que los estados con poblaciones pequeñas tienen demasiados votos electorales o que no tienen suficientes?

5. ¿El autor de este fragmento considera que los estados claves merecen o no merecen más atención, dinero y promesas de los candidatos presidenciales?

INSTRUCCIONES: Estudia la información, lee cada pregunta y elige la **mejor** respuesta.

En las primeras etapas del ciclo de una elección presidencial, los partidos políticos eligen delegados en los diferentes estados que los representarán en las convenciones nacionales de nominación de los partidos. Los dos métodos principales para seleccionar a estos delegados son la elección primaria o el caucus. En una elección primaria, los votantes eligen delegados que apoyarán a su candidato preferido en la convención nacional. Los votos se emiten de manera similar a la de la elección general. En un caucus, los votantes forman grupos en los centros electorales. Allí, escuchan debates y discursos antes de votar.

6. ¿Cuál conclusión es **mejor** respaldada por la información?

   A. Los caucus producen votantes mejor informados que las elecciones primarias.
   B. Los caucus son más fáciles de realizar que las elecciones primarias.
   C. Los caucus permiten a los ciudadanos tener demasiada influencia sobre las decisiones de voto.
   D. Generalmente, las elecciones primarias tienen lugar después de las convenciones de nominación.

7. ¿Qué sitio web sería la **mejor** fuente de hechos imparciales sobre las elecciones primarias y los caucus?

   A. la Liga de Votantes Ambientalistas
   B. el Proyecto de Votantes de la Biblioteca del Congreso
   C. el Comité Nacional del Partido Demócrata
   D. el Partido Republicano de Texas

3 Domina la destreza

INSTRUCCIONES: Estudia la información, lee cada pregunta y elige la **mejor** respuesta.

Durante las elecciones presidenciales, los partidos nacionales Demócrata y Republicano tienen muchas responsabilidades. Los partidos nacionales deben organizar convenciones, coordinar debates presidenciales y ayudar a sus candidatos a recaudar fondos. Los partidos políticos nacionales también tienen la autoridad de negarse a reconocer a aquellos delegados estatales que crean que fueron elegidos de manera inapropiada.

Mientras que el Partido Demócrata otorga delegados estatales a los candidatos basándose en el porcentaje del voto popular que recibieron en las elecciones primarias o el caucus, el Partido Republicano permite que los estados elijan una representación proporcional o un plan donde el ganador se llevará todo. Siguiendo este plan, el candidato ganador de una elección primaria o de un caucus obtiene todos los delegados de ese estado.

8. ¿Cuál de los siguientes enunciados describe **mejor** este pasaje?

   A. El pasaje presenta muchos hechos y ninguna opinión.
   B. El pasaje presenta principalmente hechos con pocas opiniones.
   C. El pasaje tiene hechos y opiniones por igual.
   D. El pasaje presenta muchas opiniones y ningún hecho.

9. ¿Cuál de las siguientes opiniones tendría probablemente este autor si un candidato a la presidencia republicano perdiera una elección primaria muy reñida?

   A. Los partidos políticos nacionales deberían insistir en tener caucus estatales.
   B. El estado en el que se realizaron las elecciones primarias debería emplear la representación proporcional.
   C. Los partidos deberían profundizar las restricciones sobre la recaudación de fondos para las campañas.
   D. Cuando se planifica la convención de nominación, todos los candidatos deberían poder hacer sus aportes.

10. ¿Cuál de los siguientes enunciados consideras que es verdadero a partir del pasaje?

   A. Los Partidos Demócrata y Republicano tienen obligaciones distintas durante las elecciones.
   B. Los candidatos planifican las convenciones nacionales.
   C. El Partido Demócrata solamente tiene elecciones primarias donde el ganador se lleva todo.
   D. El Partido Republicano permite más flexibilidad respecto de cómo elige a los candidatos.

INSTRUCCIONES: Estudia la información, lee cada pregunta y elige la **mejor** respuesta.

En las elecciones presidenciales del año 2000, el candidato demócrata Al Gore ganó el voto popular. Aun así, fue el candidato republicano George W. Bush quien juró en el cargo como presidente un par de meses después. Como ningún candidato tenía suficientes votos electorales para ganar, la elección se centró en cuál de los candidatos ganaría el voto electoral de Florida. Cuando el recuento electrónico dio como resultado una ventaja de solo 327 votos a favor de Bush, Gore exigió el recuento manual de los votos. El equipo de Bush se opuso.

Durante las semanas siguientes, se presentó una serie de demandas. Gore intentó continuar con el recuento, pero Bush quería detenerlo mientras él (Bush) llevaba la delantera. Después de que Gore recibiera una resolución favorable sobre el recuento de parte de la Corte Suprema de Florida, Bush pidió a la Corte Suprema de los Estados Unidos que dictara sentencia sobre la cuestión de una vez por todas. En una sentencia inquietante (cinco a cuatro), la Corte Suprema detuvo el recuento alegando que era inconstitucional. De esta manera, la Corte entregó la presidencia a George W. Bush. La Corte también garantizó que el recuento final de votos nunca se conocería oficialmente.

11. ¿Qué frase del pasaje que aparece arriba indica una opinión?

   A. Aun así, fue el candidato republicano George W. Bush quien juró en el cargo como presidente.
   B. Cuando el recuento electrónico dio como resultado una ventaja de solo 327 votos a favor de Bush, Gore exigió el recuento manual de los votos.
   C. En una sentencia inquietante (cinco a cuatro), la Corte Suprema detuvo el recuento alegando que era inconstitucional.
   D. El equipo de Bush se opuso.

12. En este pasaje, ¿en cuál de las siguientes maneras las opiniones son **más** obvias?

   A. No hay enunciados de hechos.
   B. Se retrata a George W. Bush como deshonesto.
   C. El artículo afirma que Al Gore no podría haber ganado las elecciones.
   D. El artículo muestra a la Corte Suprema como parcial.

INSTRUCCIONES: Estudia la información, lee cada pregunta y elige la **mejor** respuesta.

Fragmento traducido de las Declaraciones del presidente Barack Obama sobre la energía, 26 de enero de 2009

En un momento de tantos desafíos para los Estados Unidos, ningún problema es tan fundamental para nuestro futuro como la energía. La dependencia del petróleo que tienen los Estados Unidos es una de las más serias amenazas que nuestra Nación jamás haya enfrentado. Financia dictadores, paga por la proliferación de armas nucleares y financia los dos lados de nuestra lucha contra el terrorismo. Deja al pueblo estadounidense a merced de los cambiantes precios de la gasolina, reprime la innovación y entorpece nuestra capacidad de competir.

Estos peligros apremiantes para nuestra seguridad nacional y económica se ven agravados por la amenaza a largo plazo del cambio climático, que si se desatiende podría generar violentos conflictos, terribles tormentas, costas cada vez más reducidas y catástrofes irreversibles. Esta es la realidad, bien conocida por todo el pueblo estadounidense; después de todo, no hay nada nuevo acerca de estas advertencias. Hace décadas que los presidentes vienen haciendo sonar la alarma acerca de la dependencia de energía. El presidente Nixon prometió independizar nuestra energía —la energía de nuestra Nación— para fines de la década de 1970. Cuando él dio su discurso, importábamos aproximadamente un tercio de nuestro petróleo; ahora importamos más de la mitad.

Año tras año, década tras década, hemos elegido el aplazamiento por sobre la acción decisiva. La rigidez ideológica ha invalidado a la sensatez científica; los intereses especiales han eclipsado el sentido común; la retórica no ha llevado al duro trabajo necesario para obtener resultados. Y nuestros líderes levantan su voz cada vez que hay un aumento en los precios de la gasolina, pero luego se abstienen cuando el precio baja.

13. ¿Cuál es la **mejor** descripción de este pasaje?

    A. El pasaje contiene hechos pero no opiniones.
    B. El pasaje contiene opiniones pero no hechos.
    C. El pasaje contiene principalmente afirmaciones sin apoyo.
    D. El pasaje contiene algunas opiniones pero también muchos hechos.

INSTRUCCIONES: Estudia la información, lee cada pregunta y elige la **mejor** respuesta.

Fragmento traducido de las Declaraciones del presidente Bill Clinton al Consejo Estadounidense de Educación, 24 de febrero de 1997

Recortar impuestos para ayudar a la gente a pagar directamente la universidad es algo sin precedentes a nivel nacional. Pero hemos recortado impuestos durante años para ayudar a la gente a comprar una casa o a invertir en un negocio porque esa es la manera en que pensábamos que podríamos impulsarlos a invertir en su futuro y a construir su propio sueño americano. Y ha funcionado. En los últimos 4 años hemos visto un aumento de la propiedad de viviendas a un máximo de 15 años y si la tasa continua en aumento, hacia el año 2000, más de dos tercios de los estadounidenses vivirán en su propia casa, un récord absoluto. En los últimos 4 años hemos visto en cada año sucesivo un número récord de nuevas empresas formadas en los Estados Unidos. Hoy deberíamos tener ese mismo empuje para invertir en educación, lo cual representa una inversión aun más importante para el futuro. Y me parece totalmente apropiado adoptar este mecanismo para cumplir con esa meta.

14. ¿Cuál de las siguientes opiniones expresa el presidente Clinton en este pasaje?

    A. El recorte de impuestos es un mal necesario.
    B. Los Estados Unidos se beneficiarían con más impuestos.
    C. El recorte de impuestos para alentar a la gente a ir a la universidad es una importante inversión para el futuro.
    D. Los Estados Unidos tienen uno de los mejores sistemas de educación.

15. ¿Acerca de cuál de las siguientes áreas el presidente Clinton aporta un hecho?

    A. medioambiente
    B. propiedad de vivienda
    C. costos de energía
    D. educación

16. ¿Cuál de las siguientes palabras caracteriza **mejor** las opiniones del presidente Clinton acerca de la inversión en educación?

    A. apasionadas
    B. irritadas
    C. cautelosas
    D. pesimistas

15 LECCIÓN Lógica o razonamiento incorrecto

Usar con el ***Libro del estudiante,*** págs. 98–99.

TEMAS DE ESTUDIOS SOCIALES: I.CG.c.1, I.CG.c.2, I.CG.d.2, I.USH.b.7, I.USH.d.3, II.G.d.2, II.USH.g.1, II.USH.g.3
PRÁCTICAS DE ESTUDIOS SOCIALES: SSP.1.a, SSP.1.b, SSP.2.a, SSP.3.d, SSP.5.a, SSP.5.b, SSP.6.b, SSP.8.a

1 *Repasa la destreza*

Una de las maneras más comunes de usar **lógica** o **razonamiento incorrecto** se da cuando los oradores y los autores hacen enunciados amplios que no pueden respaldar con evidencia. Este tipo de error en el razonamiento se llama **generalización apresurada**.

Otro ejemplo común de lógica o razonamiento incorrecto es la **simplificación excesiva**. Una simplificación excesiva se produce cuando un autor conecta dos ideas que no comparten una relación de causa y efecto u omite factores importantes que debería tener en cuenta. Por ejemplo, es una simplificación excesiva decir que *las calificaciones de las pruebas mejoraron en la escuela cuando implementaron la política de uniformes*. Las calificaciones no mejoraron simplemente porque los estudiantes usaban uniforme. Tiene que haber habido otros factores involucrados.

2 *Perfecciona la destreza*

Al perfeccionar la destreza de reconocer la lógica o razonamiento incorrecto, mejorarás tus capacidades de estudio y evaluación, especialmente en relación con la prueba de Estudios Sociales de GED®. Estudia la información que aparece a continuación. Luego responde las preguntas.

Nikita Khrushchev fue el Primer Secretario del Partido Comunista de la Unión Soviética desde 1953 hasta 1964. Es famoso por sus gestos dramáticos y por sus intentos de promover el máximo efecto de la propaganda de su partido con la seguridad de que el comunismo vencería al capitalismo. Este texto es de un discurso pronunciado por Khruschev en 1956:

a El autor hace una afirmación audaz en su enunciado. Sería más convincente si incluyera ejemplos o estadísticas específicos.

"Camaradas, el vigésimo Congreso del Partido Comunista de la Unión Soviética ha manifestado con nuevas fuerzas la unidad inquebrantable de nuestro partido, su cohesión con el comité central, su resuelta voluntad de alcanzar la gran tarea de construir el comunismo. Y el hecho de que presentamos en todas las ramificaciones los problemas básicos de vencer el culto del individuo que es ajeno al marxismo-leninismo, así como el problema de aniquilar sus opresivas consecuencias es una evidencia de la gran fuerza moral y política de nuestro partido. Estamos absolutamente seguros de que nuestro partido, armado con las resoluciones históricas del vigésimo Congreso, guiará al pueblo soviético por el sendero del leninismo hacia nuevos logros, hacia nuevas victorias.

b En este pasaje se presenta un enunciado absoluto que podría probablemente llegar a ser un ejemplo de lógica o razonamiento incorrecto.

Fragmento traducido del discurso SOBRE EL CULTO A LA PERSONALIDAD Y SUS CONSECUENCIAS, de Nikita Khrushchev, 1956

1. ¿Cuál de las siguientes opciones afirma Khrushchev sin ofrecer evidencia que la respalde?

   A. que el comunismo se está esparciendo hacia otras naciones
   B. que se están haciendo reformas específicas en la Unión Soviética
   C. que la economía está prosperando en la Unión Soviética
   D. que su partido está unido

2. ¿Cuál de las siguientes opciones menciona Khrushchev como la principal amenaza al sistema de gobierno de la Unión Soviética?

   A. las influencias de Occidente
   B. el culto del individuo
   C. el marxismo-leninismo
   D. el vigésimo Congreso del Partido Comunista

CONSEJOS PARA REALIZAR LA PRUEBA

Al evaluar la lógica o el razonamiento para un examen, identifica el argumento principal que está tratando de plantear el autor. Luego, vuelca tu atención hacia la evidencia que brinda.

UNIDAD 3

3 Domina la destreza

INSTRUCCIONES: Estudia el pasaje y la caricatura política, lee la pregunta y elige la **mejor** respuesta.

En 1938, el comunismo había empezado a diseminarse por Europa. En los Estados Unidos, un comité del Congreso dirigido por el representante Martin Dies, de Texas, comenzó a investigar posibles actividades comunistas dentro de la nación. En agosto de 1939, la Alemania nazi y la Unión Soviética firmaron un Tratado de no agresión que dividió a Europa Oriental en zonas de influencia alemana y soviética. El acuerdo permitía a la Alemania nazi invadir Europa Occidental sin tener que luchar con la Unión Soviética al mismo tiempo. La administración de Roosevelt se opuso al Tratado de no agresión entre Alemania y la Unión Soviética. Cuando el Partido Comunista estadounidense apoyó el Tratado, muchos de sus miembros abandonaron el partido.

El Partido Comunista Estadounidense, abandonado

3. ¿Qué representa el barco para el Partido Comunista Estadounidense?

   A. El barco representa la implicación del Partido Comunista estadounidense en el envío de materiales bélicos a naciones comunistas.
   B. El barco representa a los que abandonan el Partido Comunista estadounidense después de que apoyó el Tratado de no agresión entre Alemania y la Unión Soviética.
   C. El barco representa el abandono del Partido Comunista estadounidense por parte de la Unión Soviética.
   D. El barco representa el aislamiento que causó la investigación del comité de Dies.

INSTRUCCIONES: Estudia la información, lee cada pregunta y elige la **mejor** respuesta.

Luego de la Guerra Hispano-Estadounidense de 1898, los Estados Unidos se transformaron en una potencia internacional con numerosos territorios de ultramar. Uno de ellos fue la isla caribeña de Puerto Rico. Luego de un período de control directo desde Washington D.C., Puerto Rico se transformó en una comunidad de los Estados Unidos en 1952. Como tal, es un territorio autónomo de los Estados Unidos. Durante décadas, los puertorriqueños han votado para decidir el estado político de la isla. ¿Permanecería como una comunidad? ¿Se independizaría? ¿Se convertiría en el estado número 51? Debido a que el español es el idioma dominante, algunos grupos estadounidenses se preocupan por la condición de estado de Puerto Rico. Esa preocupación se expresa a continuación:

"¿Es posible que un estado cuya mayoría no habla inglés se integre en un país donde el inglés es el idioma principal u oficial? ¿Acaso aquellos que pertenecen a un estado de habla española no comenzarían a sentirse alienados mientras ven que la mayoría de habla inglesa va diluyendo sus tradiciones culturales e idiomas y por lo tanto, tienen mayor tendencia a adoptar ideas separatistas? Piensen en Quebec y los problemas de Canadá. Luego, consideren que Puerto Rico es aun más homogéneo desde el punto de vista lingüístico que Quebec. ¿No causarían malestar en Puerto Rico esas mismas ideas separatistas fomentadas por barreras idiomáticas tal como ha ocurrido en Quebec?".

4. ¿Por qué es una lógica incorrecta declarar que probablemente se produzcan disturbios en Puerto Rico, como sucedió en Quebec?

   A. La mayoría de las personas en Puerto Rico habla español, mientras que la mayoría de las personas en Quebec habla francés.
   B. Quebec es parte de Canadá, mientras que Puerto Rico es parte de los Estados Unidos.
   C. Es una simplificación excesiva porque probablemente haya otros factores involucrados además del idioma.
   D. Como Puerto Rico es lingüísticamente más homogéneo, hay menos posibilidades de que se produzcan disturbios.

5. ¿Cuál de las siguientes opciones afirma el orador que es la principal amenaza para la unidad nacional en los Estados Unidos?

   A. la cercanía del conflicto en Canadá
   B. la falta de un idioma común
   C. las personas que hablan español
   D. un país lingüísticamente homogéneo

INSTRUCCIONES: Estudia la información, lee cada pregunta y elige la **mejor** respuesta.

Durante la década de 1950, el gobierno federal de los Estados Unidos adoptó una nueva política en relación con los indígenas norteamericanos. El gobierno decidió que ya no apoyaría la preservación de las culturas indígenas en reservas independientes. El nuevo objetivo sería conseguir que los indígenas se mudaran a las ciudades, con la promesa de una vida mejor. Allí se esperaba que se integraran a la cultura estadounidense.

Para muchos de los indígenas norteamericanos que dejaron sus reservas, el cambio no fue exitoso. Sin embargo, sí impactó enormemente en la cantidad de indígenas norteamericanos que vivían en áreas urbanas. En 1950, solo el 13 por ciento de los indígenas americanos vivía en ciudades. Hacia el año 1990, la cantidad había aumentado al 60 por ciento. Este cartel se creó como parte del Programa de Reubicación Urbana de los Indígenas, del gobierno federal.

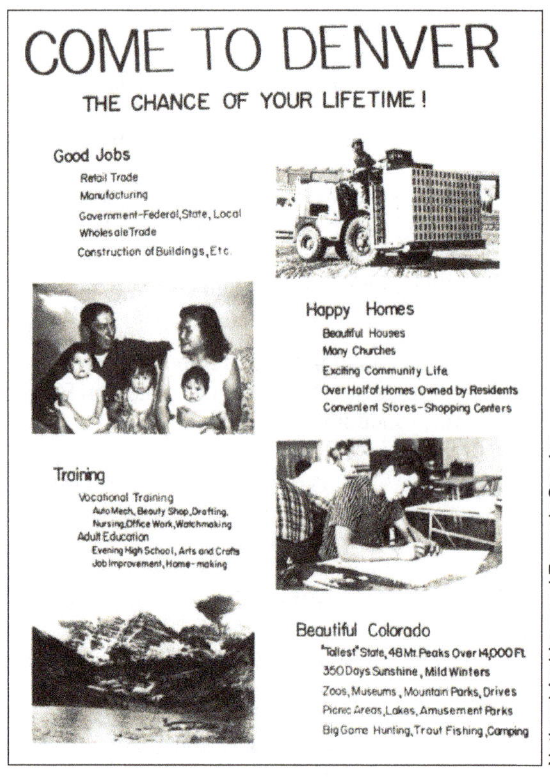

National Archives and Records Service

VEN A DENVER, ¡LA OPORTUNIDAD DE TU VIDA!: buenos empleos en venta minorista y mayorista, fábricas, empleo público, construcción; hogares felices con casas hermosas, iglesias y vida comunitaria, tiendas y centros de compras; entrenamiento vocacional y educación para adultos; bellezas de Colorado: altas montañas, excelente clima, zoológicos, museos, lagos, parques de diversiones, lugares para cazar, pescar y acampar.

6. ¿Qué lógica incorrecta sobre las familias reubicadas es evidente en los trabajos que muestra el afiche?

   A. Directamente no quieren trabajar.
   B. Todos quieren ser profesionales.
   C. Quieren ir a la escuela en vez de encontrar trabajo inmediatamente.
   D. Solo les interesa el trabajo manual y de operario.

7. Después de leer el cartel, ¿qué adjetivo supones que **mejor** describe el conocimiento de la cultura de los indígenas norteamericanos que tiene el artista del afiche?

   A. de primera mano
   B. amplio
   C. personal
   D. simplista

INSTRUCCIONES: Estudia la información, lee la pregunta y elige la **mejor** respuesta.

De un discurso pronunciado por el ex gobernador de Alabama, George Wallace, el 4 de julio de 1964 después de que se aprobó la Ley de los Derechos Civiles:

Nunca antes en la historia de esta nación se han destruido tantos derechos humanos y de propiedad debido a una sola promulgación del Congreso. Es un acto de tiranía. Es el cuchillo del asesino clavado en la espalda de la libertad (...) No quiero tener nada que ver con hacer cumplir una ley que destruirá nuestro sistema de libre empresa. No quiero tener nada que ver con hacer cumplir una ley que destruirá las escuelas del vecindario (...) No quiero tener nada que ver con hacer cumplir una ley que destruirá los derechos de propiedad privada (...) No quiero tener nada que ver con hacer cumplir esta ley que se hace llamar "ley de derechos civiles".

8. ¿Cuál de los siguientes enunciados de Wallace es una generalización apresurada?

   A. Nunca antes en la historia de esta nación se han destruido tantos derechos humanos y de propiedad debido a una sola promulgación del Congreso.
   B. Es un acto de tiranía.
   C. Es el cuchillo del asesino clavado en la espalda de la libertad.
   D. No quiero tener nada que ver con hacer cumplir esta ley que se hace llamar "ley de derechos civiles".

INSTRUCCIONES: Estudia el pasaje y la caricatura política, lee cada pregunta y elige la **mejor** respuesta.

Cuando una persona se pone firme y exige que respeten sus derechos civiles, se puede hacer historia. Cuando James Meredith se propuso ser el primer indígena norteamericano en asistir a la Universidad de Misisipi, en 1962, fue responsabilidad de 127 alguaciles federales de todo el país arriesgar sus vidas y hacer respetar la ley, permitiendo de esta manera que Meredith se inscribiera.

Cuando la universidad trató de negarle la admisión, un tribunal federal ordenó a la universidad terminar con la segregación racial y permitir que Meredith se inscribiera. Cuando el gobernador de Misisipi trató de impedirlo, la administración del presidente John Kennedy ordenó a los alguaciles federales que acompañaran a Meredith al campus. Cuando algunos estudiantes blancos reaccionaron con hostilidad contra los alguaciles, estalló la violencia. Dos personas murieron y cientos de personas resultaron heridas en la pelea.

Durante un año, los alguaciles garantizaron protección a Meredith las 24 horas del día, acompañándolo a la universidad y soportando los mismos enfrentamientos e insultos que Meredith. Las audaces acciones de Meredith y los alguaciles aseguraron que Meredith pudiera asistir a la escuela que quisiera.

"...Y USTED INCITÓ A ESOS ALBOROTADORES INOCENTES A LA VIOLENCIA...", de Bill Mauldin

9. El caricaturista enfoca el uso del razonamiento incorrecto de esta caricatura en

   A. James Meredith.
   B. el tribunal federal.
   C. la administración de Kennedy.
   D. el sistema de la corte de Misisipi.

10. ¿Cuál de las siguientes opciones expresa la relación de causa y efecto inválida que sugiere la caricatura?

   A. la acción del gobernador de Misisipi y las medidas tomadas por la administración Kennedy
   B. la tarea de los alguaciles federales y el estallido de la violencia
   C. los fallos anteriores de los tribunales estatales y la sentencia final del tribunal federal
   D. los esfuerzos de James Meredith y la integración a la Universidad de Misisipi

11. A partir del razonamiento que se representa en esta caricatura, ¿cuál de las siguientes opciones es **más probable** que respalde el gobierno estatal de Misisipi?

   A. la diversidad en la población estudiantil universitaria
   B. la supervisión federal de las acciones estatales
   C. las escuelas separadas pero iguales para las distintas razas
   D. los oficiales de policía presentes en las escuelas en todo momento

12. Si el caricaturista y el autor estuvieran de acuerdo, ¿cuál de las siguientes opciones sería un ejemplo de la lógica o razonamiento incorrecto en el pasaje?

   A. enviar alguaciles federales
   B. discriminación racial
   C. integración forzada
   D. políticas del presidente Kennedy

13. ¿A cuál de las siguientes situaciones se parece **más** el razonamiento que usó el jurado de acusación de Misisipi en la caricatura?

   A. Se culpa a un maestro porque a los estudiantes no les va bien en una prueba.
   B. Un juez culpa a un jurado por absolver a un acusado.
   C. Se culpa a un bombero por las acciones de un incendiario.
   D. Se culpa al presidente Roosevelt del bombardeo japonés de Pearl Harbor.

UNIDAD 3

LECCIÓN 16 Evaluar información

Usar con el ***Libro del estudiante,*** págs. 100–101.

1 Repasa la destreza

TEMAS DE ESTUDIOS SOCIALES: I.CG.c.2, II.CG.e.1, II.G.d, II.CG.e.2, II.CG.e.3, II.CG.f, II.USH.g.7
PRÁCTICAS DE ESTUDIOS SOCIALES: SSP.1.a, SSP.1.b, SSP.3.d, SSP.4.a, SSP.5.a, SSP.5.b, SSP.5.c, SSP.5.d, SSP.7.a, SSP.7.b, SSP.8.a

Al leer material de estudios sociales, es importante **evaluar información** para determinar si es válida o parcial. Evaluar adecuadamente la información que lees te ayudará a reconocer sus fortalezas y debilidades, y a determinar si la fuente de la que proviene es confiable.

Además de evaluar información en cuanto a su validez y parcialidad, también puedes evaluar información decidiendo si es efectiva y convincente o si no lo es. Por ejemplo, cuando escuchas un discurso o lees un enunciado de un candidato político, estás evaluando esa información y decidiendo si te convence de coincidir con sus ideas.

2 Perfecciona la destreza

Al perfeccionar la destreza de evaluar información, mejorarás tus capacidades de estudio y evaluación, especialmente en relación con la prueba de Estudios Sociales de GED®. Estudia la información que aparece a continuación. Luego responde las preguntas.

a El autor brinda respaldo a una afirmación bajo la forma de una lista de asuntos de los que Biden se ocupó cuando era senador.

b Esta oración se refiere a Biden como representante de nuestro país en el extranjero.

1973–2009: Como senador por Delaware, el presidente Biden se impuso a sí mismo como líder al encarar algunos de los desafíos nacionales e internacionales más importantes de nuestra nación. **a** Biden es ampliamente reconocido por su trabajo de impulsor de la Ley sobre violencia contra la mujer. Biden estuvo en primer plano en las cuestiones y la legislación relacionadas con el terrorismo, las armas de destrucción masiva, Europa post guerra fría, Medio Oriente, el Sudeste asiático y el final del apartheid.

2009–2017: Como vicepresidente, Biden continuó su liderazgo sobre importantes asuntos que enfrentó la nación y representó a nuestro país en el extranjero. **b** Durante el período de su vicepresidencia, Biden supervisó la implementación de la Ley de Recuperación, el plan de recuperación económica más grande de la historia de la nación. Actuó como la persona responsable de la diplomacia de los Estados Unidos en el Hemisferio occidental, fortaleció las relaciones con nuestros aliados tanto en Europa como en la región Asia-Pacífico y lideró los esfuerzos por traer 150,000 soldados de regreso de Iraq.

2021: Como 46º presidente de los Estados Unidos, Biden restablecerá el liderazgo de la nación y reconstruirá para mejor nuestras comunidades.

Fuente: artículo traducido de whitehouse.gov JOE BIDEN, visitado en 2021

HACER SUPOSICIONES

Supongamos que en un texto biográfico acerca de un político que aparece en un sitio web del gobierno, el autor resalta las virtudes del político. Considera este propósito mientras evalúas información del pasaje.

1. El autor menciona la participación de Biden en la Ley sobre violencia contra la mujer para demostrar

   A. su experiencia con los desafíos nacionales.
   B. su experiencia con los desafíos internacionales.
   C. sus logros diplomáticos.
   D. sus logros económicos.

2. ¿Qué característica del vicepresidente Biden se elogia en el primer párrafo?

   A. coraje
   B. independencia
   C. carácter moral
   D. liderazgo

UNIDAD 3

3 Domina la destreza

INSTRUCCIONES: Estudia el discurso y el artículo, lee cada pregunta y elige la **mejor** respuesta.

En 1965, el presidente Lyndon B. Johnson lanzó "La Gran Sociedad", un programa federal para promover la justicia racial, mejoras en la educación y el cuidado de la salud, la reforma ambiental y una guerra contra la pobreza. El siguiente es un fragmento del discurso que dio Johnson sobre el programa el 22 de mayo de 1964.

La Gran Sociedad se basa en la abundancia y la libertad para todos. Demanda poner punto final a la pobreza y a la injusticia racial, a lo cual nos comprometemos por entero en nuestro tiempo. Pero esto no es más que el comienzo.

La Gran Sociedad es un lugar donde cada niño puede hallar conocimientos para enriquecer su mente y ampliar sus talentos. Es un lugar donde el ocio es una oportunidad bienvenida para construir y reflexionar, no una causa temida de aburrimiento e inquietud. Es un lugar donde la ciudad humana atiende no solo las necesidades del cuerpo y las demandas comerciales, sino también el deseo de belleza y el anhelo de una comunidad.

Es un lugar donde el hombre puede renovar su contacto con la naturaleza. Es un lugar que honra la creación por su propio beneficio y por lo que añade a la comprensión de la raza. Es un lugar donde los hombres se preocupan más por la calidad de sus objetivos que por la cantidad de sus bienes.

Pero, sobre todo, la Gran Sociedad no es un puerto seguro, un lugar de descanso, un objetivo final, un trabajo terminado. Es un desafío que se renueva constantemente, que nos atrae hacia un destino donde el sentido de nuestras vidas coincide con los maravillosos productos de nuestra labor.

Algunos argumentaron que las políticas de Johnson tuvieron un impacto positivo duradero en los Estados Unidos. Otros tildaron el programa de fracaso. Un artículo del periódico *The New York Times* escrito veinte años después analizó los efectos del programa:

Hace veinte años (...) la mitad de todos los estadounidenses mayores de 65 años no tenían cobertura médica y un tercio de las personas mayores vivían en la pobreza. Más del 90 por ciento de los adultos afroamericanos en muchos condados del sur no estaban registrados para votar. (...) Solo un tercio de los niños del país de entre 3 y 5 años de edad concurría a una guardería o a un jardín de infantes. Hoy (...) esas situaciones (...) se han revertido, en gran parte, por las leyes promulgadas en (...) la campaña de Lyndon B. Johnson para impulsar (...) La Gran Sociedad. Ahora, casi todas las personas mayores tienen cobertura de salud y no son más pobres que los estadounidenses en su conjunto. Vota aproximadamente la misma cantidad de afroamericanos que de blancos y (...) una gran mayoría de niños pequeños participan en los programas preescolares (...)

Del periódico *The New York Times*, 17 de abril de 1985.

3. ¿Por qué incluye el autor en el pasaje el fragmento del artículo de *The New York Times*?

   A. para explicar por qué los mayores necesitan una cobertura de salud universal
   B. para resumir los diferentes planes incluidos en el programa La Gran Sociedad
   C. para persuadir al lector de que el programa La Gran Sociedad fue efectivo
   D. para argumentar contra los planes ofrecidos en el programa La Gran Sociedad

4. ¿Cómo evaluarías la información presentada en el artículo de *The New York Times*?

   A. todas opiniones y ningún hecho
   B. en su mayoría opiniones con algunos hechos
   C. en su mayoría hechos con alguna opinión
   D. la mitad hechos y la mitad opinión

5. Según el artículo de *The New York Times*, ¿qué conclusión puedes sacar sobre el programa "La Gran Sociedad" del presidente Johnson?

   A. El programa mejoró las condiciones de vida de todos los estadounidenses.
   B. El programa mejoró las vidas de los afroamericanos, mayores y muy jóvenes.
   C. El programa tuvo muy poco o ningún efecto en los estadounidenses.
   D. El programa incrementó el número de niños pequeños en la escuela, pero tuvo poco efecto en otros grupos demográficos.

6. ¿Qué hace que sea efectiva y convincente la información del artículo de *The New York Times*?

   A. El autor usa técnicas de persuasión para convencer al lector de que los hechos son exactos.
   B. El artículo depende enteramente de la opinión del autor sobre el programa La Gran Sociedad.
   C. El autor fabrica información para que resulte conveniente a una agenda específica.
   D. El artículo usa estadísticas para resumir los efectos del programa La Gran Sociedad.

3 Domina la destreza

INSTRUCCIONES: Estudia la información, lee cada pregunta y elige la **mejor** respuesta.

Fragmento traducido de un folleto de la campaña "Jimmy Carter Presidente 1976", 1976:

> Todo nuestro sistema se basa en la confianza. La única forma que conozco de inspirar confianza es ser digno de confianza. Ser abierto, directo y sincero. Es así de simple.
>
> (...) No podemos traicionar los intereses de nuestro pueblo por beneficios a corto plazo.

Jimmy Carter piensa que el secreto ha generado recelo respecto del gobierno en todos los niveles. Los estadounidenses están hartos de medias verdades y promesas vanas. Quieren un presidente que exponga los hechos, que sea accesible para las personas y que dé respuestas a sus necesidades.

Jimmy Carter piensa que con un liderazgo audaz y competente podemos resolver nuestros problemas económicos. Sin embargo, el promedio de los contribuyentes no tiene por qué pagar todo el precio de reducir la inflación. Ya pagaron demasiado.

7. ¿Qué formato sigue este pasaje en el intento de persuadir a los lectores de forma efectiva?

   A. Tiene un punto de vista opositor, seguido de la refutación de Carter.
   B. Contiene una pregunta, seguida de la respuesta de Carter.
   C. Tiene una cita de Carter, seguida de una explicación de esa cita.
   D. Consta de una descripción de las políticas de Carter como gobernador, seguida de una explicación de la forma en que esas políticas se relacionan con la presidencia.

8. ¿A cuál de las siguientes creencias parciales del público en ese momento apela este pasaje?

   A. El sistema de impuestos de la nación es injusto.
   B. El gobierno es ineficiente.
   C. Los estándares educativos de los Estados Unidos se han deteriorado.
   D. El gobierno es deshonesto.

9. ¿Cuál de las siguientes cualidades piensa Carter que los estadounidenses esperan de un presidente?

   A. receptividad y honradez
   B. conocimiento y apertura
   C. audacia e intrepidez
   D. honradez y paciencia

INSTRUCCIONES: Estudia la información, lee cada pregunta y elige la **mejor** respuesta.

Fragmento traducido del discurso de investidura de George W. Bush, 20 de enero de 2001

Juntos reivindicaremos las escuelas estadounidenses antes de que la ignorancia y la apatía se cobren más vidas jóvenes. Reformaremos el Seguro Social y Medicare, y evitaremos que nuestros hijos luchen batallas que tenemos la capacidad de evitar. Y reduciremos los impuestos para recuperar el impulso de nuestra economía y recompensar el esfuerzo y el empuje de los trabajadores estadounidenses.

Construiremos nuestras defensas más allá del desafío, para que la debilidad no invite al desafío. Lucharemos en contra de las armas de destrucción masiva, para evitarle nuevos horrores al nuevo siglo. Que no se equivoquen los enemigos de la libertad y de nuestro país: los Estados Unidos siguen involucrados en el mundo, por historia y por elección, y dan forma a un equilibrio de poderes que favorece la libertad.

Defenderemos a nuestros aliados y a nuestros intereses. Mostraremos determinación sin arrogancia. Enfrentaremos la agresión y la mala fe con resolución y fortaleza. Y a todas las naciones, abogaremos por los valores que le dieron vida a nuestra Nación.

10. ¿Cuál de las siguientes opciones describe mejor los planes del presidente Bush para su presidencia?

    A. simples
    B. ambiciosos
    C. inauditos
    D. poco costosos

11. ¿En cuál de los siguientes conceptos están basadas las políticas que propone el presidente Bush en el primer párrafo?

    A. libertad
    B. defensa
    C. reforma
    D. equilibrio

12. Según este pasaje, ¿cuál de estos departamentos o agencias federales del gobierno tenía **mayores** ansias de fortalecer el presidente Bush?

    A. el Departamento de Defensa
    B. la Agencia de Protección del Medioambiente
    C. la Oficina de Administración de Tierras
    D. el Departamento de Energía

INSTRUCCIONES: Estudia la información, lee cada pregunta y elige la **mejor** respuesta.

De un mensaje de Bill Clinton ante el Congreso, 1994:

Los Estados Unidos siempre han progresado con el cambio. Hemos usado las oportunidades que genera para renovarnos y para construir nuestra prosperidad. Pero durante un tiempo demasiado largo y en muchos sentidos, nuestra Nación ha estado a la deriva.

En los últimos 30 años, la vida familiar en los Estados Unidos se ha desmoronado. En los últimos 20 años, el salario real de los estadounidenses que trabajan ha crecido a un ritmo decepcionante. Durante 12 años una política de efecto de filtración de la riqueza construyó una falsa prosperidad sobre una montaña de deuda federal. Como resultado de nuestra deriva nacional, muchísimas familias estadounidenses, incluso aquellas en las que ambos padres trabajan, ya no sueñan con el sueño americano de una vida mejor para sus hijos.

En 1992, los estadounidenses exigieron un cambio. Hace un año, busqué el apoyo de ustedes para una estrategia abarcadora de corto y de largo plazo orientada a restaurar la promesa del futuro económico de nuestro país. Ustedes respondieron y juntos reemplazamos la falta de rumbo y el estancamiento con renovación y reforma. Juntos hemos dado los primeros pasos para recuperar el crecimiento en los estándares de vida de todos los estadounidenses (...) Como resultado de nuestros esfuerzos, la economía se encuentra ahora en un sendero de producción creciente, empleo en aumento y déficits en baja.

13. ¿Cuál de estas afirmaciones del fragmento del discurso se podría comprobar **más fácilmente** porque está respaldada por los hechos?

    A. La economía se encuentra ahora en un sendero de producción creciente, empleo en aumento y déficits en baja.
    B. Estados Unidos siempre ha progresado con el cambio.
    C. Las familias estadounidenses ya no sueñan con el sueño americano.
    D. En últimos 30 años, la vida familiar en los Estados Unidos se ha desmoronado.

14. ¿Cuál es el objetivo de este discurso de Clinton?

    A. esbozar su política exterior
    B. explicar sus planes económicos
    C. refutar las afirmaciones de los republicanos
    D. criticar la política exterior de los republicanos

INSTRUCCIONES: Estudia la información, lee cada pregunta y elige la **mejor** respuesta.

Fragmento de un discurso de campaña del presidente Barack Obama, 2012:

Estamos avanzando en todos los temas. Después de perder 9 millones de puestos de trabajo durante la última crisis económica, ahora nuestras empresas han creado más de 5 millones de puestos de trabajo en los últimos dos años y medio. Las fábricas están volviendo a nuestro territorio. La tasa de desempleo ha bajado. El valor y la venta de las viviendas están en alza. Nuestras cadenas de montaje van viento en popa (...)

No podemos volver a las mismas políticas (...) Tenemos que seguir avanzando (...) Y es por eso que me presento como candidato a presidente de los Estados Unidos para un segundo mandato.

Tengo un plan que realmente creará puestos de trabajo, que realmente dará seguridad a la clase media (...)

Es por esto que quiero que comparen mi plan con el del gobernador Romney. Vean cuál de los planes piensan que es mejor para ustedes. Vean cuál de los planes es mejor para el futuro de los Estados Unidos.

15. ¿Cuál de las siguientes afirmaciones del presidente Obama hubiera sido **más** difícil de comprobar?

    A. Se crearon más de 5 millones de puestos de trabajo.
    B. Cayó la tasa de desempleo.
    C. La venta de viviendas está en alza.
    D. Su plan creará puestos de trabajo.

16. ¿De qué forma alienta el presidente Obama a que el público evalúe lo que dice?

    A. confiar en su liderazgo
    B. comparar su plan con el de su rival
    C. creer en los hechos de su discurso
    D. darse cuenta de que ha habido un progreso real

17. El presidente Obama dio este discurso durante su segunda campaña presidencial. ¿En qué se diferencia de uno que podría hacer usado durante su primera campaña?

    A. Puede incluir hechos sobre sus logros.
    B. Puede culpar a su predecesor por todos los problemas del país.
    C. Puede gastar más dinero en publicidad.
    D. No tiene que usar hechos para explicar sus planes.

LECCIÓN 17

Analizar la efectividad de los argumentos

Usar con el ***Libro del estudiante,*** págs. 102–103.

TEMAS DE ESTUDIOS SOCIALES: I.CG.b.8, I.CG.c.1, I.CG.c.2, I.CG.d.2, II.CG.e.3, II.CG.f, I.USH.a.1, I.USH.d, I.USH.d.3
PRÁCTICAS DE ESTUDIOS SOCIALES: SSP.1.a, SSP.2.a, SSP.5.a, SSP.5.d, SSP.8.a

1 *Repasa la destreza*

Un **argumento efectivo** es aquel que puede ganar la aceptación de su público. Un autor o un orador pueden persuadir a un público a aceptar su argumento mediante un **argumento sólido** respaldado por los hechos o por evidencia. Un **argumento débil** no está respaldado por los hechos.

Al **analizar la efectividad de un argumento**, presta mucha atención a los tipos de evidencia que ofrecen el autor o el orador. ¿Esta persona usa hechos y estadísticas o solo evidencia anecdótica? Establecer si esta información es confiable te ayudará a hacer una evaluación.

2 *Perfecciona la destreza*

Al perfeccionar la destreza de analizar la efectividad de los argumentos, mejorarás tus capacidades de estudio y evaluación, especialmente en relación con la prueba de Estudios Sociales de GED®. Estudia la información que aparece a continuación. Luego responde las preguntas.

Una audiencia en el Congreso sobre el escándalo del allanamiento en el caso Watergate ocurrido durante la presidencia de Richard M. Nixon reveló que el presidente había instalado un grabador en la Oficina Oval. El fiscal especial a cargo del caso quería tener acceso a esas conversaciones grabadas para ayudar a probar que el presidente Nixon y sus funcionarios habían abusado del poder y violado la ley. Se cuestionó la conformidad incompleta del presidente y finalmente se llevó el caso a la Suprema Corte de los Estados Unidos. El siguiente pasaje es de la opinión del tribunal, redactado por Warren Burger, el presidente de la Corte Suprema:

(...) Ni la doctrina de separación de poderes, ni la necesidad de confidencialidad de las comunicaciones de alto nivel, por sí solos, pueden respaldar un privilegio absoluto e incondicional de inmunidad presidencial en un proceso judicial en cualquier circunstancia. La necesidad del presidente de contar con la absoluta franqueza y objetividad por parte de sus consejeros exige gran deferencia de los tribunales. Sin embargo, cuando el privilegio depende solo de la afirmación amplia e indiferenciada del interés público en que tales conversaciones sean confidenciales, surge una confrontación con otros valores. No habiendo una afirmación de necesidad de proteger secretos militares, diplomáticos, o información delicada que afecta la seguridad nacional, encontramos difícil aceptar el argumento de que aún el importantísimo interés de confidencialidad de las comunicaciones presidenciales se vea significativamente disminuido por la entrega de ese material para su inspección *in camera* con toda la protección que un tribunal de distrito está obligado a proporcionar.

Fragmento traducido de la opinión de Warren Burger, presidente de la Corte Suprema, en el caso *Estados Unidos* contra *Nixon*, 1974

a Este pasaje sugiere que la Corte requiere la presencia de alguna circunstancia especial para otorgar los pedidos de inmunidad del presidente hechos en los procedimientos judiciales.

b El término *in camera* significa "en privado" o "a puertas cerradas". Describe procedimientos legales que los medios y el público no pueden presenciar. A menudo, esos procedimientos se realizan para proteger la seguridad nacional.

USAR LA LÓGICA

Los autores y los oradores pueden usar razonamiento o lógica en lugar de hechos y estadísticas que respalden sus argumentos. En ese caso, es importante buscar lógica y razonamiento incorrectos que puedan debilitar los argumentos.

1. ¿De qué manera respalda Burger, el presidente de la Corte Suprema, la opinión de la Corte?

   A. Proporciona justificación estadística.
   B. Ofrece ejemplos que muestran que es correcta.
   C. Explica el razonamiento legal que respalda la decisión de la Corte.
   D. Describe casos similares en otras naciones.

2. ¿En cuál de estas situaciones también sería relevante el argumento?

   A. un conflicto de límites entre dos comunidades
   B. una elección muy reñida
   C. un debate sobre la libertad de expresión
   D. un gobernador que no entrega materiales para una investigación

3 Domina la destreza

INSTRUCCIONES: Estudia la información, lee cada pregunta y elige la **mejor** respuesta.

Sojourner Truth, una defensora de los derechos de los afroamericanos y de las mujeres, y antigua esclava, pronunció este sincero discurso ante un público progresista poco tiempo después de que la Decimotercera Enmienda aboliera la esclavitud en los Estados Unidos.

Queridos amigos, me alegra saber que están felices, pero no sé cómo se sentirán cuando termine. Vengo de otra esfera, del mundo de los esclavos. Consiguieron su libertad, y es una suerte que la esclavitud haya sido parcialmente destruida, aunque no por completo. La quiero destruida de raíz. Entonces todos seremos libres de verdad. Siento que si debo responder por mis acciones tanto como un hombre, tengo derecho a tener tanto como un hombre. Hay un gran revuelo para que los hombres de color conquisten sus derechos, pero no se dice ni una palabra sobre las mujeres de color; y si los hombres de color consiguen sus derechos y las mujeres no consiguen los de ellas, los hombres de color serán los amos de las mujeres, y eso será tan malo como lo anterior. Entonces estoy a favor de seguir luchando mientras dure el revuelo porque, si esperamos a que haya calma, costará mucho volver a poner esto en marcha. Las mujeres blancas son mucho más hábiles y saben más que las mujeres de color, mientras que las mujeres de color no saben casi nada. Salen a lavar ropa, que es lo máximo que puede lograr una mujer de color, y sus hombres haraganean, pavoneándose; y cuando las mujeres vuelven a sus casas, les sacan todo el dinero y luego las regañan porque no hay comida. Quiero que consideren esto, hijos. Les digo hijos porque son los hijos de alguien y yo tengo edad suficiente para ser la madre de todos ustedes. Quiero que las mujeres tengan sus derechos. En los tribunales, las mujeres no tienen ni voz ni voto; nadie las representa. Deseo que las mujeres tengan voz allí entre los picapleitos. Si no es un lugar adecuado para las mujeres, tampoco lo es para los hombres.

Tengo más de ochenta años; ya es casi tiempo de irme. Fui esclava durante cuarenta años y fui libre otros cuarenta, y estaría aquí cuarenta años más para conseguir igualdad de derechos para todos. Supongo que sigo aquí porque todavía me queda algo por hacer; supongo que todavía tengo que ayudar a romper las cadenas. He trabajado mucho, tanto como un hombre, pero no recibí la misma paga. Solía trabajar en el campo y agavillar granos, siguiendo el ritmo de la cuna; pero los hombres haciendo lo mismo ganaban el doble; pasa lo mismo con las mujeres alemanas. Ellas trabajan en el campo y hacen el mismo trabajo pero no reciben la paga. Trabajamos lo mismo, comemos lo mismo, queremos recibir lo mismo. Supongo que soy la única mujer de color que se ocupa de hablar en defensa de los derechos de las mujeres de color. Quiero mantener esto en marcha ahora que el hielo está partido. Lo que queremos es un poco de dinero. Ustedes los hombres saben que obtienen lo mismo que las mujeres cuando escriben, o por lo que sea que hagan. Cuando consigamos nuestros derechos no tendremos que recurrir a ustedes para pedirles dinero, porque entonces tendremos suficiente en nuestros propios bolsillos, y puede ser que ustedes nos pidan dinero a nosotras. Pero ayúdennos ahora hasta que lo consigamos. Es un consuelo saber que cuando ganemos esta batalla, no tendremos que recurrir más a ustedes. Ustedes tienen nuestros derechos desde hace tanto tiempo que, como el dueño de los esclavos, piensan que les pertenecemos. Entiendo que es difícil renunciar para quien llevó las riendas durante tanto tiempo; corta como un cuchillo. Dolerá menos cuando cicatrice. He estado en Washington durante tres años encargándome de estas personas de color. Ahora los hombres de color tienen derecho al voto. Debería haber igualdad de derechos ahora más que nunca, desde que las personas de color consiguieron su libertad.

3. Si bien la Decimotercera Enmienda abolió la esclavitud en 1865, Sojourner Truth siente que la esclavitud no fue destruida "por completo" porque

   A. las mujeres afroamericanas no reciben los mismos salarios que los hombres afroamericanos.
   B. las mujeres afroamericanas tienen menos derechos que los hombres afroamericanos.
   C. las mujeres y los hombres afroamericanos aún trabajan las cosechas.
   D. las mujeres y los hombres afroamericanos no tienen voz en los tribunales.

4. Según Sojourner Truth, ¿qué sucederá cuando las mujeres de color consigan sus derechos?

   A. Tendrán mejores oportunidades de trabajo y no tendrán que hacer lavandería.
   B. No serán regañadas por no tener comida.
   C. Tendrán su propio dinero y no tendrán que pedir dinero a los hombres.
   D. Podrán trabajar en los tribunales.

5. Sojourner Truth piensa que debe recibir el mismo pago que los hombres por su trabajo porque

   A. ha trabajado en el campo y ha seguido el ritmo de la cuna.
   B. ha sido esclava por cuarenta años y ha sido libre por cuarenta años.
   C. defiende los derechos de las mujeres afroamericanas.
   D. cree en la igualdad entre el hombre y la mujer

3 Domina la destreza

INSTRUCCIONES: Estudia la información, lee cada pregunta y elige la **mejor** respuesta.

Fragmento traducido del segundo debate presidencial, 2012:

PRESIDENTE OBAMA: Hemos soportado cuatro años muy difíciles (...) Pero hace cuatro años les dije a los estadounidenses y les dije a ustedes que bajaría los impuestos para las familias de clase media y lo hice. Les dije que bajaría los impuestos para las pequeñas empresas y lo hice. Dije que terminaría la guerra con Irak y lo hice. Dije que concentraríamos la atención en los que realmente nos atacaron el 11 de septiembre y hemos perseguido al líder de Al-Qaeda como nunca antes; y Osama bin Laden está muerto.

(...) Hemos creado 5 millones de puestos de trabajo, cuando antes se perdían 800,000 puestos de trabajo por mes. Estamos progresando. Hemos salvado una industria automotriz que estaba al borde del colapso.

Pero (...) el gobernador Romney también hizo algunas promesas y sospecho que también las cumplirá, (...) Cuando los miembros del Congreso republicano dicen (...) no les pidan un centavo a los millonarios y multimillonarios para reducir nuestro déficit de manera que podamos invertir en educación y en ayudar a los niños a ir a la universidad, dijo, yo también (...) Esa no es la clase de liderazgo que ustedes necesitan (...)

MITT ROMNEY: (...) Estos últimos cuatro años no han sido tan buenos como acaba de describir el presidente (...) No podemos permitirnos cuatro años más como los últimos cuatro años.

Dijo que a esta altura tendríamos un desempleo del 5.4 por ciento. La diferencia entre donde está y 5.4 por ciento son 9 millones de estadounidenses sin trabajo (...) Dijo que a esta altura habría presentado un plan para reformar Medicare y Seguridad Social (...) Ni siquiera ha hecho una propuesta sobre ninguno de los dos. La clase media está siendo aplastada por las políticas de un presidente que no ha entendido lo que se necesita para que la economía vuelva a funcionar.

(...) El presidente lo ha intentado, pero sus políticas no han funcionado. Es muy buen orador (...) y describe muy bien sus planes y su visión (...) Excepto que tenemos un registro para analizar. Y ese registro muestra que no ha podido bajar el déficit, poner en práctica reformas para preservar Medicare y el plan de Seguridad Social, para aumentar nuestros ingresos (...) De eso se trata esta elección (...)

Fragmento traducido del segundo debate presidencial entre el presidente Barack Obama y Mitt Romney, octubre de 2012

6. ¿En cuál de los siguientes argumentos están de acuerdo los dos candidatos?

   A. Las tasas de impuestos para los ricos son muy altas.
   B. El déficit de los Estados Unidos no es un problema tan importante ahora como lo fue antes.
   C. Las familias de clase media han pasado por tiempos difíciles durante los últimos cuatro años.
   D. El desempleo ha bajado a un ritmo constante desde 2008.

7. ¿Qué argumento presenta el presidente Obama para su reelección por un segundo mandato?

   A. Ha cumplido las promesas que hizo antes del primer mandato.
   B. Ha resuelto los problemas económicos de la nación.
   C. Es más competente que Romney.
   D. Puede trabajar bien con los republicanos en el Congreso.

8. ¿Cuál de las siguientes opciones usa Romney para respaldar su argumento contra un segundo mandato del presidente Obama?

   A. citas de expertos en economía
   B. las opiniones del votante común
   C. su propia experiencia
   D. las estadísticas económicas

9. ¿Cuál de los siguientes enunciados resume el argumento del presidente Obama para sus políticas económicas?

   A. Logramos un presupuesto equilibrado.
   B. Todo estadounidense tiene derecho a un puesto de trabajo.
   C. Estamos progresando en la creación y conservación de los puestos de trabajo.
   D. Los últimos cuatro años han sido fantásticos para la industria de los Estados Unidos.

10. ¿En cuál de las siguientes formas resumirías el argumento de Romney en este pasaje?

   A. El presidente Obama ha prometido mucho, pero después de cuatro años no ha cumplido.
   B. Hay muchas más personas desempleadas ahora que cuando asumió el presidente Obama.
   C. El presidente Obama no ha reducido el déficit, así que no merece un segundo mandato.
   D. El presidente no ha hablado lo suficiente sobre el plan de Seguridad Social y Medicare.

INSTRUCCIONES: Estudia la información, lee cada pregunta y elige la **mejor** respuesta.

Durante la Convención Nacional Republicana de 1984 en Dallas, Gregory Lee Johnson quemó una bandera estadounidense a modo de protesta política y finalmente fue condenado según la ley de Texas. El caso llegó a la Corte Suprema de los Estados Unidos para determinar si la condena de Johnson violaba la Primera Enmienda. Los siguientes pasajes de la opinión de la Corte y la opinión discrepante expresan dos argumentos sobre el tema.

Fragmento traducido de la Opinión de la Corte, de William Rehnquist, juez de la Corte Suprema, *Texas* contra *Johnson*, 21 de junio de 1989

Si hay un principio sólido subyacente en la Primera Enmienda, es que el gobierno no puede prohibir la expresión de una idea simplemente porque la sociedad halla la idea ofensiva o desagradable en sí misma (...)

En resumen, nada en nuestros precedentes sugiere que un estado pueda promover su propio punto de vista sobre la bandera prohibiendo una conducta que se expresa en relación con ella (...)

La Primera Enmienda no garantiza que otros conceptos virtualmente sagrados para nuestra nación en su conjunto, como el principio de que la discriminación por la raza es odiosa y destructiva, será aceptada sin cuestionamientos en el mercado de las ideas (...) Por lo tanto, no aceptamos crear una excepción para la bandera al combate de principios protegidos por la Primera Enmienda.

Fragmento traducido de la opinión discrepante, de William Rehnquist, presidente de la Corte Suprema, *Texas* contra *Johnson,* 21 de junio de 1989

Una extensión incondicional de protección constitucional por la quema de la bandera significa un riesgo de frustrar el propósito mismo por el cual están instituidos los gobiernos organizados. La Corte decide que la bandera estadounidense es solo otro símbolo sobre el cual no solo deben tolerarse opiniones a favor y en contra, sino que no se puede imponer ni el mínimo respeto público. El gobierno puede reclutar hombres para las Fuerzas Armadas cuando deben luchar y tal vez morir por la bandera, pero el gobierno no puede prohibir la quema pública de la bandera bajo la que luchan. Yo ratificaría el estatuto de Texas como se aplica a este caso.

11. ¿Cuál de los siguientes enunciados describe con precisión el argumento planteado por la mayoría de la Corte Suprema?

    A. La condena de Johnson debería quedar firme de acuerdo con la ley de Texas.
    B. La Primera Enmienda protege la destrucción de los símbolos nacionales.
    C. El gobierno de los Estados Unidos no puede impedir la libre expresión, aun si la expresión es ofensiva.
    D. Ciertas ideas o creencias de los Estados Unidos no pueden cuestionarse ni discutirse.

12. ¿Sobre qué base construye su argumento el juez Brennan?

    A. Usa estadísticas sobre incidentes en los que la bandera estadounidense fue quemada.
    B. Relaciona hechos sobre la bandera y su historia.
    C. Consulta la opinión pública.
    D. Se apoya en un precedente legal.

13. ¿Cuáles de los siguientes actos protege la Constitución, según lo confirma este fallo de la Corte Suprema?

    A. el vandalismo de un símbolo nacional
    B. un discurso amenazante dirigido a otro ciudadano
    C. el robo de propiedad de un edificio público
    D. la grabación de una canción que incluye insultos

14. ¿En cuál de las siguientes opciones basa su argumento Rehnquist, el presidente de la Corte Suprema?

    A. la historia de la bandera estadounidense
    B. el valor simbólico de la bandera
    C. la bandera como un objeto de propiedad pública
    D. la importancia militar de la bandera

15. ¿Cuál de las siguientes opciones le da más credibilidad a las opiniones sobre este tema del juez Brennan y del presidente de la Corte Suprema Rehnquist que a las opiniones de un congresista o del mismo presidente?

    A. Los miembros de la Corte Suprema son designados de por vida, entonces son inmunes a los intereses políticos.
    B. Los miembros del Congreso y el presidente no conocen la ley.
    C. Su conocimiento sobre precedentes legales da credibilidad y peso a su decisión.
    D. El hecho de que uno es liberal y el otro es conservador equilibra sus decisiones.

Lección de alto impacto: Analizar evidencia

Usar con el ***Libro del Estudiante***, págs. 104–107.

TEMAS DE ESTUDIOS SOCIALES: I.CG.c.1, I.CG.c.6, II.G.b.4, II.G.b.5, II.USH.f.4
PRÁCTICAS DE ESTUDIOS SOCIALES: SSP.1.b, SSP.2.a, SSP.7.a

1 *Repasa la destreza*

Las **conclusiones** son argumentos respaldados por la lógica y la evidencia. La **evidencia** incluye hechos, estadísticas, estudios, sondeos y encuestas, citas de expertos y de fuentes primarias, y otra información que pruebe o refute un argumento o afirmación. La evidencia puede usarse para respaldar u objetar la conclusión de un autor.

Cuando **analizas** evidencia, determinas si la evidencia es confiable y relevante. La **evidencia relevante** se relaciona con la conclusión del autor de manera lógica. La evidencia irrelevante no lo hace. La **evidencia confiable** proviene de una fuente de confianza, como una agencia gubernamental o un experto en un ámbito relevante.

Por ejemplo, si un autor concluye que "la industria más peligrosa de los Estados Unidos es la de transporte", debe respaldar esa conclusión con evidencia.

Un ejemplo de evidencia relevante y confiable para la conclusión anterior sería citar figuras del Departamento de Trabajo de los Estados Unidos: "Según estadísticas publicadas por el Departamento de Trabajo, sucesos relacionados con incidentes de transporte dieron lugar en 2019 a un porcentaje muy elevado de fatalidades".

En la prueba de Estudios Sociales de GED®, se espera que localices una o múltiples evidencias, que diferencies entre evidencia relevante e irrelevante, y que uses evidencia para respaldar u objetar la conclusión de un autor.

2 *Perfecciona la destreza*

UNIDAD 3

El párrafo enuncia la conclusión del autor de que la creación del Parque Nacional Yellowstone afectó al resto del mundo. El párrafo también contiene evidencia que respalda esta afirmación.

EL SERVICIO DE PARQUES NACIONALES

En 1872, el Congreso dio un paso que en última instancia influiría en el mundo entero. Creó el Parque Nacional Yellowstone en los territorios de Montana y Wyoming. La Ley Yellowstone otorgó al Secretario del Interior control sobre el terreno designado como "un parque público o tierra de disfrute para el beneficio y goce de la gente". Esta acción desencadenó un movimiento mundial de parques nacionales. Hoy existen aproximadamente 1,200 parques nacionales o reservas naturales en más de 100 países en todo el mundo.

La pregunta te pide que identifiques una evidencia que respalde una afirmación. La primera parte del párrafo contiene la afirmación; la segunda parte del párrafo contiene la evidencia. Vuelve a leer el párrafo antes de responder la pregunta. La respuesta correcta es **D**.

1. ¿Qué evidencia brinda el/la autor/a para respaldar su afirmación de que la creación del Parque Nacional Yellowstone afectó al resto del mundo?

   A. El Congreso le otorgó al Secretario del Interior el control sobre el terreno.
   B. El Congreso creó el Parque Nacional Yellowstone en los territorios de Montana y Wyoming.
   C. El terreno fue designado como "un parque público o tierra de disfrute para el beneficio y goce de la gente".
   D. Existen aproximadamente 1,200 parques nacionales o reservas en más de 100 países.

INSTRUCCIONES: Estudia la información, lee cada pregunta y elige la **mejor** respuesta.

En 1916, el presidente Woodrow Wilson firmó la Ley Orgánica, legislación que estableció el Servicio de Parques Nacionales y definió su misión: administrar y proteger los 34 parques y monumentos nacionales adicionales creados después de Yellowstone (así como también aquellos que se crearían en el futuro).

LEY ORGÁNICA, 1916

(...) Por la presente se crea en el Departamento del Interior un servicio denominado en adelante Servicio de Parques Nacionales (...) Por consiguiente, el servicio establecido promoverá y regulará el uso de las áreas federales conocidas como parques, monumentos y reservas nacionales (...) cuyo propósito es conservar el paisaje, los objetos naturales e históricos y la vida silvestre que allí se encuentran, y brindar la posibilidad de aprovecharlos de manera tal y a través de medios que los dejen en condiciones inmejorables para el disfrute de las generaciones futuras.

SEC. 2. El director se encargará, bajo la dirección del Secretario del Interior, de la supervisión, administración y control de los varios parques y monumentos nacionales que se encuentran actualmente bajo la jurisdicción del Departamento del Interior (...) y asimismo de otros parques y reservas nacionales de características similares que pueda crear de ahora en más el Congreso (...)

SEC. 3. El Secretario del Interior deberá crear y publicar las reglas y regulaciones que juzgue necesarias o apropiadas para el uso y la administración de los parques, monumentos y reservas bajo la jurisdicción del Servicio de Parques Nacionales (...) También podrá (...) vender o disponer de madera en los casos en que a su juicio se requiera la tala de dicha madera con el fin de controlar ataques de insectos o enfermedades o de conservar del modo que fuese el paisaje o los objetos naturales o históricos de cualquier parque, monumento o reserva. También podrá estipular (...) la eliminación de los animales y de la vida vegetal que puedan perjudicar el uso de cualquiera de los (...) parques, monumentos o reservas. También podrá conceder privilegios, arriendos y permisos para el uso del terreno para alojar visitantes (...) pero (...) ninguna de las curiosidades, maravillas u objetos naturales de interés podrán ser arrendados, rentados o concedidos a nadie bajo términos que interfieran con el libre acceso a ellos por parte del público (...)

2. ¿Qué palabras del texto brindan una única evidencia de que este nuevo servicio se creó con la intención de proteger áreas verdes de parques, así como de establecer nuevos parques?

   A. "los deje en condiciones inmejorables para el disfrute de generaciones futuras"
   B. "el paisaje, objetos naturales e históricos y la vida silvestre que allí se encuentre"
   C. "el uso de áreas federales conocidas como parques nacionales"
   D. "Por la presente se crea en el Departamento del Interior un servicio denominado en adelante Servicio de Parques Nacionales"

3. ¿Cuál de las oraciones siguientes brinda evidencias múltiples de que el director del nuevo servicio tiene un amplio rango de poderes?

   A. El director actúa a las órdenes del Secretario del Interior, quien actúa a las órdenes del presidente.
   B. Un propósito del nuevo servicio es promover parques nacionales y monumentos, y reservas federales.
   C. El director supervisa, administra y controla los parques y monumentos bajo su jurisdicción.
   D. El nuevo servicio administrará parques nacionales y monumentos, y reservas federales que el Congreso pueda crear en el futuro.

4. ¿Cuál de las oraciones siguientes es una evidencia que respalda la conclusión de que el Servicio de Parques Nacionales puede castigar a individuos que dañen un parque?

   A. El Secretario del Interior puede vender madera de las áreas verdes del parque nacional.
   B. El Secretario del Interior puede eliminar plantas que dañen áreas del parque.
   C. El Secretario del Interior puede permitir que los visitantes usen áreas del parque.
   D. El Secretario del Interior puede crear reglas que regulen parques y monumentos nacionales.

5. ¿Cuál es un ejemplo de evidencia irrelevante para respaldar la afirmación de que todos deben tener acceso a los parques nacionales?

   A. El Secretario del Interior no puede arrendar o rentar objetos de interés bajo términos que nieguen su uso al público.
   B. El Secretario del Interior puede eliminar animales que dañen áreas del parque.
   C. El Secretario del Interior tiene prohibido conceder permisos de uso del terreno que no tomen en cuenta los derechos de los visitantes.
   D. El Servicio de Parques Nacionales debe asegurarse de que las áreas verdes de parque se mantengan en condiciones inmejorables para el disfrute de las generaciones futuras.

LEYES, PROTECCIÓN PÚBLICA, CORRECCIONES Y SEGURIDAD

INSTRUCCIONES: Estudia la información, lee cada pregunta y elige la **mejor** respuesta.

Trabajas en una firma de abogados y estás haciendo una investigación sobre el Departamento de Seguridad Nacional. El siguiente material es un extracto de la Ley que creó este departamento.

TÍTULO I— DEPARTAMENTO DE SEGURIDAD NACIONAL

SEC. 101. DEPARTAMENTO EJECUTIVO; MISIÓN.

(a) ESTABLECIMIENTO.— Se establece un Departamento de Seguridad Nacional como departamento ejecutivo de los Estados Unidos....

(b) MISIÓN.—

(1) EN GENERAL.— La misión primaria del Departamento es:

(A) evitar atentados terroristas dentro de los Estados Unidos;

(B) reducir la vulnerabilidad de los Estados Unidos frente al terrorismo;

(C) minimizar el daño y asistir en la recuperación de ataques terroristas que ocurran dentro de los Estados Unidos;

(D) llevar a cabo todas las funciones de las entidades transferidas al Departamento, (...) respecto de crisis naturales o causadas por el hombre y planeamiento de emergencias; (...)

(F) garantizar que la seguridad económica general de los Estados Unidos no se vea menoscabada por esfuerzos, actividades y programas destinados a proteger la nación y

(G) verificar conexiones entre el tráfico de drogas ilegales y el terrorismo, coordinar esfuerzos para cortar dichas conexiones y (...) contribuir con los esfuerzos por prohibir el tráfico de drogas ilegales.

(2) RESPONSABILIDAD DE INVESTIGAR Y PROCESAR EL TERRORISMO—Excepto cuando la ley lo especifique (...) la responsabilidad primaria de investigar y procesar actos terroristas recaerá no en el Departamento, sino en los organismos de seguridad federales, estatales y locales que tengan jurisdicción sobre los actos en cuestión.

1. ¿Cuál es el tema de la sección (b)?

   A. evitar ataques terroristas en los Estados Unidos
   B. reducir la vulnerabilidad de los Estados Unidos frente a los terroristas
   C. el establecimiento del Departamento de Seguridad Nacional
   D. la misión del Departamento de Seguridad Nacional

2. ¿Cuál es la idea principal de la sección (b)?

   A. La misión de este departamento es proteger al país del terrorismo y de otras amenazas.
   B. La misión primaria de este departamento es proteger al país del tráfico de drogas.
   C. Este departamento ayudará a la gente durante y después de las crisis naturales y causadas por el hombre.
   D. Este departamento se encargará de verificar conexiones entre el tráfico de drogas y el terrorismo.

3. ¿Cuál es un detalle de apoyo en la sección (b)?

   A. Este departamento colaborará con los esfuerzos de recuperación después de ataques terroristas contra el país.
   B. El departamento hará que la nación sea más segura frente a ataques terroristas.
   C. Garantizar la estabilidad económica del país es parte de la misión del departamento.
   D. Evitar ataques terroristas contra los Estados Unidos es una de las tareas principales del departamento.

4. ¿Qué evidencia del texto respaldaría la afirmación de que la policía de la ciudad debe ser la primera en responder ante un atentado terrorista en Chicago?

   A. La Ley dice que la misión primaria del departamento es evitar ataques terroristas en los Estados Unidos.
   B. La Ley dice que es responsabilidad del departamento reducir la vulnerabilidad de la nación frente al terrorismo.
   C. La Ley dice que la seguridad económica de la nación no debe verse menoscabada por los esfuerzos para hacer que el país sea seguro frente al terrorismo.
   D. La Ley dice que la responsabilidad primaria de investigar actos de terrorismo recaerá en los organismos de seguridad locales.

5. ¿Cuál es un ejemplo de evidencia irrelevante para respaldar la afirmación de que este departamento tiene jurisdicción en un caso de contrabando de drogas ilegales al país?

   A. El departamento verificará conexiones entre el tráfico de drogas ilegales y el terrorismo.
   B. El departamento contribuirá con los esfuerzos por prohibir el tráfico de drogas ilegales.
   C. El departamento garantizará que la seguridad económica no se vea menoscabada por los esfuerzos destinados a proteger la nación.
   D. El departamento coordinará esfuerzos para cortar las conexiones entre traficantes de drogas y terroristas.

SERVICIOS HUMANOS

INSTRUCCIONES: Estudia la información y la gráfica, lee cada pregunta y elige la **mejor** respuesta.

Eres voluntario en una organización que ayuda a presos que podrían ser inocentes. La siguiente gráfica muestra los hallazgos de un estudio acerca del número de personas encarceladas en todo el mundo.

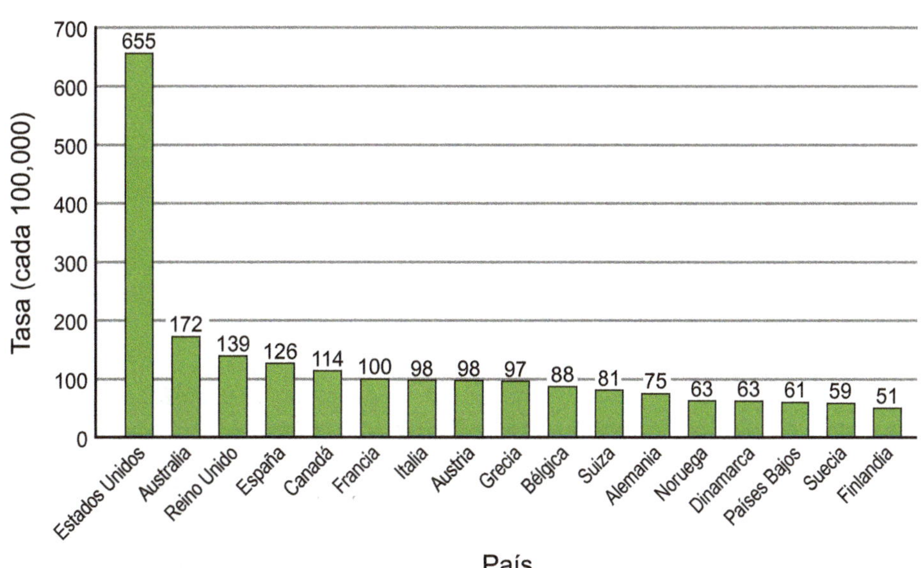

6. Según la gráfica, ¿qué es cierto acerca de los Estados Unidos?

   A. Tiene más personas encarceladas que todos los otros países juntos.
   B. Tiene tres veces más personas encarceladas que Finlandia, Suecia, Países Bajos, Dinamarca y Noruega juntos.
   C. Tiene cuatro veces más personas encarceladas que Austria y Grecia juntos.
   D. Tiene casi la misma cantidad de personas encarceladas que Australia, el Reino Unido, España, Canadá y Francia juntos.

7. ¿Qué país tiene casi exactamente el doble de personas encarceladas que Finlandia?

   A. Australia
   B. Francia
   C. Suiza
   D. Suecia

8. ¿Qué par de países tiene el menor número de personas encarceladas?

   A. Los Países Bajos y el Reino Unido
   B. Finlandia y Australia
   C. España y Bélgica
   D. Grecia y Canadá

9. Según la gráfica, ¿aproximadamente cuántas personas estarían encarceladas en un muestreo de 200,000 presos de los Estados Unidos?

   A. 325
   B. 1,300
   C. 2,300
   D. 3,250

10. ¿Cuántas personas encarceladas tiene Noruega en comparación con España?

    A. aproximadamente un décimo
    B. aproximadamente un cuarto
    C. aproximadamente un tercio
    D. aproximadamente la mitad

11. ¿Qué país se acerca más al número de personas encarceladas que tienen Alemania y Dinamarca juntos?

    A. Italia
    B. España
    C. Reino Unido
    D. Australia

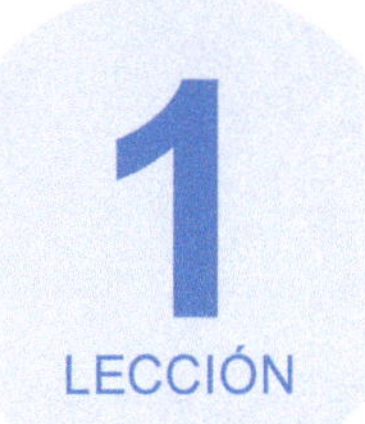

Comprender la economía

LECCIÓN 1

Usar con el ***Libro del estudiante,*** págs. 122–123.

1 *Repasa la destreza*

TEMAS DE ESTUDIOS SOCIALES: I.E.a, I.E.b, II.E.c.2, II.E.c.3, II.E.c.4, II.E.c.5, II.E.c.10, II.E.d.2, II.E.d.3, II.E.d.4, II.E.d.5, II.E.d.7, II.E.d.11
PRÁCTICAS DE ESTUDIOS SOCIALES: SSP.1.a, SSP.1.b, SSP.2.a, SSP.2.b, SSP.3.c, SSP.6.a, SSP.6.b, SSP.6.c, SSP.10.a

La **economía** es la ciencia social que estudia la creación y el flujo de bienes y servicios. Cuando estudies economía, busca las maneras en que los diferentes aspectos de la sociedad y los comportamientos de las personas están motivados por preocupaciones de índole económica o influidos por sucesos económicos. Aprender a **comprender la economía** es esencial para entender las motivaciones sociales y los sucesos del mundo.

2 *Perfecciona la destreza*

Al perfeccionar la destreza de comprender la economía, mejorarás tus capacidades de estudio y evaluación, especialmente en relación con la prueba de Estudios Sociales de GED®. Estudia la información que aparece a continuación. Luego responde las preguntas.

(a) Los economistas suelen estudiar cómo cambian los datos económicos de un año a otro. Esta gráfica les permite comparar tres períodos diferentes en una sola gráfica y sacar conclusiones a partir de los cambios.

(b) Un *sector* económico incluye a las empresas relacionadas con una industria específica. Por ejemplo, "servicios públicos" probablemente incluya empresas proveedoras de electricidad, gas y otros tipos de energía; empresas proveedoras de servicios de telefonía e Internet, y empresas proveedoras de agua y de servicio de drenaje.

La productividad es una medición que relaciona la producción con las horas de trabajo necesarias para producir. Esta gráfica ilustra los cambios en la producción a lo largo de tres períodos.

CAMBIOS EN LA PRODUCCIÓN POR HORA POR SECTOR, 2000–2007, 2007–2009 y 2009–2010 (b)

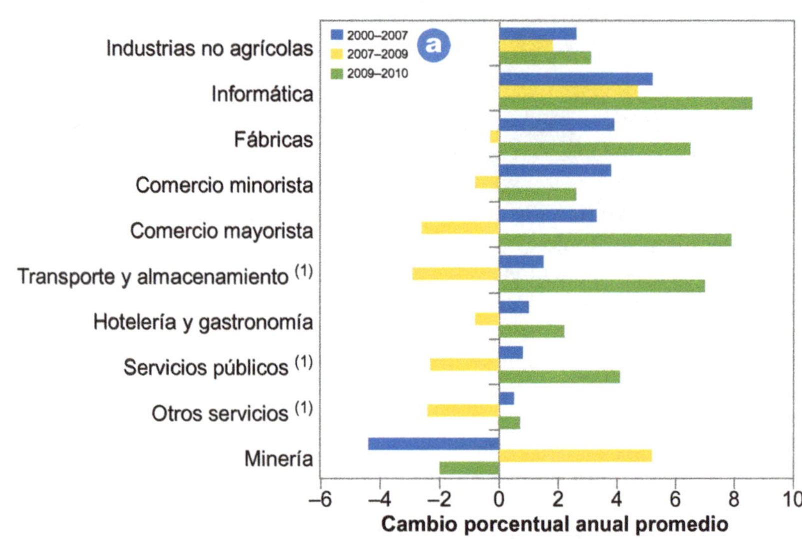

(1) La cobertura de este sector industrial es significativa, pero menor que el 100 por ciento.

1. ¿Cuál de los siguientes sectores tuvo el mayor cambio en la productividad entre 2009 y 2010?

   A. informática
   B. fábricas
   C. comercio mayorista
   D. transporte y almacenamiento

2. En términos de productividad, ¿cuál de los siguientes sectores muestra haber sufrido el menor efecto negativo de la crisis de 2008–2009?

   A. industrias no agrícolas
   B. comercio minorista
   C. hotelería y gastronomía
   D. minería

HACER SUPOSICIONES

Puedes suponer que hay factores económicos que afectan a las industrias individuales, así como otros factores económicos que afectan a la mayoría de las industrias.

UNIDAD 4

3 Domina la destreza

INSTRUCCIONES: Estudia la información y la tabla. Luego lee cada pregunta y elige la **mejor** respuesta.

La economía se basa esencialmente en el concepto clave de las elecciones individuales. Esto se refiere a las decisiones que toman las personas sobre qué hacer y qué no hacer. Dada la opción, la mayoría de las personas elegirían comprar aquello que quieren; sin embargo, varios factores pueden impedirlo. Estos factores influyen en las elecciones individuales que hacen las personas cada día. Por ejemplo, muy pocas personas tienen una provisión de dinero ilimitada, por lo que deben vivir con un presupuesto limitado. Su presupuesto, entonces, influye en las elecciones individuales que hacen. Si alguien tiene $800 para gastar en un sofá, comprará el que cueste $700, pero no uno que cueste $1,500, porque no tiene dinero suficiente para comprar el sofá más caro.

LOS CUATRO PRINCIPIOS BASE DE LAS ELECCIONES INDIVIDUALES

1. Escasez de recursos	Un recurso es cualquier cosa que pueda usarse para producir algo más. El dinero, o los ingresos, son recursos; el tiempo también es un recurso.
2. Costos de oportunidad	El costo real de algo se mide por lo que debes dejar de hacer para conseguir lo primero. Por ejemplo, tener un segundo empleo para generar más ingresos puede implicar pasar menos tiempo con la familia.
3. Relación costo-beneficio	La relación costo-beneficio es la comparación de lo que algo cuesta y de sus beneficios. Las personas se preguntan "cuánto" para determinar los costos y beneficios de hacer algo más o algo menos.
4. Beneficios	Cuando las personas tienen oportunidades de mejorar su calidad de vida, generalmente las aprovechan.

3. Una persona elige hospedarse en un hotel que ofrece estacionamiento gratuito y no en un hotel similar que cobra $15 por día de estacionamiento. Ambos hoteles están dentro del presupuesto de la persona. ¿De cuál de los principios de las elecciones individuales es este el **mejor** ejemplo?

   A. escasez de recursos
   B. costos de oportunidad
   C. relación costo-beneficio
   D. beneficios

4. Muchos consumidores tienen presupuestos para sus gastos semanales y mensuales. Algunos tienen un presupuesto para gastar en comida. Imagina que tienes $100 para gastar por semana en comida en la tienda. ¿Cuál de las siguientes opciones es un ejemplo de un costo de oportunidad que determina tus elecciones individuales en la tienda?

   A. decidir comprar en la tienda un miércoles, que es el día que hay más ofertas
   B. decidir comprar una sandía que está en oferta en vez de la bolsa de manzanas, más cara, que habías decidido comprar
   C. decidir usar cupones para ir de compras
   D. decidir comprar una caja grande de cereales

5. Una mujer recibe un aumento de salario del 2% al momento de su revisión anual del desempeño laboral. ¿Cuál de los principios de las elecciones individuales cambiará **más** en su caso?

   A. escasez de recursos
   B. costos de oportunidad
   C. relación costo-beneficio
   D. beneficios

INSTRUCCIONES: Estudia la información, lee la pregunta y elige la **mejor** respuesta.

Capitalismo, socialismo y comunismo son ejemplos de sistemas económicos. Varían en el grado de control que ejerce el gobierno o una autoridad central sobre las empresas. Un sistema capitalista tiene la menor interferencia del gobierno. Los Estados Unidos tienen un sistema económico capitalista.

Adam Smith y otros economistas están a favor de un tipo de capitalismo llamado *laissez-faire*. Este término del francés significa dejar a las personas hacer lo que prefieren. En economía, significa que el gobierno no debe interferir en las actividades económicas. Esta teoría es considerada inadecuada por el economista John Maynard Keynes. Durante la Gran Depresión, Keynes comenzó a avalar la idea de que el gobierno debe invertir en la sociedad y en las empresas para estimular la economía. Los economistas keynesianos pedían este tipo de inversiones durante la crisis económica de 2008–2009.

6. Excepto en tiempos de crisis económica, ¿qué tipo de sistema económico es el **más** habitual en los Estados Unidos?

   A. capitalismo keynesiano
   B. capitalismo *laissez-faire*
   C. socialismo *laissez-faire*
   D. socialismo

3 *Domina la destreza*

INSTRUCCIONES: Estudia las gráficas de barras y la información. Lee cada pregunta y elige la **mejor** respuesta.

TAMAÑO DEL ESTADO, 1983 Y 2010[1]

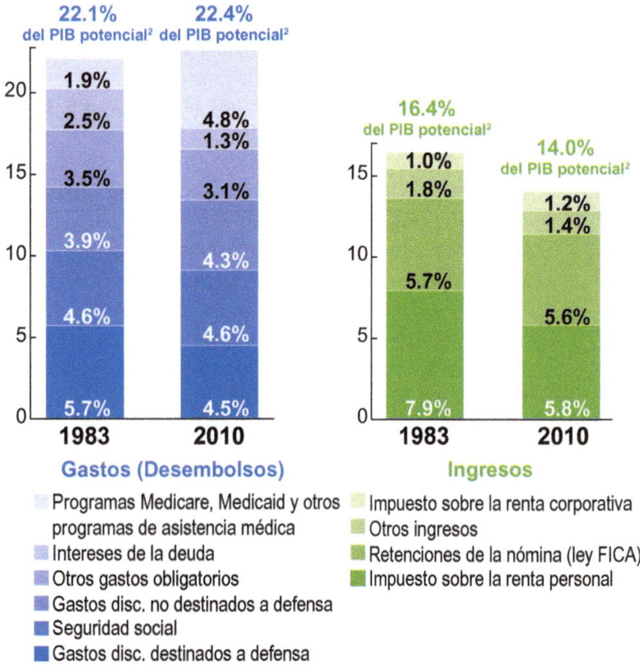

[1] Se comparan 1983 y 2010 porque tienen similares brechas de producción (diferencias entre PIB potencial y real, expresadas como porcentajes del PIB potencial); 6.4% y 6.2% respectivamente.

[2] El PIB potencial corresponde a la máxima capacidad productiva de la economía.

Fuente: Departamento del Tesoro de los Estados Unidos

Una de las instituciones económicas más grandes del mundo es el gobierno de los Estados Unidos. El gobierno recauda impuestos sobre la renta y gasta dinero en muchos programas y operativos regularmente. Los gastos, como el gasto discrecional destinado a defensa, a veces pueden reducirse si es necesario, pero en otras categorías, como el programa Medicare, no pueden reducirse gastos.

El monto de los ingresos que recibe el gobierno depende en gran medida de la política fiscal. La política fiscal tiene que ver con las decisiones que toma el gobierno nacional acerca de temas económicos como los impuestos y los gastos.

Entre 2008 y 2009, los Estados Unidos vivieron una gran caída económica, a menudo llamada "Gran Recesión". Esta caída se produjo debido a fracasos del mercado, en forma de préstamos incobrables y toma de riesgos excesivos por parte de los bancos y debido a fracasos del gobierno. Las regulaciones bancarias eran más leves y la Reserva Federal mantenía las tasas de interés a niveles artificialmente bajos. Este conjunto de circunstancias y sucesos permitió que los bancos pudieran dar más préstamos a personas con informes crediticios bajos y el gobierno los alentó porque deseaba fomentar la compra de casas. En términos realistas, tanto el mercado como el gobierno comparten la responsabilidad por haber causado la Gran Recesión.

La última caída importante anterior a esta se había producido en 1983. La tabla muestra la relación entre los ingresos del gobierno y el gasto en estos dos períodos de recesión en relación con el producto interno bruto (PIB). El PIB es el valor total de bienes y servicios que se producen en una nación durante un período específico. Como las personas suelen perder su trabajo durante las recesiones, se reduce la recaudación tanto del impuesto sobre la renta como las retenciones de la nómina según la ley FICA (Ley de Contribución del Seguro Federal, por su sigla en inglés). Estas son dos fuentes de ingresos importantes para el gobierno.

7. ¿Cuál de las siguientes conclusiones puede sacarse acerca del déficit federal de 2010 comparado con el de 1983?

   A. El déficit federal de 2010 fue menor que el de 1983.
   B. El déficit federal de 2010 fue mayor que el de 1983.
   C. El déficit federal creció un 2.4%.
   D. El déficit federal no cambió entre 1983 y 2010.

8. ¿Por qué el gobierno fue responsable de la Gran Recesión?

   A. por los préstamos incobrables
   B. por los riesgos que asumieron los bancos
   C. por relajar las regulaciones bancarias
   D. por las tasas de interés artificialmente altas

9. ¿Cuál de las siguientes categorías de gastos tuvo el mayor cambio entre 1983 y 2010?

   A. programas Medicare, Medicaid y otros programas de asistencia médica
   B. gastos discrecionales destinados a defensa
   C. seguridad social
   D. intereses de la deuda

10. ¿Cuál de las siguientes opciones es la **mejor** evidencia de los fracasos del gobierno y el mercado en la crisis económica de 2009–2010?

    A. el 1.2% de impuesto sobre la renta corporativa
    B. el 1.3% de intereses de la deuda
    C. el 4.5% de gastos discrecionales destinados a defensa
    D. la combinación del 5.6% del impuesto FICA y el 5.8% del impuesto sobre la renta personal

UNIDAD 4

INSTRUCCIONES: Estudia la información, lee cada pregunta y elige la **mejor** respuesta.

Fragmento traducido del editorial "La competencia también es sana para los gobiernos", de N. Gregory Mankiw:

¿Deben competir los gobiernos (nacionales, estatales y municipales) como si fueran rivales empresariales? Es más fácil plantear esta pregunta que responderla. Pero es un reflejo de por qué los conservadores y los liberales están en desacuerdo en tantos de los grandes temas con los que debe lidiar la nación.

(...) la competencia entre los gobiernos lleva a una mejor gobernación. Cuando eligen dónde vivir, las personas pueden comparar los servicios públicos y los impuestos. Las atraerán aquellas ciudades que saben administrar los ingresos impositivos. La competencia mantiene alertas a los administradores de las ciudades. Evita que los gobiernos ejerzan un poder sustancialmente monopólico frente a los residentes. Si las personas sienten que sus impuestos exceden el valor de los servicios públicos, pueden mudarse a otra parte. Pueden, como dicen los economistas, votar con los pies.

El argumento se aplica no solo a las personas, sino también al capital. Como el capital es más móvil que la mano de obra, la competencia entre gobiernos pone restricciones significativas a la carga impositiva sobre el capital. Las empresas obtienen beneficios de diferentes servicios que provee el gobierno, entre ellos la infraestructura, la protección de los derechos de propiedad y el cumplimiento de contratos. Pero si los impuestos exceden ampliamente estos beneficios, las empresas pueden mudarse (y, por cierto, muchas veces lo hacen) a lugares que les ofrezcan una mejor combinación de impuestos y servicios.

De: nytimes.com, 14 de abril de 2012

11. Según el pasaje, ¿por cuáles de las siguientes opciones compiten los gobiernos?

    A. capital, mano de obra y empresas
    B. monopolios, recaudación de impuestos y residentes
    C. empresas, beneficios impositivos y fondos federales
    D. empresarios, servicios gubernamentales e industrias

12. De acuerdo con el fragmento, ¿qué causa que las personas y los negocios se muden?

    A. que los impuestos sean más bajos que el valor de los servicios y beneficios públicos
    B. que los impuestos excedan el valor de los servicios y beneficios públicos
    C. que los impuestos y el valor de los servicios y los beneficios públicos sean iguales
    D. que los impuestos se apliquen más a un grupo que a otro

INSTRUCCIONES: Estudia la información, lee cada pregunta y elige la **mejor** respuesta.

Los Estados Unidos comercian libremente con los países Canadá y México en el marco del Tratado de Libre Comercio de América del Norte, o TLCAN. Pero a muchos otros países, los Estados Unidos les imponen aranceles a los bienes importados. Un arancel es básicamente un impuesto. Es un costo que agrega el gobierno a los bienes que se importan.

Hay muchas razones por las que un país decide imponer un arancel. Una de las razones es la competencia. Un arancel protege a las industrias nacionales de la competencia con industrias extranjeras. Si otro país puede hacer un producto o un bien más barato que los Estados Unidos, es más probable que las personas compren los bienes más baratos y que la industria estadounidense sufra las consecuencias.

13. ¿Cuál de las siguientes es la **mejor** explicación de por qué los aranceles protegen a las industrias nacionales de la competencia?

    A. Los aranceles hacen que sea más fácil para las tiendas de los Estados Unidos importar el bien.
    B. Al agregar un arancel a los bienes importados, el país que exporta esos bienes dejará de enviarlos a los Estados Unidos.
    C. Las personas tienden a comprar menos bienes a los que se agregan aranceles.
    D. Los aranceles aumentan el precio del bien importado.

14. Los países extranjeros también pueden imponer aranceles a los bienes que los Estados Unidos exportan hacia ellos. ¿Cómo afectarían esos aranceles las ganancias de las empresas estadounidenses en comparación con los precios de sus bienes?

    A. Sus bienes serían más caros y sus ganancias aumentarían.
    B. Sus bienes serían más caros, pero sus ganancias se mantendrían iguales.
    C. Sus bienes serían menos caros y sus ganancias aumentarían.
    D. Sus bienes serían menos caros y sus ganancias disminuirían.

Causas y efectos múltiples

LECCIÓN 2

Usar con el ***Libro del estudiante,*** págs. 124–125.

TEMAS DE ESTUDIOS SOCIALES: II.E.c.4, II.E.c.6, II.E.c.10, II.E.d.1, II.E.d.2, II.E.d.7, II.E.e.2
PRÁCTICAS DE ESTUDIOS SOCIALES: SSP.6.a, SSP.6.b, SSP.10.a, SSP.10.c

1 *Repasa la destreza*

Algunas relaciones de causa y efecto pueden ser complejas. Las causas, los efectos o ambos pueden ser múltiples. Al aprender a identificar y analizar **causas y efectos múltiples**, aumentará tu capacidad para comprender e interpretar conceptos complicados de economía.

La mayoría de los sucesos tienen más de una causa o un efecto. Por ejemplo, la caída de los precios de las casas a fines de 2008 tuvo muchas causas y efectos. El valor de los bienes raíces cayó, las personas que pagaban hipotecas con tasas de interés ajustable ya no pudieron pagar por sus casas y aumentaron las ejecuciones hipotecarias. Todo esto causó pérdidas de empleos en los sectores de bienes raíces y construcción y, entonces, las personas que trabajaban en esos sectores entraron en riesgo de perder sus propias casas.

2 *Perfecciona la destreza*

Al perfeccionar la destreza de identificar causas y efectos múltiples, mejorarás tus capacidades de estudio y evaluación, especialmente en relación con la prueba de Estudios Sociales de GED®. Estudia la información que aparece a continuación. Luego responde las preguntas.

Las compras de fin de año suelen ser un buen indicador de la salud de la economía. Durante los años en los que las personas planean gastar más en sus compras de fin de año, puede suponerse que la economía está mejor que en aquellos en los que las personas recortan sus gastos. La gráfica muestra los resultados de una encuesta en la que se preguntó a las personas si planeaban gastar más, menos o la misma cantidad de dinero en sus compras de fin de año en comparación con el año anterior. Nota: en la gráfica faltan algunos años.

a Para responder con éxito las preguntas, analiza la información y la gráfica para hallar patrones de gastos en las compras de fin de año.

b Examina la gráfica para buscar indicadores de cambios importantes en el gasto en las compras de fin de año. Esto indica que hay un cambio en la economía.

GASTOS PLANEADOS PARA LAS COMPRAS DE FIN DE AÑO

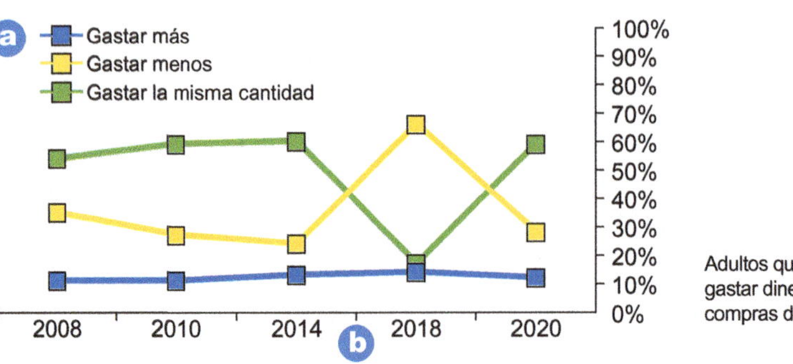

1. Según la gráfica, ¿en qué años las personas adultas fueron **más** y **menos** optimistas, respectivamente?

   A. 2010, 2014
   B. 2018, 2014
   C. 2018, 2008
   D. 2014, 2020

2. A partir de la gráfica, ¿en qué año puedes suponer que la economía estaba más débil?

   A. 2014
   B. 2020
   C. 2008
   D. 2010

USAR LA LÓGICA

Usa la lógica para determinar si un suceso tiene múltiples causas, múltiples efectos o múltiples causas y efectos. Considera atentamente cada causa y cada efecto. ¿Qué causó cada situación y qué sucedió como resultado?

UNIDAD 4

3 Domina la destreza

★ Ítem en foco: **ARRASTRAR Y SOLTAR**

INSTRUCCIONES: Estudia la información y la gráfica. Lee la pregunta y usa las opciones de arrastrar y soltar para completar el diagrama.

En los Estados Unidos, los precios se determinan según el concepto económico de oferta y demanda. Cuando la oferta de un producto es mayor que la demanda, el resultado es un excedente. Cuando la demanda es mayor que la oferta, el resultado es la escasez. Los casos de excedente y escasez ayudan a determinar los precios. Por ejemplo, un excedente de maíz puede derivar en precios más bajos para fomentar la venta. Cuando hay escasez, los vendedores aumentan los precios porque las personas están dispuestas a pagar más por un bien o producto.

Los precios del maíz subieron en 2007. El aumento de las ventas de maíz a países extranjeros, combinado con un aumento del 30 por ciento en la cantidad de maíz usada para producir el combustible llamado etanol, derivó en escasez a nivel nacional y en un mayor precio del bushel de maíz. El aumento del precio del maíz derivó en un aumento de los precios de los alimentos que llevan maíz como ingrediente. Un tercer efecto surgió a partir de que los productores agrícolas sembraron maíz en una proporción cada vez mayor de sus tierras. Esto provocó que hubiera menos acres disponibles para sembrar cultivos como trigo y soya. La caída de la producción de trigo y soya derivó en un aumento de los precios de esos cultivos.

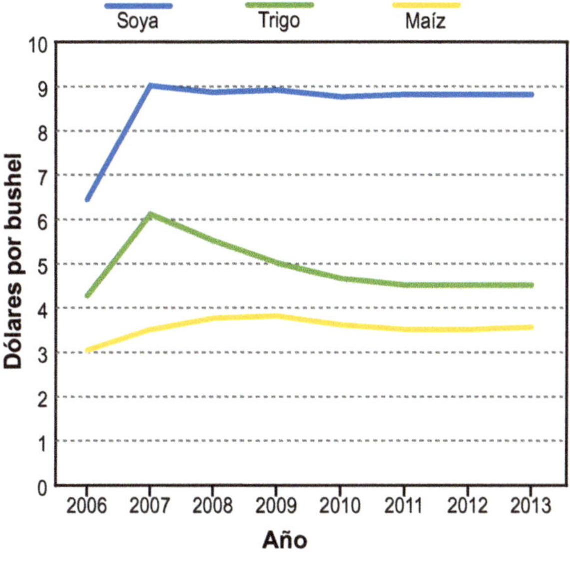

3. Usa las opciones de arrastrar y soltar para completar el diagrama.

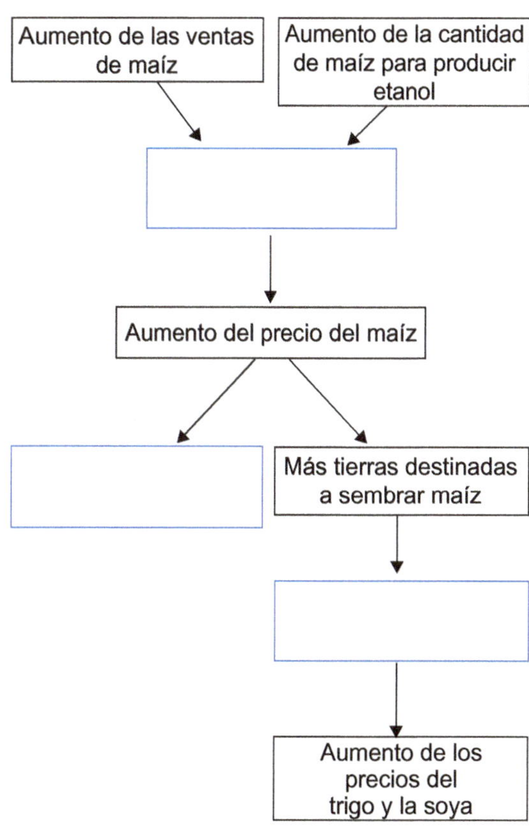

Opciones de arrastrar y soltar

Escasez de maíz
Excedente de maíz
Aumento de los precios de los alimentos preparados con maíz
Caída de los precios de los alimentos preparados con maíz
Menos tierras destinadas a sembrar trigo y soya
Más tierras destinadas a sembrar trigo y soya

UNIDAD 4

 *Domina la destreza*

★ Ítem en foco: **ARRASTRAR Y SOLTAR**

INSTRUCCIONES: Estudia el pasaje y la gráfica. Luego lee la pregunta y usa las opciones de arrastrar y soltar para completar el diagrama.

La oferta y la demanda son factores importantes en el aumento y la disminución del precio de la gasolina. Los períodos de escasez y de miedo a la escasez pueden causar que estos precios fluctúen en lapsos breves. A medida que los países emergentes se industrializan, aumenta la demanda global de gasolina. Desde comienzos de 2005 hasta mediados de 2008, los precios de la gasolina en los Estados Unidos aumentaron a un ritmo constante. En 2005, el precio promedio de un galón de gasolina en los Estados Unidos era $1.78. A mediados de 2008, el promedio nacional de precios había alcanzado casi $4.00 por galón. Sin embargo, a finales de 2008, la reducción de la demanda hizo que bajaran los precios hasta aproximadamente $1.60 por galón.

Estos cambios se produjeron por las subas y las bajas de los precios del petróleo crudo. De 2005 a mediados de 2008, el precio por barril de petróleo crudo aumentó de $42.00 a más de $100.00. Hacia finales de 2008, el precio cayó a menos de $50.00 por barril. Además de los efectos del libre mercado, existe un número de otros factores que no solo pueden incidir, sino que de hecho inciden en los precios de la gasolina. A veces, los acontecimientos políticos mundiales pueden distorsionar las fuerzas del mercado. Además, los precios del petróleo están sujetos a manipulación. La Organización de Países Exportadores de Petróleo (OPEP) representa el 40 por ciento de la producción de petróleo crudo a nivel mundial. Este grupo, rutinariamente, pone límites a la cantidad de petróleo que exportan sus miembros. Esto deriva en aumentos de los precios de la gasolina y el petróleo en todo el mundo.

PRECIO PROMEDIO DE LA GASOLINA, ESTADOS UNIDOS
Diciembre de 2007–Diciembre de 2012

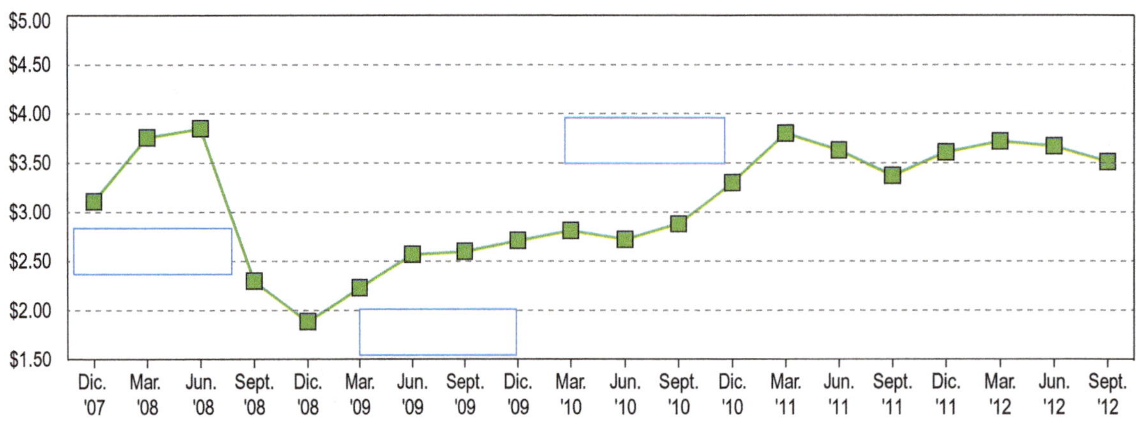

4. A partir de la información que aparece arriba, usa las opciones de arrastrar y soltar para completar el diagrama.

Opciones de arrastrar y soltar

exportaciones de petróleo limitadas
disminución de la demanda
precio bajo del petróleo crudo

INSTRUCCIONES: Estudia los pasajes y las gráficas. Luego lee las preguntas y usa las opciones de arrastrar y soltar para completar los diagramas.

La gráfica que aparece a continuación muestra las nuevas viviendas en los Estados Unidos entre 2005 y 2012. Este número de nuevas viviendas corresponde a las construcciones de casas iniciadas a nivel nacional. El número se considera un indicador de tendencia económica. A partir de 2006, la cantidad de nuevas viviendas comenzó a disminuir. Además, muchas personas que habían tomado préstamos para pagar por sus viviendas no pudieron devolverlos. Los acreedores tomaron posesión de esas casas, lo que derivó en un aumento de la cantidad de viviendas vacías en venta.

NUEVAS VIVIENDAS

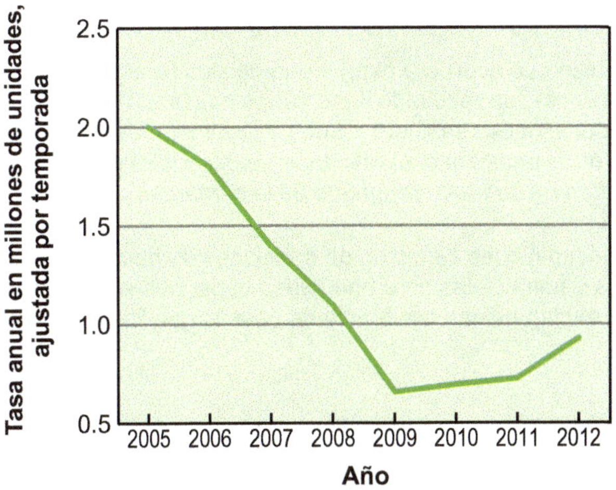

En muchos casos, la causa de estos problemas fue el tipo de préstamos que tomaron quienes adquirieron las viviendas. Estos préstamos de tasa ajustable ofrecían pagos fáciles de costear al principio, pero el saldo mensual estaba anclado a las condiciones generales de la economía. A medida que la expansión económica se fue deteniendo, los pagos aumentaron. Muchos nuevos propietarios ya no pudieron cancelarlos. En muchos casos, los acreedores ejecutaron las hipotecas y tomaron posesión de las viviendas.

EJECUCIONES HIPOTECARIAS

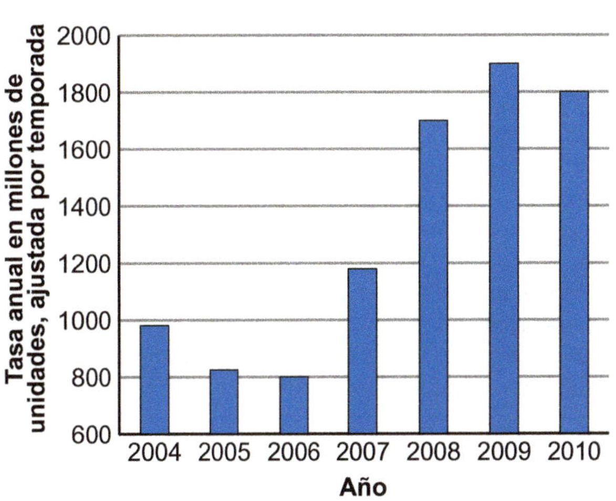

5. Arrastra y suelta las opciones de causas y efectos en los lugares correctos para completar el diagrama.

CAUSA	EFECTO

Opciones de arrastrar y soltar

Disminución de la cantidad de nuevas viviendas
Aumento de la cantidad de nuevas viviendas
Aumento del empleo en los sectores de construcción y carpintería
Disminución del empleo en los sectores de construcción y carpintería

6. Arrastra y suelta las opciones de causas en los lugares correctos para completar el diagrama.

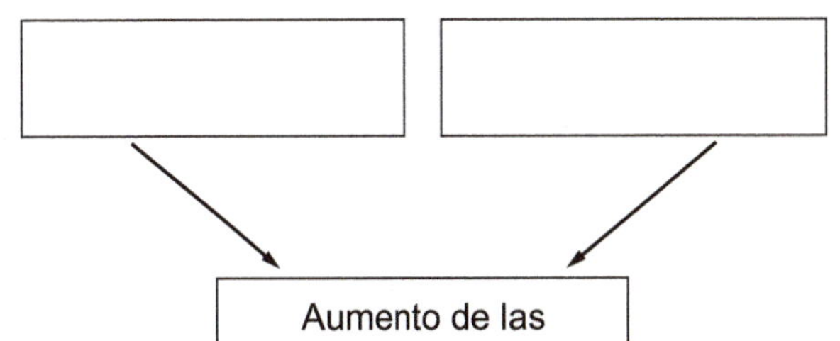

Opciones de arrastrar y soltar

Hipotecas de tasa ajustable
Aumento de la cantidad de nuevas viviendas
Deterioro de las condiciones económicas
Actividad económica positiva

UNIDAD 4

Lección de alto impacto: Analizar causa y efecto

Usar con el ***Libro del estudiante,*** págs. 126–129.

1 *Repasa la destreza*

TEMAS DE ESTUDIOS SOCIALES: II.USH.e, II.E.g, II.E.h, II.G.b.5
PRÁCTICAS DE ESTUDIOS SOCIALES: SSP.3.C

Cuando analizas una **causa** y un **efecto**, examinas lo que sucede y el motivo por el que eso sucede. La causa es por qué ocurre algo. El efecto es lo que ocurre como resultado. En un debate de las Naciones Unidas, un texto puede haber afirmado que el deseo de evitar conflictos entre las naciones tras la Segunda Guerra Mundial llevó a la creación de la Organización de las Naciones Unidas. En este ejemplo, la causa es el deseo de evitar conflictos. El efecto, o resultado, es la Organización de las Naciones Unidas.

Puedes usar palabras y frases indicadoras para identificar y comprender las relaciones de causa y efecto en un texto. Esto incluye palabras y frases como *porque, por lo tanto, debido a, como resultado* y *como consecuencia de* (causa); *entonces, por lo tanto, por consiguiente, esto llevó a, esto dio lugar a* (efecto).

Entender una causa y un efecto te ayuda a hacer conexiones entre lo que ocurrió en un momento o lugar particular y por qué sucedió. Personas, ideas, procesos sociales y naturales pueden ser causas.

Las causas y los efectos pueden ser reales (algo o alguien hizo que ocurriera algo) o potenciales (si alguien hizo algo o si algo sucedió, podría haber un resultado particular). A veces, un resultado tiene varias causas. Algunas veces una secuencia de sucesos lleva a un único resultado. A menudo, la causa se citará primero, seguida por el resultado: *El desempleo a gran escala llevó a protestas en las calles.* En otras ocasiones, el resultado se describirá primero y lo seguirá la causa: *Se crearon muchos puestos de trabajo debido a un aumento repentino de la demanda.*

En la prueba de Estudios Sociales de GED®, se espera que identifiques ejemplos de relaciones de causa y efecto, causas reales o potenciales para efectos dados, efectos reales o potenciales para una causa dada, que expliques cómo o por qué un suceso o serie de circunstancias causa otro, que expliques una secuencia de causas que llevan a un efecto dado o que identifiques causas múltiples de un suceso dado.

UNIDAD 4

2 *Perfecciona la destreza*

a El primer párrafo incluye dos relaciones de causa y efecto. Ambas identifican los efectos de la construcción del Canal de Panamá.

b El segundo párrafo cita varias causas que llevaron a un solo resultado (por qué fracasó el intento de los franceses de construir el canal) y contiene otra relación de causa y efecto (la razón por la que Estados Unidos sí pudo construir el canal).

EL CANAL DE PANAMÁ

El canal de Panamá atraviesa el istmo de Panamá y crea una vía fluvial entre los océanos Atlántico y Pacífico. Antes de ser construido, los barcos que navegaban de una costa a otra de los Estados Unidos daban vuelta al extremo sur de América del Sur. Una vez terminada la construcción del canal, estos viajes se redujeron unas 8,000 millas náuticas.

Fueron los franceses quienes primero trataron de construir el canal y comenzaron su intento en 1881. Sin embargo, su proyecto fracasó debido a una combinación de mala planificación, entorno hostil, errores de ingeniería y enfermedades tropicales. El trabajo en el canal recomenzó en 1904, esta vez a cargo de los Estados Unidos. Hacia 1906, los médicos estadounidenses tenían bajo control el problema de las dos peores enfermedades tropicales (malaria y fiebre amarilla) y, en agosto de 1914, el canal de Panamá se hizo realidad.

1. ¿Cuál fue una de las razones por las que los franceses no pudieron completar el canal de Panamá?

   A. Su canal acortó el viaje en unas 8,000 millas náuticas.
   B. Resolvieron el problema de la malaria, pero continuaron con la plaga de la fiebre amarilla.
   C. Los trabajadores vieron obstaculizada su labor por enfermedades tropicales.
   D. Eligieron una mala ruta para el canal.

La pregunta te pide que identifiques una causa del fracaso de los franceses en la construcción del canal. Busca en el pasaje la palabra *franceses.* Observa la frase clave *debido a*, que indica una relación de causa y efecto. Vuelve a leer el párrafo. La respuesta correcta es **C**.

INSTRUCCIONES: Estudia la información, lee cada pregunta y elige la **mejor** respuesta.

EL INCENDIO DE LA COMPAÑIA TRIANGLE WAIST

En la noche del 25 de marzo de 1911 se desató un incendio en el edificio Asch de la ciudad de Nueva York. Aunque duró tan solo 18 minutos, 146 personas perdieron la vida.

El incendio comenzó en el octavo piso, sede de la compañía Triangle Waist, que fabricaba blusas para damas. Se cree que fue provocado por un cigarrillo arrojado al descuido en un espacio que contenía gran cantidad de algodón y papel. Estos materiales alimentaron las llamas, que pronto se expandieron a los dos pisos superiores, pertenecientes también a la fábrica.

Los bomberos reaccionaron con rapidez, pero sus escaleras solo llegaban hasta el sexto piso. Muchos empleados, en su mayoría inmigrantes europeos, no pudieron salir porque las puertas de la fábrica estaban trabadas para impedir robos. Varios trabajadores saltaron por las ventanas para escapar de las llamas y murieron al caer. Además, otros resultaron heridos cuando buscaban refugio en las escaleras de incendios que se desplomaron por el peso. De las 146 personas que perdieron la vida, 129 eran mujeres.

La espantosa tragedia tuvo un resultado positivo. Como consecuencia de la indignación pública, el estado de Nueva York creó la Comisión investigadora de fábricas. Los miembros de la comisión recorrían las fábricas, hablaban con los trabajadores y realizaban audiencias abiertas al público. Con el tiempo, estas acciones llevaron a formular más de 30 leyes destinadas a proteger la seguridad y la salud de los trabajadores de las fábricas. Las nuevas medidas también inspiraron leyes laborales en otras partes de los Estados Unidos.

2. Según el texto, ¿qué provocó el incendio?

   A. una chispa de una máquina
   B. un cigarrillo descartado
   C. un extintor de incendios defectuoso
   D. una escalera de incendios en malas condiciones

3. ¿Qué llevó a que las llamas se expandieran rápidamente?

   A. una gran cantidad de papel y algodón
   B. ventanas abiertas en toda la fábrica
   C. fuertes vientos en la ciudad
   D. madera almacenada en el techo del edificio

4. ¿Por qué los bomberos no pudieron ayudar a las personas que se hallaban en los pisos superiores del edificio?

   A. Sus camiones no pudieron atravesar la ciudad lo suficientemente rápido.
   B. Sus mangueras dejaron de funcionar por el intenso calor.
   C. Sus dotaciones eran pequeñas porque se necesitaban bomberos para combatir las llamas en otros edificios.
   D. Sus escaleras no alcanzaban a extenderse más allá del sexto piso.

5. ¿Por qué algunas personas quedaron atrapadas en el edificio en llamas?

   A. Se desplomó la escalera de incendios en la que estaban.
   B. La tela y el papel de la fábrica ardieron rápidamente.
   C. Estaban trabadas las puertas por las que podían haber escapado.
   D. Alguien arrojó un cigarrillo con descuido.

6. ¿Qué ocurrió porque muchos trabajadores se juntaron en la escalera de incendios?

   A. Los bomberos no pudieron salvar a estas personas.
   B. La escalera de incendios se desplomó por el peso.
   C. El fuego se apagó más rápido.
   D. No hubo heridos entre estos trabajadores.

7. ¿Cuál fue una de las consecuencias del incendio?

   A. La ciudad de Nueva York creó nuevos códigos de construcción.
   B. Se prohibió fumar cigarrillos en las fábricas textiles.
   C. El estado de Nueva York estableció una Comisión investigadora de las fábricas.
   D. Se ampliaron las dotaciones de bomberos.

Comparar y contrastar elementos visuales

Usar con el ***Libro del estudiante,*** págs. 130–131.

TEMAS DE ESTUDIOS SOCIALES: II.E.d.2, II.E.d.3, II.E.d.4, II.E.d.9, II.E.d.10, II.E.e.1, II.E.e.2
PRÁCTICAS DE ESTUDIOS SOCIALES: SSP.1.a, SSP.1.b, SSP.3.c, SSP.4.a, SSP.6.a, SSP.6.b, SSP.6.c, SSP.10.a, SSP.10.c, SSP.11.a

1 *Repasa la destreza*

Comparar y **contrastar** es una manera útil de relacionar dos o más elementos y los conceptos que representan. Comparar es examinar las semejanzas y diferencias. Contrastar es considerar únicamente las diferencias. Una vez que conozcas las semejanzas y diferencias, puedes analizar qué te indican acerca de los elementos analizados.

Los **elementos visuales** son gráficas que brindan información. Cuando vayas a **comparar y contrastar elementos visuales**, primero toma nota de los parecidos. A partir de allí, examina las características distintivas de cada uno de los elementos.

2 *Perfecciona la destreza*

Al perfeccionar la destreza de comparar y contrastar elementos visuales, mejorarás tus capacidades de estudio y evaluación, especialmente en relación con la prueba de Estudios Sociales de GED®. Estudia la información que aparece a continuación. Luego responde las preguntas.

SALARIO FEDERAL MÍNIMO POR HORA

Estado	Salario Básico Mínimo (por hora) en 2018
Georgia	$5.15
California	$11.00
Washington, D.C.	$13.25
Florida	$8.25
Massachusetts	$11.00

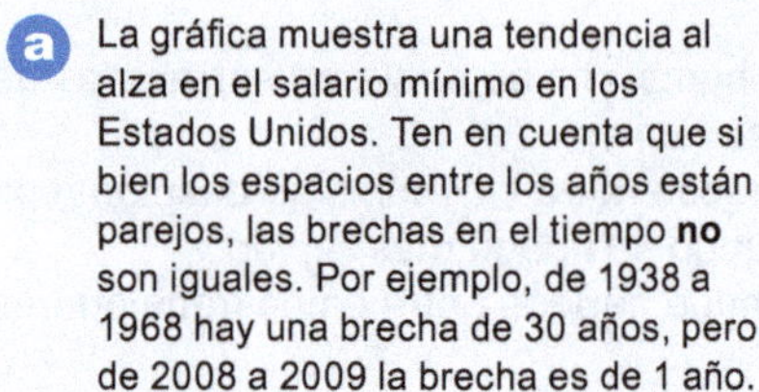

a La gráfica muestra una tendencia al alza en el salario mínimo en los Estados Unidos. Ten en cuenta que si bien los espacios entre los años están parejos, las brechas en el tiempo **no** son iguales. Por ejemplo, de 1938 a 1968 hay una brecha de 30 años, pero de 2008 a 2009 la brecha es de 1 año.

b La tabla contiene información que puede compararse y contrastarse entre los estados (que aparecen en la tabla) y con la información de la gráfica.

1. ¿Cuál de las siguientes opciones es una inferencia que puedes hacer tras comparar y contrastar la información de los dos elementos visuales?

   A. Los emprendimientos comerciales influyen en el salario mínimo.
   B. En Massachusetts se promulgó la primera ley del salario mínimo.
   C. El "costo de vida" en Georgia es menor que en otros estados.
   D. Al aumentar el salario mínimo federal, se crean nuevos empleos.

2. ¿Cómo se comparan los salarios mínimos de California y Massachusetts con el salario mínimo federal?

   A. Son menores que el salario mínimo federal.
   B. Son mayores que el salario mínimo federal.
   C. Son iguales al salario mínimo federal.
   D. El salario mínimo de California es menor que el salario mínimo federal, mientras que el de Massachusetts es mayor.

HACER SUPOSICIONES

Si bien el gobierno federal establece un salario mínimo estándar, algunos estados pueden establecer estándares más bajos para trabajos que no están contemplados en la Ley Federal de Estándares Justos de Empleo.

3 Domina la destreza

INSTRUCCIONES: Estudia las gráficas, lee cada pregunta y elige la **mejor** respuesta.

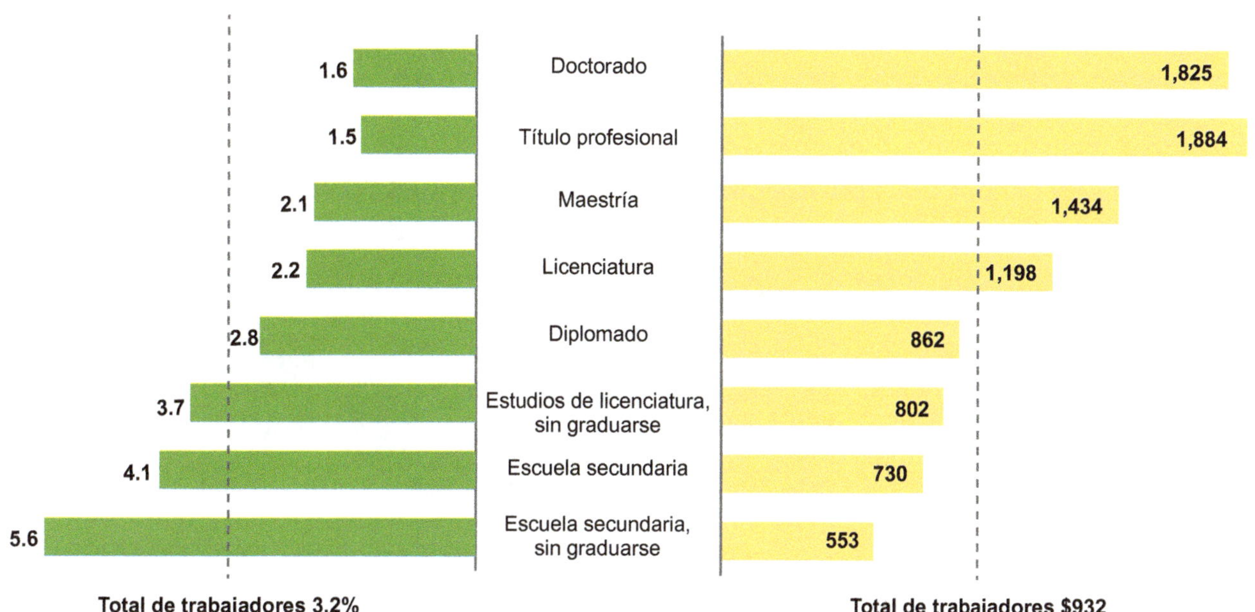

Fuente: Oficina de Estadística Laboral, Encuesta poblacional actual

3. ¿Cuál de las siguientes opciones expresa una relación entre la mediana de ingresos semanales y el desempleo?

   A. a mayor mediana de ingresos semanales, menor tasa de desempleo
   B. a menor tasa de desempleo, menor mediana de ingresos semanales
   C. a mayor mediana de ingresos semanales, mayor tasa de desempleo
   D. a mayor nivel de estudios, menor tasa de desempleo y menor mediana de ingresos semanales

4. A partir de las gráficas, ¿cuál de las siguientes opciones es **más probable** que sea verdadera para una persona que tiene un título de licenciatura?

   A. Es poco probable que la persona encuentre empleo y gane menos de $1,300 por semana.
   B. Es probable que la persona encuentre empleo y gane aproximadamente $1,700 por semana.
   C. Es poco probable que la persona encuentre empleo y no gane más de $750 por semana.
   D. Es probable que la persona encuentre empleo y gane aproximadamente $1,200 por semana.

5. ¿Cuál de las siguientes ocupaciones entraría simultáneamente en estas dos categorías: segunda tasa más baja de desempleo y segunda mediana de ingresos semanales?

   A. empleado en un restaurante de comida rápida
   B. profesor universitario
   C. asistente del maestro
   D. electricista diplomado

6. Una mujer toma la decisión personal de no terminar sus estudios de licenciatura y comenzar a trabajar. ¿Qué conclusión puedes sacar acerca de esta mujer?

   A. Sus posibilidades de encontrar un empleo bien pagado son mucho mejores que las de una persona que tiene un título de licenciatura.
   B. No le será fácil encontrar un empleo donde tenga una mediana de ingresos semanales de más de $500.
   C. Ganará más dinero y hallará empleo más fácilmente que una persona que no ha terminado la escuela secundaria.
   D. Es más probable que sus ingresos superen la mediana de los ingresos de una persona que tiene un título profesional.

3 Domina la destreza

INSTRUCCIONES: Estudia la información y las gráficas, lee cada pregunta y elige la **mejor** respuesta.

Todas las personas adultas con cualquier tipo de historial financiero en los Estados Unidos tienen un puntaje crediticio. Tu puntaje se calcula con diferentes datos crediticios tomados de tu informe de crédito. Este informe incluye los tipos de cuentas de las que eres titular, el tiempo que las has tenido y los historiales de pagos y saldos. El hacer pagos con retraso y el mantener un saldo deudor tienen un impacto negativo en tu puntaje crediticio. El pagar por completo el saldo a tiempo cada mes tiene un impacto positivo. El modelo de puntaje crediticio que se puede usar con informes crediticios de las tres principales agencias de crédito tiene un rango de 300 a 850.

¿CÓMO SE CALCULA EL PUNTAJE CREDITICIO?

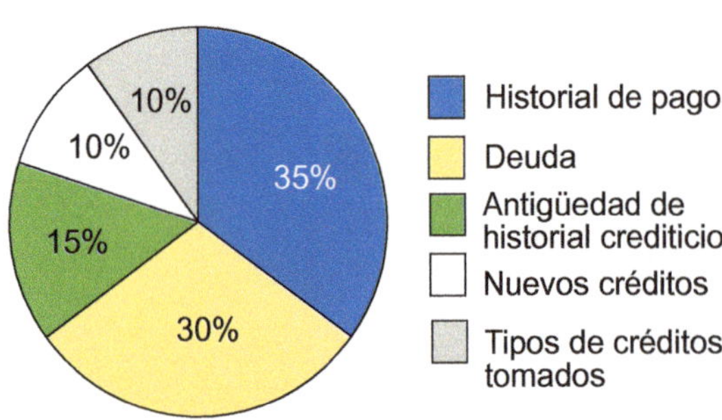

¿CONOCES TU PUNTAJE CREDITICIO?

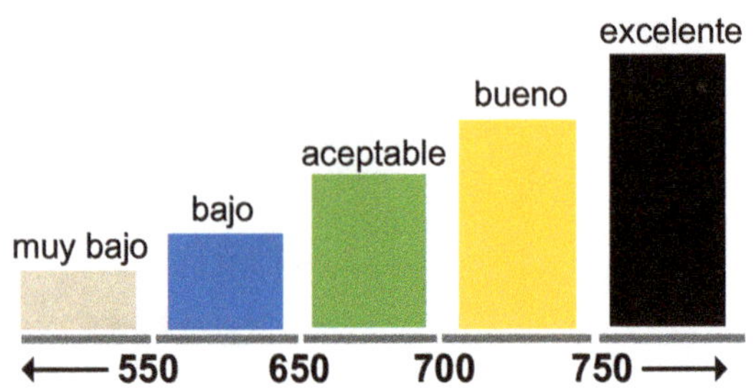

7. ¿En cuál de los siguientes rangos de puntaje crediticio es **más probable** que esté una persona que regularmente se atrasa en sus pagos hipotecarios, en los pagos de sus tarjetas de crédito y de sus préstamos estudiantiles, y cuyos saldos son elevados?

   A. 400 a 449
   B. 650 a 699
   C. 700 a 749
   D. 750 a 800

8. ¿Cuál de las siguientes acciones aumentará de manera **más significativa** el puntaje crediticio de una persona?

   A. obtener un préstamo hipotecario
   B. agregar una nueva tarjeta de crédito
   C. obtener un préstamo para comprar un carro nuevo
   D. cancelar los saldos de las tarjetas de crédito

INSTRUCCIONES: Estudia la información y la gráfica, lee la pregunta y elige la **mejor** respuesta.

Cuatro cantidades importantes de estadística que se usan para analizar conjuntos de datos de manera visual son la media, la mediana, la moda y el rango.

- La **media** es el promedio. Para hallar la media, suma todos los números y divide la suma entre la cantidad de números que hay en el conjunto de datos.
- La **mediana** es el valor del medio de un conjunto de datos. Para hallar la mediana, haz una lista con los números del conjunto de datos de menor a mayor. La mediana es el número justo a la mitad de la lista, el valor central. Si hay un número par de valores, usa el promedio de los dos valores del medio.
- La **moda** es el número que aparece más frecuentemente.
- El **rango** es la diferencia entre el valor más grande y el valor más pequeño del conjunto de datos.

CRECIMIENTO ANUAL DEL PIB REAL

Fuente: Oficina de Análisis Económico de los Estados Unidos.

9. Entre los años 2016 y 2019, ¿cuál fue la mediana y el rango del porcentaje de crecimiento anual del sector privado de producción de servicios?

   A. La mediana fue del 2.4 y% el rango fue del 4.5%.
   B. La mediana fue del 2.6% y el rango fue del 5.2%.
   C. La mediana fue del 2.3% y el rango fue del 3.4%.
   D. La mediana fue del 2.6% y el rango fue del 3.4%.

INSTRUCCIONES: Estudia la tabla y la nómina, lee cada pregunta y elige la **mejor** respuesta.

Salario bruto	Cantidad del pago antes de las deducciones
Deducciones de la nómina antes de impuestos	Deducciones hechas sobre el salario bruto. Por estas deducciones no se pagan impuestos.
Deducciones de la nómina después de impuestos	Deducciones hechas después de las de los impuestos. Por estas se paga el mismo porcentaje de impuesto que el salario bruto.
Deducciones de retención federal	Deducción destinada a las obligaciones impositivas federales
Impuesto estatal	Deducción destinada a las obligaciones impositivas estatales
Impuesto local	Deducción destinada a las obligaciones impositivas locales
Ley de Contribución del Seguro Federal	Impuestos al plan de Seguridad Social
401(k)	Deducción voluntaria requerida por el trabajador, destinada a un fondo de pensión
Salario neto	Dinero que le queda al trabajador, una vez descontadas las deducciones

Salario bruto	$2,000.00
Retenciones federales	$ 500.00
Ley de Contribución del Seguro Federal	$ 150.00
Retenciones estatales	$ 100.00
Retenciones locales	$ 24.00
Salario neto	$1,226.00

10. ¿Cuál de las siguientes inferencias puedes hacer acerca del formulario 401(k) después de mirar la tabla y la nómina?

   A. Los aportes en concepto del formulario 401(k) nunca se descuentan del salario de una persona.
   B. No a todas las personas les descuentan aportes en concepto del formulario 401(k) de su salario.
   C. El gobierno descuenta al azar los aportes en concepto del formulario 401(k) de los salarios de las personas.
   D. Los aportes en concepto del formulario 401(k) son parte de las retenciones federales.

11. ¿Cuál de las siguientes conclusiones puede sacarse a partir de comparar y contrastar la tabla de impuestos y la nómina?

   A. El salario neto es la menor de las cantidades que aparecen en la nómina.
   B. Pagar los impuestos federales, estatales y locales es una decisión personal.
   C. La tabla brinda información a los empleados, mientras que la nómina brinda información al empleador.
   D. El salario bruto es la mayor de las cantidades que aparecen en la nómina.

12. ¿Cuál de las siguientes instituciones económicas tiene la relación **más cercana** con los datos y la información de la tabla y de la nómina?

   A. el Banco Mundial
   B. la Oficina Nacional de Investigaciones Económicas
   C. la Reserva Federal de los Estados Unidos
   D. el Servicio de Impuestos Internos

13. El gobierno federal puede instaurar una política de incentivos fiscales cuando desea fomentar el crecimiento económico. ¿Cuál de los siguientes cambios es **más probable** que note una persona en su nómina si el gobierno hace algún cambio con el fin de estimular el crecimiento económico?

   A. disminución de las retenciones en concepto de impuestos federales
   B. aumento de las retenciones en concepto de impuestos estatales
   C. disminución de la cantidad de deducciones del salario bruto
   D. reducción del salario bruto

Interpretar pictografías

Usar con el ***Libro del estudiante,*** págs. 132–133.

TEMAS DE ESTUDIOS SOCIALES: II.E.c.9, II.E.c.11, II.E.d.1, II.E.d.4, II.E.d.5, II.E.d.10
PRÁCTICAS DE ESTUDIOS SOCIALES: SSP.3.c, SSP.6.a, SSP.6.b, SSP.10.a

1 *Repasa la destreza*

En las **pictografías** se usan símbolos para representar datos a modo de gráfica. Cada uno de los símbolos de una pictografía representa una cantidad específica, que se informa en una clave. Al usar la clave y los símbolos de la gráfica, puedes **interpretar pictografías** y analizar los datos o dar opiniones sobre ellos.

Comprender el significado de los datos que muestra una pictografía es crucial para interpretarla correctamente. Verifica siempre que comprendes el título o el tema de la pictografía antes de interpretar su clave y sus símbolos.

2 *Perfecciona la destreza*

Al perfeccionar la destreza de interpretar pictografías, mejorarás tus capacidades de estudio y evaluación, especialmente en relación con la prueba de Estudios Sociales de GED®. Estudia la información que aparece a continuación. Luego responde las preguntas.

TASA DE CAMBIO PROMEDIO: UN DÓLAR ESTADOUNIDENSE A REALES BRASILEÑOS (b)

[1 REAL] = 1 REAL

AÑO	
2013	[1 REAL] [1 REAL]
2015	[1 REAL] [1 REAL] [1 REAL] [½]
2017	[1 REAL] [1 REAL] [1 REAL]
2019	[1 REAL] [1 REAL] [1 REAL] [1 REAL]

(a) **NÚMERO DE REALES NECESARIOS PARA IGUALAR UN DÓLAR ESTADOUNIDENSE (redondeado)**

a Una tasa de cambio monetario compara los valores de las monedas de dos naciones, en este caso dólares estadounidenses y reales, la moneda de Brasil. Por ejemplo, en 2013, dos reales eran equivalentes a un dólar, por lo tanto el valor del real era de $0.50. En 2019, cuatro reales eran equivalentes a un dólar, por lo cual el valor del real era de $0.25.

b En esta pictografía, la tasa de cambio se expresa como el número de reales equivalentes a un dólar estadounidense.

USAR LA LÓGICA

Los autores suelen usar pictografías para comparar dos cosas o para mostrar cómo ha cambiado algo con el paso del tiempo. Intenta determinar el propósito por el que un autor incluye una pictografía.

1. ¿Cuál de los siguientes era el valor aproximado de un dólar estadounidense en 2015?

   A. 4.5 reales
   B. 4 reales
   C. 3.5 reales
   D. 3 reales

2. A partir de la información de la pictografía, ¿cuál de las siguientes conclusiones puedes sacar?

   A. El valor del real permanece estable de un año a otro.
   B. El valor del real disminuyó entre 2017 y 2019.
   C. El valor del real aumentó entre 2013 y 2015.
   D. La tasa de cambio de estas monedas debería haber aumentado en 2021.

UNIDAD 4

3 Domina la destreza

INSTRUCCIONES: Estudia la pictografía, lee cada pregunta y elige la **mejor** respuesta.

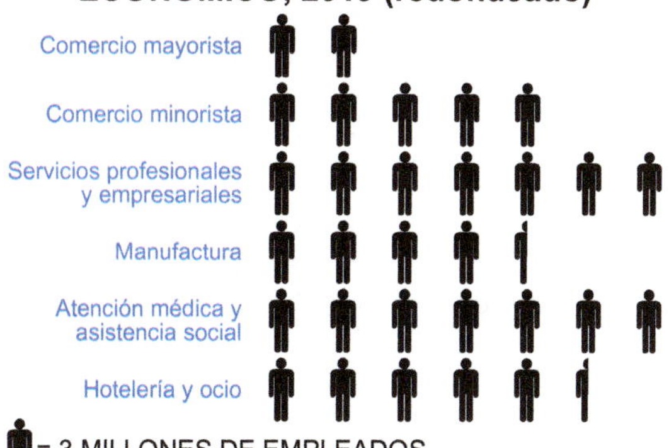

3. A partir de la pictografía, ¿cuál de los siguientes enunciados es **verdadero**?

   A. En los sectores de comercio mayorista y minorista trabajan aproximadamente 21 millones de personas.
   B. El sector de atención médica y asistencia social tiene alrededor del doble de empleados que el sector de manufactura.
   C. La mayor cantidad de empleados corresponde al sector de hotelería y ocio.
   D. En el sector de comercio mayorista trabajan menos de 5 millones de personas.

4. En 2019, aproximadamente 7,500,000 de personas trabajaban en la construcción. Si agregaras este sector a la pictografía, ¿cuál de los siguientes números de símbolos aparecería para este sector?

   A. 3
   B. 2.5
   C. 2
   D. 1.5

5. También en 2019, 64,000 personas trabajaban para los poderes legislativo y judicial del gobierno federal. Si agregaras este sector a la pictografía, ¿cuál de estos cambios deberías hacer primero en la pictografía para que sea efectiva?

   A. Habría que enumerar los sectores económicos en orden alfabético.
   B. Habría que cambiar el dibujo de la persona.
   C. Habría que cambiar el título.
   D. Habría que cambiar la clave.

INSTRUCCIONES: Estudia la la pictografía, lee cada pregunta y elige la **mejor** respuesta.

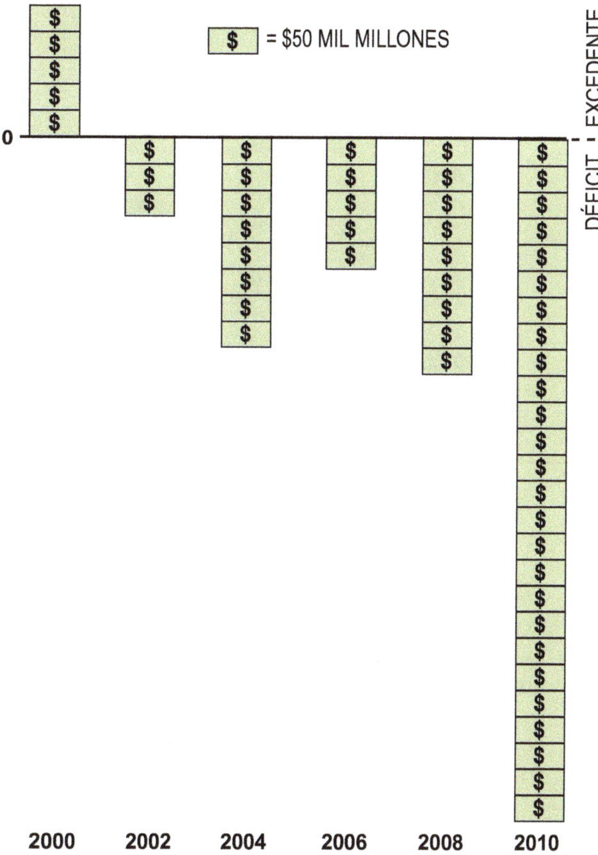

6. A partir de la pictografía, ¿cuál de las siguientes es la mejor descripción del presupuesto de los Estados Unidos en 2004?

   A. Alcanzó el punto de equilibrio.
   B. Se gastaron aproximadamente $250 mil millones menos de lo que se recaudó.
   C. Se gastaron aproximadamente $350 mil millones más de lo que se recaudó.
   D. El déficit fue superior al de 2002.

7. ¿Cuál de las siguientes opciones puede ayudar a explicar los cambios presupuestarios que ocurrieron entre 2000 y 2004?

   A. mayores impuestos
   B. reducción de los programas federales de asistencia
   C. fondos destinados a la guerra en Irak
   D. influjo de nuevos contribuyentes

8. ¿En qué años aumentó **más** el déficit?

   A. entre 2002 y 2004
   B. entre 2004 y 2006
   C. entre 2006 y 2008
   D. entre 2008 y 2010

UNIDAD 4

3 Domina la destreza

INSTRUCCIONES: Estudia la pictografía y la información, lee cada pregunta y elige la **mejor** respuesta.

PRECIO (redondeado) POR BUSHEL DE SEMILLAS DE SOYA EN LOS EE. UU., 2015–2019

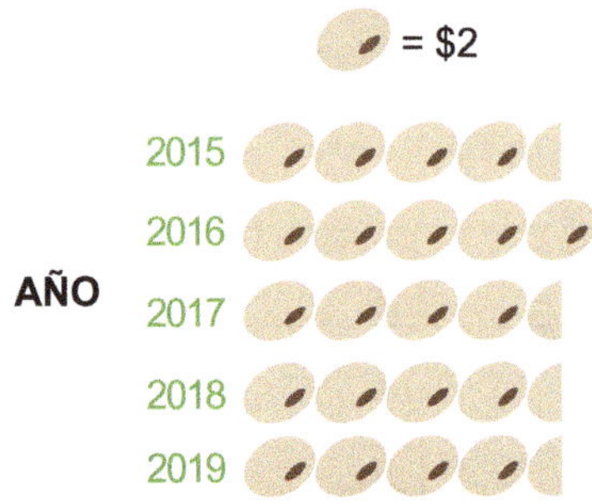

En los Estados Unidos, la economía es mixta. No depende exclusivamente de la oferta y la demanda, como ocurre con las economías de mercado, sino que el gobierno controla algunos aspectos económicos.

Un ejemplo son los subsidios. Un subsidio es un beneficio, típicamente monetario, que el gobierno otorga a personas o a grupos de personas. El propósito es eliminar alguna carga. Los subsidios, generalmente, se otorgan a determinadas industrias, en función de lo que más beneficia a las personas en general. Por ejemplo, a los productores agrícolas se les pueden otorgar subsidios agrícolas, como los subsidios a la producción de soya. Ellos reciben el subsidio para poder vender a un precio de mercado bajo, y aun así ganar suficiente dinero para mantener la rentabilidad.

9. ¿Cuál de las siguientes opciones puede haber causado el cambio en el precio del bushel de semillas de soya de 2015 a 2016?

   A. una deflación en la economía de los Estados Unidos
   B. una reducción de la temporada de crecimiento de la soya por inclemencias del tiempo
   C. una disminución de la demanda de semillas y productos derivados de la soya
   D. un aumento de la oferta de soya

10. Los subsidios suelen garantizar un precio mínimo de venta de un producto o un bien. Si el precio de mercado es menor que ese precio, los productores agrícolas recibirán el subsidio. ¿En qué año **no** habrían recibido un subsidio los productores agrícolas si el precio mínimo garantizado hubiera sido $9 por bushel?

    A. 2015
    B. 2017
    C. 2018
    D. 2016

INSTRUCCIONES: Estudia la pictografía y la información, lee cada pregunta y elige la **mejor** respuesta.

TASA DE DESEMPLEO (redondeada) EN LOS EE. UU. para personas de 16 años en adelante

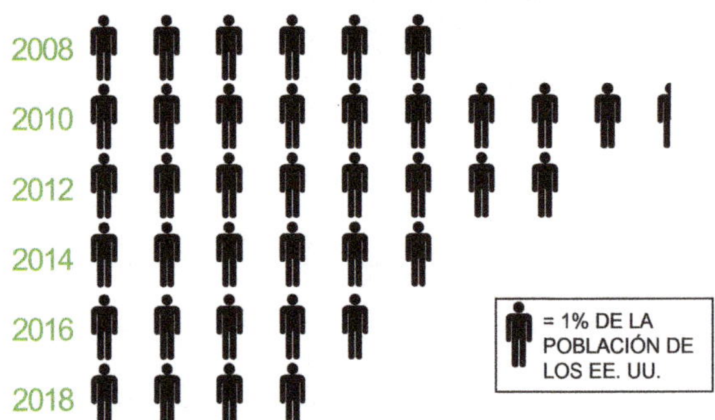

La tasa de desempleo es un indicador económico muy utilizado. El porcentaje informado como tasa de desempleo es el porcentaje de personas que tienen edad de estar trabajando y buscan empleo pero no lo tienen. Una persona puede estar empleada, puede estar desempleada o puede no pertenecer a la fuerza laboral. Las personas que no pertenecen a la fuerza laboral no se toman en cuenta al calcular la tasa de desempleo.

11. ¿De cuál de las siguientes maneras puedes describir la tasa de desempleo en los Estados Unidos en el período de 10 años que representa la pictografía?

    A. Tuvo una disminución abrupta.
    B. Tuvo varios aumentos abruptos.
    C. Aumentó a un ritmo constante.
    D. Disminuyó a un ritmo constante.

12. ¿Entre cuáles de los siguientes años puedes concluir que la economía de los Estados Unidos experimentó una caída a partir de la tasa de desempleo?

    A. entre 2008 y 2010
    B. entre 2010 y 2012
    C. entre 2012 y 2014
    D. entre 2014 y 2016

13. ¿Entre cuáles de los siguientes años puedes concluir que la economía de los Estados Unidos experimentó una recuperación a partir de la tasa de desempleo?

    A. entre 2016 y 2018
    B. entre 2014 y 2016
    C. entre 2010 y 2012
    D. entre 2008 y 2010

INSTRUCCIONES: Estudia la información y las pictografías, lee cada pregunta y elige la **mejor** respuesta.

El concepto de interdependencia es visible en las exportaciones e importaciones entre países. Los países pueden depender de otros países para conseguir los productos que no pueden producir o que no pueden producir de manera tan eficiente como lo hacen otros países. Los países tenderán a exportar aquellos bienes cuya producción es eficiente y a importar aquellos bienes cuya producción no es tan eficiente como en otros países.

En estas pictografías, las exportaciones describen productos enviados de los Estados Unidos a Japón y las importaciones describen productos japoneses enviados a los Estados Unidos. Las cinco exportaciones principales a Japón en 2005 fueron aeronaves civiles y piezas, equipos médicos, máquinas industriales, semiconductores y equipos de telecomunicaciones. Las cinco importaciones principales de Japón en 2005 fueron automóviles, piezas y accesorios de vehículos, televisores y equipos de vídeo, accesorios informáticos y maquinaria industrial.

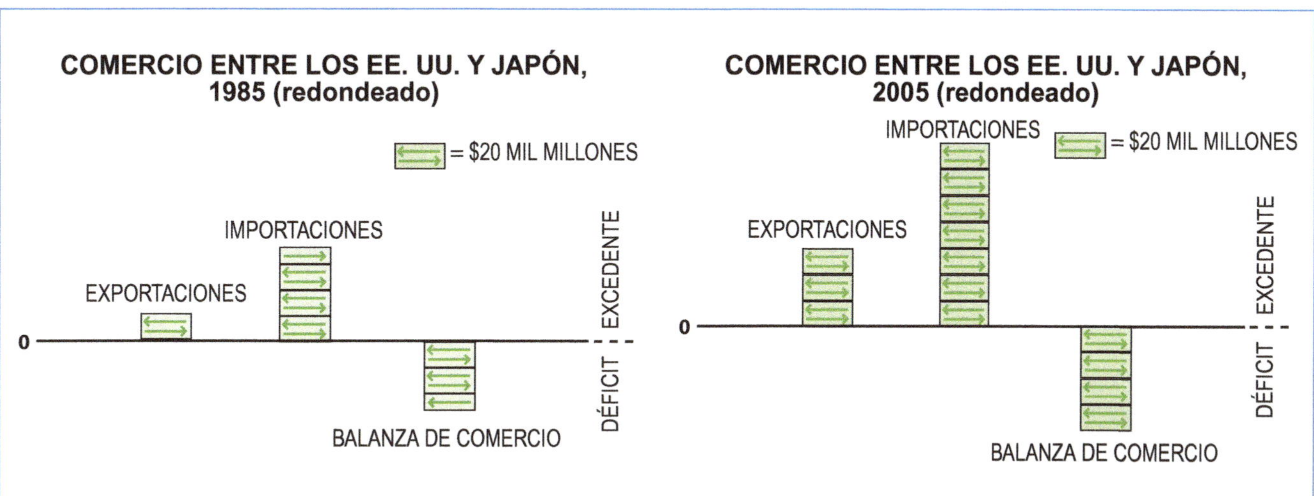

14. A partir de las pictografías, ¿cuál de los siguientes enunciados es correcto?

    A. Los Estados Unidos importaron productos de Japón por un valor aproximado de $40 mil millones en 1985.
    B. Los Estados Unidos prácticamente alcanzaron un equilibrio comercial con Japón en 1985.
    C. El valor de las exportaciones de los Estados Unidos a Japón se duplicó más del doble entre 1985 y 2005.
    D. El valor de las importaciones de Japón a los Estados Unidos cambió muy poco en el período entre 1985 y 2005.

15. ¿Cuál de las siguientes opciones describe el comercio entre los Estados Unidos y Japón en 2005?

    A. Las exportaciones alcanzaron alrededor de $80 mil millones en total.
    B Las importaciones alcanzaron alrededor de $200 mil millones en total.
    C. El excedente comercial fue alrededor de $30 mil millones.
    D. El déficit comercial fue aproximadamente $80 mil millones.

16. ¿Cómo cambió el comercio entre los Estados Unidos y Japón entre 1985 y 2005?

    A. El déficit comercial de los Estados Unidos creció en aproximadamente $30 mil millones.
    B. El valor de las exportaciones aumentó más que el valor de las importaciones.
    C. La balanza de comercio de los Estados Unidos pasó de un pequeño excedente a un gran déficit.
    D. El valor de las importaciones aumentó alrededor de $20 mil millones.

17. ¿De cuál de las siguientes maneras podría el gobierno de los Estados Unidos haber cambiado su balanza de comercio de 2005 con Japón?

    A. mediante la disminución de los aranceles a las importaciones
    B. mediante la imposición de aranceles estrictos a las exportaciones a Japón
    C. mediante la eliminación de todas las restricciones comerciales entre ambas naciones
    D. mediante el ofrecimiento de beneficios fiscales a las empresas estadounidenses que fabrican productos de tecnología

UNIDAD 4

Interpretar gráficas de barras múltiples y gráficas lineales

Usar con el ***Libro del estudiante,*** págs. 134–135.

TEMAS DE ESTUDIOS SOCIALES: II.E.c.7, II.E.c.11, II.E.d.4, II.E.d.9, II.E.e.1, II.E.e.2
PRÁCTICAS DE ESTUDIOS SOCIALES: SSP.6.a, SSP.6.b, SSP.6.c, SSP.10.a, SSP.10.c

1 *Repasa la destreza*

Las **gráficas de barras múltiples y gráficas lineales** permiten comparar múltiples conjuntos de datos relacionados a lo largo de un período en particular. Al interpretar las barras y las líneas de estas gráficas, puedes comparar los valores de dos tipos de datos en el mismo momento y también examinar los patrones y las tendencias que sigue cada conjunto de datos con el paso del tiempo.

Al interpretar **gráficas de barras múltiples** y **gráficas lineales**, primero debes familiarizarte con el tema de la gráfica y, además, con los rótulos de los ejes. Luego comienza a estudiar la gráfica: busca los patrones que surgen de ella. Las barras de la gráfica, ¿son progresivamente más altas? ¿Se desvían las líneas abruptamente hacia arriba o hacia abajo a medida que se extienden por la gráfica?

2 *Perfecciona la destreza*

Al perfeccionar la destreza de interpretar gráficas de barras múltiples y gráficas lineales, mejorarás tus capacidades de estudio y evaluación, especialmente en relación con la prueba de Estudios Sociales de GED®. Estudia la información que aparece a continuación. Luego responde las preguntas.

a Esta gráfica no tiene una clave que aparezca por separado. Cada línea está rotulada, para que sepas qué representa.

b En las preguntas donde se te pide que interpretes gráficas de barras múltiples o gráficas lineales, es probable que te pidan que hagas inferencias o saques conclusiones a partir de la relación entre dos o más conjuntos de datos.

NACIMIENTOS Y MUERTES DE EMPRESAS, 1993–2010

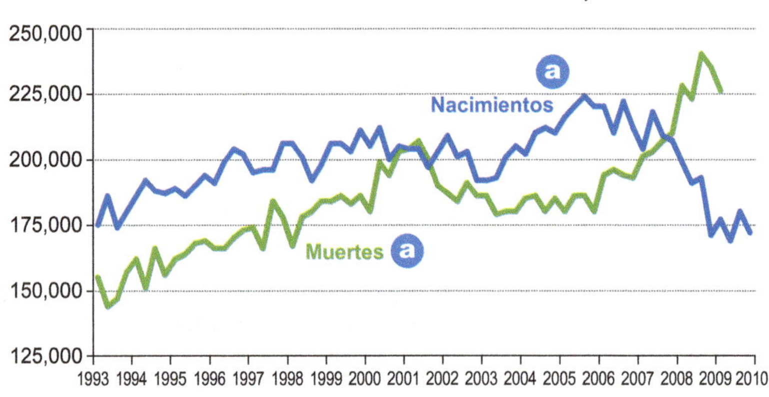

Un empresario es una persona que asume los riesgos de crear una empresa o negocio. Lo más habitual es que pensemos que un empresario es el dueño de una empresa. Cuando se crea una nueva empresa, se habla de su "nacimiento". Cuando se cierra, se habla de su "muerte".

HACER SUPOSICIONES

En general, puedes suponer que un autor incluye información en una gráfica de barras múltiples o en una gráfica lineal para mostrar una relación entre los conjuntos de datos, ya sea de comparación y contraste, o de causa y efecto.

1. ¿Cuál de las siguientes opciones es la mejor descripción de los nacimientos y las muertes de empresas en la década de 1990?

   A. El número de nacimientos superó el número de muertes.
   B. El número de nacimientos fue el doble que el número de muertes.
   C. Los números de nacimientos y muertes no variaron.
   D. Los números de nacimientos y muertes fueron aproximadamente los mismos.

2. ¿Durante cuál de los siguientes períodos es probable que la economía haya estado más débil, a partir de la información de la gráfica?

   A. 2002–2004
   B. 2004–2006
   C. 2006–2008
   D. 2008–2010

3 Domina la destreza

INSTRUCCIONES: Estudia la información y la gráfica de doble barra, lee cada pregunta y elige la **mejor** respuesta.

Un aspecto importante de la política fiscal de los Estados Unidos es la preparación y aprobación de un presupuesto anual del gobierno federal. Un presupuesto es un plan complejo que contempla la recaudación y el gasto del dinero necesario para llevar a cabo acciones de gobierno. Hay excedente presupuestario cuando la cantidad de dinero que se recibe, es decir, los ingresos, superan la cantidad de dinero que se gasta, es decir, los gastos. Cuando los gastos superan los ingresos, el resultado es un déficit presupuestario.

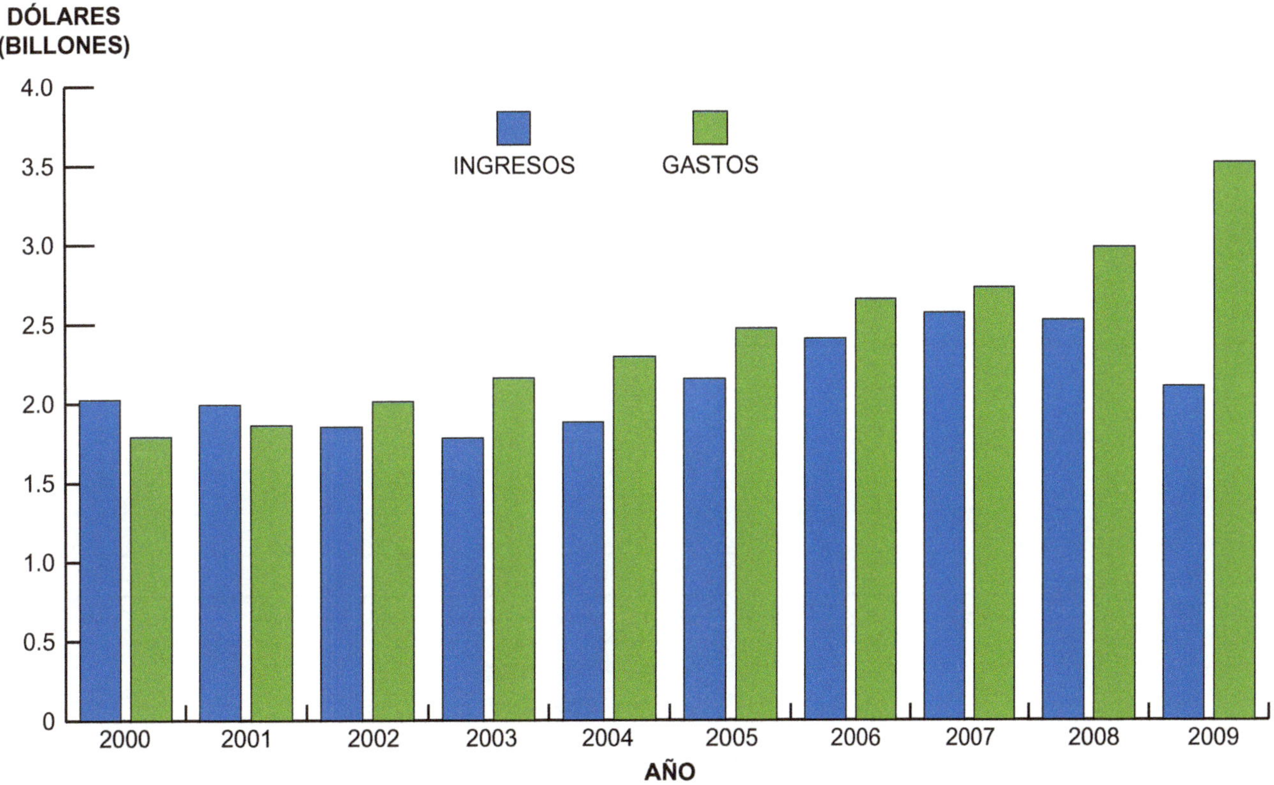

Fuente: Oficina de Gestión y Presupuesto, whitehouse.gov

3. ¿Aproximadamente cuánto dinero recibió el gobierno de los Estados Unidos en 2008?

   A. $1.75 billones
   B. $2.00 billones
   C. $2.25 billones
   D. $2.50 billones

4. ¿Cuál de las siguientes opciones es la que más probabilidad tiene de haber causado la tendencia en el gasto del gobierno que muestra la gráfica?

   A. la eliminación de programas de ayuda y asistencia del gobierno
   B. el aumento de impuestos a quienes ganan más de $250,000
   C. la creación de nuevos programas del gobierno
   D. la disminución de la población en las categorías impositivas más bajas

5. ¿En cuál de los siguientes años se produjo el mayor déficit en el presupuesto federal?

   A. 2009
   B. 2008
   C. 2000
   D. 2001

6. A partir de la gráfica de doble barra, ¿cuál de los siguientes enunciados puedes determinar que es correcto?

   A. El gobierno de los Estados Unidos alcanzó un excedente en tres años diferentes en el período comprendido en la gráfica.
   B. Los menores déficits que se muestran en la gráfica se produjeron en 2003 y 2004.
   C. Los egresos del gobierno superaron los $2.5 billones por primera vez en 2006.
   D. Los gastos del gobierno disminuyeron de un año a otro en todos los años comprendidos en la gráfica.

UNIDAD 4

3 Domina la destreza

INSTRUCCIONES: Estudia la información y la gráfica de doble línea, lee cada pregunta y elige la **mejor** respuesta.

Así como la Reserva Federal impone la tasa de descuento a la que presta dinero a los bancos comerciales, estos bancos establecen tasas de interés para los préstamos que les brindan a sus clientes. La tasa preferencial es la tasa de interés más baja que cobran los bancos comerciales. Lo habitual es que los bancos ofrezcan la tasa preferencial únicamente a los clientes que tienen el historial crediticio más sólido. La tasa preferencial, además, suele estar disponible solo para tipos específicos de préstamos. Las tasas de interés de otros tipos de préstamos usualmente se expresan como un porcentaje determinado por período de tiempo. La gráfica muestra la tasa preferencial de los bancos durante dos períodos de 10 años.

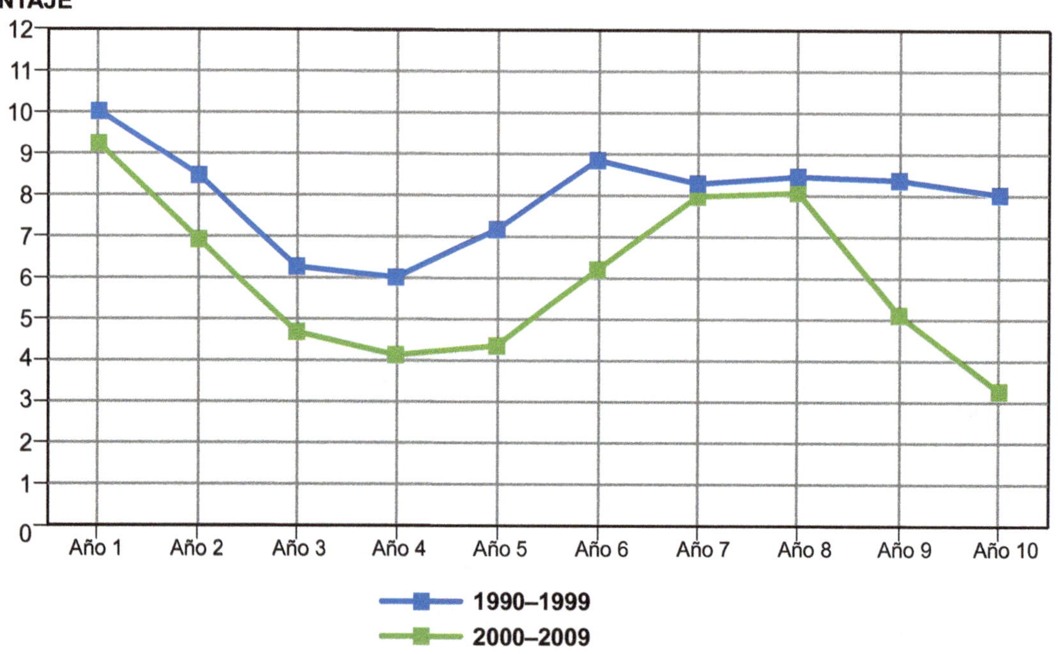

7. ¿Al comienzo de cuál de los siguientes años alcanzó la tasa preferencial su nivel más bajo entre 1990 y 1999?

   A. del año 3 (1992)
   B. del año 4 (1993)
   C. del año 5 (1994)
   D. del año 6 (1995)

8. ¿Cuál de los siguientes enunciados puedes determinar que es correcto a partir de la gráfica de doble línea?

   A. La tasa preferencial disminuyó drásticamente entre 2000 y 2003.
   B. La tasa preferencial de 2007 fue más baja que la tasa preferencial de 1994.
   C. La tasa preferencial aumentó durante tres años consecutivos entre 1996 y 1998.
   D. La tasa preferencial más alta registrada entre 2000 y 2009 fue la tasa de 2006.

9. ¿A fines de cuál de los siguientes años hubiera recibido la mejor tasa preferencial un prestatario recomendado?

   A. 1990
   B. 1996
   C. 2000
   D. 2003

10. ¿Cuál de las siguientes generalizaciones puedes hacer a partir de la gráfica de líneas múltiples?

   A. La tasa preferencial tuvo tendencia a la baja a lo largo de cada década.
   B. La tasa preferencial generalmente varió en alrededor de un punto porcentual por año.
   C. Los cambios en la tasa preferencial generalmente siguieron una curva en forma de campana a lo largo de cada década.
   D. En general, la tasa preferencial fue más alta durante la década de 1990 que durante la década de 2000.

INSTRUCCIONES: Estudia la información y la gráfica de barras múltiples, lee cada pregunta y elige la **mejor** respuesta.

Una de las principales maneras de evaluar si las políticas monetarias de un gobierno benefician a la economía de la nación es examinar el producto interno bruto, o PIB. Como ya has aprendido, el PIB es el valor total de todos los bienes y servicios producidos por un país durante un período determinado. Muchas naciones consideran que este valor es el mejor indicador de la actividad económica de un país. Esta gráfica de barras múltiples muestra cómo variaron los diferentes componentes del PIB de los Estados Unidos entre 2010 y 2012.

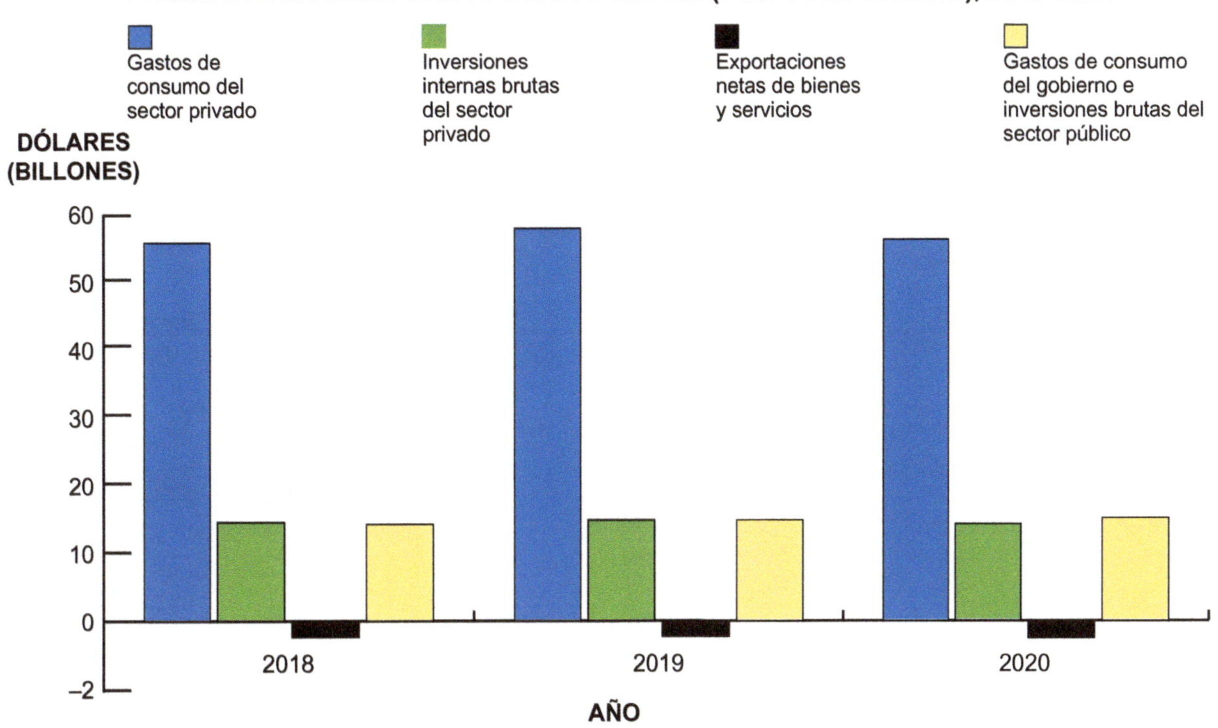

11. ¿Cuál de los siguientes fue el valor aproximado de las inversiones internas brutas del sector privado en 2019?

   A. $12.5 billones
   B. $15 billones
   C. $17.5 billones
   D. $20 billones

12. ¿Cuál de las siguientes es la causa **más probable** de los valores negativos que se observan en la gráfica?

   A. los grandes aumentos del gasto del gobierno destinado a programas comunitarios
   B. el crecimiento del sector de industrias de alta tecnología en los Estados Unidos
   C. la balanza de comercio negativa entre los Estados Unidos y otras naciones
   D. el aumento estacional de los gastos de consumo del sector privado

13. A partir de la información de la gráfica, ¿cuál de los siguientes enunciados es **falso**?

   A. El valor de los gastos de consumo del sector privado disminuyó en todos los años mostrados en la gráfica.
   B. En 2020, el valor de las inversiones internas brutas del sector privado fue menor que el de los gastos de consumo del gobierno y las inversiones brutas del sector público.
   C. Las exportaciones netas de bienes y servicios tuvieron un efecto menos negativo en el PIB en 2019, comparado con 2020.
   D. El valor de los gastos de consumo del gobierno y las inversiones brutas del sector público casi no variaron en 2019.

UNIDAD 4

Economía en acción

FINANZAS

INSTRUCCIONES: Estudia la información, lee cada pregunta y elige la **mejor** respuesta.

Acabas de ser contratado por el Departamento de Recursos Humanos de una pequeña empresa nueva y tu primera tarea es ayudar a determinar los beneficios para los empleados de la compañía. El material que aparece a continuación proviene de la investigación que llevaste a cabo como parte de este proyecto.

SELECCIONAR EL PAQUETE DE BENEFICIOS ACERTADO

Uno de los elementos más importantes para atraer —y retener— a los empleados de mejor desempeño es brindarles un buen paquete de beneficios. Carecer de este eficaz "endulzante del trato" podría significar perder candidatos que a usted le gustaría incorporar a la compañía. Ofrecer los beneficios que la mayor parte de la gente considera de mayor importancia puede marcar la diferencia entre sumar a alguien que usted quiere o perderlo a manos de la competencia.

Entonces, ¿cuáles son los beneficios "acertados"? Uno es el seguro médico. Aunque esto pueda parecer un gran gasto, puede representar un ahorro para la compañía en el área salarial. Algunos candidatos para el trabajo, en particular los que tienen familia, aceptarán un salario más bajo si se les ofrece un plan de salud completo debido al dinero que ahorrarán en facturas médicas.

Otro beneficio clave es el seguro por discapacidad. La seguridad de saber que tendrán un colchón económico en casos de accidentes laborales puede hacer que alguien que esté considerando otro empleo decida aceptar el puesto que se le está ofreciendo.

Si volvemos a una potencial preocupación por los costos, recuerde las ventajas de gastar dinero en beneficios bien considerados. Los empleados contentos tienden a tomarse menos días libres y, en general, faltan menos al trabajo. Generalmente quieren hacer su trabajo de la mejor manera y se muestran menos dispuestos a renunciar. Este último factor significa menos gastos relacionados con la contratación y la capacitación de personal nuevo.

1. ¿Cuál podría ser un efecto de **no** ofrecer a los candidatos al puesto un paquete completo de beneficios?

   A. Los beneficios a los empleados le costarán más dinero a la compañía.
   B. Alguien que la compañía quiera contratar podría rechazar el empleo.
   C. Los empleados ahorrarán dinero en gastos médicos.
   D. Es más probable que la compañía atraiga empleados bien calificados.

2. Según el pasaje, ¿qué es posible que ocurra si la compañía **no** ofrece un beneficio que el candidato al puesto considera muy importante?

   A. El candidato al puesto exigirá un puesto diferente en la compañía.
   B. El candidato al puesto denunciará a la compañía ante una agencia gubernamental.
   C. El candidato al puesto podría aceptar un trabajo en la competencia.
   D. El candidato al puesto podría pedir un salario más alto.

3. ¿Cuál podría ser la causa por la que alguien aceptaría un salario más bajo?

   A. la ventaja de ahorrar dinero en gastos médicos
   B. el deseo de hacer el trabajo lo mejor posible
   C. la oportunidad de trabajar para una compañía rival
   D. la posibilidad de tomarse menos días libres

4. ¿Cuál es una consecuencia de tener empleados satisfechos con la compañía en la que trabajan?

   A. La compañía tendrá que ofrecer beneficios adicionales.
   B. Es más probable que se tomen días libres.
   C. La compañía tendrá que dedicar más tiempo a la contratación de nuevo personal.
   D. Es menos probable que hallen motivos para quedarse en casa y no ir a trabajar.

5. ¿Cuál es un efecto de un paquete de beneficios que dé como resultado la satisfacción del personal?

   A. personas que se tomen más días por enfermedad
   B. empleados que busquen trabajo en la competencia.
   C. más tiempo para lidiar con accidentes laborales
   D. menores costos de capacitación de personal nuevo.

INSTRUCCIONES: Estudia la información, lee cada pregunta y elige la **mejor** respuesta.

Eres un consultor de recursos humanos contratado para analizar la retención de empleados. La contratación y capacitación de nuevo personal requiere tiempo, dinero y recursos considerables. Además, perder empleados con frecuencia significa que la empresa pierde conocimiento. Una alta rotación contribuye a bajar la moral. Las compañías con buena retención de personal tienden a una mejor productividad y compromiso por parte de los empleados. Por estas razones, las compañías se esfuerzan por poseer altos niveles de retención de empleados. Antes de poder recomendar estrategias para mejorar la retención de empleados, es necesario comprender qué motiva a los empleados a permanecer en la compañía. Con ese fin, se les realizó una encuesta. La tabla de abajo es el resultado de una encuesta sobre las razones que hacen que la gente se quede en su trabajo.

PRINCIPALES RAZONES PARA QUEDARSE EN UNA COMPAÑÍA (no incluye salario)

Equipo que superviso	61%
Tomar mis propias decisiones	49%
Buen equilibrio trabajo/vida	44%
Reconocido por las contribuciones	37%
Aprender nuevas destrezas	36%
Mi gerente	29%
Liderazgo de la compañía	22%
Crecimiento de la compañía	16%
Otros	6%

6. ¿Qué porcentaje de empleados se queda en su puesto actual porque les gusta su gerente superior inmediato?

   A. 29%
   B. 36%
   C. 44%
   D. 61%

7. ¿Cuál es la tercera razón más importante por la que las personas se quedan en su puesto actual?

   A. Tienen el poder de tomar decisiones.
   B. Les gusta cómo encaja su vida profesional en la vida personal.
   C. Se sienten reconocidos por sus esfuerzos.
   D. Admiran a las personas que dirigen la compañía.

8. ¿Cuál es la segunda razón menos importante para que las personas mantengan su trabajo actual?

   A. Tienen la oportunidad de aprender nuevas destrezas.
   B. Se sienten reconocidos por sus esfuerzos.
   C. Están satisfechos con el ritmo al que la compañía se expande.
   D. Tienen motivos que no están representados en la gráfica.

9. ¿Cuántas personas se quedan en su trabajo actual porque tienen la oportunidad de aprender nuevas destrezas?

   A. aproximadamente la mitad
   B. aproximadamente una décima parte
   C. aproximadamente una quinta parte
   D. aproximadamente un tercio

10. ¿Qué razón para permanecer en un trabajo duplica el porcentaje de "liderazgo de la compañía"?

    A. equipo que superviso
    B. aprender nuevas destrezas
    C. tomar mis propias decisiones
    D. buen equilibrio trabajo/vida

11. ¿Cuál de las siguientes podría incluirse entre las razones menos importantes que tienen las personas para quedarse en su trabajo actual?

    A. Me gusta el personal que superviso.
    B. Soy reconocido por mis contribuciones.
    C. Tengo un viaje sencillo hasta el trabajo.
    D. Estoy contento con mi salario.

Glosario

Altitud: altura de un lugar

Analizar: estudiar algo con atención y detenimiento

Argumento: razón o razones a favor o en contra de algo

Argumento débil: argumento cuyo respaldo no es lo suficientemente fiable, creíble ni convincente para producir el efecto deseado; argumento ineficaz

Argumento eficaz: argumento cuyo respaldo es lo suficientemente fiable, creíble y convincente para producir el efecto esperado; argumento fuerte

Argumento fuerte: argumento cuyo respaldo es lo suficientemente fiable, creíble y convincente para producir el efecto esperado; argumento eficaz

Características creadas por el hombre: carreteras, edificios y ciudades que suelen hallarse en los mapas

Caricatura: representación exagerada de una cosa o de las características físicas de una persona; las exageraciones se usan para presentar un punto de vista

Caricatura política: dibujo cuyo propósito es hacer una declaración política o social

Caricaturista político: artista que dibuja caricaturas a modo de editorial con cierto grado de crítica política o social. Las caricaturas suelen basarse en las noticias del día y en temas de actualidad, o en un tema nacional o internacional.

Categorizar: colocar información en un grupo de temas semejantes o relacionados

Causa: acción o acontecimiento que hace que ocurra otro suceso

Clave del mapa: información que explica los símbolos que se usan en los mapas; también llamada leyenda del mapa

Clima: condiciones promedio del tiempo de un lugar durante muchos años

Columnas: ver *Tabla*

Comparar: determinar las semejanzas y las diferencias

Componentes de los mapas: las diversas partes que forman el mapa, como la clave, la escala, etc.

Conclusión (comprensión de la lectura): juicio razonado a partir de la información disponible

Conclusión (texto argumentativo): enunciado que identifica aquello de lo cual el autor está intentando convencer a los lectores; argumento respaldado por una lógica

Constitución de los Estados Unidos: documento que describe la estructura básica del gobierno federal (nacional) de los Estados Unidos

Contexto histórico: contexto social, político y cultural que moldeó los sucesos del pasado

Contrastar: determinar las diferencias

Densidad de población: cantidad de personas por unidad de área geográfica. En los mapas, la densidad de población suele mostrarse con sombras o puntos que ilustran las áreas donde viven personas

Detalle de apoyo: información o hecho adicional sobre una idea principal. Pueden ser hechos, estadísticas, explicaciones, elementos gráficos y descripciones.

Diagrama: dibujo que muestra las diferentes partes de algo y cómo funcionan en conjunto. Los diagramas difieren de otros tipos de organizadores gráficos, como las tablas o las gráficas, porque pueden mostrar las relaciones que existen entre las diferentes partes de la información.

Economía: el estudio de las maneras en que se intercambian bienes y servicios

Ecuador: línea imaginaria que divide a la Tierra en dos mitades

Editorializar: expresar una opinión sobre un tema de interés o controvertido

Efecto: algo que sucede como consecuencia de una causa

Elemento visual: una gráfica que proporciona información por medio del sentido de la vista. Los elementos visuales incluyen tablas, diagramas, diagramas de flujo, gráficas, ilustraciones, imágenes, mapas y fotografías

Escalas: una serie de marcas que representan las millas y los kilómetros que se usan para medir distancias reales en los mapas

Evaluar: examinar para determinar la calidad

Evidencia: hechos, opiniones, ejemplos u otros detalles que demuestran o desmienten algo. La evidencia **válida** es exacta, fiable, completa y relevante. La evidencia **inválida** es inexacta, poco fiable, incompleta o irrelevante. La evidencia **relevante** se vincula estrechamente con lo que sostiene el argumento. La evidencia **irrelevante** no se vincula estrechamente con lo que sostiene el argumento y puede distraer del asunto. La evidencia **suficiente** basta para respaldar un argumento o una afirmación. La evidencia **insuficiente** no basta para respaldar un argumento o una afirmación.

Evidencia defectuosa: evidencia que no respalda lógicamente una afirmación o que distorsiona la información

Filas: ver *Tabla*

Fronteras: líneas en los mapas que muestran la separación entre condados, estados, territorios y países

Fuente: texto, infografía u otro formato que proporciona información

Fuente primaria: versión original de los sucesos escrita por alguien que realmente los vivió en el momento, como un testigo presencial. Estas fuentes pueden ser discursos, documentos, entradas de un diario y cartas.

Fuente secundaria: una interpretación de las fuentes primarias. Las enciclopedias y los libros de historia son fuentes secundarias.

Generalización: principio, enunciado o idea que tiene una aplicación general

Generalización apresurada: un tipo de falacia, o error en el razonamiento, que hace que un argumento resulte incompleto o inválido

Generalizar: hacer una afirmación amplia que puede aplicarse a grupos enteros de personas, lugares, sucesos, etc. Estas afirmaciones suelen contener palabras o frases como *generalmente, todo, todos, muchos, pocos, a menudo* o *en conjunto*.

Geografía: el estudio de la Tierra

Globo terráqueo: modelo de la Tierra

Gráficas de barras múltiples y gráficas lineales múltiples: elementos visuales que se pueden usar para comparar valores y mostrar cambios a lo largo del tiempo. Como tienen más de una barra o línea, también permiten comparar datos variados, aunque relacionados, a través del tiempo.

Hecho: algo que puede demostrarse que es verdadero

Idea principal: punto más importante de un pasaje o párrafo

Inferencia: suposición lógica basada en hechos o evidencia

Línea cronológica: representación visual de una secuencia de sucesos

Líneas de latitud: líneas que van de este a oeste y se usan para hallar ubicaciones exactas, o absolutas, de lugares

Líneas de longitud: líneas que van de norte a sur y se usan para hallar ubicaciones exactas, o absolutas, de lugares

Mapa: representación visual de un lugar que suele mostrarse sobre una superficie plana

Mapa con fines específicos: un mapa político que muestra características adicionales, como distritos electorales, productos, recursos y población

Mapa físico: mapa que muestra los accidentes geográficos y las masas de agua de un área, como montañas, llanuras, ríos, golfos y océanos

Mapa político: mapa que muestra las fronteras políticas y culturales de los países además de características físicas, como montañas, ríos, etc.

Movimiento en los mapas: se muestra por medio de símbolos, como flechas o líneas. Estas flechas o líneas pueden señalar el movimiento, la dirección o la ruta de personas, bienes o ideas.

Opinión: punto de vista o creencia que no puede catalogarse como verdadera o falsa

Oración principal: oración que capta el *significado* de todo un párrafo o grupo de oraciones

Parcialidad: prejuicio a favor o en contra de una cosa, de una persona o de un grupo en comparación con otro, generalmente de una manera que se considera injusta

Pictografía: elemento visual en el que se usan símbolos para mostrar datos en forma de tabla

Problema: pregunta que hay que analizar, resolver o responder

Punto de vista: perspectiva desde la que un autor escribe sobre un tema

Razonamiento defectuoso: conclusión que no está respaldada por hechos

Resumir: volver a exponer brevemente con las propias palabras los puntos principales de un pasaje o de un elemento visual

Secuencia: el orden de los sucesos; suele ser cronológico (del primero al último)

Símbolos: representaciones, como puntos para las ciudades, estrellas para las capitales o íconos para sucesos especiales, como batallas

Simplificación excesiva: hacer que algo sea demasiado simple, lo que causa malentendidos o errores

Solución: respuesta a una pregunta o problema

Tabla: elemento visual que se usa para organizar información en filas y columnas. Las filas recorren la tabla de izquierda a derecha. Las columnas, de arriba a abajo.

Tablas, gráficas y diagramas de flujo: organizadores gráficos que presentan información de manera visual. Las tablas y las gráficas pueden presentar una gran cantidad de información numérica en un espacio relativamente pequeño. Un diagrama de flujo es una gráfica que describe una secuencia. Comunica los pasos de un proceso de manera rápida mediante un texto explicativo conciso.

Respuestas

UNIDAD 1 LA GEOGRAFÍA Y EL MUNDO

LECCIÓN 1, *págs. 2–5*

1. **D**; **Nivel de conocimiento:** 2; **Temas:** II.G.b.4, II.G.c.1, II.G.c.2; **Prácticas:** SSP.2.b, SSP.4.a, SSP.6.b. Australia y la Antártida se encuentran totalmente en el hemisferio sur.

2. **B**; **Nivel de conocimiento:** 1; **Temas:** II.G.c.1, II.G.c.3; **Prácticas:** SSP.2.b, SSP.4.a, SSP.6.c. El ecuador atraviesa África, Asia y América del Sur.

3. **América del Sur**; **Nivel de conocimiento:** 1; **Temas:** II.G.c.1, II.G.c.3; **Prácticas:** SSP.2.b, SSP.4.a, SSP.6.c. América del Sur es el continente en el mapa que tiene la mayor masa de tierra ubicada en el hemisferio sur.

4. **Egipto**; **Nivel de conocimiento:** 2; **Temas:** II.G.c.1, II.G.c.3; **Prácticas:** SSP.2.b, SSP.4.a, SSP.6.c. Egipto se encuentra en África y está al norte del ecuador.

5. **América del Sur**; **Nivel de conocimiento:** 2; **Temas:** II.G.c.1, II.G.c.3; **Prácticas:** SSP.2.b, SSP.4.a, SSP.6.c. Argentina se encuentra en América del Sur y está en el hemisferio sur.

6. **Las provincias de Limpopo y Mpumalanga**; **Nivel de conocimiento:** 1; **Temas:** II.G.c.1, II.G.c.3; **Prácticas:** SSP.2.b, SSP.4.a, SSP.6.c. El Parque Nacional Kruger se encuentra en el extremo noreste de Sudáfrica, en las provincias de Limpopo y Mpumalanga.

7. **Las provincias de Kwazulu-Natal, el Cabo Oriental y el Cabo Occidental**; **Nivel de conocimiento:** 1; **Temas:** II.G.c.1, II.G.c.3; **Prácticas:** SSP.2.b, SSP.4.a, SSP.6.c. El resto de las provincias de Sudáfrica no limitan con el océano Índico.

8. **Las provincias del Noroeste, Gauteng, Mpumalanga, Kwazulu-Natal, el Cabo Oriental y el Cabo Septentrional; Nivel de conocimiento:** 2; **Temas:** II.G.c.1, II.G.c.3; **Prácticas:** SSP.2.b, SSP.4.a, SSP.6.c. Las demás provincias de Sudáfrica no limitan con el Estado Libre.

9. **El golfo de México y el océano Pacífico son accidentes geográficos naturales que se encuentran respectivamente al sur y al oeste de los Estados Unidos**; **Nivel de conocimiento:** 1; **Temas:** II.G.c.1, II.G.c.3, II.G.d.3; **Prácticas:** SSP.2.b, SSP.4.a, SSP.6.c.

10. **Los montes Apalaches; Nivel de conocimiento:** 2; **Temas:** II.G.c.1, II.G.c.3, II.G.d.3; **Prácticas:** SSP.2.b, SSP.4.a, SSP.6.c.

11. **Los Grandes Lagos y los ríos Ohio, Misisipi y Misuri fomentaron el asentamiento de los primeros colonos en el Medio Oeste**; **Nivel de conocimiento:** 2; **Temas:** II.G.b.4, II.G.c.1, II.G.c.3, II.G.d.3; **Prácticas:** SSP.2.b, SSP.4.a, SSP.6.c.

12. **Las montañas Rocosas**; **Nivel de conocimiento:** 3; **Temas:** II.G.b.4, II.G.c.1, II.G.c.3, II.G.d.3; **Prácticas:** SSP.2.b, SSP.4.a, SSP.6.c.

13. **Los Grandes Lagos**; **Nivel de conocimiento:** 2; **Temas:** II.G.b.4, II.G.c.1, II.G.c.3, II.G.d.3; **Prácticas:** SSP.2.b, SSP.4.a, SSP.6.c.

14. **Sri Lanka**; **Nivel de conocimiento:** 2; **Tema:** II.G.c.1; **Prácticas:** SSP.2.b, SSP.6.b.

15. **En el mapa, China, Corea del Norte, Corea del Sur, Japón, Malasia, Taiwán, Laos, Vietnam, Tailandia, las Filipinas e Indonesia pueden considerarse parte del Lejano Oriente**; **Nivel de conocimiento:** 2; **Tema:** II.G.c.1; **Prácticas:** SSP.2.b, SSP.6.b.

16. **Los países rodeados de tierra del mapa son Armenia, Uzbekistán, Kirguistán, Tayikistán, Afganistán, Nepal, Bután, Laos y Mongolia; si bien Azerbaiyán, Kazajistán y Turkmenistán limitan con el Mar Caspio, también pueden considerarse como rodeados de tierra pues no limitan con un océano. Nivel de conocimiento:** 2; **Tema:** II.G.c.1; **Prácticas:** SSP.2.b, SSP.6.b.

17. **China**; **Nivel de conocimiento:** 2; **Tema:** II.G.c.1; **Prácticas:** SSP.2.b, SSP.6.b.

18. **Mongolia**; **Nivel de conocimiento:** 3; **Tema:** II.G.c.1; **Prácticas:** SSP.2.b, SSP.6.b.

19. **Los países que limitan con Tailandia son Myanmar (Birmania), Laos, Camboya, Vietnam y Malasia**; **Nivel de conocimiento:** 3; **Tema:** II.G.c.1; **Prácticas:** SSP.2.b, SSP.6.b.

LECCIÓN 2, *págs. 6–9*

1. **B; Nivel de conocimiento:** 2; **Temas:** II.G.c.1, II.G.c.3, II.G.d.3, I.USH.b.1; **Prácticas:** SSP.2.b, SSP.4.a, SSP.6.b, SSP.6.c. Está ubicada entre la región de las Trece Colonias y el río Misisipi.

2. **A; Nivel de conocimiento:** 2; **Temas:** II.G.c.1, II.G.c.3, II.G.d.3, II.G.d.4, I.USH.b.1; **Prácticas:** SSP.2.b, SSP.4.a, SSP.6.b, SSP.6.c. La clave del mapa indica que los puntos negros señalan los grandes asentamientos. Hay grandes asentamientos en las Colonias del Norte y del Sur. No hay ningún punto negro que señale un gran asentamiento en Carolina del Norte. No hay grandes asentamientos en tierras en disputa y sí hay grandes asentamientos en las Colonias del Sur.

3. **D; Nivel de conocimiento:** 3; **Temas:** II.G.c.1, II.G.c.3; **Prácticas:** SSP.2.b, SSP.6.b, SSP.6.c. La distancia entre Houston y Atlanta es aproximadamente 625 millas.

4. **B; Nivel de conocimiento:** 2; **Temas:** II.G.b.4, II.G.c.1, II.G.c.2, II.G.c.3; **Prácticas:** SSP.2.b, SSP.6.b. De los estados que se enumeran en las opciones de respuesta, solo Colorado tiene altitudes superiores a los 6,561 pies. Ni Minnesota, ni Maine, ni Arkansas tienen altitudes semejantes.

5. **C; Nivel de conocimiento:** 3; **Temas:** II.G.c.1, II.G.c.3; **Prácticas:** SSP.2.b, SSP.6.b. De los lugares que se enumeran en las opciones de respuesta, solo Atlanta está cerca de esas coordenadas.

6. **A; Nivel de conocimiento:** 3; **Temas:** II.G.c.1, II.G.c.3; **Prácticas:** SSP.2.b, SSP.6.b. La ubicación relativa no incluye latitud ni longitud. Por lo tanto, la respuesta correcta no puede ser C ni D. La ubicación relativa de Detroit es al norte de Columbus. Está al este de Denver (no al oeste).

7. **B; Nivel de conocimiento:** 2; **Temas:** II.G.c.1, II.G.c.3; **Prácticas:** SSP.2.b, SSP.6.b, SSP.6.c. De los lugares que se enumeran en las opciones de respuesta, las áreas del sureste de los Estados Unidos tienen las altitudes más bajas; las otras opciones de respuesta enumeran las áreas del país en las que se encuentran las altitudes más altas.

8. **C; Nivel de conocimiento:** 2; **Temas:** II.G.c.1, II.G.c.3; **Prácticas:** SSP.2.b, SSP.6.b. La distancia entre Columbus, Ohio, y Denver, Colorado, es de alrededor de 1,200 millas; por lo tanto, la opción "aproximadamente 1,200 millas" sería la correcta.

9. **B; Nivel de conocimiento:** 2; **Temas:** II.G.c.1, II.G.c.3; **Prácticas:** SSP.2.b, SSP.6.b. La estrella indica que Olympia es la capital de Washington. Con la escala, puedes determinar que el Parque Nacional Mt. Rainier es el parque que se encuentra más cerca de la capital. El Monumento Volcánico Nacional Mt. St. Helens, el Bosque Nacional Umatilla y el Parque Nacional North Cascades se encuentran mucho más alejados de Olympia que el Parque Nacional Mt. Rainier.

10. **C; Nivel de conocimiento:** 2; **Temas:** II.G.c.1, II.G.c.3; **Prácticas:** SSP.2.b, SSP.6.b. La autopista I-5 conecta las ciudades principales de Olympia, Tacoma, Seattle y Bellingham. La autopista I-90 conecta Seattle con Spokane. La autopista I-90 va principalmente de este a oeste, no de norte a sur. La autopista I-82 se une con la autopista I-90, no con la autopista I-5.

11. **D; Nivel de conocimiento:** 2; **Temas:** II.G.c.1, II.G.c.3, II.G.d.3, II.G.d.4; **Prácticas:** SSP.2.b, SSP.6.b. Tal como lo indican los símbolos del mapa, Washington tiene numerosos parques y monumentos nacionales. Washington se encuentra al oeste de Idaho y limita con el océano Pacífico. Washington no limita con California, sino con Canadá, Idaho, Montana y Oregón.

12. **D; Nivel de conocimiento:** 3; **Temas:** II.G.b.4, II.G.c.1, II.G.c.3, II.G.d.3; **Prácticas:** SSP.2.b, SSP.3.c, SSP.6.b, SSP.6.c, SSP.10.c. El estrecho de Puget es una vía navegable importante porque conecta muchas ciudades principales con el océano Pacífico. No se encuentra cerca de todos los parques nacionales del estado y, si esto fuera cierto, el estrecho de Puget no sería de por sí una vía navegable importante. El río Columbia nace al noreste de Washington, no en el estrecho de Puget. El estrecho de Puget no se extiende hacia Oregón.

13. **B; Nivel de conocimiento:** 2; **Temas:** II.G.c.1, II.G.c.3; **Prácticas:** SSP.2.b, SSP.6.b. A partir de la escala, la distancia entre Bellingham y Olympia es de aproximadamente 150 millas (no 50, 250 ni 300 millas).

14. **D; Nivel de conocimiento:** 1; **Temas:** II.G.c.1, II.G.c.3; **Prácticas:** SSP.2.b, SSP.6.b. El Bosque Nacional Umatilla se encuentra más cerca de Oregón que el Monumento Volcánico Nacional Mt. St. Helens, el Parque Nacional Mt. Rainier y el Parque Nacional North Cascades.

15. **C; Nivel de conocimiento:** 2; **Temas:** II.G.c.1, II.G.c.3; **Prácticas:** SSP.2.b, SSP.6.b. En la clave del mapa, el símbolo de la P en un cuadrado representa los estacionamientos. La mayoría de los estacionamientos se encuentran cerca de la Explanada Nacional. Hay un estacionamiento cerca del Monumento a los Veteranos de Vietnam, ninguno cerca del Capitolio de los Estados Unidos y solo un estacionamiento cerca del Monumento a Jefferson.

16. **B; Nivel de conocimiento:** 2; **Temas:** II.G.c.1, II.G.c.3; **Prácticas:** SSP.2.b, SSP.6.b. En la clave del mapa, el símbolo de la M en un cuadrado representa las estaciones de metro. La estación de metro más cercana a la Casa Blanca es Federal Triangle. Las otras estaciones de metro que figuran en el mapa se encuentran más lejos de la Casa Blanca. Elipse no es una estación de metro porque no hay ningún símbolo con la letra M que la identifique como tal.

17. **A; Nivel de conocimiento:** 3; **Temas:** II.G.c.1, II.G.c.3; **Prácticas:** SSP.2.b, SSP.6.b. La ruta más eficiente sería la que no obligue a retroceder. La primera opción es la única entre las cuatro que cumple con este requisito y no obliga a retroceder.

18. **D; Nivel de conocimiento:** 2; **Temas:** II.G.c.1, II.G.c.3; **Prácticas:** SSP.2.b, SSP.6.b. El Capitolio de los Estados Unidos es el lugar más alejado del Monumento a la Segunda Guerra Mundial, que se encuentra al oeste, cerca del Monumento a los Veteranos de Vietnam y del Monumento a los Veteranos de la Guerra de Corea. La Galería de Arte Freer se encuentra alejada del Monumento a la Segunda Guerra Mundial, pero no tan lejos como el Capitolio de los Estados Unidos. La Casa Blanca y la Elipse se encuentran relativamente cerca del Monumento a la Segunda Guerra Mundial.

LECCIÓN 3, *págs. 10–13*

1. **B; Nivel de conocimiento:** 3; **Temas:** II.G.b.1, II.G.b.4, II.G.c.1, II.G.d.3; **Prácticas:** SSP.2.b, SSP.3.a, SSP.3.c, SSP.6.b. Es más probable que los primeros colonos hayan viajado desde Austin hacia Nuevo México por la meseta Edwards.

2. **A; Nivel de conocimiento:** 2; **Temas:** II.G.b.1, II.G.b.4, II.G.c.1, II.G.d.3; **Prácticas:** SSP.2.b, SSP.3.a, SSP.3.c, SSP.6.b. El río Rojo forma una gran parte de la frontera entre Texas y Oklahoma.

3. **B; Nivel de conocimiento:** 2; **Temas:** II.G.b.4, II.G.c.1, II.G.c.3; **Prácticas:** SSP.2.b, SSP.6.b. El rango de temperatura en Virginia para el mes de julio va de 60 grados a 90 grados. En enero, el rango de temperatura va de los 30 grados a los 45 grados. La única opción de respuesta que se ajusta a estos rangos es la de 30 grados en enero y 80 grados en julio.

4. **D; Nivel de conocimiento:** 2; **Temas:** II.G.b.4, II.G.c.1, II.G.c.3; **Prácticas:** SSP.2.b, SSP.6.b. Maine es el estado que se encuentra más al noreste de los Estados Unidos. En enero, el rango de temperatura va de los 0 grados a los 30 grados. Es, por lejos, el estado más frío de todos los estados de la lista de opciones de respuesta.

5. **C; Nivel de conocimiento:** 2; **Temas:** II.G.b.4, II.G.c.1, II.G.c.3; **Prácticas:** SSP.2.b, SSP.6.b. La vasta diferencia en los rangos de temperatura indica que hay una gran variedad de climas en los Estados Unidos. Este país no tiene temperaturas uniformes; no es un país cálido ni tampoco frío.

6. **A; Nivel de conocimiento:** 3; **Temas:** II.G.b.4, II.G.c.1, II.G.c.3; **Prácticas:** SSP.2.b, SSP.6.b. El clima de la parte sureste de los Estados Unidos se ve afectado por su cercanía con el ecuador. La vegetación es un producto del clima, no una causa. Además, la longitud de la parte sureste de los Estados Unidos no afecta el clima de por sí.

7. **B; Nivel de conocimiento:** 2; **Temas:** II.G.b.4, II.G.c.1, II.G.c.3; **Prácticas:** SSP.2.b, SSP.6.b. El rango de temperaturas de Nuevo México en julio va de los 45 grados a los 90 grados. En enero, el rango de temperatura va de 15 grados a 45 grados. La única opción de respuesta que se ajusta a estos rangos es la de 30 grados en enero y 90 grados en julio.

8. **D; Nivel de conocimiento:** 2; **Temas:** II.G.b.4, II.G.c.1, II.G.c.3; **Prácticas:** SSP.2.b, SSP.6.b. California tiene la temperatura promedio más alta que 90 grados. Los otros estados tienen temperaturas más bajas.

9. **C; Nivel de conocimiento:** 3; **Temas:** II.G.b.4, II.G.c.1, II.G.c.3; **Prácticas:** SSP.2.b, SSP.6.b. Durante el mes de enero, el rango de temperaturas de Tennessee va de 30 grados a 45 grados, el rango en el que es posible que se produzcan nevadas. Las otras opciones de respuesta no contienen áreas sombreadas con este color que indiquen este rango de temperaturas durante el mes de enero.

10. **A; Nivel de conocimiento:** 3; **Temas:** II.G.b.4, II.G.c.1, II.G.c.3; **Prácticas:** SSP.2.b, SSP.6.b, SSP.6.c. Florida tiene la temperatura promedio más alta durante el mes de enero.

11. **D; Nivel de conocimiento:** 2; **Temas:** II.G.b.2, II.G.b.4, II.G.c.1, II.G.c.2, II.G.c.3, II.G.d.3; **Prácticas:** SSP.2.b, SSP.3.b, SSP.3.c, SSP.6.b. La agricultura es problemática en el sur de Asia porque en la región cae la mayor parte de la lluvia del año durante la temporada del monzón, o lluviosa, de junio a octubre. No es cierto que nunca haya suficiente lluvia; es solo que llueve únicamente durante una temporada de lluvia, la del monzón. No llueve constantemente porque llueve principalmente durante los meses de junio a octubre.

12. **C; Nivel de conocimiento:** 3; **Temas:** II.G.b.2, II.G.b.4, II.G.c.1, II.G.c.2, II.G.c.3, II.G.d.3; **Prácticas:** SSP.2.b, SSP.3.b, SSP.3.c, SSP.6.b. La Antártida experimenta regularmente una precipitación anual promedio de 10 a 20 pulgadas.

13. **Karachi es la principal ciudad portuaria de Pakistán; Nivel de conocimiento:** 2; **Temas:** II.G.b.1, II.G.b.2, II.G.b.4, II.G.c.1, II.G.c.2, II.G.d.3, II.G.d.4; **Prácticas:** SSP.3.c, SSP.6.b.

14. **El área más montañosa es el norte de Islamabad; Nivel de conocimiento:** 2; **Temas:** II.G.b.1, II.G.b.2, II.G.b.4, II.G.c.1, II.G.c.2, II.G.d.3, II.G.d.4; **Prácticas:** SSP.2.b, SSP.3.c, SSP.6.b.

15. **el río Indo y el río Dasht; Nivel de conocimiento:**1; **Temas:** II.G.b.1, II.G.b.2, II.G.b.4, II.G.c.1, II.G.c.2, II.G.d.3, II.G.d.4; **Prácticas:** SSP.2.b, SSP.3.c, SSP.6.b.

16. **India; Nivel de conocimiento:** 2; **Temas:** II.G.b.1, II.G.b.2, II.G.b.4, II.G.c.1, II.G.c.2, II.G.d.3, II.G.d.4; **Prácticas:** SSP.2.b, SSP.3.c, SSP.6.b.

LECCIÓN 4, *págs. 14–17*

1. **B; Nivel de conocimiento:** 1; **Tema:** II.G.c.3; **Prácticas:** SSP.6.c. La clave del mapa indica que la estrella representa una capital estatal. La clave del mapa no muestra símbolos para hacer referencia a ciudades grandes ni a capitales de condados.

2. **D; Nivel de conocimiento:** 2; **Tema:** II.G.c.3; **Prácticas:** SSP.6.b. Este mapa se podría usar para identificar los estados que componen la región Noreste de los Estados Unidos. No muestra los accidentes geográficos que podrían determinar el clima ni brinda datos que podrían explicar la densidad de la población.

3. **B; Nivel de conocimiento:** 2; **Temas:** II.G.b.1, II.G.b.4, II.G.c.1, II.G.c.3, II.G.d.3, II.G.d.4; **Prácticas:** SSP.2.b, SSP.3.c, SSP.6.b, SSP.6.c, SSP.10.c. Aunque no hay ninguna ciudad marcada, puedes suponer que las áreas con la mayor población contienen las ciudades principales de Brasil. El área con la mayor población se encuentra a lo largo de la costa este. En las áreas a lo largo de la frontera con Bolivia, en la cuenca del Amazonas y en el centro del país hay una densidad de población menor que en el área de la costa este.

4. **C; Nivel de conocimiento:** 3; **Temas:** II.G.b.1, II.G.b.4, II.G.c.1, II.G.c.3, II.G.d.3, II.G.d.4; **Prácticas:** SSP.2.b, SSP.3.c, SSP.6.b, SSP.6.c, SSP.10.c. Es probable que los centros poblacionales de Brasil estén mayormente afectados por la selva tropical del Amazonas y el océano Atlántico. La mayor parte de las personas no vive en las áreas de selvas tropicales ni en áreas montañosas en el norte. Los colonos europeos llegaron y construyeron ciudades a lo largo de la costa atlántica. No hay información que indique que el delta del Amazonas o la frontera con Perú influyan en los centros poblacionales de Brasil. Es probable que ni el océano Pacífico ni el ecuador tengan influencia alguna en los centros poblacionales de Brasil.

5. **A; Nivel de conocimiento:** 2; **Temas:** II.G.b.1, II.G.b.4, II.G.c.1, II.G.c.3, II.G.d.3, II.G.d.4; **Prácticas:** SSP.2.b, SSP.3.c, SSP.6.b, SSP.6.c, SSP.10.c. El Brasil moderno es como el Brasil histórico porque la población es baja en el área del Amazonas.

6. **D; Nivel de conocimiento:** 2; **Temas:** II.G.b.1, II.G.b.4, II.G.c.1, II.G.c.3, II.G.d.3, II.G.d.4; **Prácticas:** SSP.2.b, SSP.3.c, SSP.6.b, SSP.6.c, SSP.10.c. Brasil obtuvo su independencia de Portugal en 1822. El país abolió la esclavitud en 1888, es decir que transcurrieron 66 años y no 45, 46 ni 56.

7. **A; Nivel de conocimiento:** 3; **Temas:** II.G.b.1, II.G.b.4, II.G.c.1, II.G.c.3, II.G.d.3, II.G.d.4; **Prácticas:** SSP.2.b, SSP.3.c, SSP.6.b, SSP.6.c, SSP.10.c. La información menciona a poblaciones indígenas, colonos portugueses y africanos. Por lo tanto, puedes asumir lógicamente que la población de Brasil es una mezcla de personas de diferentes etnias. El mapa indica que la población no está distribuida equitativamente a lo largo del país y no se menciona a Uruguay.

8. **Antártida; Nivel de conocimiento:** 2; **Temas:** II.G.c.1, II.G.c.3, II.G.d.3; **Prácticas:** SSP.2.b, SSP.6.b. La Antártida tiene la menor población.

9. **Asia; Nivel de conocimiento:** 1; **Temas:** II.G.c.1, II.G.c.3, II.G.d.3; **Prácticas:** SSP.2.b, SSP.6.b. Asia es el continente con la mayor densidad de población.

10. **Australia; Nivel de conocimiento:** 1; **Temas:** II.G.c.1, II.G.c.3, II.G.d.3; **Prácticas:** SSP.2.b, SSP.6.b.

11. **América del Sur; Nivel de conocimiento:** 3; **Temas:** II.G.c.1, II.G.c.3, II.G.d.3; **Prácticas:** SSP.2.b, SSP.6.b.

12. **América del Norte; Nivel de conocimiento:** 3; **Temas:** II.G.c.1, II.G.c.3, II.G.d.3; **Prácticas:** SSP.2.b, SSP.6.b. A partir del mapa, la densidad de población de América del Norte se concentra en la costa este.

13. **Australia; Nivel de conocimiento:** 2; **Temas:** II.G.c.1, II.G.c.3, II.G.d.3; **Prácticas:** SSP.2.b, SSP.6.b. De acuerdo con el mapa, la densidad de la población de Australia se condensa en su costa sur.

14. **África; Nivel de conocimiento:** 2; **Temas:** II.G.c.1, II.G.c.3, II.G.d.3; **Prácticas:** SSP.2.b, SSP.6.b. De acuerdo con el mapa, África tiene dos cúmulos de población en su costa norte. La población de la costa norte de América del Sur está esparcida a lo largo de la costa.

15. **C; Nivel de conocimiento:** 1; **Temas:** II.G.c.1, II.G.c.3, II.G.d.3; **Prácticas:** SSP.2.b, SSP.6.b. Los condados Tipperary, Roscommon y Monaghan están todos rodeados de tierra. Dublín se encuentra en la costa del Mar de Irlanda.

16. **B; Nivel de conocimiento:** 2; **Temas:** II.G.c.1, II.G.c.3, II.G.d.3; **Prácticas:** SSP.2.b, SSP.6.b. Al leer el mapa detenidamente, puedes determinar que muchas de las capitales de los condados tienen el mismo nombre que el condado. No todos los condados de Irlanda tienen un tamaño similar. El área al norte de Dublín que pertenece al Reino Unido es Irlanda del Norte; hay muchos condados irlandeses entre Dublín e Irlanda del Norte. El mar Céltico se encuentra al sur del condado Wicklow (no al este).

17. **C; Nivel de conocimiento:** 2; **Temas:** II.G.c.1, II.G.c.3, II.G.d.3; **Prácticas:** SSP.2.b, SSP.6.b. El mapa muestra que Clonmel es la capital del condado de Tipperary, no Tipperary, ni Kilkenny, ni Limerick.

18. **D; Nivel de conocimiento:** 2; **Temas:** II.G.c.1, II.G.c.3, II.G.d.3; **Prácticas:** SSP.2.b, SSP.6.b. De las opciones de respuesta que se brindan, solo la opción D puede determinarse según la información dada. Alaska es el estado más grande de los Estados Unidos y no se encuentra en la región Medio Oeste. California es el estado con mayor población (no Illinois) y no se encuentra en la región Medio Oeste. No hay evidencias de que la región Medio Oeste sea la más grande de los Estados Unidos.

19. **B; Nivel de conocimiento:** 2; **Temas:** II.G.c.1, II.G.c.3, II.G.d.3; **Prácticas:** SSP.2.b, SSP.6.b. Como ninguna de estas ciudades se muestra en el mapa, usa tus conocimientos sobre geografía para determinar que St. Louis se encuentra en Misuri. Entonces, es la única ciudad del Medio Oeste que figura en la lista.

LECCIÓN 5, *págs. 18–21*

1. **C; Nivel de conocimiento:** 2; **Temas:** I.G.a, II.G.b.1, II.G.c.1, II.G.c.3, II.G.d.1, II.G.d.2, II.G.d.3, I.USH.b.1, I.E.g; **Prácticas:** SSP.2.b, SSP.3.c, SSP.6.b, SSP.6.c. Usa las fechas y los nombres de las batallas que se muestran en el mapa para determinar que Long Island fue la primera batalla de la campaña y Princeton, la última. Las otras opciones de respuesta no corresponden al primero ni al último lugar de batalla.

2. **A; Nivel de conocimiento:** 2; **Temas:** I.G.a, II.G.b.1, II.G.c.1, II.G.c.3, II.G.d.1, II.G.d.2, II.G.d.3, I.USH.b.1, I.E.g; **Prácticas:** SSP.2.b, SSP.3.c, SSP.6.b, SSP.6.c. Usa la clave del mapa para determinar que la línea negra representa el movimiento de las fuerzas británicas. Desde White Plains, usa la rosa de los vientos para determinar que las fuerzas se movieron hacia el suroeste, a Fort Lee, que está en Nueva Jersey. Las fuerzas británicas no viajaron hacia el norte ni hacia el sur por el estrecho de Long Island. Además, tampoco viajaron hacia el sureste.

3. **B; Nivel de conocimiento:** 2; **Temas:** I.G.a, II.G.b.1, II.G.c.1, II.G.c.3, II.G.d.1, II.G.d.2, II.G.d.3, I.USH.b.1, I.E.g; **Prácticas:** SSP.2.b, SSP.3.c, SSP.6.b, SSP.6.c. La mejor descripción del mapa es la que muestra la adquisición de territorios entre 1783 y 1853.

4. **B; Nivel de conocimiento:** 2; **Temas:** I.G.a, II.G.b.1, II.G.c.1, II.G.c.3, II.G.d.1, II.G.d.2, II.G.d.3, I.USH.b.1, I.E.g; **Prácticas:** SSP.2.b, SSP.3.c, SSP.6.b, SSP.6.c. La compra de Luisiana en 1803 abrió por primera vez la mayor parte del territorio al oeste del río Misisipi para asentamientos. La Cesión británica cedió tierras al este del río Misisipi. La Cesión española y la Compra de Gadsden ocurrieron después de la Compra de Luisiana y abrieron áreas relativamente pequeñas.

5. **D; Nivel de conocimiento:** 2; **Temas:** I.G.a, II.G.b.1, II.G.c.1, II.G.c.3, II.G.d.1, II.G.d.2, II.G.d.3, I.USH.b.1, I.E.g; **Prácticas:** SSP.2.b, SSP.3.c, SSP.6.b, SSP.6.c. A partir del tamaño de las áreas sombreadas en el mapa, España cedió la menor cantidad de tierra a los Estados Unidos. Inglaterra y Francia cedieron la mayor parte de tierras a los Estados Unidos, seguido de México. España cedió el este y el oeste de Florida, parte de lo que hoy es Luisiana y una porción de lo que hoy es Colorado.

6. **C; Nivel de conocimiento:** 2; **Temas:** I.G.a, II.G.b.1, II.G.c.1, II.G.c.3, II.G.d.1, II.G.d.2, II.G.d.3, I.USH.b.1, I.E.g; **Prácticas:** SSP.2.b, SSP.3.c, SSP.6.b, SSP.6.c. California fue incluido en la Cesión mexicana de 1848.

7. **D; Nivel de conocimiento:** 2; **Temas:** I.G.a, II.G.b.1, II.G.c.1, II.G.c.3, II.G.d.1, II.G.d.2, II.G.d.3, I.USH.b.1, I.E.g; **Prácticas:** SSP.2.b, SSP.3.c, SSP.6.b, SSP.6.c. Sesenta y tres años transcurrieron entre la primera cesión británica, en 1783, y la última, en 1846. No fueron 35, 33 ni 53 años.

8. **B; Nivel de conocimiento:** 2; **Temas:** I.G.a, II.G.b.1, II.G.c.1, II.G.c.3, II.G.d.1, II.G.d.2, II.G.d.3, I.USH.b.1, I.E.g; **Prácticas:** SSP.2.b, SSP.3.c, SSP.6.b, SSP.6.c. España cedió la mayor parte de tierra alrededor del golfo de México.

9. **España y Portugal; Nivel de conocimiento:** 2; **Temas:** I.G.a, II.G.b.1, II.G.c.1, II.G.c.3, II.G.d.1, II.G.d.2, II.G.d.3, I.USH.b.1, I.E.g; **Prácticas:** SSP.2.b, SSP.3.c, SSP.6.b, SSP.6.c. La mayoría de los exploradores comenzaron sus viajes desde España y Portugal.

10. **Vikingos; Nivel de conocimiento:** 2; **Temas:** I.G.a, II.G.b.1, II.G.c.1, II.G.c.3, II.G.d.1, II.G.d.2, II.G.d.3, I.USH.b.1, I.E.g; **Prácticas:** SSP.2.b, SSP.3.c, SSP.6.b, SSP.6.c. Los vikingos llegaron a las regiones del noreste de América del Norte cientos de años antes que el resto de los exploradores.

11. **Magallanes; Nivel de conocimiento:** 3; **Temas:** I.G.a, II.G.b.1, II.G.c.1, II.G.c.3, II.G.d.1, II.G.d.2, II.G.d.3, I.USH.b.1, I.E.g; **Prácticas:** SSP.2.b, SSP.3.c, SSP.6.b, SSP.6.c. Aunque Drake también viajó alrededor del mundo en su expedición, Magallanes lo hizo más de 50 años antes.

12. **Colón; Nivel de conocimiento:** 2; **Temas:** I.G.a, II.G.b.1, II.G.c.1, II.G.c.3, II.G.d.1, II.G.d.2, II.G.d.3, I.USH.b.1, I.E.g; **Prácticas:** SSP.2.b, SSP.3.c, SSP.6.b, SSP.6.c. Colón exploró las islas del Caribe.

13. **Drake**; **Nivel de conocimiento:** 2; **Temas:** I.USH.b.1, II.E.g, I.G.a, II.G.b.1, II.G.c.1, II.G.c.3, II.G.d.1, II.G.d.2, II.G.d.3; **Prácticas:** SSP.2.b, SSP.3.c, SSP.6.b, SSP.6.c. Drake exploró la costa oeste de América del Norte.

14. **América del Norte**; **Nivel de conocimiento:** 2; **Temas:** I.USH.b.1, II.E.g, I.G.a, II.G.b.1, II.G.c.1, II.G.c.3, II.G.d.1, II.G.d.2, II.G.d.3; **Prácticas:** SSP.2.b, SSP.3.c, SSP.6.b, SSP.6.c. América del Norte fue explorada por los vikingos, Colón, Varrazzano, Cartier y Drake.

15. **D; Nivel de conocimiento:** 2; **Temas:** I.G.a, II.G.b.1, II.G.c.1, II.G.c.3, II.G.d.1, II.G.d.2, II.G.d.3, I.USH.b.1, I.E.g; **Prácticas:** SSP.2.b, SSP.3.c, SSP.6.b, SSP.6.c. Las rutas del mapa muestran que los romanos comercializaban ampliamente, incluso fuera de los límites del Imperio y no solo en ciertas áreas. No se limitaban al comercio interno y comercializaban con personas que estaban al norte y al sur.

16. **B; Nivel de conocimiento:** 1; **Temas:** I.G.a, II.G.b.1, II.G.c.1, II.G.c.3, II.G.d.1, II.G.d.2, II.G.d.3, I.USH.b.1, I.E.g; **Prácticas:** SSP.2.b, SSP.3.c, SSP.6.b, SSP.6.c. Al analizar el mapa, puedes determinar que el Imperio romano existió y comercializó a lo largo de tres continentes. El Imperio incluía la mayor parte de Europa, la parte norte de África y la parte oeste de Asia. No incluía a América del Sur.

17. **D; Nivel de conocimiento:** 2; **Temas:** I.G.a, II.G.b.1, II.G.c.1, II.G.c.3, II.G.d.1, II.G.d.2, II.G.d.3, I.USH.b.1, I.E.g; **Prácticas:** SSP.2.b, SSP.3.c, SSP.6.b, SSP.6.c. El mar Mediterráneo era la principal vía navegable para el transporte de mercaderías a lo largo de la ruta comercial romana. Había menos actividad comercial en el océano Atlántico y el río Danubio.

18. **C; Nivel de conocimiento:** 2; **Temas:** I.G.a, II.G.b.1, II.G.c.1, II.G.c.3, II.G.d.1, II.G.d.2, II.G.d.3, I.USH.b.1, I.E.g; **Prácticas:** SSP.2.b, SSP.3.c, SSP.6.b, SSP.6.c. Tal como lo indica el mapa, los romanos extendieron sus rutas comerciales hacia España.

19. **D; Nivel de conocimiento:** 3; **Temas:** I.G.a, II.G.b.1, II.G.c.1, II.G.c.3, II.G.d.1, II.G.d.2, II.G.d.3, I.USH.b.1, I.E.g; **Prácticas:** SSP.2.b, SSP.3.c, SSP.6.b, SSP.6.c. Lógicamente, puedes suponer que la actividad comercial a lo largo de un área geográfica tan grande favoreció el intercambio de conocimientos culturales a través del Imperio. Sabes que Europa, África y Medio Oriente tenían distintas culturas, incluso en la antigüedad. No hay ninguna indicación de que los romanos se hayan aislado ni de que hayan hecho cumplir sus leyes en todo el mundo. Tampoco se presentó evidencia de que las rutas comerciales romanas hayan sido la causa principal del colapso económico del Imperio.

LA GEOGRAFÍA Y EL MUNDO EN ACCIÓN, PÁGS. 22–23

HOTELERÍA Y TURISMO

1. **C**; **Nivel de conocimiento:** 1; **Temas:** II.E.c.10, II.G.c.1, II.G.c.3, II.G.d.4; **Práctica:** SSP.10.a. Según el mapa, por el puente Marquam se accede al lado sur de la ciudad, así que debes comenzar en el sur. Las respuestas A, B y D son incorrectas.

2. **A**; **Nivel de conocimiento:** 1; **Temas:** II.E.c.10, II.G.c.1, II.G.c.3, II.G.d.4; **Práctica:** SSP.10.a. Según el mapa, como estás conduciendo hacia el norte, el próximo hotel será el 16. Las respuestas B, C y D son incorrectas.

3. **B**; **Nivel de conocimiento:** 1; **Temas:** II.E.c.10, II.G.c.1, II.G.c.3, II.G.d.4; **Práctica:** SSP.10.a. Según el mapa, la mayor concentración de hoteles está en el centro y el menor número está en la región de Goose Hollow. Las respuestas A, C y D son incorrectas.

4. **A**; **Nivel de conocimiento:** 1; **Temas:** II.E.c.10, II.G.c.1, II.G.c.3, II.G.d.4; **Práctica:** SSP.10.a. Según el mapa, el Hotel 12 es el más cercano al puente Steel. Las respuestas B, C y D son incorrectas.

5. **D**; **Nivel de conocimiento:** 1; **Temas:** II.E.c.10, II.G.c.1, II.G.c.3, II.G.d.4; **Práctica:** SSP.10.a. La próxima parada debería ser el Distrito Pearl. Si tu ruta comienza al norte y se dirige al sur, esta sería por lógica tu próxima parada. La respuesta A es incorrecta porque te convendría que Southwest Hills fuese la última parada del recorrido. Las respuestas B y C son incorrectas porque estas rutas implicarían viajar hacia el sur y luego de vuelta al norte, para dirigirse al sur otra vez y así parar en todos los hoteles.

6. **B**; **Nivel de conocimiento:** 1; **Temas:** II.E.c.10, II.G.c.1, II.G.c.3, II.G.d.4; **Práctica:** SSP.10.a. La interestatal 30 va hacia el oeste del Distrito Noroeste. Las respuestas A, C, and D no te llevarían al oeste del Distrito Noroeste.

7. **B**; **Nivel de conocimiento:** 1; **Temas:** II.E.c.10, II.G.c.1, II.G.c.3, II.G.d.4; **Práctica:** SSP.10.a. El hotel 13 es el más cercano a la Universidad Estatal de Portland. Los hoteles 17, 15 y 12 están más alejados que el hotel 13, así que las respuestas A, C y D son incorrectas.

8. **A**; **Nivel de conocimiento:** 1; **Temas:** II.E.c.10, II.G.c.1, II.G.c.3, II.G.d.4; **Práctica:** SSP.10.a. Si tomas la Avenida 20 con dirección sur y luego la calle Lovejoy hacia el este llegarás al Hotel 8. Si tomas la Avenida 20 y luego la calle Quimby, llegarás al Hotel 4 así que la respuesta B es incorrecta. Tomar la Avenida 20 y luego la calle Johnson te llevará primero al Hotel 9, así que te tomará más tiempo y por lo tanto la respuesta C es incorrecta. Tomar la Avenida 20 y luego la calle Kearney no te llevará al Hotel 8, de modo que la respuesta D es incorrecta también.

9. **C**; **Nivel de conocimiento:** 1; **Temas:** II.E.c.10, II.G.c.1, II.G.c.3, II.G.d.4; **Práctica:** SSP.10.a. El Hotel 14 es el más cercano a la esquina de la calle Alder y la 9ª Avenida. El Hotel 15 está ubicado en la esquina de la calle Adler y la 5ª Avenida, y por lo tanto la respuesta A es incorrecta. El Hotel 1 está ubicado en la calle Washington y la 9ª Avenida, así que la respuesta B es incorrecta. El Hotel 2 está en la calle Morrison y la avenida Park, de modo que la respuesta D es incorrecta.

10. **D**; **Nivel de conocimiento:** 1; **Temas:** II.E.c.10, II.G.c.1, II.G.c.3, II.G.d.4; **Práctica:** SSP.10.a. El Hotel 6 está ubicado al otro lado de la calle de Governors Park. Los Hoteles 9, 4 y 12 no están cerca de Governors Park, de modo que las respuestas A, B y C son incorrectas.

UNIDAD 2 HISTORIA DE LOS ESTADOS UNIDOS

LECCIÓN 1, *págs. 24–27*

1. **B**; **Nivel de conocimiento:** 1; **Temas:** II.G.b.1, II.G.c.1, II.G.c.3; **Prácticas:** SSP.2.b, SSP.6.b. El mapa muestra que el estado de Míchigan limita con el lago Superior, el lago Míchigan, el lago Hurón y el lago Erie. El lago Míchigan y el lago Hurón limitan con Míchigan, pero también limitan el lago Superior y el lago Erie. El río Ohio no forma parte de los límites del estado de Míchigan. Por lo tanto, el río Ohio no es parte de una respuesta correcta.

2. **D**; **Nivel de conocimiento:** 2; **Temas:** II.G.b.1, II.G.c.1, II.G.c.3; **Prácticas:** SSP.2.b, SSP.6.b. El mapa muestra claramente que, de todas las opciones de repuesta, solamente Illinois comparte un límite con los ríos Ohio y Misisipi.

3. **Tres opciones cualquiera entre las siguientes: colinas, montañas, valles, crestas o arroyos**; **Nivel de conocimiento:** 2; **Tema:** II.G.c.1; **Prácticas:** SSP.1.a, SSP.6.a, SSP.6.b, SSP.8.a.

4. **de Oregón; Nivel de conocimiento:** 1; **Temas:** II.USH.b.6, II.G.d.1, II.G.d.2, II.G.d.3, II.G.d.4; **Práctica:** SSP.6.b.

5. **carreta**; **Nivel de conocimiento:** 2; **Temas:** II.USH.b.6, II.G.d.1, II.G.d.4; **Prácticas:** SSP.1.a, SSP.2.a, SSP.2.b, SSP.8.a. Hart escribe que casi pierde una carreta y habla de su lesión: "la cadena se soltó" y "me aplasté el dedo gordo del pie derecho".

6. **Gila**; **Nivel de conocimiento: 1**; **Temas:** I.USH.b.6,II.G.d.1, II.G.d.4; **Práctica:** SSP.6.b.

7. **Ft. Hall**; **Nivel de conocimiento: 1**; **Temas:** I.USH.b.6, II.G.d.1, II.G.d.4; **Práctica:** SSP.6.b.

8. **monte Joy, monte Misery y el río Schuylkill**; **Nivel de conocimiento:** 2; **Temas:** I.USH.b.1, I.USH.b.3, II.G.c.1, II.G.c.2, II.G.c.3; **Prácticas:** SSP.1.a, SSP.2.b, SSP.3.b, SSP.3.c. El pasaje explica que Valley Forge era un lugar que se podía defender fácilmente gracias a las barreras geográficas formadas por el monte Joy, el monte Misery y el río Schuylkill, que permitieron que las tropas de Washington defendieran el Congreso Continental de York. Esa ubicación también impidió la entrada de los británicos a la zona central de Pensilvania.

9. **templado**; **Nivel de conocimiento:** 3; **Temas:** I.USH.b.1, I.USH.b.3, II.G.c.1, II.G.c.2, II.G.c.3; **Prácticas:** SSP.1.a, SSP.2.b, SSP.3.b, SSP.4.a. Según el pasaje, el clima en Pensilvania era extremadamente frío. Es lógico suponer que, con la llegada de la primavera, el clima mejoraría.

10. **navegación**; **Nivel de conocimiento:** 1; **Tema:** I.USH.b.2; **Prácticas:** SSP.1.a, SSP.2.b, SSP.3.a, SSP.3.c, SSP.4.a, SSP.6.b.

11. **York y el río Thames**; **Nivel de conocimiento:** 2; **Temas:** I.USH.b.2, II.G.c.3; **Prácticas:** SSP.1.a, SSP.2.b, SSP.3.a, SSP.3.c, SSP.4.a, SSP.6.b.

12. **Erie, Míchigan Huron y Ontario**; **Nivel de conocimiento: 2**; **Temas:** I.USH.b.2, II.G.c.3; **Prácticas:** SSP.1.a, SSP.2.b, SSP.3.a, SSP.3.c, SSP.4.a, SSP.6.b.

LECCIÓN 2, *págs. 28–31*

1. **D**; **Nivel de conocimiento:** 1; **Temas:** II.G.b.1, II.G.b.2, II.G.b.4, II.E.g; **Prácticas:** SSP.1.a, SSP.2.b, SSP.6.b. La fila 2 de la primera columna de la tabla enumera las Colonias Centrales y el cultivo correspondiente de la segunda columna para esa fila especifica el trigo. En la tabla se menciona el maíz, pero ese cultivo corresponde a Nueva Inglaterra. El arroz está en la tabla pero corresponde al cultivo de las Colonias del Sur. El índigo también está en la tabla pero corresponde a las Colonias del Sur.

2. **A**; **Nivel de conocimiento:** 3; **Temas:** II.G.b.1, II.G.b.2, II.G.b.4, II.E.g; **Prácticas:** SSP.1.a, SSP.2.b, SSP.6.b. El pasaje explica que los cultivos no crecían bien en Nueva Inglaterra porque el clima era muy frío y el suelo era muy rocoso. Rhode Island es el único estado de Nueva Inglaterra que se incluye en las opciones de respuesta. Georgia no está en Nueva Inglaterra. Georgia, Pensilvania y Virginia no forman parte de Nueva Inglaterra.

3. **C**; **Nivel de conocimiento:** 1; **Temas:** I.USH.c.1, II.G.d.1, II.G.d.3; **Práctica:** SSP.6.b. En 1720, en Virginia había un poco más de 26,000 esclavos. Hacia 1770, en Virginia había más de 187,000 esclavos. La diferencia es de más de 150,000. La población de esclavos de Carolina del Sur aumentó más del doble entre 1720 y 1750. Connecticut tenía la menor cantidad de esclavos; por lo tanto, las colonias de Nueva Inglaterra tenían la menor cantidad de esclavos. En Connecticut había 3,010 esclavos en 1750 y más de 5,000 en 1770; por lo tanto, la población no disminuyó.

4. **D**; **Nivel de conocimiento:** 2; **Temas:** I.USH.c.1, II.G.d.1, II.G.d.3; **Prácticas:** SSP.1.a, SSP.6.b. La población de Connecticut creció en 4,596 y ese número representa la menor cantidad de crecimiento.

5. **B**; **Nivel de conocimiento:** 2; **Temas:** I.USH.c.1, II.G.d.1, II.G.d.3; **Prácticas:** SSP.1.a, SSP.6.b. La población de esclavos de Virginia creció más que la de Nueva York, que la de Maryland o que la de Carolina del Sur entre 1720 y 1750, como se muestra claramente en la tabla.

6. **C**; **Nivel de conocimiento:** 1; **Temas:** I.USH.e.1, II.G.d.1, II.G.d.3; **Práctica:** SSP.6.b. La población de las Colonias Centrales era de cerca de 555,900 habitantes y la población de las Colonias del Sur era de aproximadamente 994,400; por lo tanto, la diferencia era de casi 438,500 habitantes. Según la tabla, las Colonias Centrales no tenían una población menor que cualquier otra región colonial. La tabla no muestra información específica acerca de Nueva York. No se puede determinar el promedio de población de las colonias sin saber el número de colonias en cada región.

7. **A**; **Nivel de conocimiento:** 1; **Temas:** I.USH.e.1, II.G.d.1, II.G.d.3; **Práctica:** SSP.6.b. La información explica que las colonias experimentaron un crecimiento de la población por los altos índices de natalidad y los bajos índices de mortalidad. Si bien la información aclara que se registraba una continua inmigración a las colonias, no se menciona específicamente el caso de los colonos alemanes, escoceses e irlandeses. La tasa de mortalidad en las colonias era baja, lo que sugiere que la salud de los colonos no se deterioró con el paso del tiempo, y la salud declinante era la razón por la cual se deterioró la población y no creció. A pesar de que seguían llegando personas a las colonias, ni el pasaje ni la tabla indican que esas personas se mudaban exclusivamente para realizar trabajos industriales.

8. **Nueva Inglaterra**; **Nivel de conocimiento:** 1; **Temas:** II.USH.b.7, II.USH.e, II.G.c.2, II.G.d.4; **Práctica:** SSP.6.b. Los conflictos de la tabla están ordenados cronológicamente y los años 1636–1637 son los primeros. El primer conflicto tuvo lugar en la región de Nueva Inglaterra.

9. **indígenas yemassee y cherokee**; **Nivel de conocimiento:** 1; **Temas:** II.USH.b.7, II.USH.e, II.G.c.2, II.G.d.3, II.G.d.4; **Prácticas:** SSP.2.b, SSP.6.b. La columna de los sucesos y los resultados brinda detalles acerca de los conflictos y en la información sobre la guerra de Yemassee se explica que los cherokee y los yemassee ayudaron a los colonos a luchar contra los indígenas creek.

10. **Kittanning**; **Nivel de conocimiento:** 1; **Temas:** II.USH.b.7, II.USH.e, II.G.c.2, II.G.d.3, II.G.d.4; **Prácticas:** SSP.2.b, SSP.6.b. Se menciona Pensilvania únicamente en la información sobre la batalla de Kittanning y en la información se explica que los colonos atacaron la aldea indígena de Kittanning.

11. **las tierras**; **Nivel de conocimiento:** 2; **Temas:** II.USH.b.7, II.USH.e, II.E.f, II.G.c.2, II.G.d.4; **Prácticas:** SSP.2.b, SSP.6.b. La información sobre todos los conflictos que se enumeran en la tabla menciona las luchas por las tierras como causa del conflicto. La guerra de los pequot incluyó disputas de tierras en el oeste de Massachusetts, mientras que la guerra del rey Felipe invadió las tierras indígenas al sureste de Massachusetts. La guerra de Yemassee y la batalla de Kittanning se originaron por las disputas por los derechos al territorio.

12. **el ataque de los pequot a un pueblo de Connecticut**; **Nivel de conocimiento:** 1; **Temas:** II.USH.b.7, II.USH.e, II.G.c.2, II.G.d.3, II.G.d.4; **Prácticas:** SSP.2.b, SSP.6.b. Durante la guerra de los pequot, los colonos y los indígenas destruyeron e incendiaron la aldea principal de los pequot tras el ataque de los pequot a un pueblo de Connecticutt.

13. **tribu**; **Nivel de conocimiento:** 3; **Temas:** II.USH.b.7, II.USH.e, II.E.f, II.G.c.2, II.G.d.4; **Prácticas:** SSP.2.b, SSP.6.b. El contexto explica claramente que el conflicto era entre los indígenas norteamericanos y los colonos, y no era entre los colonos.

14. **A**; **Nivel de conocimiento:** 1; **Temas:** II.USH.e, II.E.g, II.G.b.4, II.G.d.4; **Prácticas:** SSP.4.a, SSP.6.b. La agricultura aparece como actividad económica en Nueva Inglaterra, en las Colonias Centrales y en las Colonias del Sur. El comercio es parte de la economía de Nueva Inglaterra y de las Colonias Centrales, pero no de las Colonias del Sur. La pesca es parte de la economía de Nueva Inglaterra únicamente. Las pequeñas industrias solamente aparecen como parte de la economía de las Colonias Centrales.

15. **C**; **Nivel de conocimiento:** 1; **Temas:** II.E.g, II.G.d.4; **Prácticas:** SSP.6.b, SSP.6.c. El encabezamiento de la columna del medio de la tabla es "Economía"; por lo tanto, esa columna brinda información acerca de la actividad económica de las tres regiones que se mencionan en la primera columna. El encabezamiento de la columna del medio no se relaciona con Nueva Inglaterra ni con las Colonias Centrales. La información acerca de los patrones de asentamiento se encuentra en la tercera columna, no en la del medio.

16. **C**; **Nivel de conocimiento:** 2; **Temas:** II.USH.e, II.G.d.3, II.G.d.4; **Prácticas:** SSP.1.a, SSP.6.b. La tabla y el pasaje indican que la mayoría de los colonos de Nueva Inglaterra vivían en pueblos. Massachusetts fue una de las colonias de Nueva Inglaterra. Maryland, Carolina del Sur y Georgia formaban parte de las Colonias del Sur, que estaban integradas por plantaciones grandes y granjas pequeñas.

17. **B**; **Nivel de conocimiento:** 2; **Temas:** II.USH.e, II.G.d.3, II.G.d.4; **Prácticas:** SSP.1.a, SSP.6.b. El texto menciona dos ciudades importantes de las Colonias Centrales: Filadelfia y Nueva York. El texto describe dónde vivían las distintas personas en las colonias, pero no describe el número de personas que vivía en cada región. El texto dice que existían grandes plantaciones en las Colonias del Sur, pero no describe qué tipo de plantaciones eran. El texto menciona las industrias en las que trabajaban los colonizadores de Nueva Inglaterra, pero esa información también está en la tabla.

18. **D**; **Nivel de conocimiento:** 3; **Temas:** II.USH.e, II.E.g, II.G.c.1, II.G.d.3, II.G.d.4; **Prácticas:** SSP.1.a, SSP.6.b. El patrón que surge es un Norte industrializado y económicamente diverso frente a un Sur que depende principalmente de la agricultura, con importantes granjas y plantaciones. La Guerra de Secesión, en parte, fue consecuencia de las diferencias regionales y los estilos de vida que surgieron de estos modelos económicos diferentes. La Guerra contra la Alianza Franco-Indígena se desató entre colonias francesas y británicas, no entre colonos norteamericanos por las economías. La Guerra de Independencia se libró para terminar con el dominio inglés y no por patrones económicos. Las causas de la Gran Depresión fueron la quiebra del mercado de valores, el pánico económico y una sequía devastadora.

19. **A**; **Nivel de conocimiento:** 3; **Temas:** II.USH.e, II.E.g, II.G.c.1, II.G.d.3, II.G.d.4; **Prácticas:** SSP.1.a, SSP.6.b. Como el área que cubrían las Trece Colonias se extendía ampliamente por toda la costa atlántica de los Estados Unidos, es lógico suponer que la geografía y el clima debían de haber variado entre las colonias ubicadas en las tres regiones diferentes. El invierno de Nueva Inglaterra era crudo; por lo tanto, allí no había plantaciones. El hecho de que las Colonias del Sur estaban muy al sur tampoco es la razón de que esas colonias tuvieran industrias; allí el factor predominante era la agricultura. La tabla explica que la economía de las Colonias Centrales se basaba en la agricultura, el comercio y las pequeñas industrias. El tipo de comercio probablemente no era el comercio de pieles porque no hay ninguna evidencia de que allí hubiera grandes bosques ni industria maderera.

20. **C**; **Nivel de conocimiento: 1**; **Temas:** II.USH.e, II.G.b.4, II.G.d.4; **Prácticas:** SSP.4.a, SSP.6.b. Las ciudades grandes se encuentran únicamente en las Colonias Centrales. La respuesta A es incorrecta porque los pueblos son un patrón de asentamiento de Nueva Inglaterra y no de las Colonias Centrales. La respuesta B es incorrecta porque las plantaciones grandes se encuentran en las Colonias del Sur y no en las Colonias Centrales. La respuesta D es incorrecta porque las pequeñas granjas se encuentran en las Colonias Centrales y las Colonias del Sur.

LECCIÓN 3, *págs. 32–35*

1. **B**; **Nivel de conocimiento:** 2; **Temas:** II.G.c.1, II.G.c.3; **Práctica:** SSP.2.a. La última oración del pasaje expone la idea principal. Las colonias tenían un acuerdo con Gran Bretaña y España con respecto a Canadá y Florida. Los territorios que estaban en disputa eran las tierras al este del río Misisipi.

2. **C**; **Nivel de conocimiento:** 3; **Temas:** II.G.c.1, II.G.c.3; **Prácticas:** SSP.6.a, SSP.6.b. El amplio tamaño del territorio en disputa enfatiza la importancia del conflicto. Las fronteras de las colonias, las Floridas y Canadá no tienen nada que ver con el conflicto.

3. **Nueva Jersey**; **Nivel de conocimiento:** 1; **Tema:** I.USH.b.1; **Prácticas:** SSP.1.a, SSP.6.b. La batalla de Trenton, la primera batalla de los colonos después de la declaración de la independencia el 4 de julio de 1776, se desarrolló en Trenton, Nueva Jersey el 26 de diciembre de 1776.

4. **la batalla de Nueva York**; **Nivel de conocimiento:** 2; **Tema:** I.USH.b.1; **Prácticas:** SSP.1.a, SSP.6.b.

5. **B**; **Nivel de conocimiento:** 2; **Temas:** I.USH.a.1, I.USH.b.1, I.CG.a.1; **Prácticas:** SSP.1.a, SSP.1.b, SSP.2.a, SSP.2.b, SSP.4.a. La Declaración de Independencia pretendía disolver la conexión política con Gran Bretaña y las colonias unidas. La Declaración de Independencia no expresa un deseo de derrocar al gobierno británico, a pesar de que tal vez a algunos colonos no les gustara la monarquía británica. Los colonos ya estaban en guerra con Gran Bretaña. Aunque es probable que algunos gobiernos opresivos estuviesen al tanto de la situación de las colonias, la Declaración de Independencia trata solamente la situación de las colonias con Gran Bretaña.

6. **A**; **Nivel de conocimiento:** 2; **Temas:** I.USH.a.1, I.USH.b.1, I.CG.b.2; **Prácticas:** SSP.1.a, SSP.1.b, SSP.2.a, SSP.4.a. La Declaración de Independencia proclama "el poder pleno del buen pueblo de estas colonias" como principio rector. Las colonias unidas eran "libres e independientes", pero esto no expresa un deseo de autogobierno. Se disolvió "toda conexión política" entre las colonias y Gran Bretaña, pero dicho sentimiento no explica específicamente cómo se gobernarán las colonias. Las colonias tenían "pleno poder para hacer la guerra", pero eso no significa que los colonos se gobernarán a sí mismos.

7. **C**; **Nivel de conocimiento:** 2; **Temas:** I.USH.a.1, I.USH.b.1, I.USH.b.5; I.CG.a.1; I.CG.b.3, I.CG.c.1; **Prácticas:** SSP.1.a, SSP.1.b, SSP.2.a, SSP.4.a. Todo el pasaje, excepto la última oración, trata sobre los Artículos de la Confederación. Estos artículos fueron el primer plan de gobierno creado por la nueva nación. Los Artículos de la Confederación incluían el plan llamado Ordenanza del Noroeste, que representa un detalle sobre los Artículos. Los Artículos de la Confederación no terminaron con la Guerra de Independencia. La Constitución de los Estados Unidos se menciona solo una vez, no se trata ampliamente; por lo tanto, no es la idea principal.

8. **B**; **Nivel de conocimiento:** 2; **Temas:** I.USH.a.1, I.USH.b.1, I.USH.b.5; I.CG.a.1; I.CG.b.3, I.CG.c.1; **Prácticas:** SSP.1.a, SSP.1.b, SSP.2.a, SSP.4.a, SSP.6.b. La información de la tabla muestra los estados que, como Virginia, podían recaudar impuestos gracias a los Artículos de la Confederación. La tabla y el pasaje no tratan cómo se declaró la guerra en las nuevas colonias unidas. La información de la tabla explica que nueve estados, no seis estados, podían acordar la inclusión de un nuevo estado. La información de la tabla explica que, bajo los Artículos de la Confederación, cada estado podía tener un solo representante y, por lo tanto, un solo voto en la asamblea legislativa; por ende, Pensilvania no habría tenido más representantes que Nueva Jersey.

9. **D**; **Nivel de conocimiento:** 1; **Temas:** I.USH.a.1, I.USH.b.1, I.USH.b.5; I.CG.a.1, I.CG.b.3, I.CG.c.1; **Prácticas:** SSP.1.a, SSP.1.b, SSP.2.a, SSP.4.a. SSP.6.b. La tabla que compara los Artículos de la Confederación con la Constitución de los Estados Unidos indica que un presidente sería el jefe de un gobierno central fuerte. Los Artículos de la Confederación no proponían una autoridad suprema al frente del gobierno. El Congreso es la asamblea legislativa, no el gobierno central. Los estados son liderados por gobernadores, pero esa idea no se trata ni en el pasaje ni en la tabla.

10. **A**; **Nivel de conocimiento:** 3; **Temas:** I.USH.a.1, I.USH.b.1, I.USH.b.5; I.CG.a.1, I.CG.b.3, I.CG.c.1; I.CG.c.3; **Prácticas:** SSP.1.a, SSP.1.b, SSP.2.a, SSP.4.a. Los Artículos de la Confederación permitían que los estados, y no el gobierno nacional, recaudaran impuestos, por lo que el gobierno nacional no podía obtener ingresos fiscales para pagar la deuda. De acuerdo con los Artículos, no existía un presidente; por lo tanto, no habría un presupuesto nacional, pero esto no afectaba directamente el pago de la deuda. Los estados podían haber tenido un plan económico, o no, pero sus planes no afectarían el pago de la deuda nacional. No hay ninguna evidencia que sugiera que el Congreso tenía que negociar préstamos con gobiernos extranjeros.

11. **A**; **Nivel de conocimiento:** 2; **Temas:** I.USH.a.1, I.CG.a.1, I.CG.b.2, I.CG.b.3, I.CG.b.4, I.CG.b.5, I.CG.b.6, I.CG.c.1, I.CG.c.3, I.CG.d.1, I.CG.d.2; **Prácticas:** SSP.1.a, SSP.6.b. La representación proporcional significaba que cuanto más grande fuera el estado, más votos obtendría. Entonces, Rhode Island, el estado más pequeño, pudo haber estado más preocupado por su representación proporcional. Pensilvania, Nueva York y Carolina del Sur eran los estados más grandes y más poblados, por lo que no debían estar preocupados por su representación proporcional.

12. **C**; **Nivel de conocimiento:** 3; **Temas:** I.USH.a.1, I.CG.a.1, I.CG.b.2, I.CG.b.3, I.CG.b.4, I.CG.b.5, I.CG.b.6, I.CG.c.1, I.CG.c.3, I.CG.d.1, I.CG.d.2; **Prácticas:** SSP.1.a, SSP.2.b, SSP.6.b. La Guerra de Independencia, que tuvo lugar, en parte, por la opresión que ejercía el gobierno británico sobre las libertades personales de los colonos, empezó en Massachusetts. Por lo tanto, es probable que los líderes de Massachusetts se preocuparan porque la Constitución de los Estados Unidos no protegía explícitamente las libertades personales y por eso temían la posibilidad de una mayor opresión. John Adams no fue, en realidad, electo como el primer presidente, pero ese detalle no explica la ajustada votación de Massachusetts. No hay evidencia que sugiera que Massachusetts quisiera ser un país independiente. Massachusetts tenía una gran cantidad de votos.

13. **D**; **Nivel de conocimiento:** 2; **Temas:** I.USH.a.1, I.USH.b.1, I.USH.b.5; I.CG.a.1; I.CG.b.3, I.CG.c.1; **Prácticas:** SSP.1.a, SSP.1.b, SSP.2.a, SSP.4.a, SSP.6.b. Mientras que el pasaje menciona el sistema de equilibrio y control mutuo entre los poderes, la Convención Constitucional y la protección de las libertades personales son detalles que respaldan la idea principal más importante, que es la que describe el camino desde la Convención hasta la ratificación de la Constitución.

14. **B**; **Nivel de conocimiento:** 2; **Temas:** I.USH.a.1, I.CG.a.1, I.CG.b.2, I.CG.b.3, I.CG.b.4, I.CG.b.5, I.CG.b.6, I.CG.c.1, I.CG.c.3, I.CG.d.1, I.CG.d.2; **Prácticas:** SSP.2.a, SSP.6.b, SSP.6.c. La tabla muestra una variedad de fechas, que abarcan tres años, en las cuales los estados ratificaron la Constitución; por lo tanto, los estados se deben haber preocupado bastante por la ratificación del documento y por eso debatieron a lo largo de diferentes períodos antes de ratificarlo. Nueva York y Virginia decidieron ratificar la Constitución, no mantener los Artículos de la Confederación. Tres de los 13 estados ratificaron la Constitución con un voto unánime. El hecho de que New Hampshire ratificara la Constitución antes de Nueva York y Virginia no indica por sí mismo que esa ratificación haya llevado a los otros dos estados a ratificar el documento.

15. **B**; **Nivel de conocimiento:** 2; **Temas:** I.CG.a.1, I.CG.b.2, I.CG.b.3, I.CG.b.4, I.CG.b.5, I.CG.b.6, I.CG.c.1, I.CG.c.3, I.CG.d.1, I.CG.d.2, I.USH.a.1; **Prácticas:** SSP.2.a, SSP.6.b, SSP.6.c. La tabla muestra que la mayoría de los estados ratificaron la Constitución en 1788. Esta información no está en el pasaje. La respuesta A es incorrecta porque ningún estado del sur ratificó la Constitución en 1787. La respuesta C es incorrecta porque la tabla muestra que solo tres estados ratificaron la Constitución de manera unánime. La respuesta D es incorrecta porque la tabla muestra que Massachusetts fue el sexto estado en ratificar la Constitución.

LECCIÓN DE ALTO IMPACTO: DETERMINAR LA IDEA PRINCIPAL, *págs. 36–37*

1. **C; Nivel de conocimiento:** 2; **Temas:** I.CG.a.1, I.CG.b.3, I.USH.a.1, I.USH.b.5, II.CG.e.1; **Práctica:** SSP.2.a. La idea principal de un texto es su punto más importante. Las respuestas A, B y D ofrecen detalles sobre la Carta de Derechos, pero el punto más importante es que debía ser aprobada para complementar la constitución y agregarle provisiones.

2. **A; Nivel de conocimiento:** 2; **Temas:** I.CG.a.1, I.CG.b.3, I.USH.a.1, I.USH.b.5, II.CG.e.1; **Práctica:** SSP.2.a. La idea principal del pasaje es que la Carta de Derechos fue aprobada para añadir provisiones a la Constitución. El detalle que la respalda es que los estados querían agregar cláusulas que aclararan la Constitución aún más para evitar que fuera malinterpretada. Las respuestas B y D ofrecen detalles del pasaje, pero no respaldan específicamente la idea principal. La respuesta C es incorrecta porque la Carta de Derechos es una enmienda a la Constitución; no es una introducción.

3. **C; Nivel de conocimiento:** 2; **Temas:** I.CG.a.1, I.CG.b.3, I.USH.a.1, I.USH.b.5, II.CG.e.1; **Práctica:** SSP.2.a. El tema del pasaje describe simplemente, en una o dos palabras, de qué trata el pasaje. El pasaje completo trata la formación de los partidos políticos. Las respuestas A, B y D son incorrectas porque cada una se enfoca en un aspecto del pasaje, pero no en el tema del pasaje completo.

4. **D; Nivel de conocimiento:** 2; **Temas:** I.CG.a.1, I.CG.b.3, I.USH.a.1, I.USH.b.5, II.CG.e.1; **Práctica:** SSP.2.a. La idea principal de un texto es su asunto más importante. Las respuestas A y C son detalles sobre los primeros partidos políticos, pero la idea más importante es que se formaron para promover distintas perspectivas de cómo debe funcionar el gobierno. La respuesta B es incorrecta porque el Partido Demócrata-Republicano no fue el primero en formarse; fue uno de dos partidos.

5. **C; Nivel de conocimiento:** 2; **Temas:** I.CG.a.1, I.CG.b.3, I.USH.a.1, I.USH.b.5, II.CG.e.1; **Práctica:** SSP.2.a. La idea principal del pasaje es que los partidos políticos se formaron para promover visiones diferentes de cómo debe funcionar el gobierno. El detalle que la respalda es que los federalistas y los demócratas-republicanos tenían perspectivas opuestas respecto al gobierno federal. Las respuestas A, B y D ofrecen detalles del pasaje, pero no respaldan específicamente a la idea principal.

6. **A; Nivel de conocimiento:** 2; **Temas:** I.CG.a.1, I.CG.b.3, I.USH.a.1, I.USH.b.5, II.CG.e.1; **Práctica:** SSP.2.a. Un resumen es una descripción concisa del punto principal. Es cierto que George Washington se convirtió en el primer presidente de los Estados Unidos en 1789, pero esta información no sería suficientemente importante para ser incluida en un resumen. Las respuestas B, C y D ofrecen detalles importantes que deben ser incluidos en un resumen de los primeros partidos políticos.

7. **B; Nivel de conocimiento:** 2; **Temas:** I.CG.a.1, I.CG.b.3, I.USH.a.1, I.USH.b.5, II.CG.e.1; **Práctica:** SSP.2.a. Los autores originales de la Constitución creían que los partidos políticos llevarían a la corrupción, y no los mencionaron en la Constitución. Este es un detalle de apoyo en el pasaje. Las respuestas A, C y D son afirmaciones incorrectas; los autores de la Constitución no pensaban que los partidos políticos fueran necesarios y consideraban que podían ser perjudiciales.

LECCIÓN 4, *págs. 38–41*

1. **C**; **Nivel de conocimiento:** 1; **Temas:** II.G.d.1, II.G.d.2, II.G.d.3; **Prácticas:** SSP.2.b, SSP.6.b. El menor porcentaje de inmigración femenina se registró en 1824. El menor porcentaje de inmigración masculina se registró en 1829. El mayor porcentaje de inmigración femenina se registró en 1829. El porcentaje de inmigración masculina y femenina no es igual en 1824.

2. **A**; **Nivel de conocimiento:** 3; **Temas:** II.USH.e, II.G.d.1; **Práctica:** SSP.2.b. Las estadísticas de inmigración se pueden categorizar según los países de origen. Mientras que las razones por las cuales la gente inmigra se pueden categorizar como militares, políticas o económicas, estas estadísticas estarían mejor ubicadas bajo categorías de países. Las estadísticas de inmigración no se ubicarían en categorías de debate político estadounidense.

3. **Virginia**; **Nivel de conocimiento:** 1; **Temas:** II.G.d.1, I.USH.b.4; **Prácticas:** SSP.2.b, SSP.6.b. Los estados que votaron a los demócratas republicanos están sombreados de verde en el mapa. De esos estados, Virginia tuvo la mayor cantidad de votos electorales con 21 votos.

4. **Pensilvania, Maryland y Carolina del Norte**; **Nivel de conocimiento:** 2; **Temas:** II.G.d.1, I.USH.b.4; **Prácticas:** SSP.2.b, SSP.6.b. Los estados que votaron a los demócratas republicanos y a los federalistas están sombreados de verde y púrpura en el mapa, y el número de votantes electorales para cada partido está designado de la misma manera. Pensilvania tuvo 8 votos electorales para el Partido Demócrata Republicano y 7 para el Partido Federalista. Maryland tuvo 5 votos para el Partido Demócrata Republicano y 5 para el Partido Federalista. Carolina del Norte tuvo 8 votos para el Partido Demócrata Republicano y 4 para el Partido Federalista.

5. **Federalista**; **Nivel de conocimiento:** 1; **Temas:** II.G.d.1, I.USH.b.4; **Prácticas:** SSP.2.b, SSP.6.b.

6. **D**; **Nivel de conocimiento:** 2; **Temas:** II.G.d.1, I.USH.b.3; **Prácticas:** SSP.1.a, SSP.6.b. Un gobierno que no es el gobierno de los Estados Unidos se puede considerar una influencia extranjera, y el soborno es una forma de corrupción; por lo tanto, la opción D es la respuesta correcta. Los consejeros públicos distraídos pueden ser susceptibles de varios tipos de corrupción, pero eso no constituye una categoría correcta para los sobornos por parte de otro gobierno. La animosidad entre grupos no describe de manera apropiada el efecto perjudicial relacionado con los sobornos por parte de otro gobierno. Aunque podrían ocurrir disturbios e insurrecciones si un representante oficial electo sucumbiera a un soborno, ese efecto perjudicial no es necesariamente una categoría apropiada.

7. **B**; **Nivel de conocimiento:** 2; **Tema:** II.CG.e.1; **Práctica:** SSP.2.b. Si bien existen otros partidos pequeños, el gobierno de los Estados Unidos está basado principalmente en un sistema de dos partidos: Demócrata y Republicano. Washington menciona consejos y administraciones, pero no como partidos políticos. Federalista y Antifederalista no son designaciones contemporáneas. El Partido Libertario es un tercer partido e Independiente se refiere a aquellas personas que no se definen por un partido.

8. **C**; **Nivel de conocimiento:** 2; **Temas:** II.G.b.1, II.G.c.1, II.G.d.4, I.USH.b.4, II.E.g; **Práctica:** SSP.1.a. Bonaparte vendió el territorio debido a una relación política conflictiva con Gran Bretaña. La decisión no se basó en una necesidad económica ni en una creencia religiosa o social.

9. **A**; **Nivel de conocimiento:** 2; **Temas:** II.G.b.1, II.G.c.1, II.G.d.4, I.USH.b.4, II.E.g; **Práctica:** SSP.1.a. Jefferson quería expandir el territorio de los Estados Unidos y, por lo tanto, fue una decisión geográfica. La decisión no se basó en motivos políticos, ni fue una decisión de seguridad o militar.

10. **B**; **Nivel de conocimiento:** 3; **Temas:** II.G.b.1, II.G.c.1, II.G.d.4, I.USH.b.4, II.E.g; **Práctica:** SSP.1.a. Jefferson quería controlar el río Misisipi por motivos de intercambio comercial, que son motivos económicos. La decisión no se basó en motivos religiosos, políticos ni sociales.

11. **B**; **Nivel de conocimiento:** 3; **Tema:** I.USH.b.6; **Prácticas:** SSP.1.a, SSP.2.b. La expansión hacia el Oeste fue parte del Destino Manifiesto, la creencia en el inevitable crecimiento de los Estado Unidos a través de todo el continente, no de los Artículos de la Confederación, de la política indígena ni de la esclavitud.

12. **D**; **Nivel de conocimiento:** 2; **Temas:** II.G.b.1, II.G.c.1, II.G.c.3, II.G.d.4, I.USH.b.4, II.E.g; **Prácticas:** SSP.1.a, SSP.2.b. El objetivo principal de la expedición que se menciona en la tabla era encontrar una ruta marítima en el norte entre el océano Atlántico y el océano Pacífico. Esta ruta se usaría para el intercambio y el comercio. Aunque hubo contacto con los indígenas, esa interacción no era el objetivo principal de la expedición. Si los Estados Unidos reclamaban más territorios, en algún momento se habrían creado más estados, pero ese no era uno de los objetivos principales de la expedición. Si se descubría una ruta marítima del este al oeste, se podría haber mejorado la seguridad nacional, pero no hay evidencia en la tabla de que ese fuera uno de los objetivos principales de la expedición.

13. **B**; **Nivel de conocimiento:** 2; **Temas:** I.USH.b.4, I.USH.b.6, II.G.b.4; **Práctica:** SSP.2.b. La expedición aportó información valiosa acerca de la geografía, las plantas, los animales y de la exitosa interacción con los indígenas. El objetivo original de intercambio y comercio no fue exitoso. El diario fue más valioso para la ciencia que para el arte. Lewis y Clark eran oficiales del ejército que trabajaban para lograr un objetivo comercial y que obtuvieron una valiosa información científica y cultural.

14. **C**; **Nivel de conocimiento:** 2; **Temas:** I.USH.b.4, I.USH.b.6, II.G.b.1; **Práctica:** SSP.2.b. Los propósitos de los dos sucesos incluyen el intercambio, que es un propósito económico. La religión, la política y los derechos civiles no se tienen en cuenta.

15. **D**; **Nivel de conocimiento:** 1; **Temas:** II.G.b.1, II.G.d.3, II.G.d.4; **Prácticas:** SSP.1.b, SSP.6.b. Wisconsin se convirtió en estado en 1848, que es una fecha posterior a 1840. Ninguno de los estados de las opciones de respuesta restantes consiguió la condición de estado después de 1840: Ohio se convirtió en estado en 1803; Indiana se formó como estado en 1816; Míchigan se convirtió en estado en 1837.

16. **A**; **Nivel de conocimiento:** 3; **Temas:** II.G.b.1, II.G.d.3, II.G.d.4; **Prácticas:** SSP.1.b, SSP.6.b. La Ordenanza del Noroeste prohibió la esclavitud en los estados creados en el Territorio del Noroeste; por lo tanto, los estados que se enumeran en la tabla eran estados libres, no esclavistas. Todos los estados de la tabla se encuentran al este del río Misisipi, no al oeste. Todos los estados están al norte del río Ohio, no al sur.

17. **C**; **Nivel de conocimiento:** 1; **Temas:** II.G.b.1, I.USH.b.4, I.E.a, II.E.g; **Prácticas:** SSP.1.a, SSP.1.b. Jefferson dice que los Estados Unidos podrán usar el río Misisipi sin temor a tener conflictos con otros países, lo que contribuye con las ganancias económicas del país. Jefferson no habla de alianzas con otros países. Si bien se podían construir fábricas cerca del río, Jefferson no hace referencias específicas a un incremento en la actividad industrial ni al uso de instalaciones militares. Es posible que los colonos franceses apoyen a los Estados Unidos, pero Jefferson no habla de relaciones entre los dos países.

18. **B**; **Nivel de conocimiento:** 2; **Temas:** II.USH.b.4, II.USH.b.6, II.G.b.4, II.G.c.1; **Práctica:** SSP.2.b. Jefferson menciona el "producto de los estados occidentales" y la "fertilidad de la región", que son referencias que se relacionan con la agricultura, no con la industria, con el transporte ni con el turismo.

19. **C**; **Nivel de conocimiento:** 2; **Temas:** I.USH.b.4, I.USH.b.6, II.G.b.4, II.G.c.1; **Prácticas:** SSP.1.a. Jefferson se refiere a la libertad y leyes igualitarias como "bendiciones" y no como derechos, libertades o responsabilidades.

LECCIÓN 5, *págs. 42–45*

1. **D**; **Nivel de conocimiento:** 2; **Temas:** II.G.d.3, II.G.d.4, I.USH.b.7, II.CG.e.1, II.CG.e.3; **Práctica:** SSP.3.a. La palabra clave *después* está en el texto para mostrar que las elecciones de 1816 precedieron el recorrido de Monroe por Nueva Inglaterra. El Partido Demócrata Republicano no llegó a su fin porque era más fuerte que el Partido Federalista. El recorrido de Monroe por Nueva Inglaterra ocurrió después de que fuera elegido presidente por primera vez, no después de su reelección. El uso de la expresión "era de los buenos sentimientos" se dio al mismo tiempo que Monroe realizó el recorrido por Nueva Inglaterra, no antes.

2. **C**; **Nivel de conocimiento:** 2; **Temas:** II.G.d.3, II.G.d.4, I.USH.b.7, II.CG.e.1, II.CG.e.3; **Práctica:** SSP.3.a. Los últimos dos recuadros del organizador gráfico explican que los estadounidenses comenzaron a desplazar a los indígenas norteamericanos de sus tierras y a establecer granjas en tierras que pertenecían a los indígenas norteamericanos. El primer recuadro del organizador gráfico describe un período de paz, no de guerra, en Europa. Los indígenas norteamericanos no querían dejar sus tierras en el este y mudarse al oeste. La información del organizador gráfico no afirma que el presidente Monroe ordenó a los indígenas norteamericanos que abandonaran sus tierras, sino que explica que los estadounidenses comenzaron a desplazar a los indígenas norteamericanos de sus tierras.

3. **Los británicos abandonan sus planes y vuelven a Gran Bretaña:** 1; **Tema:** I.USH.b.2; **Prácticas:** SSP.3.a, SSP.6.b, SSP.10.c. Hay un solo recuadro que contiene información, "Los británicos abandonan sus planes y vuelven a Gran Bretaña", que viene después del recuadro que describe la victoria de los estadounidenses en la batalla de Nueva Orleans.

4. **Las fuerzas británicas y estadounidenses llegan cerca de Nueva Orleans a fines de 1814**; **Nivel de conocimiento:** 2; **Tema:** I.USH.b.2; **Prácticas:** SSP.3.a, SSP.6.b. El recuadro anterior al recuadro que contiene información acerca del Tratado de Gante explica que las fuerzas británicas y estadounidenses llegan cerca de Nueva Orleans a fines del año de 1814. Los *diplomáticos*, no las *fuerzas*, estaban en Bélgica para firmar el tratado en diciembre de ese año.

5. **Los británicos esperan conseguir acceso al valle del río Misisipi al tomar la ciudad de Nueva Orleans. Nivel de conocimiento:** 2; **Temas:** I.USH.b.2; **Prácticas:** SSP.3.a, SSP.6.b, SSP.10.c. El primer recuadro explica por qué los británicos querían controlar Nueva Orleans.

6. **C**; **Nivel de conocimiento:** 3; **Temas:** I.USH.a.1, I.USH.b.2, II.CG.e.3; **Prácticas:** SSP.3.a, SSP.10.c. La Guerra de Independencia ocurrió antes de todos los sucesos subsiguientes. Todos los otros sucesos (la asunción de Monroe a la presidencia, las elecciones de 1816 y la redacción de los Artículos de la Confederación) están relacionados con el discurso de Monroe o se mencionan allí, pero esos sucesos no habrían sido posibles si no hubiera existido la Guerra de Independencia.

7. **B**; **Nivel de conocimiento:** 2; **Temas:** I.USH.a.1, I.USH.b.2, II.CG.e.3; **Prácticas:** SSP.3.a, SSP.6.b. La guerra a la que se refiere Monroe es la Guerra de 1812. La Guerra de Secesión no había ocurrido al momento de la asunción de Monroe. La Guerra de Independencia había ocurrido mucho antes de que Monroe fuera presidente y la Guerra contra la Alianza Franco-Indígena ocurrió en el siglo XVIII, por lo que no era un suceso reciente.

8. **C**; **Nivel de conocimiento:** 3; **Temas:** I.USH.a.1, I.USH.b.2; II.CG.e.3; **Prácticas:** SSP.3.a, SSP.10.c. El presidente Monroe hace referencia a la Declaración de Independencia porque ese documento afirmaba, fundamentalmente, que el gobierno estaba "en manos del pueblo". La Constitución de los Estados Unidos de 1879 reemplazó los Artículos de la Confederación cuando asumió su cargo el presidente Monroe. El tratado y el artículo periodístico no describen el funcionamiento de la democracia.

9. **A**; **Nivel de conocimiento:** 2; **Temas:** I.USH.a.1, I.USH.b.6, I.USH.b.7, II.G.b.1, II.G.c.1, II.G.d.2, II.G.d.3, II.G.d.4; **Prácticas:** SSP.1.a, SSP.1.b, SSP.2.a, SSP.2.b, SSP.3.a. Jackson explica que la política del gobierno para la remoción de los indígenas norteamericanos está llegando a su fin y que los grupos de los estados orientales fueron "aniquilados o se han esfumado". Dice que dos grupos importantes han aceptado, no rechazado, las disposiciones del gobierno para un reasentamiento. Los colonos blancos se dirigen en oleadas hacia el Oeste; por lo tanto, la migración continúa, no disminuye. Jackson comienza su discurso y dice que la política del gobierno de los últimos treinta años está terminando bien, no ha fallado.

10. **B**; **Nivel de conocimiento:** 3; **Temas:** I.USH.a.1, I.USH.b.6, I.USH.b.7, II.G.b.1, II.G.c.1, II.G.d.2, II.G.d.3, II.G.d.4; **Prácticas:** SSP.1.a, SSP.1.b, SSP.2.a, SSP.2.b, SSP.3.a. Cuando Jackson dice que el proceso del gobierno es "más leve", el lector puede suponer que quiere decir que las políticas son menos violentas y agresivas. Jackson indica que las políticas han sido muy exitosas, no de manera moderada y que "están llegando a su fin". Algunos grupos de indígenas norteamericanos, no todos, se han reubicado, así que no han llegado a un consenso acerca de abandonar sus tierras. Si las políticas han estado en funciones durante treinta años, han sido consistentes durante más de una presidencia.

11. **D**; **Nivel de conocimiento:** 1; **Temas:** I.USH.a.1, I.USH.b.6, II.G.c.1, II.CG.e.1, II.CG.e.3; **Prácticas:** SSP.1.a, SSP.1.b, SSP.2.a, SSP.2.b, SSP.3.a. Monroe fue elegido presidente por primera vez en 1816 y propuso la Doctrina Monroe siete años más tarde, en 1823. No propuso la Doctrina Monroe dos años después, en 1818; ni cuatro años después, en 1820; ni cinco años después, en 1821.

12. **A**; **Nivel de conocimiento:** 3; **Temas:** I.USH.a.1, I.USH.b.6, II.G.c.1, II.CG.e.1, II.CG.e.3; **Prácticas:** SSP.1.a, SSP.1.b, SSP.2.a, SSP.2.b, SSP.3.a. El pasaje hace referencia a los logros de Monroe respecto de Gran Bretaña y España, y el control que tenían los Estados Unidos sobre la Florida. Su mandato como secretario de Estado habría sido más relevante antes de su primera campaña como candidato a presidente. Monroe era miembro del Partido Demócrata Republicano, no del Partido Federalista. Monroe propuso la Doctrina Monroe después de ser reelecto presidente; por lo tanto, no pudo haber usado esa política para convencer a los votantes.

13. **B**; **Nivel de conocimiento:** 1; **Temas:** I.USH.a.1, I.USH.b.6, II.G.c.1, II.CG.e.1, II.CG.e.3; **Prácticas:** SSP.1.a, SSP.1.b, SSP.2.a, SSP.2.b, SSP.3.a. Después de la reelección en 1820, Monroe respaldó la idea del Destino Manifiesto y propuso la Doctrina Monroe. Monroe ganó la reelección en 1820, no después de 1820. El éxito del presidente Monroe en establecer un acuerdo entre los Estados Unidos y Gran Bretaña sobre las fuerzas de los Grandes Lagos ocurrió antes de 1820 y su éxito en ayudar a asegurar Florida para los Estados Unidos también ocurrió antes de 1820, no después.

14. **Luisiana**; **Nivel de conocimiento:** 1; **Temas:** I.USH.b.6, II.G.b.1, I.G.c.1, II.G.d.2, II.G.d.3, II.G.d.4; **Prácticas:** SSP.3.a, SSP.6.b. El organizador gráfico muestra que Misuri se convirtió en estado en 1821 y que Luisiana se convirtió en estado en 1812. Arkansas se convirtió en estado en 1836.

15. **la expedición de Lewis y Clark**; **Nivel de conocimiento:** 2; **Temas:** I.USH.b.6, II.G.b.1, I.G.c.1, II.G.d.2, II.G.d.3, II.G.d.4; **Prácticas:** SSP.3.a, SSP.6.b. El primer recuadro del organizador gráfico afirma que la expedición de Lewis y Clark inició la exploración del territorio incluido en la compra de Luisiana en 1804. La información restante del organizador gráfico describe los territorios (el primero de ellos es Luisiana) que estaban al oeste del río Misisipi y parte de las áreas que exploraron Lewis y Clark.

16. **D**; **Nivel de conocimiento:** 3; **Temas:** II.G.b.1, II.G.c.1, II.G.d.1, II.G.d.3, I.USH.b.2, I.USH.b.6; **Prácticas:** SSP.1.a, SSP.1.b, SSP.2.a, SSP.2.b, SSP.3.b. La Doctrina Monroe establecía que los Estados Unidos no tolerarían interferencias de Europa con los países que los Estados Unidos habían reconocido como estados independientes. El párrafo explica que esto incluía a las colonias europeas que había en el continente americano. Por lo tanto, es lógico que la Doctrina se haya publicado después de que España pidiera ayuda a otras naciones europeas para detener las revueltas en las colonias españolas en el continente americano. Texas se anexó a los Estados Unidos después de la creación de la Doctrina Monroe. John Quincy Adams era secretario de Estado, no presidente. Gran Bretaña no había acordado detener su continua expansión hacia el oeste de América del Norte.

17. **C**; **Nivel de conocimiento:** 3; **Temas:** II.G.b.1, II.G.c.1, II.G.d.1, II.G.d.3, I.USH.b.6; **Prácticas:** SSP.1.a, SSP.1.b, SSP.2.a, SSP.2.b, SSP.3.b. La Guerra Mexicano-Americana, durante la cual los Estados Unidos lucharon contra México después de reconocer la independencia de Texas, muestra cómo actuaron los Estados Unidos ante una amenaza descripta en la Doctrina Monroe. La Guerra de Vietnam y la Guerra de Corea no representaban amenazas directas o amenazas de colonización para los Estados Unidos. La Guerra de Secesión no fue un conflicto con potencias extranjeras; por lo tanto, no se aplicó la Doctrina Monroe.

RESPUESTAS

LECCIÓN 6, *págs. 46–49*

1. **B**; **Nivel de conocimiento:** 2; **Tema:** I.USH.c.2; **Prácticas:** SSP.3.b, SSP.3.c. Los sureños temían que la elección de Lincoln amenazara su economía regional. Por lo tanto, tras la elección de Lincoln, muchos estados se separaron. Davis fue elegido después de que los estados del Sur se separaron de la Unión. Las personas que vivían en los territorios no votaron en las elecciones.

2. **A**; **Nivel de conocimiento:** 2; **Tema:** I.USH.c.2; **Prácticas:** SSP.3.b, SSP.3.c. Lincoln dio su discurso inaugural a una nación dividida. Lincoln asumió su cargo; no renunció a él. Los territorios no se convirtieron inmediatamente en estados y el estado de Oregón apoyó a Lincoln.

3. **C**; **Nivel de conocimiento:** 3; **Temas:** I.USH.c.1, I.USH.c.2, I.E.a, II.E.h, II.G.b.2, II.G.c.2, II.G.d.3; **Prácticas:** SSP.1.a, SSP.1.b, SSP.2.a, SSP.2.b, SSP.3.c, SSP.6.b, SSP.11.a. La tabla muestra que la población de afroamericanos esclavizados en Carolina del Sur aumentó drásticamente con los años. El fragmento indica que el algodón y otros cultivos comerciales ganaron importancia en la economía del Sur. Por lo tanto, la causa más probable del aumento de la población de afroamericanos esclavizados fue la necesidad de que trabajaran en los campos de las enormes plantaciones del Sur. A pesar de que Carolina del Sur tenía leyes duras contra los esclavos fugitivos, estas no tuvieron un gran impacto en la población de afroamericanos esclavizados. La población tampoco se vio demasiado afectada por la importación de esclavos de África durante ese período porque se había prohibido la importación de esclavos africanos a comienzos del siglo XIX. Si los esclavos hubiesen escapado por el Ferrocarril Subterráneo, la población hubiese disminuido, no aumentado.

4. **D**; **Nivel de Conocimiento:** 2; **Temas:** I.USH.c.1, I.E.a, II.E.h; **Prácticas:** SSP.1.a,SSP.1.b, SSP.2.a, SSP.2.b, SSP.3.c, SSP.6.b, SSP.11.a. El pasaje dice que la industria del algodón se volvió más lucrativa con la invención de la desmotadora de algodón. De acuerdo con el pasaje, las respuestas A, B y C son incorrectas.

5. **B**; **Nivel de conocimiento:** 3; **Temas:** I.CG.b.8, I.USH.a.1, I.USH.c.1, I.USH.c.2; **Prácticas:** SSP.1.a, SSP.1.b, SSP.2.a, SSP.2.b, SSP.3.c, SSP.4.a. La Proclamación de Emancipación solo afectó a los esclavos que vivían en los estados del Sur y luchaban contra la Unión. No liberó a todos los esclavos (de hecho, liberó a muy pocos ya que los estados del Sur ignoraron la proclamación). La proclamación no reclutó esclavos para las fuerzas armadas de la Unión ni les dio la posibilidad de obtener la libertad si servían en las fuerzas armadas de los Estados Unidos.

6. **D**; **Nivel de conocimiento:** 3; **Temas:** I.CG.b.8, I.USH.a.1, I.USH.c.1, I.USH.c.2; **Prácticas:** SSP.1.a, SSP.1.b, SSP.2.a, SSP.2.b, SSP.3.c, SSP.6.c. La Proclamación de Emancipación de Lincoln solo afectó a los estados que estaban en rebelión. No quiso inquietar a los estados leales que permitían la esclavitud. Por lo tanto, Lincoln quiso preservar los Estados Unidos a cualquier costo. La intención no fue castigar a los estados del Sur sino convertir a la esclavitud en un tema importante en la Guerra Civil. La guerra se convirtió en una lucha por liberar a los esclavos. La proclamación no hubiese obtenido el apoyo de los representantes del Sur. La proclamación de la libertad de los esclavos en los estados rebeldes no tuvo como intención sumar tropas a las fuerzas armadas de la Unión.

7. **D**; **Nivel de conocimiento:** 2; **Temas:** II.G.b.1, II.G.c.2, II.G.d.2, I.CG.d.2, I.USH.a.1, I.USH.c.3, I.USH.c.4; **Prácticas:** SSP.1.a, SSP.1.b, SSP.2.a, SSP.2.b, SSP.3.b, SSP.3.c, SSP.4.a, SSP.6.b. La Guerra de Secesión terminó con la victoria de la Unión, o del Norte. Los estados del Sur no decidieron que ya no necesitarían el trabajo de esclavos y los estados del Norte tampoco decidieron que querían tener trabajadores esclavos. Las enmiendas no se relacionan con la necesidad de reconstruir.

8. **B**; **Nivel de conocimiento:** 2; **Temas:** II.G.b.1, II.G.c.2, II.G.d.2, I.CG.d.2, I.USH.a.1, I.USH.c.3, I.USH.c.4; **Prácticas:** SSP.1.a, SSP.1.b, SSP.2.a, SSP.2.b, SSP.3.b, SSP.3.c, SSP.4.a, SSP.6.b. La Decimocuarta Enmienda les otorgó la ciudadanía a los esclavos recién liberados y, al mismo tiempo, les otorgó la misma protección ante la ley y extendió la aplicación de la Declaración de Derechos a los estados. La Decimotercera Enmienda abolió la esclavitud a nivel federal. La Proclamación de la Emancipación se publicó en 1863 y no era parte de la Decimocuarta Enmienda. La Decimoquinta Enmienda otorgó a los afroamericanos liberados el derecho a votar.

9. **D**; **Nivel de conocimiento:** 2; **Temas:** II.G.b.1, II.G.c.2, II.G.d.2, I.CG.d.2, I.USH.a.1, I.USH.c.3, I.USH.c.4; **Prácticas:** SSP.1.a, SSP.1.b, SSP.2.a, SSP.2.b, SSP.3.b, SSP.3.c, SSP.4.a, SSP.6.b. Desde que se había abolido la esclavitud a nivel federal con la Decimotercera Enmienda, los antiguos dueños de las plantaciones tenían que pagar a sus trabajadores en lugar de tenerlos esclavizados. La esclavitud se abolió en la época de la Reconstrucción y, por ende, no costó más dinero. La Proclamación de la Emancipación abolió la esclavitud en 1863 solamente para algunos de los esclavos, no para todos. Había más trabajadores, que antes habían sido esclavos, para emplear después de la Guerra de Secesión.

10. **C**; **Nivel de conocimiento:** 1; **Temas:** II.G.b.1, II.G.c.2, II.G.d.2, 9. **C**; **Nivel de conocimiento:** 1; **Temas:** II.G.b.1, II.G.c.2, II.G.d.2, I.CG.d.2, I.USH.a.1, I.USH.c.3, I.USH.c.4; **Prácticas:** SSP.1.a, SSP.1.b, SSP.2.a, SSP.2.b, SSP.3.b, SSP.3.c, SSP.4.a, SSP.6.b. La Reconstrucción fue el plan de gobierno del Congreso para ayudar a que los antiguos esclavos se ajustaran a sus nuevas libertades y también fue una manera de gobernar los estados del Sur que habían perdido la Guerra de Secesión. La Reconstrucción no tuvo nada que ver con una intención de los estados del Norte de castigar a los estados del Sur después de la guerra. La Reconstrucción no ocurrió porque los estados del Sur querían brindar educación y trabajos a los afroamericanos liberados, ni tampoco fue un plan del gobierno para los últimos años de la Guerra de Secesión; sucedió después de que terminara la guerra.

11. **B**; **Nivel de conocimiento:** 2; **Temas:** II.G.b.1, II.G.c.2, II.G.d.2, I.CG.d.2, I.USH.a.1, I.USH.c.3, I.USH.c.4; **Prácticas:** SSP.1.a, SSP.1.b, SSP.2.a, SSP.2.b, SSP.3.b, SSP.3.c, SSP.4.a, SSP.6.b. Los terratenientes del Sur permitieron que los agricultores conservaran parte de los cultivos en lugar de recibir un salario. Muchos afroamericanos preferían este sistema, denominado aparcería, antes que trabajar en grupos supervisados en las grandes plantaciones. El sistema de aparcería no permitía que muchos afroamericanos o sureños blancos humildes se independizaran económicamente, ya que los aparceros no recibían salarios para poder adquirir sus propias tierras o equipos.

LECCIÓN DE ALTO IMPACTO: ANALIZAR CONEXIONES Y RELACIONES, *págs. 50–51*

1. **D**; **Nivel de conocimiento:** 2; **Tema:** II.G.b.1; **Prácticas:** SSP.1.a, SSP.2.b, SSP.3.c. El segundo párrafo enuncia que los franceses declararon que Washington era un criminal de guerra porque algunos indígenas norteamericanos que estaban bajo el mando de Washington asesinaron a prisioneros franceses. A, B y C son respuestas incorrectas porque el pasaje no dice ni sugiere que atacar Fort Duquesne (A), sorprender a las fuerzas francesas (B) o matar soldados franceses (C) fueran crímenes de guerra.

2. **A**; **Nivel de conocimiento:** 2; **Tema:** II.G.b.1; **Prácticas:** SSP.1.a, SSP.2.b, SSP.3.c. El primer párrafo afirma que después de la batalla de Jumonville Glen, Washington supo que los franceses contraatacarían. Ninguna de las otras respuestas está respaldada por el pasaje.

3. **C**; **Nivel de conocimiento:** 2; **Tema:** II.G.b.1; **Prácticas:** SSP.1.a, SSP.2.b, SSP.3.c. El primer párrafo sostiene que el terreno alrededor del fuerte era propenso a inundarse y los bosques de las cercanías ofrecían protección a las tropas enemigas. Las respuestas A, B y D son incorrectas porque no están respaldadas por el pasaje.

4. **B**; **Nivel de conocimiento:** 3; **Tema:** II.G.b.1; **Prácticas:** SSP.1.a, SSP.2.b, SSP.3.c. El extraño golpe del destino fue que el líder de las fuerzas francesas, Louis Coulon de Villiers, fuera el medio hermano del oficial asesinado en la batalla de Jumonville Glen. La respuesta C no es un extraño golpe del destino. Las otras respuestas no están respaldadas por el pasaje.

5. **B**; **Nivel de conocimiento:** 2; **Tema:** II.G.b.1; **Prácticas:** SSP.1.a, SSP.2.b, SSP.3.c. El cuarto párrafo enuncia que Washington aceptó los términos de la rendición porque sabía que sus hombres no ganarían la batalla. Las respuestas A, C y D son incorrectas porque no están respaldadas por el pasaje.

6. **D**; **Nivel de conocimiento:** 3; **Tema:** II.G.b.1; **Prácticas:** SSP.1.a, SSP.2.b, SSP.3.c. El cuarto párrafo dice que Washington no entendió lo que estaba firmando porque el documento estaba escrito en francés. Las otras respuestas no están respaldadas por el pasaje.

LECCIÓN 7, *págs. 52–55*

1. **D**; **Nivel de conocimiento:** 2; **Tema:** I.USH.d.2; **Prácticas:** SSP.1.a, SSP.1.b, SSP.2.a, SSP.3.b, SSP.3.c, SSP.4.a. Al analizar los argumentos de las autoras de *The Blue Book*, puedes inferir que creían en usar un enfoque lógico y metódico para ganar una discusión. No es cierto que las autoras estaban relativamente desinformadas acerca de los problemas. No hay evidencia que sugiera que las autoras se divirtieran con las objeciones en contra del sufragio femenino, ni tampoco que creyeran que algunas de las objeciones fueran ciertas.

2. **B**; **Nivel de conocimiento:** 2; **Tema:** I.USH.d.2; **Prácticas:** SSP.1.a, SSP.1.b, SSP.2.a, SSP.3.b, SSP.3.c, SSP.4.a. Como se muestra en la línea cronológica, fueron nueve los estados que habían adoptado el sufragio femenino antes de la publicación de *The Blue Book*: Utah, Idaho, Washington, California, Oregón, Kansas, Arizona, Nevada y Montana.

3. **B**; **Nivel de conocimiento:** 2; **Temas:** II.G.b.1, II.USH.f.1, II.USH.f.2, II.USH.f.4, II.USH.f.5; **Prácticas:** SSP.1.a, SSP.1.b, SSP.2.a, SSP.3.b, SSP.3.c, SSP.4.a. Si bien se puede considerar que todas las opciones de respuesta fueron causas de la Primera Guerra Mundial, las amplias alianzas formadas entre las naciones hicieron que la Primera Guerra Mundial se convirtiera en una guerra mundial. Esas alianzas condujeron a la guerra a los países que no estaban inicialmente relacionados con el conflicto inicial entre Austria-Hungría y Serbia.

4. **C**; **Nivel de conocimiento:** 2; **Temas:** II.G.b.1, II.USH.f.1, II.USH.f.2, II.USH.f.4, USH.f.5; **Prácticas:** SSP.1.a, SSP.1.b, SSP.2.a, SSP.3.b, SSP.3.c, SSP.4.a. Según la línea cronológica y el pasaje, pasaron exactamente 60 meses (5 años) desde el asesinato del archiduque Ferdinand hasta la firma del Tratado de Versalles.

5. **A**; **Nivel de conocimiento:** 3; **Temas:** II.G.b.1, II.USH.f.1, II.USH.f.2, II.USH.f.4, USH.f.5; **Prácticas:** SSP.1.a, SSP.1.b, SSP.2.a, SSP.3.b, SSP.3.c, SSP.4.a. La información indica que Gran Bretaña estaba decidida a mantener sus territorios coloniales y que temía que Alemania ganara la guerra y dominara Europa occidental. La carrera armamentística entre Alemania y Gran Bretaña fue muy competitiva. Por lo tanto, puedes deducir que la rivalidad entre Gran Bretaña y Alemania se convirtió en una causa importante de la Primera Guerra Mundial. No había rivalidad entre Serbia y Alemania; tampoco había rivalidad entre Rusia y Austria-Hungría y tampoco entre los Estados Unidos y Francia.

6. **B**; **Nivel de conocimiento:** 2; **Temas:** II.G.b.1, II.USH.f.1, II.USH.f.2, II.USH.f.4, USH.f.5; **Prácticas:** SSP.1.a, SSP.1.b, SSP.2.a, SSP.3.b, SSP.3.c, SSP.4.a. Según la línea cronológica, la Batalla de Marne comenzó el 6 de septiembre de 1914 y precedió a los demás sucesos: las fuerzas otomanas colapsaron en Megiddo el 19 de septiembre de 1918; los tanques británicos ganaron en Cambrai el 20 de noviembre de 1917; y el fin de la ofensiva de Brusilov ocurrió el 10 de agosto de 1916.

7. **A**; **Nivel de conocimiento:** 3; **Temas:** II.USH.f.8, II.USH.f.9; **Prácticas:** SSP.1.a, SSP.2.b, SSP.3.a, SSP.6.b. Como la pregunta se refiere al suceso que llevó directamente a que el Partido Nazi recibiera la mayor cantidad de votos en las elecciones alemanas de 1932, debes determinar qué suceso ocurrió antes de las elecciones a partir de la línea cronológica. En este caso, sucedió por el descontento alemán con otros políticos debido a la crisis económica. Las otras opciones de respuesta describen sucesos que sucedieron mucho antes que eso.

8. **C**; **Nivel de conocimiento:** 2; **Temas:** II.USH.f.8, II.USH.f.9; **Prácticas:** SSP.1.a, SSP.2.b, SSP.3.a, SSP.6.b. Según la línea cronológica, Hitler se convirtió en líder del Partido Nazi en Alemania en 1921 y en canciller de Alemania en 1933. Este período abarca 12 años.

9. **C**; **Nivel de conocimiento:** 1; **Tema:** II.USH.f.6; **Prácticas:** SSP.1.a, SSP.2.b, SSP.3.a, SSP.6.b. Según la línea cronológica, el Plan de Préstamo y Arriendo entró en vigencia en marzo de 1941.

10. **B**; **Nivel de conocimiento:** 3; **Tema:** II.USH.f.6; **Prácticas:** SSP.1.a, SSP.2.b, SSP.3.a, SSP.6.b. La línea cronológica muestra que los Estados Unidos modificaron la Ley de Neutralidad después de que comenzara la guerra en Europa. Proveer de bienes a los aliados ayudó a los Estados Unidos en la guerra y, al mismo tiempo, también ayudó a su economía, que aún se estaba recuperando de la Gran Depresión.

11. **B**; **Nivel de conocimiento:** 3; **Temas:** II.USH.f.1, II.USH.f.8; **Prácticas:** SSP.1.a, SSP.2.b, SSP.3.a, SSP.6.b. La sección superior muestra los sucesos que ocurrieron en Europa durante la Segunda Guerra Mundial y la sección inferior muestra los sucesos que ocurrieron en el Pacífico. Esta pregunta te pide que busques sucesos análogos (muy similares) que hayan ocurrido en Europa y en el Pacífico durante las fechas enumeradas. En mayo de 1945 en la línea cronológica europea, Alemania se rindió. En septiembre de 1945 en la línea cronológica del Pacífico, Japón se rindió. Si bien pueden haber ocurrido otros sucesos durante las fechas enumeradas en las opciones de respuesta, dichos sucesos no fueron análogos.

12. **C**; **Nivel de conocimiento:** 2; **Temas:** III.USH.f.1, II.USH.f.8; **Prácticas:** SSP.1.a, SSP.2.b, SSP.3.a, SSP.6.b. El lanzamiento de bombas atómicas fue el resultado directo del desarrollo de bombas atómicas por parte del Proyecto Manhattan. No hubiera sido posible lanzar la bomba atómica sin antes haberla creado. No se lanzaron bombas atómicas en la Batalla de Midway o en la invasión del Día D. La muerte de Hitler no tuvo relación con el desarrollo de armas atómicas.

13. **D**; **Nivel de conocimiento:** 3; **Temas:** II.USH.f.1, II.USH.f.8; **Prácticas:** SSP.1.a, SSP.2.b, SSP.3.a, SSP.6.b. El título de la línea cronológica "La Segunda Guerra Mundial en Europa y el Pacífico" te da una pista de que la fuerza naval de los Estados Unidos fue fundamental en la guerra contra Japón. La Batalla de Midway no obligó a los japoneses a rendirse. Alemania no controló a la Unión Soviética, la Unión Soviética ni siquiera se menciona en la línea cronológica. Japón se unió a la guerra al bombardear la base naval de los Estados Unidos en Pearl Harbor, Hawái, no en defensa de Alemania.

14. **B**; **Nivel de conocimiento:** 3; **Temas:** II.USH.f.1, II.USH.f.8; **Prácticas:** SSP.1.a, SSP.2.b, SSP.3.a, SSP.6.b. Los aliados no atacaron directamente a Alemania y a Japón. Primero se aseguraron los territorios cercanos a esos países. La línea cronológica indica que, en el frente europeo, los aliados lucharon batallas en Italia, Francia y Bélgica antes de mudarse a Alemania. En el Pacífico, los Estados Unidos lucharon batallas en las Islas Salomón y las Filipinas antes de atacar a Japón.

HISTORIA DE LOS ESTADOS UNIDOS EN ACCIÓN, *págs. 56–57*

DERECHO, SEGURIDAD PÚBLICA, CORRECCIONALES Y SEGURIDAD

1. **B; Nivel de conocimiento:** 2; **Temas:** I.CG.d.1, I.CG.d.2, II.CG.f; **Práctica:** SSP.1.a. Gideon pensaba que era inconstitucional que no le asignaran un abogado. La respuesta A es incorrecta porque Gideon no mencionó la duración de su condena en prisión. La respuesta C es incorrecta porque apeló primero ante la Corte Suprema de Florida. La respuesta D es incorrecta porque nunca indicó que deseaba representarse a sí mismo.

2. **C; Nivel de conocimiento:** 2; **Temas:** I.CG.d.1, I.CG.d.2, II.CG.f; **Práctica:** SSP.1.a. Se le hubiera asignado un abogado porque Florida provee abogados para acusados si el delito conlleva a la pena de muerte. Las respuestas A, B y D son incorrectas porque el hecho de ser acusado de asesinato no hubiera cambiado el hecho de que tuviera un nuevo juicio, si resultaba culpable o si hubiera sido sometido a un interrogatorio policial.

3. **A; Nivel de conocimiento:** 3; **Temas:** I.CG.d.1, I.CG.d.2, II.CG.f; **Práctica:** SSP.3.c. Debido a que Gideon no era abogado, es probable que no se hubiera defendido bien. La respuesta B es incorrecta porque no apeló su caso sino hasta después de haber sido sentenciado. Las respuestas C y D no están respaldadas por la información del texto.

4. **A; Nivel de conocimiento:** 2; **Temas:** I.CG.d.1, I.CG.d.2, II.CG.f; **Práctica:** SSP.1.a. La Sexta Enmienda garantiza en parte el derecho de los acusados penales a contar con la asistencia de un abogado. Las respuestas B, C y D son incorrectas porque ninguno de estos derechos está previsto en la Sexta Enmienda.

5. **D; Nivel de conocimiento:** 2; **Temas:** I.CG.d.1, I.CG.d.2, II.CG.f; **Práctica:** SSP.3.c. Luego de *Gideon v. Wainwright,* la Corte Suprema falló en otro caso que los acusados de cualquier delito con pena de cárcel tenían derecho a un abogado. Las respuestas A, B y C son incorrectas porque no son afirmaciones verdaderas.

HOTELERÍA Y TURISMO

6. **B; Nivel de conocimiento:** 2; **Temas:** I.USH.c.1, II.G.c.3; **Práctica:** SSP.6.a. De las opciones, solo la casa de reuniones de africanos está abierta al público. A, C y D son incorrectas porque, de acuerdo con el pasaje, no están abiertas al público.

7. **A; Nivel de conocimiento:** 1; **Temas:** I.USH.c.1, II.G.c.3; **Práctica:** SSP.6.a. De acuerdo con el mapa, al alejarse del monumento al 54 Regimiento de Massachusetts, la primera casa que sigue es la casa de George Middleton. De acuerdo con el mapa, las respuestas B, C y D son incorrectas.

8. **D; Nivel de conocimiento:** 2; **Temas:** I.USH.c.1, II.G.c.3; **Práctica:** SSP.6.a. Al observar y visitar los edificios y estructuras del sendero, los visitantes pueden entender más sobre la cultura afroamericana de Boston en el siglo XIX. La respuesta A no es correcta porque caminar por el sendero no es la única manera de averiguar cuántos afroamericanos vivieron en Boston en el siglo XIX. La respuesta B es incorrecta porque no es posible conocer el interior de la mayoría de las casas del sendero. La respuesta C es incorrecta porque el sendero no fue un sendero recorrido por afroamericanos; simplemente fue un vecindario donde vivieron.

UNIDAD 3 LA EDUCACIÓN CÍVICA Y EL GOBIERNO

LECCIÓN 1, *págs. 58–61*

1. **A; Nivel de conocimiento:** 1; **Tema:** I.CG.a.1; **Prácticas:** SSP.1.a, SSP.6.b. Una mirada minuciosa al diagrama muestra que la respuesta correcta es A. La respuesta B no es correcta porque la Iglesia ejercía cierto tipo de autoridad de gobierno centralizado. La respuesta C es incorrecta porque el diagrama establece que el sistema feudal se estaba debilitando, no fortaleciendo. La respuesta D también es incorrecta porque los partidos políticos pequeños y variados llegaron al poder más tarde, con la transición de la Alta Edad Media a la Edad Moderna.

2. **B; Nivel de conocimiento:** 2; **Temas:** I.CG.a.1, II.G.b.3, II.G.b.5; **Prácticas:** SSP.1.a, SSP.6.b. La respuesta correcta es B porque el cuarto paso en el diagrama de secuencia trata de avances en las tecnologías agrícolas. Las herramientas de metal son un avance en la tecnología agrícola que facilitó la agricultura. Las respuestas A, C y D no están relacionadas con los avances en la tecnología agrícola.

3. **Temas:** I.CG.a.1, I.CG.b.3, I.CG.b.6, I.CG.b.7, I.CG.c.1, I.CG.c.3, I.CG.c.4; **Prácticas:** SSP.1.a, SSP.3.c, SSP.6.b.

3.1 **C; Nivel de conocimiento:** 2. La respuesta correcta es C porque los Artículos surgieron del deseo de crear un gobierno central que fuera más **débil** y que no tuviera demasiado poder sobre las autoridades locales (o estatales).

3.2. **D; Nivel de conocimiento:** 1. La tabla muestra que la única de las cuatro responsabilidades que aquí se presentan y que fue otorgada por los Artículos al gobierno nacional fue D, el **correo**.

3.3. **A; Nivel de conocimiento:** 1. La respuesta correcta es A, **ejecutivo**. Por temor a un poder ejecutivo fuerte, los Artículos otorgaron todo el poder en el ámbito nacional al Congreso.

3.4. **B; Nivel de conocimiento:** 1. La respuesta correcta es B porque los Artículos también otorgaron todo el poder **judicial** a los estados.

4. **Temas:** I.CG.b.3, I.CG.b.5, I.CG.b.6, I.CG.b.9, I.CG.c.1, I.CG.c.2; **Prácticas:** SSP.1.a, SSP.3.c, SSP.6.b.

4.1 **B; Nivel de conocimiento:** 1. La respuesta correcta es B, **vetar**. La pista es la palabra "rechazar". El veto es el rechazo presidencial de un proyecto de ley que le envía el Congreso.

4.2. **C; Nivel de conocimiento:** 1. La respuesta correcta es C. Como muestra el diagrama, con una mayoría de dos tercios de votos del Congreso se **invalida** un veto presidencial.

4.3. **A; Nivel de conocimiento:** 2. La respuesta correcta es A. Puedes llegar a la conclusión de que el equilibrio de poderes se incluyó en el sistema de gobierno de los Estados Unidos por temor a un **poder centralizado**.

4.4. **D; Nivel de conocimiento:** 1. La respuesta correcta es D. Las tres ramas del gobierno federal son ejecutiva (el presidente), legislativa (el Congreso) y **judicial** (la Corte Suprema).

5. **Temas:** I.CG.c.1, I.CG.c.2, I.CG.c.6; **Prácticas:** SSP.1.a, SSP.1.b, SSP.2.b, SSP.3.c, SSP.6.b.

5.1. **C; Nivel de conocimiento:** 1. La respuesta correcta es C. El vicepresidente asume si el presidente no puede cumplir con sus funciones. Por lo tanto, como muestra el diagrama de flujo, el **vicepresidente** es el primero en la línea de sucesión.

5.2. **D; Nivel de conocimiento:** 1. El diagrama de flujo muestra que la segunda persona en la línea de sucesión es el **presidente de la Cámara de Representantes**.

5.3. **C; Nivel de conocimiento:** 3. Para responder esta pregunta, busca a la primera persona en la línea de sucesión después del presidente pro tempore del Senado. La persona que sigue en la sucesión es el **secretario de Estado**.

5.4. **A; Nivel de conocimiento:** 2. El diagrama de flujo muestra que los secretarios del gabinete que ocupan los puestos más altos en la línea de sucesión son el secretario de Estado, el secretario del Tesoro y el secretario de Defensa. Eso significa que estos secretarios se ocupan principalmente de las relaciones exteriores, las finanzas y **las fuerzas armadas**.

LECCIÓN 2, *págs. 62–65*

1. **C; Nivel de conocimiento:** 3; **Temas:** I.CG.b.3, I.CG.b.8, I.CG.d.1, I.CG.d.2, I.USH.a.1; **Prácticas:** SSP.1.a, SSP.1.b, SSP.2.a, SSP.3.b, SSP.4.a. Esta enmienda aborda los derechos de los acusados. Establece que el acusado tiene el derecho a un juicio rápido y en público, a un jurado imparcial, a someterse a un careo con los testigos que declaren en su contra y a disponer de la ayuda de un abogado defensor. La libertad de expresión se explica en la Primera Enmienda, mientras que la información sobre los poderes de los tribunales y los procedimientos de los juicios se explica en el Artículo III de la Constitución de los Estados Unidos.

2. **D; Nivel de conocimiento:** 2; **Temas:** I.CG.b.3, I.CG.b.8, I.CG.d.1, I.CG.d.2, I.USH.a.1; **Prácticas:** SSP.1.a, SSP.1.b, SSP.2.a, SSP.4.a. La frase "y a disponer de la ayuda de un abogado defensor" brinda la pista del contexto de que abogado defensor significa un "asesor legal" que el acusado puede usar como ayuda cuando se lo acusa o durante un juicio.

3. **A; Nivel de conocimiento:** 2; **Temas:** I.CG.b.3, I.CG.c.1, I.CG.c.2, I.USH.a.1; **Prácticas:** SSP.1.a, SSP.1.b, SSP.2.a, SSP.4.a. El primer párrafo de la Sección 2 establece que el presidente "podrá solicitar la opinión por escrito del funcionario principal en cada uno de los departamentos ejecutivos". Las milicias estatales están bajo el mando del presidente únicamente "cuando se llame al servicio activo de los Estados Unidos"; por lo tanto, no en tiempos de paz. Las otras dos opciones de respuesta están específicamente prohibidas en la Sección 2.

4. **B; Nivel de conocimiento:** 2; **Temas:** I.CG.b.3, I.CG.c.1, I.CG.c.2, I.USH.a.1; **Prácticas:** SSP.1.a, SSP.1.b, SSP.2.a, SSP.4.a. Los tratados deberán contar con el acuerdo de dos tercios de los senadores. En cuanto a los tratados, nada se da a entender respecto de la admisión o investigación de los tratados por parte de los senadores. La redacción y la lógica son claras respecto de que los tratados no podrían aprobarse si dos tercios de los senadores se negaran.

5. **D; Nivel de conocimiento:** 3; **Temas:** I.CG.b.3, I.CG.c.1, I.CG.c.2, I.USH.a.1; **Prácticas:** SSP.1.a, SSP.1.b, SSP.2.a, SSP.4.a. La Ley de Seguridad Nacional de 1947 se aprobó el 26 de julio de 1947, con la creación del departamento de la Fuerza Aérea, dirigido por el secretario de la Fuerza Aérea. Hasta ese momento, estaba bajo el mando del ejército estadounidense. Cuando la Constitución fue escrita, no existían los aviones y por eso las respuestas A y B no son plausibles.

6. **C; Nivel de conocimiento:** 2; **Temas:** I.CG.b.3, I.CG.c.1, I.CG.c.5, I.USH.a.1; **Prácticas:** SSP.1.a, SSP.1.b, SSP.2.a, SSP.4.a. El comienzo de este texto establece claramente que únicamente el Congreso o "las legislaturas de los dos tercios de los distintos estados" pueden proponer enmiendas a la Constitución de los Estados Unidos. La Corte Suprema, los jueces federales y el presidente no se mencionan en este texto.

7. **A; Nivel de conocimiento:** 2; **Temas:** I.CG.b.3, I.CG.c.1, I.CG.c.5, I.USH.a.1; **Prácticas:** SSP.1.a, SSP.1.b, SSP.2.a, SSP.4.a. El Artículo V claramente establece que las enmiendas propuestas pasan a formar parte de la Constitución "en cuanto las ratifiquen las legislaturas de las tres cuartas partes de los distintos estados o por medio de convenciones". Dos tercios se refiere a un voto en ambas cámaras del Congreso para proponer enmiendas. En el texto no se menciona nada sobre el presidente y el Senado.

8. **B; Nivel de conocimiento:** 2; **Temas:** I.CG.b.3, I.CG.c.1, I.CG.c.5, I.USH.a.1; **Prácticas:** SSP.1.a, SSP.1.b, SSP.2.a, SSP.4.a. *Derecho al sufragio* se refiere al derecho a votar.

9. **C; Nivel de conocimiento:** 2; **Temas:** I.CG.b.3, I.CG.c.1, I.CG.c.5, I.USH.a.1; **Prácticas:** SSP.1.a, SSP.1.b, SSP.2.a, SSP.4.a. Aunque todos estos derechos están protegidos por la Constitución, únicamente la capacidad de expresar opiniones contra el gobierno ("El Congreso no hará ninguna ley que (...) restrinja la libertad de expresión, de prensa (...)") está protegido por la Primera Enmienda. Las respuestas A y B son derechos garantizados por la Tercera y la Segunda Enmienda, respectivamente. El derecho a participar en milicias locales no figura en la Declaración de Derechos.

10. **B; Nivel de conocimiento:** 2; **Temas:** I.CG.b.3, I.CG.c.1, I.CG.c.5, I.USH.a.1; **Prácticas:** SSP.1.a, SSP.1.b, SSP.2.a, SSP.4.a. La Segunda Enmienda protege el derecho de "una milicia bien regulada (...) a (...) portar armas". La Tercera Enmienda protege el derecho a negarse a alojar tropas federales. La protección contra registros arbitrarios está prevista en la Cuarta Enmienda y en la Declaración de Derechos no se hace mención del derecho a interferir en una milicia bien regulada.

11. **D; Nivel de conocimiento:** 2; **Temas:** I.CG.b.3, I.CG.c.1, I.CG.c.5, I.USH.a.1; **Prácticas:** SSP.1.a, SSP.1.b, SSP.2.a, SSP.4.a. En el Preámbulo, *benéfico* significa algo que "lleva a un buen resultado o beneficio".

12. **D; Nivel de conocimiento:** 2; **Temas:** I.CG.b.3, I.CG.c.1, I.CG.c.5, I.USH.a.1; **Prácticas:** SSP.1.a, SSP.1.b, SSP.2.a, SSP.4.a. La Octava Enmienda a la Constitución de los Estados Unidos prohíbe la imposición de fianzas excesivas.

13. **A; Nivel de conocimiento:** 3; **Temas:** I.CG.b.3, I.CG.c.1, I.CG.c.5, I.USH.a.1; **Prácticas:** SSP.1.a, SSP.1.b, SSP.2.a, SSP.4.a. La Quinta Enmienda prohíbe el "doble riesgo", así como el derecho a no autoincriminarse.

14. **D; Nivel de conocimiento:** 2; **Temas:** I.CG.b.3, I.CG.c.1, I.CG.c.5, I.USH.a.1; **Prácticas:** SSP.1.a, SSP.1.b, SSP.2.a, SSP.4.a. La Décima Enmienda establece claramente: "Los poderes que la Constitución no delega a los Estados Unidos ni prohíbe a los estados quedan reservados respectivamente a los estados o al pueblo".

15. **B; Nivel de conocimiento:** 2; **Temas:** I.CG.b.3, I.CG.c.1, I.CG.c.5, I.USH.a.1; **Prácticas:** SSP.1.a, SSP.1.b, SSP.2.a, SSP.4.a. El derecho a juicio por jurado en las causas penales está garantizado por la Sexta Enmienda, no por la Quinta Enmienda, ni la Séptima, ni la Octava.

LECCIÓN 3, *págs. 66–69*

1. **A; Nivel de conocimiento:** 2; **Temas:** I.CG.b.8, I.CG.d.1; **Prácticas:** SSP.1.a, SSP.1.b, SSP.6.b. La respuesta correcta es A. En la tabla se enumeran los derechos que garantiza la Declaración de Derechos. La respuesta B es incorrecta porque la tabla no contiene el texto exacto de la Declaración de Derechos. Cada enmienda está resumida. La respuesta C es incorrecta porque la tabla enumera las primeras diez enmiendas, pero no todas las enmiendas a la Constitución de los Estados Unidos. La respuesta D también es incorrecta porque la Declaración de Derechos es un grupo de enmiendas, o agregados, al cuerpo principal de la Constitución de los Estados Unidos. El cuerpo principal de la Constitución de los Estados Unidos está dividido en Artículos.

2. **B; Nivel de conocimiento:** 2; **Temas:** I.CG.b.8, I.CG.d.1; **Prácticas:** SSP.1.a, SSP.1.b, SSP.6.b. La respuesta correcta es B. La cantidad de enmiendas que forman la Declaración de Derechos, como se muestra en la tabla, sería aceptable en un resumen. La respuesta A es incorrecta porque el texto completo nunca se incluye en un resumen. La respuesta C es incorrecta porque esta información no está incluida en la tabla. La respuesta D es incorrecta porque esta información no figura en la tabla y daría detalles innecesarios.

3. **D; Nivel de conocimiento:** 2; **Temas:** I.CG.b.2, I.USH.a.1, I.USH.b.1, II.E.c.1; **Práctica:** SSP.2.a. Paine señala que hay un amplio mercado para los productos estadounidenses en Europa, sin Gran Bretaña. Las respuestas A y B son incorrectas porque Paine no usa estos enunciados para respaldar su punto principal. La respuesta C es incorrecta porque Paine no hace hincapié en este punto en absoluto.

4. **D; Nivel de conocimiento:** 2; **Temas:** I.CG.b.2, I.USH.a.1, I.USH.b.1, II.E.c.1; **Práctica:** SSP.2.a. Después de hacer notar la aseveración de que "los Estados Unidos florecieron bajo su antigua conexión con Gran Bretaña", Paine señala que esto no es verdad. Las respuestas A, B y C son incorrectas porque Paine no hace hincapié en estos puntos.

5. **A; Nivel de conocimiento:** 2; **Temas:** I.CG.b.2, I.USH.a.1, I.USH.b.1; **Práctica:** SSP.2.a. Aunque la analogía ayuda a enfatizar, los detalles de la analogía no serían necesarios en un resumen de este pasaje. Las respuestas B, C y D son incorrectas porque todos son puntos importantes que tendrían que incluirse en un resumen de este pasaje.

6. **B; Nivel de conocimiento:** 2; **Temas:** I.CG.b.2, I.USH.a.1, I.USH.b.1; **Práctica:** SSP.2.a. Un resumen es una versión concisa de los puntos más importantes del pasaje. El resumen incluye el punto principal del panfleto de Thomas Paine. La respuesta A es incorrecta porque estos no son puntos que Paine enfatice en su panfleto. Las respuestas C y D son incorrectas porque mencionan uno, pero no todos los puntos importantes del extracto.

7. **A; Nivel de conocimiento:** 3; **Temas:** I.CG.b.3, I.CG.b.9, I.USH.a.1, I.USH.b.1, I.G.b.1; **Prácticas:** SSP.1.a, SSP.2.a. El autor del pasaje enuncia con sus palabras solo las ideas principales de *Federalist N° 37*. Las respuestas B y C son incorrectas porque el autor no describe en detalle los argumentos de Madison en favor de la Constitución ni las deliberaciones de la Convención Constitucional. La respuesta D es incorrecta porque el autor no da detalles; solo se incluyen ideas principales en el resumen.

8. **D; Nivel de conocimiento:** 2; **Temas:** I.CG.b.3, I.CG.b.9, I.USH.a.1, I.USH.b.1, I.G.b.1; **Prácticas:** SSP.1.a, SSP.2.a. La idea principal de *Federalist N° 37* era que la Convención fue un éxito porque los delegados habían sido imparciales. Las respuestas A, B y C son incorrectas porque esos son detalles de *Federalist N° 37*; no describen la idea principal del ensayo.

9. **B; Nivel de conocimiento:** 2; **Temas:** I.CG.b.3, I.CG.b.9, I.USH.a.1, I.USH.b.1, I.G.b.1; **Prácticas:** SSP.1.a, SSP.2.a. Aunque es cierto que los 85 ensayos se publicaron con el seudónimo "Publius", esto no constituye un detalle que haga falta incluir en un resumen del pasaje. Las respuestas A, C y D son incorrectas porque todos son detalles importantes que tendrían que estar incluidos en el resumen.

10. **C; Nivel de conocimiento:** 2; **Temas:** I.CG.b.3, I.CG.b.9, I.USH.a.1, I.USH.b.1, I.G.b.1; **Prácticas:** SSP.1.a, SSP.2.a. Un resumen es una versión concisa de los puntos más importantes del pasaje. El resumen incluye qué fueron los *Federalist Papers* y por qué se escribieron. Las respuestas A, B y D son incorrectas porque, aunque son todos enunciados correctos, no brindan un resumen del primer párrafo.

11. **B; Nivel de conocimiento:** 2; **Temas:** I.CG.a, I.USH.b.1, II.G.b.1; **Prácticas:** SSP.2.a, SSP.6.b. La caricatura política aborda directamente las convicciones de Franklin sobre el futuro de las colonias británicas. Las respuestas A, C y D son incorrectas porque la caricatura es anterior a la Revolución Americana, a la Guerra civil y a la ratificación de la Constitución.

12. **D; Nivel de conocimiento:** 2; **Temas:** I.CG.a, I.USH.b.1, II.G.b.1; **Prácticas:** SSP.2.a, SSP.6.b. La imagen de la serpiente se usó en esta caricatura porque era una imagen familiar a causa de una superstición divulgada en esa época. Las respuestas A, B y C son incorrectas porque son enunciados erróneos y no se hallan en el pasaje.

13. **C; Nivel de conocimiento:** 2; **Temas:** I.CG.a, I.USH.b.1, II.G.b.1; **Prácticas:** SSP.2.a, SSP.6.b. Aunque la caricatura apareció en el periódico *Pennsylvania Gazette*, este no es un detalle importante que haga falta incluir en un resumen del pasaje. Las respuestas A, B y D son incorrectas porque son todos puntos importantes que tendrían que incluirse en un resumen del pasaje.

14. **A; Nivel de conocimiento:** 2; **Temas:** I.CG.a, I.USH.b.1, II.G.b.1; **Prácticas:** SSP.2.a, SSP.6.b. Un resumen es una versión concisa de los puntos más importantes del pasaje. El resumen incluye la relevancia de la caricatura política. Las respuestas B y D son enunciados incorrectos y no se hallan en el pasaje. La respuesta C es incorrecta porque, aunque se trata de un enunciado correcto, no es un punto importante del pasaje.

LECCIÓN 4, *págs. 70–73*

1. **A; Nivel de conocimiento:** 1; **Temas:** I.CG.b.7, I.USH.c.3; **Prácticas:** SSP.1.a, SSP.2.a. Al comparar estos dos pasajes, puedes determinar que ambos se refieren a la secesión de Carolina del Sur de los Estados Unidos. Por lo tanto, la respuesta correcta es A. La respuesta B es incorrecta porque los pasajes no hablan sobre los conflictos reales que causaron la secesión. Las respuestas C y D también son incorrectas porque ninguno de los pasajes menciona la esclavitud o la posición de Carolina del Sur entre las naciones del mundo.

2. **B; Nivel de conocimiento:** 2; **Temas:** I.CG.b.7, I.USH.c.3; **Prácticas:** SSP.1.a, SSP.2.a. Al contrastar estos pasajes, puedes determinar que, aunque ambos se refieren a la secesión, el primero declara que Carolina del Sur está en secesión y el segundo establece las razones. De allí que la característica de los textos más diferente es el propósito de cada uno. No se trata del estilo de escritura, el momento en que se escribieron ni el tema que tratan.

3. **B; Nivel de conocimiento:** 2; **Temas:** I.CG.b.8, I.CG.d.2, I.USH.c.1, I.USH.c.4; **Prácticas:** SSP.1.a, SSP.2.a, SSP.2.b, SSP.3.c. La respuesta correcta es B. Lee la información detenidamente para determinar las similitudes y diferencias entre la esclavitud y la aparcería. La diferencia era que, en la aparcería, los trabajadores podían recibir un pago por su trabajo en una plantación. Los dos sistemas eran similares en que los trabajadores eran maltratados, los terratenientes proporcionaban los materiales para producir las cosechas y los trabajadores ayudaban a producir cultivos comerciales, como el algodón.

4. **D; Nivel de conocimiento:** 2; **Temas:** I.CG.b.8, I.CG.d.2, II.CG.e.2, I.USH.c.4; **Prácticas:** SSP.1.a, SSP.2.a, SSP.2.b, SSP.3.c. La respuesta correcta es D. La esclavitud y la aparcería se parecían (o eran iguales) en que, al igual que durante la era de la esclavitud, muchos aparceros se dedicaban principalmente a tareas agrícolas. Las respuestas A, B y C incluyen un nivel de libertad que los esclavos no tenían.

5. **C; Nivel de conocimiento:** 2; **Tema:** I.CG.b.8; **Prácticas:** SSP.1.a, SSP.1.b, SSP.2.a, SSP.2.b. La respuesta correcta es C. Ambas conceden al Congreso la autoridad necesaria para hacer cumplir sus disposiciones. Ninguna de las demás respuestas describe los poderes otorgados por la Decimotercera o la Decimoquinta Enmienda.

6. **A; Nivel de conocimiento:** 3; **Temas:** I.CG.b.4, I.CG.b.8; **Prácticas:** SSP.1.a, SSP.1.b, SSP.2.a, SSP.2.b, SSP.6.c. La respuesta correcta es A. La clave aquí es revisar cuidadosamente lo que concede la Decimoquinta Enmienda: el derecho a votar independientemente de la raza, el color o la anterior condición de esclavo. Declaraba ilegales las restricciones de voto basadas en la raza. No declara ilegal la encarcelación de criminales convictos. No declara ilegales las campañas de registro de votantes. No declara ilegal la esclavitud.

7. **B; Nivel de conocimiento:** 2; **Temas:** I.CG.a.1, I.CG.c.2, II.CG.e.3, I.USH.d.1; **Prácticas:** SSP.1.a, SSP.2.a, SSP.2.b, SSP.3.c, SSP.6.b. La respuesta correcta es B. Si observas la información, establece que ningún afroamericano accedió al Senado entre 1881 y 1967, y que la Cámara de Representantes no tuvo ningún miembro afroamericano entre 1901 y 1929. Esto revela largos períodos del siglo XIX en donde no hubo miembros afroamericanos en ninguna cámara del Congreso.

8. **A; Nivel de conocimiento:** 2; **Temas:** I.CG.a.1, I.CG.c.2, II.CG.e.3, I.USH.d.1; **Prácticas:** SSP.1.a, SSP.2.a, SSP.2.b, SSP.3.c, SSP.6.b. La respuesta correcta es A. El pasaje indica que la Cámara tuvo 139 miembros afroamericanos, mientras que el Senado tuvo ocho miembros afroamericanos.

9. **D; Nivel de conocimiento:** 2; **Temas:** I.CG.a.1, I.CG.c.2, II.CG.e.3, I.USH.d.1; **Prácticas:** SSP.1.a, SSP.2.a, SSP.2.b, SSP.3.c, SSP.6.b. La respuesta correcta es D. Revels fue el primer miembro afroamericano del Senado de los Estados Unidos y fue elegido por la asamblea legislativa del estado de Misisipi, no por el pueblo. Sin embargo, Rainey fue el primer afroamericano elegido por el voto popular para el Congreso. La respuesta A es incorrecta porque ambos fueron elegidos durante el mismo año. La respuesta B es incorrecta porque Revels accedió al Senado y Rainey a la Cámara de Representantes. La respuesta C no es correcta porque Rainey fue esclavo; sin embargo, la información no aclara si Revels lo fue.

10. **B; Nivel de conocimiento:** 2; **Temas:** I.CG.a.1, I.CG.c.2, II.CG.e.3, I.USH.d.1; **Prácticas:** SSP.1.a, SSP.2.a, SSP.2.b, SSP.3.c, SSP.6.b. La respuesta B es correcta porque Blanche K. Bruce fue el último afroamericano en ocupar un puesto en el Senado entre fines del siglo XIX y 1967. George Henry White fue el último afroamericano en cumplir funciones en la Cámara de Representantes entre 1901 y 1928. La respuesta A es incorrecta porque White cumplió funciones durante más de dos años en la Cámara. La respuesta C es incorrecta porque Bruce fue elegido por la asamblea legislativa del estado de Misisipi. La respuesta D es incorrecta porque Bruce representó a Misisipi, mientras que White representó a Carolina del Norte.

11. **C; Nivel de conocimiento:** 2; **Temas:** I.CG.b.7, I.CG.b.8, I.CG.c.3, I.CG.d.2; **Prácticas:** SSP.1.a, SSP.1.b, SSP.6.b. El presidente Lincoln presentó un plan de Reconstrucción conciliatorio para facilitar la reincorporación de los estados del Sur a la Unión, pero los republicanos radicales del Congreso querían sancionar a los estados del Sur con rigurosas políticas de reconstrucción. Al examinar las acciones del presidente Johnson que presenta la información, puedes determinar que sus políticas eran más parecidas a las del presidente Lincoln.

12. **B; Nivel de conocimiento:** 2; **Temas:** I.CG.b.7, I.CG.b.8, I.CG.c.3, I.CG.d.2; **Prácticas:** SSP.1.a, SSP.1.b, SSP.6.b. La información establece que mientras que la mayoría de los estados ratificaron la Decimotercera Enmienda dentro de un año, la Decimocuarta Enmienda fue inicialmente rechazada por la mayoría de los estados del Sur en 1866 y no se ratificó hasta 1868.

13. **D; Nivel de conocimiento:** 2; **Temas:** I.CG.b.7, I.CG.b.8, I.CG.c.3, I.CG.d.2; **Prácticas:** SSP.1.a, SSP.1.b, SSP.6.b. La respuesta correcta es D. Los republicanos radicales respaldaron medidas muy severas, incluida la sanción directa a la aristocracia del Sur que respaldó la guerra. Por lo tanto, los republicanos radicales habrían respaldado el arrebato del control a la aristocracia. Las demás medidas mencionadas en A, B y C habrían sido tolerantes con el Sur y no habrían contado con el respaldo de los republicanos radicales.

14. **A; Nivel de conocimiento:** 2; **Temas:** I.CG.b.7, I.CG.b.8, I.CG.c.3, I.CG.d.2; **Prácticas:** SSP.1.a, SSP.1.b, SSP.6.b. La respuesta correcta es A. La Decimocuarta Enmienda garantizaba la ciudadanía a todos los nacidos en los Estados Unidos, incluidos los antiguos esclavos, y la Decimoquinta Enmienda establecía el derecho al voto para los hombres afroamericanos. La respuesta B no es correcta porque los estados del Sur rechazaron únicamente la Decimocuarta Enmienda. La respuesta C es incorrecta porque ninguna enmienda se ratificó rápidamente. La respuesta D es incorrecta porque la información no menciona el punto de vista de Rutherford B. Hayes sobre ninguna de las enmiendas.

LECCIÓN DE ALTO IMPACTO: ANALIZAR FUENTES PRIMARIAS Y SECUNDARIAS, *págs. 74–75*

1. **C; Nivel de conocimiento:** 2; **Tema:** I.USH.c.2; **Prácticas:** SSP.6.b, SSP.8.a. La foto muestra qué tan malo fue en realidad el daño a Richmond. Las respuestas A y B son incorrectas porque estos no son detalles que puedas ver en la fotografía. La respuesta D es incorrecta porque la fotografía muestra que el daño a Richmond fue realmente extremo.

2. **D; Nivel de conocimiento:** 2; **Temas:** I.USH.d.2, II.CG.d.2; **Prácticas:** SSP.6.b, SSP.8.a. Ambas fuentes tratan de las mujeres y su participación en el movimiento por la sobriedad. Las respuestas A y B son incorrectas porque esta información no se halla en el cartel. La respuesta C es incorrecta porque solo el cartel describe violencia.

3. **C; Nivel de conocimiento:** 2; **Temas:** I.USH.d.2, II.CG.d.2; **Prácticas:** SSP.6.b, SSP.8.a. Ambas fuentes muestran que las mujeres desempeñaron un papel activo en el movimiento por la sobriedad. Las respuestas A y D son incorrectas porque esta información se halla solo en el pasaje. La respuesta B es incorrecta porque este mensaje se puede hallar solo en el cartel.

4. **D; Nivel de conocimiento:** 2; **Temas:** I.USH.d.2, II.CG.d.2; **Prácticas:** SSP.6.b, SSP.8.a. El cartel muestra mujeres en un rol de mucho poder en el movimiento por la sobriedad. La respuesta A es incorrecta porque esto se aborda solo en el pasaje. La respuesta B es incorrecta porque el cartel parece glorificar la violencia de las mujeres. La respuesta C es incorrecta porque ni el pasaje ni el cartel insinúan que tener mujeres a cargo del movimiento por la sobriedad fuese una mala idea.

5. **A; Nivel de conocimiento:** 2; **Temas:** I.USH.d.2, II.CG.d.2; **Prácticas:** SSP.6.b, SSP.8.a. Tanto el pasaje como el cartel destacan los roles de las mujeres en el movimiento por la sobriedad. Las respuestas B, C y D son detalles del pasaje, pero no aparecen reflejados en el cartel.

LECCIÓN 5, *págs. 76–79*

1. **B; Nivel de conocimiento:** 1; **Temas:** II.G.c.3, II.G.d.1, II.G.d.3; **Prácticas:** SSP.1.a, SSP.2.a, SSP.6.b, SSP.6.c, SSP.10.a. La respuesta correcta es B. Si miras atentamente la gráfica, verás que Texas ocupa el tercer puesto en el porcentaje de residentes nacidos en el extranjero, detrás de California y de Nueva York. Nueva York (segundo), Florida y Nueva Jersey son incorrectas.

2. **D; Nivel de conocimiento:** 1; **Temas:** II.G.c.3, II.G.d.1, II.G.d.3; **Prácticas:** SSP.1.a, SSP.2.a, SSP.6.b, SSP.6.c, SSP.10.a. La población nacida en el extranjero era de alrededor de 20 millones en 1990. En 2010, era de casi 40 millones, lo que representa un crecimiento de aproximadamente 20 millones de personas entre los dos años. Por lo tanto, la respuesta correcta es D. Las respuestas A, B y C son incorrectas.

3. **B; Nivel de conocimiento:** 1; **Temas:** II.CG.e.2, II.USH.g.3; **Prácticas:** SSP.1.a, SSP.1.b, SSP.2.b, SSP.3.a, SSP.3.c, SSP.6.b, SSP.6.c. Observa el recuadro superior del diagrama de flujo para hallar las acciones que comenzaron la lucha, que es la guerra cubana de independencia contra España. Por lo tanto, la respuesta correcta es B, España intentaba suprimir una rebelión en Cuba. España no era un protectorado de Cuba y, por lo tanto, no quería independizarse de Cuba, ni los Estados Unidos luchaban contra Cuba con España como aliado. También es incorrecto que la causa fue una explosión en un buque en la bahía de La Habana.

4. **C; Nivel de conocimiento:** 1; **Temas:** II.CG.e.2, II.USH.g.3; **Prácticas:** SSP.1.a, SSP.1.b, SSP.2.b, SSP.3.a, SSP.3.c, SSP.6.b, SSP.6.c. A, B y D no son verdaderas y no están respaldadas por la información del diagrama de flujo. La única respuesta que está respaldada por la información del diagrama de flujo es la C. Los periódicos publicaron artículos sensacionalistas y lograron que la opinión pública estadounidense se volviera en contra de España.

RESPUESTAS

5. **C; Nivel de conocimiento:** 2; **Temas:** II.CG.e.2, II.USH.g.3; **Prácticas:** SSP.1.a, SSP.1.b, SSP.2.b, SSP.3.a, SSP.3.c, SSP.6.b, SSP.6.c. Observa cuidadosamente todas las respuestas y descarta aquellas que no están respaldadas por el pasaje corto o por el diagrama de flujo. Tanto la información del pasaje como la del diagrama de flujo respaldan la respuesta C, que los Estados Unidos se transformaron en una potencia mundial y, por lo tanto, se debió tener esto en cuenta para las acciones futuras.

6. **A; Nivel de conocimiento:** 2; **Tema:** II.CG.e.3; **Prácticas:** SSP.1.a, SSP.1.b, SSP.6.b, SSP.6.c. El único enunciado correcto es A. Observa la segunda gráfica circular que muestra los votos electorales. Aunque se nombraron cinco candidatos en la gráfica correspondiente al voto popular, el voto electoral se dividió entre solo dos de ellos. Como resultado, de los candidatos nombrados, tres no recibieron votos electorales.

7. **B; Nivel de conocimiento:** 2; **Temas:** II.G.d.1, II.G.d.4; **Prácticas:** SSP.1.a, SSP.1.b, SSP.2.a, SSP.6.b, SSP.6.c, SSP.10.a. La respuesta correcta es B porque las barras de la gráfica para las dos primeras décadas del siglo XX son las más largas, lo que significa que fue el período de mayores cantidades de asentamientos rurales. La gráfica de barras indica que la respuesta A es incorrecta porque el número de asentamientos rurales no aumentó a un ritmo constante entre esas décadas. La respuesta C es incorrecta porque la gráfica muestra que se transfirieron escrituras después de 1950. De hecho, el pasaje establece que la ley de Asentamientos Rurales no fue derogada en todos los Estados Unidos hasta 1986. Si haces un cálculo rápido a partir de la gráfica, verás que la respuesta D también es incorrecta. La incorporación de todos los asentamientos rurales en las décadas anteriores al período entre 1911 y 1920 es mucho mayor que en esa década solamente.

8. **C; Nivel de conocimiento:** 3; **Temas:** II.G.d.1, II.G.d.4; **Prácticas:** SSP.1.a, SSP.1.b, SSP.2.a, SSP.6.b, SSP.6.c, SSP.10.a. La respuesta correcta es C porque la inferencia más lógica es que las personas que pudieron conseguir su propia tierra por primera vez probablemente sintieron una conexión fuerte con el gobierno federal que lo hizo posible. Para esto, deberás hacer inferencias y sacar algunas conclusiones. Las respuestas A y B no son correctas porque no son verdaderas. Puedes inferir que la ley de Asentamientos Rurales creó más dueños de tierras, no menos, en los Estados Unidos. También debes recordar que el fin de la esclavitud llegó apenas algunos años después de que el presidente Lincoln firmara para que entrara en vigencia la ley de Asentamientos Rurales en 1862. Además, no hay razón lógica para que la ley hiciera que la esclavitud durara más tiempo. La respuesta D es incorrecta porque las ciudades no fueron abandonadas en los Estados Unidos.

9. **C; Nivel de conocimiento:** 1; **Temas:** II.G.d.3, II.G.d.4; **Prácticas:** SSP.1.a, SSP.2.b, SSP.6.b, SSP.6.c, SSP.10.a. La respuesta correcta es C porque las barras que corresponden a "Población rural" tanto en 1900 como en 1910 son mucho más largas que las barras que corresponden a "Población urbana". Las respuestas A y B son incorrectas porque la población de Alabama durante este período no estaba repartida en partes aproximadamente iguales entre las áreas urbanas y rurales, ni era preponderantemente urbana. La respuesta D es incorrecta porque la gráfica muestra que la población no superaba los 2 millones en 1900.

10. **B; Nivel de conocimiento:** 2; **Temas:** II.G.d.3, II.G.d.4; **Prácticas:** SSP.1.a, SSP.2.b, SSP.6.b, SSP.6.c, SSP.10.a. La respuesta correcta es B porque las barras de la gráfica muestran que en 1910 la población de Alabama estaba apenas un poco más urbanizada que en 1900. Revisa atentamente la gráfica y observa que las respuestas A y C son incorrectas. La respuesta D es incorrecta porque la población aumentó tanto en las áreas rurales como en las urbanas. No disminuyó.

11. **Nivel de conocimiento:** 2; **Tema:** I.CG.e.3; **Prácticas:** SSP.1.a, SSP.1.b, SSP.2.a, SSP.6.b, SSP.6.c.

11.1: **C.** En elecciones recientes, los **anuncios políticos** han sido un factor en los gastos de campaña.

11.2: **A.** Durante las campañas electorales, los candidatos que ya ocupan cargos también trabajan como **recaudadores de fondos**.

11.3: **D.** Quienes se postulan contra los miembros del Congreso son **candidatos contendientes**.

11.4: **B.** Los **titulares de los cargos** tienen asesores pagados por el Congreso.

11.5: **C.** Las **reelecciones** de los titulares del cargo habrían desencadenado un llamado para limitar los períodos y una reforma de la recaudación de fondos de campaña.

LECCIÓN 6, *págs. 80–83*

1. **D; Nivel de conocimiento:** 1; **Temas:** I.CG.b.6, I.CG.c.1, I.CG.c.4, II.USH.f.4; **Prácticas:** SSP.1.a, SSP.2.a, SSP.2.b, SSP.3.c. La respuesta correcta es D. La respuesta es clara en el anuncio de que Alemania atacaría buques estadounidenses, y en el enunciado que el presidente Wilson hizo ante el Congreso para referirse a la escalada del conflicto con Alemania. No se da información específica sobre el estado de la guerra en Europa o sobre el poder militar en Alemania. El segundo mandato del presidente Wilson no se relaciona directamente con su discurso en el Congreso.

2. **A; Nivel de conocimiento:** 2; **Temas:** I.CG.b.6, I.CG.c.1, I.CG.c.4, II.USH.f.4; **Prácticas:** SSP.1.a, SSP.2.a, SSP.2.b, SSP.3.c. La respuesta correcta es A porque el discurso deja en claro que el presidente Wilson cree que la guerra con Alemania pronto será necesaria para los Estados Unidos. Wilson dice: "Es pavoroso llevar a este pueblo grande y pacífico a la guerra. (...)" Estas palabras muestran que el presidente Wilson ya no quiere permanecer neutral. La respuesta C es incorrecta porque el presidente Wilson habla de muchos meses de duras pruebas, lo que indica que no cree ganar la guerra rápidamente. La respuesta D es incorrecta porque no hay nada en el pasaje que indique que el presidente Wilson crea que la guerra se pelea por motivos económicos.

3. **A; Nivel de conocimiento:** 3; **Temas:** I.CG.b.8, I.CG.d.2, II.CG.e.2, II.CG.e.3, II.USH.d.2; **Prácticas:** SSP.1.a, SSP.1.b, SSP.2.b, SSP.5.a. En el segundo párrafo, Susan Anthony cita: "Nosotros, el pueblo...", las palabras que dan comienzo al Preámbulo de la Constitución de los Estados Unidos. No es la Declaración de Independencia, ni la Decimosegunda Enmienda ni la Proclamación de Emancipación.

4. **B; Nivel de conocimiento:** 3; **Temas:** I.CG.b.8, I.CG.d.2, II.CG.e.2, II.CG.e.3, II.USH.d.2; **Prácticas:** SSP.1.a, SSP.1.b, SSP.2.b, SSP.5.a. La respuesta correcta es B. Lo prueba este fragmento del pasaje: "...no solo no cometí ningún delito, sino que simplemente ejercí mis derechos de ciudadana, garantizados a todos los ciudadanos de los Estados Unidos en la Constitución Nacional...". La respuesta A es incorrecta porque Susan Anthony claramente no está burlándose de la Constitución, sino de las personas que niegan a las mujeres los derechos que esta les otorga. La respuesta C es incorrecta porque el objetivo de Susan Anthony no era declarar que las mujeres disfrutan de la libertad; todos lo hacemos. La respuesta D es incorrecta porque no hay nada en el pasaje que indique que Susan Anthony se opusiera a las enmiendas constitucionales.

5. **B; Nivel de conocimiento:** 2; **Temas:** I.CG.c.3, I.CG.c.5, II.USH.g.3; **Prácticas:** SSP.1.a, SSP.1.b, SSP.2.a, SSP.2.b, SSP.3.c. La enmienda establece que está en efecto tanto dentro de los Estados Unidos como en todo el territorio sometido a su jurisdicción. Como Puerto Rico era un territorio de los Estados Unidos cuando se ratificó la enmienda, también estaba sujeto a la Ley Seca.

6. **C; Nivel de conocimiento:** 2; **Temas:** I.CG.c.3, I.CG.c.5, II.USH.g.3; **Prácticas:** SSP.1.a, SSP.1.b, SSP.2.a, SSP.2.b, SSP.3.c. La Decimoctava Enmienda se ratificó en 1919. Sin embargo, la enmienda establece que entrará en vigencia "Un año después de la ratificación...". Por lo tanto, entró en vigencia en 1920.

7. **A; Nivel de conocimiento:** 3; **Temas:** I.CG.c.5, I.CG.d.2; **Prácticas:** SSP.1.a, SSP.1.b, SSP.2.a, SSP.2.b, SSP.3.a, SSP.3.c. La respuesta A es correcta porque para que la enmienda fuera derogada, el Congreso tuvo que tomar la iniciativa. Por lo tanto, el Congreso tuvo que dejar de apoyar la Ley Seca. Las respuestas B, C y D no son inferencias lógicas.

8. **D; Nivel de conocimiento:** 3; **Temas:** I.CG.c.5, I.CG.d.2; **Prácticas:** SSP.1.a, SSP.1.b, SSP.2.a, SSP.2.b, SSP.3.a, SSP.3.c. El hecho de que existieran las leyes secas de los estados hasta el 1966 significa que algunas asambleas legislativas estatales creían que el consumo de alcohol era peligroso. La respuesta A es incorrecta porque varios estados mantuvieron la prohibición del alcohol incluso después de que se derogara la Decimoctava Enmienda. La respuesta B es incorrecta porque la prohibición estatal del alcohol no necesariamente significa el control de las tabernas y los bares clandestinos. Los estados podrían haberse concentrado en controlar la producción y el transporte de alcohol. La respuesta C es incorrecta porque el pasaje no aclara si las leyes estatales eran fáciles de hacer cumplir; por lo tanto, no puedes hacer esa inferencia.

9. **B; Nivel de conocimiento:** 3; **Temas:** I.CG.c.5, I.CG.d.2; **Prácticas:** SSP.1.a, SSP.1.b, SSP.2.a, SSP.2.b, SSP.3.a, SSP.3.c. La respuesta más lógica es B. Si muchos estadounidenses desacataron la ley, la razón más probable es que les gustaba beber alcohol y pensaban que tenían derecho a hacerlo. Sentían que la ley era injusta y que restringía sus derechos individuales. No puedes inferir que la mayoría de los estadounidenses no fueran personas respetuosas de la ley ni que la policía no haya intentado hacer cumplir esta ley. Por lo tanto, las respuestas A y C son incorrectas. También es ilógico suponer que el empleo de la mayoría de los estadounidenses dependiera de la producción de alcohol, por lo que la respuesta D no es una buena inferencia.

10. **D; Nivel de conocimiento:** 2; **Temas:** I.CG.b.8, I.CG.d.2; **Prácticas:** SSP.1.a, SSP.1.b, SSP.2.a, SSP.2.b, SSP.3.a, SSP.3.c. Debido a las numerosas innovaciones y los avances en la sociedad, puedes inferir que la década de 1920 fue un tiempo de entusiasmo e innovación. No puedes inferir que la vida en la década de 1920 era peligrosa, o que la vida para los trabajadores era más difícil que en las décadas anteriores, o que los artistas alcanzaron fama internacional en la década de 1920.

11. **C; Nivel de conocimiento:** 3; **Temas:** I.CG.b.8, I.CG.d.2; **Prácticas:** SSP.1.a, SSP.1.b, SSP.2.a, SSP.2.b, SSP.3.a, SSP.3.c. Las mujeres adquirieron más poder cuando se les concedió el derecho al voto en las elecciones nacionales. Lograron poder sobre los funcionarios elegidos que creaban las leyes y pudieron expresar sus puntos de vista en las urnas. Esto también fue la culminación del movimiento por el sufragio femenino, en el cual muchas mujeres actuaron como líderes y organizadoras. La Segunda Guerra Mundial no tuvo lugar en la década de 1920; por lo tanto, la opción de respuesta A es incorrecta. Ir a ver obras de teatro y películas o poder conducir automóviles, por sí mismos, no darían más poder a las mujeres.

12. **B; Nivel de conocimiento:** 2; **Temas:** I.CG.c.3, I.CG.c.6, II.E.d.4, II.E.d.10; **Prácticas:** SSP.1.b, SSP.6.b. La tabla muestra que Hoover implementó menos políticas para los trabajadores, todo lo opuesto a Roosevelt. La respuesta A es incorrecta porque Roosevelt implementó políticas que dieron estabilidad a los bancos. Las respuestas C y D son incorrectas porque esa tabla muestra que Roosevelt sí abordó la cuestión de la infraestructura y las necesidades de la gente de campo en los Estados Unidos.

13. **D; Nivel de conocimiento:** 2; **Temas:** I.CG.c.3, I.CG.c.6, II.E.d.4, II.E.d.10; **Prácticas:** SSP.1.b, SSP.6.b. Podemos inferir que la administración de Hoover no resolvió el problema del excedente de cultivo porque Roosevelt tuvo que tratar esta cuestión en el Nuevo Acuerdo. Las respuestas A, B y C son incorrectas porque la tabla no muestra que ninguno de estos enunciados sea verdadero.

14. **B; Nivel de conocimiento:** 2; **Temas:** I.CG.c.3, I.CG.c.6, II.E.d.4, II.E.d.10; **Prácticas:** SSP.1.b, SSP.6.b. La tabla muestra que una serie de programas del Nuevo Acuerdo de Roosevelt trataban sobre infraestructura. Las respuestas A, C y D son incorrectas porque ninguno de estos enunciados es verdadero según la tabla.

15. **C; Nivel de conocimiento:** 2; **Temas:** I.CG.c.3, I.CG.c.6, II.E.d.4, II.E.d.10; **Prácticas:** SSP.1.b, SSP.6.b. La tabla muestra que Roosevelt respaldó cuatro iniciativas diferentes para emplear gente, a diferencia de Hoover. Los enunciados de las opciones A, B y D no son verdaderos según la tabla.

LECCIÓN 7, *págs. 84–87*

1. **C; Nivel de conocimiento:** 2; **Temas:** II.E.d.7, II.E.d.10; **Prácticas:** SSP.1.a, SSP.1.b, SSP.2.a, SSP.5.a, SSP.5.b, SSP.6.b. Las dos figuras de la derecha son muy similares, pero el hombre que sostiene el maletín está dibujado de manera diferente. Lleva un maletín y también tiene puesto un traje y una corbata. Estos son símbolos de personas exitosas en el mundo de los negocios. Las respuestas A, B y D no muestran exageración o rasgos distintivos.

2. **D; Nivel de conocimiento:** 2; **Temas:** II.E.d.7, II.E.d.10; **Prácticas:** SSP.1.a, SSP.1.b, SSP.2.a, SSP.5.a, SSP.5.b, SSP.6.b. La única respuesta lógica es D. La caricatura muestra a un hombre a punto de dar dinero a otro hombre que está mendigando. En cambio, él ofrece darle el dinero a un hombre rico que pasa caminando. La idea de que dar el dinero a un hombre rico ayudará al hombre pobre es absurda porque el hombre desempleado no recibe beneficio alguno cuando la persona de negocios recibe dinero. Las respuestas A, B y C son incorrectas porque el hombre sentado está desempleado y no puede pagar el gas, por lo tanto no se ha beneficiado de la economía de goteo.

3. **Nivel de conocimiento:** 2; **Temas:** I.CG.c.1, I.CG.c.3, I.CG.c.6; **Prácticas:** SSP.1.a, SSP.1.b, SSP.2.a, SSP.2.b, SSP.5.a, SSP.6.b.

3.1 **D.** El presidente Roosevelt está representado por el **médico**, y lleva un maletín lleno de "medicamentos del Nuevo Acuerdo".

3.2 **C.** El hombre viejo es el Tío Sam, que representa a **los Estados Unidos**. Si se mira la caricatura de cerca, se ve que el hombre tiene estrellas en el pantalón del pijama y rayas en los calcetines, lo que representa la bandera de los Estados Unidos. Para enfatizar, él también tiene la leyenda "US" (EE. UU., en español) en las pantuflas.

3.3 **A.** Las iniciales que aparecen en las botellas son las de **programas del Nuevo Acuerdo**. El "médico" FDR recetó los medicamentos del Nuevo Acuerdo para el "hombre enfermo", es decir, los Estados Unidos.

3.4 **C.** El título de la caricatura, "El Nuevo Acuerdo, al rescate" es básicamente optimista. Sin embargo, el "médico", FDR, está diciéndole a la "enfermera" (el Congreso) que podrían tener que probar con nuevos medicamentos si estas pociones del Nuevo Acuerdo no funcionan, lo cual añade precaución al mensaje, por lo cual la actitud general es **cautelosamente optimista**.

4. **D; Nivel de conocimiento:** 2; **Temas:** I.CG.c.1, I.CG.c.3; **Prácticas:** SSP.1.a, SSP.1.b, SSP.2.a, SSP.5.a, SSP.6.b, SSP.7.a. El personaje que está sentado en el medio es el Tío Sam, quien siempre representa a los Estados Unidos en las caricaturas. Él no representa a Herbert Hoover, a Woodrow Wilson ni a las Naciones Unidas.

5. **A; Nivel de conocimiento:** 2; **Temas:** I.CG.c.1, I.CG.c.3; **Prácticas:** SSP.1.a, SSP.1.b, SSP.2.a, SSP.5.a, SSP.6.b, SSP.7.a. La caricatura describe la tensión política por la decisión que los Estados Unidos debían tomar acerca de involucrarse en la Segunda Guerra Mundial. El sentimiento que se expresa no es escepticismo, optimismo ni calma.

6. **B; Nivel de conocimiento:** 1; **Tema:** I.CG.c.6; **Prácticas:** SSP.1.a, SSP.2.a, SSP.5.a, SSP.5.b, SSP.6.b. Mirando el cartel en detalle, puedes ver que la figura está sonriendo y se ve orgullosa.

7. **D; Nivel de conocimiento:** 2; **Tema:** I.CG.c.6; **Prácticas:** SSP.1.a, SSP.2.a, SSP.5.a, SSP.5.b, SSP.6.b. El pasaje y el cartel transmiten la idea que el programa les dio a los hombres jóvenes la oportunidad de trabajar y ganar dinero.

8. **C; Nivel de conocimiento:** 3; **Tema:** I.CG.c.6; **Prácticas:** SSP.1.a, SSP.2.a, SSP.5.a, SSP.5.b, SSP.6.b. La respuesta correcta es C porque los trabajos eran difíciles. La palabra propaganda a menudo se usa con una connotación negativa pero, en este caso, la promoción de un buen trabajo, aunque sea difícil e implique un gran esfuerzo, se puede considerar un tipo de propaganda optimista. El cartel no promocionó el CCC de manera optimista porque hubiera demasiados postulantes o porque los trabajos fueran muy deseados o porque los salarios fueran muy buenos.

9. **D; Nivel de conocimiento:** 2; **Tema:** I.CG.c.6; **Prácticas:** SSP.1.a, SSP.2.a, SSP.2.b, SSP.3.c, SSP.5.a, SSP.5.b, SSP.6.b. El cartel menciona varias cosas que la población puede hacer para colaborar con el esfuerzo bélico y hacer esas cosas hizo que las personas de los hogares "salieran victoriosas". Mientras las otras opciones describen una cosa que alguien puede hacer para mostrar apoyo a la guerra, las personas que viven en un hogar "victorioso" buscan múltiples maneras de apoyar la guerra.

10. **C; Nivel de conocimiento:** 2; **Tema:** I.CG.c.6; **Prácticas:** SSP.1.a, SSP.2.a, SSP.2.b, SSP.3.c, SSP.5.a, SSP.5.b, SSP.6.b. La mayor parte de la gasolina se hubiera usado en los vehículos con motor. Como resultado, caminar y trasladar paquetes a pie, en vez de conducir o enviar paquetes por camiones o aviones, hubiera permitido ahorrar combustible, es decir gasolina. Las demás opciones hubieran ayudado en el esfuerzo bélico de diferentes maneras, pero no hubieran permitido ahorrar gasolina tan directamente como la opción de respuesta C.

11. **B; Nivel de conocimiento:** 2; **Tema:** I.CG.c.6; **Prácticas:** SSP.1.a, SSP.2.a, SSP.2.b, SSP.3.c, SSP.5.a, SSP.5.b, SSP.6.b. La guerra estaba consumiendo muchos recursos críticos, lo que causaba escasez. Las respuestas A, C y D pueden ser buenas ideas, pero el cartel no hace esas afirmaciones sobre el impacto de la guerra en la sociedad.

12. **B; Nivel de conocimiento:** 2; **Temas:** I.CG.c.1, I.CG.c.3; **Prácticas:** SSP.1.a, SSP.1.b, SSP.2.a, SSP.5.a, SSP.5.b, SSP.6.b. La única respuesta lógica, considerando como contexto que el presidente Roosevelt cumplió un inaudito cuarto mandato como presidente, es que el autor cree que el presidente Roosevelt está actuando como un dictador que puede gobernar indefinidamente. El cartel no sugiere que Roosevelt no hubiera defendido adecuadamente las costas de los Estados Unidos o que no hubiera seguido el procedimiento legal para presentarse como candidato. El autor tampoco trata de argumentar que Roosevelt ya se ha convertido en dictador.

13. **D; Nivel de conocimiento:** 3; **Temas:** I.CG.c.1, I.CG.c.3, II.CG.e.1; **Prácticas:** SSP.1.a, SSP.1.b, SSP.2.a, SSP.5.a, SSP.5.b, SSP.6.b. El presidente Roosevelt era demócrata y los candidatos republicanos a presidente perdieron contra él cuatro veces seguidas. Cuando el presidente Roosevelt murió estando en su cargo, su vicepresidente, Harry S. Truman, se convirtió en presidente. Puedes inferir que el Partido Republicano estaba ansioso por asegurarse de que ningún demócrata pudiera repetir lo que había hecho Roosevelt; por lo tanto, respaldaron esta enmienda para limitar la presidencia a dos mandatos. Los republicanos no querían asegurarse de que todos los presidentes estuvieran en el cargo por lo menos durante dos mandatos y no procuraban satisfacer a la opinión pública que quería límites a la cantidad de mandatos presidenciales. Los republicanos no querían seguir el deseo del presidente Roosevelt de ser el único presidente elegido para cuatro mandatos.

14. **B; Nivel de conocimiento:** 1; **Temas:** USH.f.8, USH.f.9; **Prácticas:** SSP.1.a, SSP.1.b, SSP.2.a, SSP.5.a, SSP.5.b, SSP.6.b. El hombre que está parado al lado de la ventana representa a los Estados Unidos, por lo tanto la respuesta B es correcta. Las nubes de humo en el horizonte representan la agitación política en Europa antes del estallido de la Segunda Guerra Mundial, por lo tanto A es incorrecta. La respuesta C es incorrecta porque el Tío Sam da las gracias por la paz en los Estados Unidos. No hay representación de refugiados, por lo tanto, la respuesta D es incorrecta.

15. **C; Nivel de conocimiento:** 2; **Temas:** USH.f.8, USH.f.9; **Prácticas:** SSP.1.a, SSP.1.b, SSP.2.a, SSP.5.a, SSP.5.b, SSP.6.b. El caricaturista está tratando de resaltar que los ciudadanos estadounidenses deberían estar agradecidos por la paz que disfrutan. El océano Atlántico sirve como una barrera natural entre los ciudadanos problemas en Europa y los Estados Unidos. El caricaturista no está expresando un enunciado sobre la responsabilidad que tienen los ciudadanos estadounidenses por lo que sucede en Europa. Nada en la caricatura respalda la idea de que los estadounidenses están exagerando respecto de la amenaza de la ocupación nazi o de que están en peligro de ser invadidos, por lo cual las respuestas A, B y D son incorrectas.

16. **A; Nivel de conocimiento:** 2; **Temas:** USH.f.8, USH.f.9; **Prácticas:** SSP.1.a, SSP.1.b, SSP.2.a, SSP.5.a, SSP.5.b, SSP.6.b. El fascismo europeo es un problema pero, por ahora, los Estados Unidos están a salvo. El personaje que representa a los Estados Unidos está horrorizado por los sucesos en Europa, pero se siente agradecido de no estar involucrado. No se muestra al personaje que representa a los Estados Unidos haciendo algo para detener a los fascistas europeos, pero tampoco se muestra dándoles la bienvenida a los Estados Unidos. En la caricatura, no hay nada que respalde la idea de que el caricaturista piensa que los fascistas hayan mejorado la calidad de vida de los estadounidenses.

LECCIÓN 8, *págs. 88–91*

1. **A; Nivel de conocimiento:** 2; **Temas:** I.CG.c.1, I.CG.c.2, I.CG.c.6; **Prácticas:** SSP.1.a, SSP.1.b, SSP.2.a, SSP.3.c. La Oficina Ejecutiva del Presidente (EOP, por sus siglas en inglés) se creó para para poder estar al corriente de las responsabilidades, cada vez mayores, de la presidencia. La información se refiere al tamaño y al número de oficinas de la EOP como un reflejo de las necesidades del presidente actual. Por lo tanto, puedes sacar la conclusión de que el presidente necesita ayuda y de que ese es el propósito de la EOP. Los departamentos y las agencias no se crean solo para generar nuevos puestos de trabajo. La EOP puede permitir al presidente imponer su agenda; sin embargo, este no es su principal objetivo. El presidente puede aumentar o reducir el número de asesores que tiene, según sus necesidades.

2. **D; Nivel de conocimiento:** 2; **Temas:** I.CG.c.1, I.CG.c.2, I.CG.c.6; **Prácticas:** SSP.1.a, SSP.1.b, SSP.2.a, SSP.3.c. La razón principal por la que la Oficina de Avanzada Presidencial debe llevar a cabo los preparativos para los viajes presidenciales a destinos remotos es garantizar la seguridad del presidente. La pista en la información que responde la pregunta es que esta oficina prepara los viajes a destinos remotos, es decir, a los destinos alejados de la Casa Blanca a los que viaja el presidente. Tanto el itinerario del presidente como la programación de reuniones y la recopilación de información para el presidente se pueden hacer desde la Casa Blanca. Para garantizar la seguridad del presidente cuando viaja fuera de la Casa Blanca, la Oficina de Avanzada Presidencial prepara los viajes a los destinos remotos.

3. **B; Nivel de conocimiento:** 3; **Temas:** I.CG.b.9, I.CG.c.1, I.CG.c.3; **Prácticas:** SSP.1.a, SSP.1.b, SSP.2.a. Cada estado puede determinar cuál es la edad mínima para beber alcohol. Para asegurar que los estados cumplieran con una ley nacional relacionada con la edad mínima para beber alcohol, el gobierno federal agregó como incentivo la reducción de los fondos para obras viales. El gobierno federal no tenía el poder de obligar a los estados a establecer la edad mínima a los 21 años, pero sí tenía el poder de decidir qué estados recibirían los fondos para las obras viales. No había recompensa financiera, sino un castigo financiero para los estados que no cumplieran. El gobierno federal no pretendía reducir los fondos a las obras viales, sino alentar a los estados para que cumplieran la ley. El gobierno federal no puede sencillamente imponer multas a los estados.

4. **D; Nivel de conocimiento:** 2; **Temas:** I.CG.b.9, I.CG.c.1, I.CG.c.3; **Prácticas:** SSP.1.a, SSP.1.b, SSP.2.a, SSP.4.a. *Cumplir* significa *aceptar*, o estar en conformidad o de acuerdo con algo.

5. **C; Nivel de conocimiento:** 2; **Tema:** I.CG.c.3; **Prácticas:** SSP.1.a, SSP.1.b, SSP.2.a, SSP.2.b, SSP.4.a. En su testimonio, Winkler llega a la conclusión de que el gobierno federal debe poner en marcha políticas y programas que fomenten la recuperación económica y mejoren la vida de las personas. Su testimonio enuncia explícitamente que la regulación gubernamental no prolongó la Gran Depresión. Hace referencia a la infraestructura construida hace 70 años como un ejemplo del éxito del Nuevo Acuerdo, no como una conclusión. Enuncia explícitamente que las lecciones aprendidas gracias a la respuesta del gobierno federal ante la Gran Depresión deben aplicarse a la Gran Recesión de 2008.

6. **D; Nivel de conocimiento:** 3; **Temas:** I.CG.c.1, I.CG.c.6; **Prácticas:** SSP.1.a, SSP.3.c. Puedes llegar a la conclusión de que el público tiene un papel importante en la toma de decisiones sobre qué agencias del gobierno reciben más financiación y apoyo porque los estadounidenses se indignaron y dieron al gobierno el ímpetu que necesitaba para aumentar el gasto destinado a los programas espaciales. Aunque el nacimiento de la NASA estuvo "muy relacionado con las presiones por la defensa nacional," la agencia no defiende las fronteras de la nación. El *Sputnik* probablemente reunió datos científicos, pero se puede inferir que no los compartió con la comunidad internacional debido a que ya existía la carrera espacial. La NASA es, por cierto, la principal agencia de exploración espacial, pero no hay evidencia en particular en esta información que lo respalde.

7. **A; Nivel de conocimiento:** 3; **Temas:** I.CG.b.3, I.CG.c.1, I.CG.c.3; **Prácticas:** SSP.1.a, SSP.1.b, SSP.2.a, SSP.2.b, SSP.4.a. El pueblo de los Estados Unidos otorga el poder a la Corte Suprema. Según la información, los poderes de la Corte Suprema están especificados en la Constitución. La Constitución de los Estados Unidos incluye las palabras "del pueblo, por el pueblo y para el pueblo", lo que significa que la Constitución y, por lo tanto, la Corte Suprema reciben el poder que les otorga el pueblo de los Estados Unidos, no el presidente, el Congreso ni el gabinete presidencial.

8. **C; Nivel de conocimiento:** 1; **Temas:** I.CG.b.9, I.CG.c.4; **Prácticas:** SSP.1.a, SSP.3.c, SSP.6.b. El gobierno local es responsable de reservar espacios verdes dentro de las comunidades. Esto pertenece a la clasificación de "Parques y recreación". Este servicio se realiza mejor dentro de las comunidades locales; por lo tanto, el gobierno federal y el estatal no desempeñan ningún papel en esto.

9. **B; Nivel de conocimiento:** 3; **Tema:** I.CG.c.4; **Prácticas:** SSP.1.a, SSP.3.c, SSP.6.b. Los poderes compartidos existen porque los dos niveles de gobierno necesitan esos poderes para poder gobernar. El gobierno federal necesita recaudar impuestos federales, por ejemplo, para financiar el gobierno federal. Lo mismo sucede con los gobiernos estatales. Otros temas atraviesan todos los niveles de gobierno, como el transporte. La idea de los poderes compartidos no es garantizar que un nivel no sea más poderoso que otro o asegurarse de que no haya interferencias entre los dos niveles. Además, las responsabilidades del gobierno para con los ciudadanos deben repartirse (y se reparten) para que se cumplan mejor.

10. **A; Nivel de conocimiento:** 3; **Temas:** I.CG.b.9, I.CG.c.4; **Prácticas:** SSP.1.a, SSP.3.c, SSP.6.b. A los estados les preocupaba que el gobierno federal fuera demasiado poderoso, por lo que se aseguraron de poder ejercer los derechos que no estaban explícitamente delegados ni prohibidos. El pasaje explica que los estados temían a un gobierno central fuerte. Puedes llegar a la conclusión de que otorgar a los estados todos los derechos que no estaban explícitamente delegados al gobierno federal ni prohibidos a los estados fue una manera de asegurarse de que el gobierno federal no se tornara demasiado poderoso. Los estados no resignaron su derecho a firmar tratados a cambio de otros derechos. Los estados tampoco tienen poder sobre el gobierno federal. Como todos los poderes que no se otorgan al gobierno federal o que no están prohibidos a los estados se otorgan a los estados, no tiene sentido que los estados quisieran que el gobierno federal solo pudiera adquirir nuevos poderes con dos tercios de los votos de los estados.

LECCIÓN 9, *págs. 92–95*

1. **A; Nivel de conocimiento:** 2; **Temas:** I.CG.b.4, I.CG.b.8, I.CG.c.1, I.CG.c.3, I. I.CG.d.2; **Prácticas:** SSP.1.a, SSP.1.b, SSP.2.a, SSP.2.b, SSP.5.a, SSP.5.c, SSP.5.d. El punto de vista del autor es que los legisladores no están obedeciendo a la voluntad del pueblo. El pasaje indica que el 91% de las personas está a favor de las revisiones universales de antecedentes, pero el Congreso se resiste a convertirlas en ley. Además, el autor considera que el Congreso está concentrado en reducir el déficit, aunque solo el 33% de los estadounidenses lo mencionan como de alta prioridad. La asociación Dueños de Armas de los Estados Unidos (*Gun Owners of America)*, no el autor, considera que la Asociación Nacional del Rifle *(National Rifle Association)* es demasiado débil en el control de armas. El autor cree que el Congreso no debería concentrarse en reducir el déficit o en pasar una ley de control de armas porque la mayoría de los estadounidenses opinan que la creación de empleo debe ser la máxima prioridad.

2. **B; Nivel de conocimiento:** 2; **Temas:** I.CG.b.4, I.CG.b.8, I.CG.c.1, I.CG.c.3, I. I.CG.d.2; **Prácticas:** SSP.1.a, SSP.1.b, SSP.2.a, SSP.2.b, SSP.5.a, SSP.5.c, SSP.5.d, SSP.7.a El propósito del autor al escribir es reprender al Congreso por su inacción con respecto al control de armas. El autor argumenta que las revisiones universales de antecedentes están respaldadas por una abrumadora mayoría de estadounidenses y que el Congreso está empecinado en ignorar esto. El autor está reprendiendo al Congreso por su inacción con respecto al control de armas. El autor no explica las razones por las que el Congreso se resiste al control de armas. El autor no elogia al Congreso por su compromiso con la reducción del déficit porque las estadísticas citadas indican que la mayoría de las personas no están tan a favor de esto como de las revisiones de antecedentes para poseer armas o de la creación de puestos de trabajo.

3. **B; Nivel de conocimiento:** 2; **Tema:** I.CG.a.1; **Prácticas:** SSP.1.a, SSP.1.b, SSP.2.a, SSP.2.b, SSP.4.a, SSP.5.a, SSP.5.c. El rey observa a los pobres de Inglaterra con suspicacia. En la ley, los pobres se describen como "desdichados", "miserables", "mendigos" y "ociosos". Estas descripciones te llevan a creer que el rey observa a los pobres con suspicacia. A partir de estas descripciones, no les tiene cariño ni cree que tengan muchas ventajas. Su actitud muestra que él no se siente culpable por su situación.

4. **D; Nivel de conocimiento:** 3; **Tema:** I.CG.a.1; **Prácticas:** SSP.1.a, SSP.1.b, SSP.2.a, SSP.2.b, SSP.4.a, SSP.5.a, SSP.5.c. A partir del tono de la ley, los niños pobres probablemente serían aceptados como aprendices. El rey obviamente no desea brindar más asistencia que la que sea absolutamente necesaria; por lo tanto, no es probable que toda persona que pida ayuda sencillamente la reciba, que a todos los pobres se les brinde un empleo o que mendigar sea una actividad legal.

5. **B; Nivel de conocimiento:** 2; **Tema:** I.CG.a.1; **Prácticas:** SSP.1.a, SSP.1.b, SSP.2.a, SSP.2.b, SSP.4.a, SSP.5.a, SSP.5.c. La segunda parte de cada edicto se caracteriza por ser explicativa. Cada edicto da una instrucción, o un consejo, y luego explica por qué es importante. Los edictos no tienen un tono amenazante ni son persuasivos. Son fáciles de entender; por lo tanto, no son crípticos.

6. **C; Nivel de conocimiento:** 2; **Tema:** I.CG.a.1; **Prácticas:** SSP.1.a, SSP.1.b, SSP.2.a, SSP.2.b, SSP.4.a, SSP.5.a, SSP.5.c. Los edictos son más similares a una lista de responsabilidades cívicas. Dan instrucciones sobre cómo ser un buen ciudadano. No dan instrucciones paso a paso ni enumeran las consecuencias de desobedecer las reglas, por lo tanto, las respuestas A, B y D son incorrectas.

7. **B; Nivel de conocimiento:** 3; **Temas:** I.CG.b.8, I.CG.d.2; **Prácticas:** SSP.1.a, SSP.1.b, SSP.2.a, SSP.2.b, SSP.4.a, SSP.5.a, SSP.5.c, SSP.5.d, SSP.6.b. En algunos estados a los afroamericanos se les solía pedir que usaran baños y bebederos separados. Aunque a los estadounidenses de origen árabe no se los obliga a usar baños separados, los sentimientos de hostilidad a los que se enfrentan nos recuerdan a la discriminación que enfrentaron los afroamericanos en el pasado. Al mostrar las palabras "Blancos" y "Personas de color" tachadas, el caricaturista sugiere que el trato discriminatorio hacia árabes americanos y afroamericanos es similar, por lo que la respuesta C es incorrecta. El caricaturista no comparte el punto de vista de que mantener la segregación de árabes americanos en aeropuertos sea justificable o importante para la seguridad en los aeropuertos, por lo que las respuestas A y D son incorrectas.

8. **C; Nivel de conocimiento:** 3; **Temas:** I.CG.b.6, I.CG.b.7, I.CG.c.1, I.CG.c.3, I.CG.d.2; **Prácticas:** SSP.1.a, SSP.1.b, SSP.2.a, SSP.2.b, SSP.4.a, SSP.5.a, SSP.5.c, SSP.5.d, SSP.6.b. El presidente Johnson cree que todos deben tener igualdad de derechos. En el fragmento, el presidente Johnson declara sin dudas que limitar los derechos de una persona únicamente por el color de su piel es un error: "Nuestra Constitución (...) lo prohíbe. Los principios de nuestra libertad lo prohíben. La moralidad lo prohíbe. Y la ley que firmaré esta noche lo prohíbe". Por los tanto, las respuestas A, B y D son incorrectas.

9. **B; Nivel de conocimiento:** 3; **Temas:** I.CG.b.6, I.CG.b.7, I.CG.c.1, I.CG.c.3, I.CG.d.2; **Prácticas:** SSP.1.a, SSP.1.b, SSP.2.a, SSP.2.b, SSP.4.a, SSP.5.a, SSP.5.c, SSP.5.d, SSP.6.b. El uso repetido de la palabra *prohíbe* del presidente Johnson enfatiza su punto de vista de que limitar los derechos civiles de alguien es incorrecto según la Constitución, según los principios de la libertad y la moralidad, y según la ley. La frase *toda raza y color* no se usa para mostrar respaldo popular, de modo que la respuesta A es incorrecta. Él cita la Declaración de la Independencia para mostrar que los ideales difieren de la realidad, así que la respuesta C es incorrecta. Hacer referencia a la Constitución no brinda contexto histórico, de modo que la respuesta D es incorrecta.

10. **A; Nivel de conocimiento:** 2; **Temas:** I.CG.b.3, I.CG.b.5, I.CG.b.6, I.CG.c.1, I.CG.c.3; **Prácticas:** SSP.1.a, SSP.1.b, SSP.2.a, SSP.2.b, SSP.4.a, SSP.5.a, SSP.5.c, SSP.5.d, SSP.6.b. El punto de vista del autor está mejor expresado mediante el enunciado que afirma que es un error aumentar el poder político del presidente. En el segundo párrafo, establece que algunas personas están cómodas con esta tendencia, pero él piensa que "el costo es grande" para el equilibrio de poderes y para la separación de los poderes que contempla la Constitución. El autor cree que el Congreso tiene la autoridad legal, bajo la forma del equilibrio de poderes, de exigir documentos al poder ejecutivo. No piensa que el privilegio ejecutivo se deba extender a todas las áreas del gobierno. Además, no está de acuerdo con la idea de que el poder ejecutivo ejerza el poder de la manera más efectiva.

11. **D; Nivel de conocimiento:** 3; **Temas:** I.CG.b.2, I.CG.b.3, I.CG.b.6, I.CG.b.7; **Prácticas:** SSP.1.a, SSP.1.b, SSP.2.a, SSP.2.b, SSP.4.a, SSP.5.a, SSP.5.c, SSP.5.d, SSP.6.b. Los autores piensan que tanto el imperio de la ley como el constitucionalismo popular son necesarios. La última oración se refiere a cómo lograr un equilibrio viable entre ambos. Los autores no están de acuerdo con Kramer en que el constitucionalismo popular sea el único camino a seguir. Tampoco creen que la supremacía judicial se deba mantener en detrimento del constitucionalismo popular. Piensan que ambos son necesarios. De manera similar, aunque establecen que la irrevocabilidad de los fallos judiciales es esencial, creen que el constitucionalismo popular también es esencial.

LECCIÓN DE ALTO IMPACTO: ANALIZAR EL CONTEXTO HISTÓRICO, *págs. 96–97*

1. **A; Nivel de conocimiento:** 2; **Tema:** II.USH.f.8; **Prácticas:** SSP.5.a, SSP.5.c. El punto de vista de Roosevelt era que el ataque sobre Pearl Harbor no le dejó más opción que declarar la guerra a Japón. La respuesta B es incorrecta porque Roosevelt declaró que existía un estado de guerra entre los Estados Unidos y Japón. La respuesta C es incorrecta porque Japón atacó Pearl Harbor y no Estados Unidos. La respuesta D es incorrecta porque el ataque a Pearl Harbor fue el comienzo de la guerra, no el final.

2. **C; Nivel de conocimiento:** 2; **Temas:** II.CG.f, II.USH.h; **Prácticas:** SSP.5.a, SSP.5.c. Bush quiso señalar claramente en este discurso que los estadounidenses estaban comprometidos en una guerra contra el terrorismo. Las respuestas A, B y D son incorrectas porque, aunque hizo afirmaciones en este sentido, este no era el punto principal de su discurso.

3. **A; Nivel de conocimiento:** 2; **Temas:** II.CG.f, II.USH.h; **Prácticas:** SSP.5.a, SSP.5.c. Bush quería llevar tranquilidad a los estadounidenses porque los ataques habían sido muy recientes y muchos todavía estaban muy afectados por ellos. Las respuestas B y C son incorrectas porque, aunque quería asegurarse de que los estadounidenses nunca olvidaran los ataques y de que sus vidas volvieran a la normalidad; Bush deseaba específicamente llevar tranquilidad a los estadounidenses con este discurso. La respuesta D es incorrecta porque su discurso explica que las cosas han cambiado desde los ataques.

4. **B; Nivel de conocimiento:** 2; **Temas:** II.CG.f, II.USH.h; **Prácticas:** SSP.5.a, SSP.5.c. Bush probablemente quería que los estadounidenses recordaran que después del ataque a Pearl Harbor, entraron en la Segunda Guerra Mundial para hacer la conexión de que después de este ataque, los estadounidenses también estarían en guerra. La respuesta A es incorrecta porque los estadounidenses no tuvieron numerosos ataques en su territorio desde 1941. La respuesta C es incorrecta porque él nunca afirma que los japoneses fueran los responsables de los ataques del 11 de septiembre. La respuesta D es incorrecta porque él no estaba sugiriendo que los estadounidenses fueran a atacar a ningún país.

LECCIÓN 10, *págs. 98–101*

1. **A; Nivel de conocimiento:** 2; **Tema:** I.CG.c.6; **Prácticas:** SSP.1.b, SSP.3.d, SSP.6.c, SSP.8.a. La información que se puede prestar directamente a discusión entre los dos textos tiene que ver con la fecha en que se creó el Departamento de Seguridad Nacional. El primer texto indica que se fundó en 2002 y el segundo indica que se creó el 11 de septiembre de 2001. Las razones de la creación del Departamento de Seguridad Nacional, su creador y sus responsabilidades son las mismas en los dos textos.

2. **A; Nivel de conocimiento:** 2; **Tema:** I.CG.c.6; **Prácticas:** SSP.1.b, SSP.3.d, SSP.6.c, SSP.8.a. El tono del segundo texto es informal. En comparación con el segundo texto, el tono del primero es académico. No es parcial porque no incluye opiniones. Es más formal que informal y no es emocional.

3. **Nivel de conocimiento:** 2; **Tema:** I.CG.b.9; **Prácticas:** SSP.2.a, SSP.5.b, SSP.6.c.

3.1 **D;** La tabla contiene hechos sobre los diferentes tipos de federalismo que se han visto en los Estados Unidos a través de los años. Esta información es más probable que se halle en una publicación gubernamental. Una entrada de diario es una narración, generalmente sobre los pensamientos de alguien. Un editorial de un periódico contiene opiniones. Un discurso político también expresa opiniones y probablemente no contenga una tabla de hechos.

3.2 **B;** La información de la tabla es imparcial. Esto significa que no toma posiciones sobre si un tipo de federalismo en particular es mejor que otro. Es confiable a partir de su fuente probable. No es parcial en ningún aspecto. La propaganda trata de convencer al lector de algo pero la tabla no trata de convencer al lector de nada.

3.3 **B;** La información de la tabla es más útil para aprender las características de los diferentes tipos de federalismo. No da información específica sobre cómo se denominaron los tipos de federalismo. No incluye información sobre los puntos de vista del presidente sobre el federalismo. Tampoco da información específica sobre los derechos y los poderes estatales y federales.

3.4 **A;** "El federalismo dual fue el más efectivo como lo demuestra su vigencia en el tiempo" es una interpretación parcial. No hay evidencia en la tabla que sugiera que el federalismo dual fue el más efectivo. Por el contrario, si el federalismo dual hubiera sido el más efectivo, los demás tipos de federalismo que siguieron nunca habrían existido. Esta es una opinión en apoyo del federalismo dual; por lo tanto, no es imparcial. Tampoco tiene un tono resentido ni airado.

4. **A; Nivel de conocimiento:** 2; **Temas:** I.CG.b.9, I.CG.c.3, I.CG.c.4; **Prácticas:** SSP.1.a, SSP.1.b, SSP.5.b. El tono del artículo es de insatisfacción. El autor definitivamente no está contento con la manera en que funciona el gobierno federal, pero no muestra furia en lo que escribe. *Esquivo* significa difícil de determinar. Su opinión es muy clara; por lo tanto, es fácil de determinar. *Indiferente* significa que no muestra interés. Si el autor fuera indiferente, no hubiera escrito este artículo.

5. **D; Nivel de conocimiento:** 2; **Temas:** I.CG.b.9, I.CG.c.3, I.CG.c.4; **Prácticas:** SSP.1.a, SSP.1.b, SSP.5.b. Esta fuente se inclina a favor del federalismo. El autor menciona la Décima Enmienda de manera positiva y dice: "Lamentablemente, los legisladores y los tribunales han descartado fundamentalmente el federalismo en las últimas décadas", resaltando así su parcialidad respecto del federalismo. El autor está a favor de la responsabilidad ya que dice que el Congreso debería reconsiderar los programas de asistencia para mejorar la responsabilidad. El federalismo respalda los derechos de los estados y el autor está a favor del federalismo; por lo tanto, no es parcial respecto de los derechos de los estados.

6. **C; Nivel de conocimiento:** 3; **Temas:** I.CG.b.5, II.CG.e.1; **Prácticas:** SSP.1.a, SSP.1.b, SSP.2.a, SSP.2.b, SSP.3.d, SSP.5.b. La autora respalda su argumento al hacer referencia a elecciones específicas en las cuales el colegio electoral podría haber prevalecido sobre el voto popular. No enumera estados con la mayoría de los votos electorales ni da detalles sobre el colegio electoral. Su posición en la Liga de las mujeres votantes no le da respaldo a su argumento.

7. **B; Nivel de conocimiento:** 2; **Temas:** I.CG.c.5; **Prácticas:** SSP.1.a, SSP.1.b, SSP.5.a, SSP.5.b. Esta fuente de información es equilibrada. El Centro de Archivos Legislativos es una fuente confiable. La información no se inclina para un lado o para el otro al relatar la historia de la Enmienda de Igualdad de Derechos. Proporciona información correcta de manera directa. No es apasionada ni está llena de emoción.

8. **C; Nivel de conocimiento:** 2; **Tema:** I.CG.c.5; **Prácticas:** SSP.1.a, SSP.1.b, SSP.5.a, SSP.5.b. Una interpretación que puede tener prejuicios en contra de la Enmienda de Igualdad de Derechos es que no debió ser escuchada por toda la Cámara de Representantes. Esta es una opinión que muestra prejuicios en contra de la enmienda. Una persona que cree que no debió ser escuchada por toda la Cámara de Representantes probablemente crea que no debió ser una enmienda. Los demás enunciados son hechos que se pueden hallar en la información.

9. **B; Nivel de conocimiento:** 3; **Tema:** I.CG.c.5; **Prácticas:** SSP.1.a, SSP.1.b, SSP.5.a, SSP.5.b. A partir de esta información, puedes determinar la fracción de los estados que debe ratificar una enmienda para que pase a formar parte de la Constitución. La información establece que es tres cuartos. La información no indica quién presentó la ERA (por sus siglas en inglés) en el Congreso, ni el número de senadores que la aprobaron ni la identidad de los miembros de la cámara que votaron a favor de sacarla del comité.

LECCIÓN 11, *págs. 102–105*

1. **A; Nivel de conocimiento:** 2; **Tema:** I.CG.c.1; **Prácticas:** SSP.1.a, SSP.1.b, SSP.2.a. La palabra que proporciona una pista de que el autor está haciendo una generalización es *tradicionalmente*. *Tradicionalmente* sugiere que algo se hace porque así es como se lo ha hecho normalmente. La palabra *conjunta* significa "juntos". La palabra *cada* podría proporcionar una pista de una generalización, pero en este caso *tradicionalmente* es una pista mucho mejor. Las palabras *dando una idea general* únicamente expresan el propósito del discurso y no indican una generalización.

2. **C; Nivel de conocimiento:** 3; **Temas:** I.CG.c.1, I.CG.c.3; **Prácticas:** SSP.1.a, SSP.1.b, SSP.2.a. El plan de recortes fue un intento de obligar a los demócratas y los republicanos a hacer concesiones. Anteriormente, sin embargo, los legisladores estuvieron trabajando en el déficit. Puede ser la opinión del autor que los servicios vitales no deberían recortarse pero no hay evidencia de esto en el pasaje. Decir que el plan de recortes automáticos fue acordado por todos en el Congreso es una generalización inválida porque no todos estuvieron de acuerdo.

3. **A; Nivel de conocimiento:** 3; **Temas:** I.CG.c.1, I.CG.c.3; **Prácticas:** SSP.1.a, SSP.1.b, SSP.2.a. El hecho de que, hasta la actualidad, ningún presidente o vicepresidente haya sido condenado en un juicio político por el Senado respalda la generalización de que todos los funcionarios que fueron acusados en un juicio político por la Cámara de Representantes han sido absueltos por el Senado. Los otros tres enunciados no respaldan la generalización.

4. **B; Nivel de conocimiento:** 2; **Temas:** II.CG.f, II.G.b.3; **Prácticas:** SSP.1.a, SSP.5.a. Las palabras *mayoría* y *normalmente* indican que se está haciendo una generalización sobre los sitios web. Las respuestas A, C y D son incorrectas porque no son enunciados generales sobre un grupo.

5. **A; Nivel de conocimiento:** 2; **Temas:** II.CG.f, II.G.b.3; **Prácticas:** SSP.1.a, SSP.5.a. El pasaje hace varias referencias a las personas que usan diferentes dispositivos para acceder a la información: "con cualquier dispositivo" en el párrafo 1, "pantallas de computadora" y "usuarios de teléfonos celulares" en el párrafo 3 y "lo que comprende dispositivos de telefonía celular" en el párrafo 5. Las respuestas B, C y D no están respaldadas por el pasaje.

6. **B; Nivel de conocimiento:** 2; **Temas:** II.CG.f, II.G.b.3; **Prácticas:** SSP.1.a, SSP.5.a. El uso de la palabra *mayoría* indica una generalización. El enunciado se refiere a un grupo de agencias. Las respuestas A, C y D son incorrectas porque estas palabras no indican ningún tipo de generalización.

7. **D; Nivel de conocimiento:** 2; **Temas:** II.CG.f, II.G.b.3; **Prácticas:** SSP.1.a, SSP.5.a. El pasaje menciona *duplicación* de esfuerzos y servicios en los párrafos 3 y 4. Este es un ejemplo de una duplicación de esfuerzos. Las respuestas A, B y C no están relacionadas con duplicación de esfuerzos o servicios.

8. **A; Nivel de conocimiento:** 2; **Tema:** I.CG.c.5; **Prácticas:** SSP.1.a, SSP.1.b, SSP.2.a. Por lo general, el Congreso propone las enmiendas constitucionales. Esta es una generalización válida que se basa en el hecho de que ninguna de las 27 enmiendas de la Constitución ha sido propuesta por una convención constitucional con una mayoría de dos tercios de los estados. La generalización de que las asambleas legislativas estatales normalmente no toman acción sobre una enmienda propuesta antes de haber recibido la notificación oficial está refutada por la información que establece que esto solamente sucedió en algunos estados, en el pasado. La generalización de que, a menudo, el presidente está involucrado en el proceso de enmienda es inválida a partir del hecho de que el presidente no tiene un papel constitucional en el proceso de enmienda. La generalización de que la mayoría de las enmiendas son ratificadas por las asambleas legislativas estatales está refutada por el hecho de que se agregaron únicamente 27 enmiendas a la Constitución en más de 200 años.

9. **C; Nivel de conocimiento:** 3; **Tema:** I.CG.c.6; **Prácticas:** SSP.1.a, SSP.1.b, SSP.2.a. Esta generalización está refutada por el hecho de que el Departamento de Justicia se involucra solo en casos en los que los Estados Unidos tienen algún interés. Esto significa que no se involucra en todos los casos de todos los niveles. Los otros tres enunciados no están relacionados con la generalización.

LECCIÓN 12, *págs. 106–109*

1. **A; Nivel de conocimiento:** 2; **Temas:** I.CG.c.1, I.CG.c.2; **Prácticas:** SSP.1.a, SSP.1.b, SSP.2.a, SSP.5.a. El problema que abordarán los estándares sobre eficiencia de consumo de combustible de los vehículos es el consumo de petróleo. Los Estados Unidos tienen su propio abastecimiento de petróleo pero también dependen del petróleo extranjero. Si los vehículos usan menos petróleo, necesitaremos menos petróleo. No se habla de los problemas con las políticas energéticas. Los estándares sobre eficiencia de consumo de combustible se describen como "una movida no controvertida". La dependencia del petróleo extranjero, y no los vehículos fabricados en el extranjero, contribuye al problema. No se debate sobre la contaminación producida por las fábricas. Las emisiones de gases de efecto invernadero a las que se hace referencia en el pasaje provienen de las emisiones de los vehículos.

2. **B; Nivel de conocimiento:** 2; **Temas:** I.CG.c.1, I.CG.c.2; **Prácticas:** SSP.1.a, SSP.1.b, SSP.2.a, SSP.5.a. Esta solución se caracteriza mejor como continua. Los fabricantes tienen tiempo hasta el año 2025 para crear vehículos que tengan la capacidad de recorrer un promedio de 54.5 millas por galón de gasolina. También se puede suponer que se desarrollarán tecnologías y combustibles más nuevos para continuar aumentando la eficiencia en el futuro. La solución no es excesiva. Sería excesiva si se pidiera que todos los vehículos tuvieran la capacidad de recorrer un promedio de 54.5 millas por galón de gasolina dentro de los próximos dos años. A partir de los plazos, la solución obviamente no es instantánea. Tampoco es desproporcionada ya que hay nuevas reglamentaciones para todos los vehículos, no solamente para algunos.

3. **B; Nivel de conocimiento:** 2; **Temas:** I.CG.c.1, I.CG.c.2, I.CG.c.3; **Prácticas:** SSP.1.a, SSP.1.b, SSP.2.a, SSP.5.a. El principal problema es el recorte presupuestario, que se refiere a las reducciones en el presupuesto para gastos federales que comenzó el 1 de marzo de 2013. El presidente también hace referencia a los demás temas específicos, pero todos ellos están relacionados en última instancia con el recorte presupuestario. La investigación más avanzada en otros países es un problema que se podría solucionar si no hubiera recorte presupuestario. La energía es apenas uno de los muchos temas científicos que el presidente Obama menciona como relegados debido al recorte presupuestario. La reducción del déficit no es un problema. Es algo bueno.

4. **D; Nivel de conocimiento:** 2; **Temas:** I.CG.c.1, I.CG.c.2, I.CG.c.3; **Prácticas:** SSP.1.a, SSP.1.b, SSP.2.a, SSP.5.a, SSP.5.c. La solución principal que propone el presidente Obama es un plan multifacético para reducir el déficit, que incluye recortes inteligentes en el gasto y nuevas fuentes de ingreso. Para mejorar las condiciones económicas se necesita más que crear puestos de trabajo, aumentar el financiamiento para investigaciones e imponer nuevos impuestos a los más adinerados.

5. **C; Nivel de conocimiento:** 2; **Tema:** II.CG.e.3; **Prácticas:** SSP.1.a, SSP.1.b, SSP.5.a. La Corte Suprema ordena a los legisladores resolver este problema. La sentencia indica que "es probable que los organismos legislativos de toda la nación examinen formas...". Los organismos legislativos están formados por legisladores. La sentencia no se refiere a las juntas electorales locales, ni a los tribunales estatales, ni a la Comisión Federal Electoral.

6. **A; Nivel de conocimiento:** 2; **Tema:** II.CG.e.3; **Prácticas:** SSP.1.a, SSP.1.b, SSP.4.a, SSP.5.a. En el texto, el término *estela* se usa con el significado de *consecuencia*, o sucesos que ocurren después de otro suceso.

7. **D; Nivel de conocimiento:** 2; **Tema:** I.CG.c.1; **Prácticas:** SSP.1.a, SSP.1.b, SSP.2.a, SSP.2.b. La enmienda específicamente se refiere al número de representantes en el colegio electoral que debería haber en Washington D. C., "para fines de la elección del presidente y vicepresidente". La enmienda no aborda el tema de la representación desequilibrada en el colegio electoral porque únicamente se refiere a Washington D. C., no al congreso electoral en su conjunto. No se refiere a los límites de Washington D. C., ni a controversias sobre el lugar de reuniones del colegio electoral.

8. **B; Nivel de conocimiento:** 3; **Tema:** I.CG.c.1; **Prácticas:** SSP.1.a, SSP.1.b, SSP.2.a, SSP.2.b. El grupo que podría haber propuesto oficialmente esta solución es el Congreso. Únicamente el Congreso o las asambleas legislativas estatales con una mayoría de dos tercios pueden proponer una enmienda a la Constitución. Los legisladores de Washington D. C., los ciudadanos de Washington D. C. y la Corte Suprema de los Estados Unidos no pueden proponer enmiendas.

9. **C; Nivel de conocimiento:** 3; **Tema:** II.CG.f; **Prácticas:** SSP.1.a, SSP.1.b, SSP.2.a, SSP.2.b, SSP.6.b. El caricaturista rotuló el árbol con la palabra "Esclavitud". El Sur literalmente se aferró a esta institución e incluso fue a una guerra para defenderla. El caricaturista muestra que Lincoln se está ocupando del problema de la esclavitud mediante su abolición si los estados del Sur no regresan a la Unión para el 1 de enero de 1863. Según la leyenda de la caricatura y el rótulo sobre el árbol, las respuestas A, B y D son incorrectas.

10. **B; Nivel de conocimiento:** 3; **Tema:** II.CG.f; **Prácticas:** SSP.1.a, SSP.1.b, SSP.2.a, SSP.2.b, SSP.6.b. El caricaturista muestra a un soldado confederado aferrado a un árbol que el presidente Lincoln está a punto de derribar, lo que insinúa que la Confederación no va a imponerse. La respuesta A es incorrecta porque el árbol está a punto de ser derribado. La respuesta C es incorrecta porque en la caricatura el soldado no está luchando. La respuesta D es incorrecta porque el presidente Lincoln es la figura poderosa de la caricatura.

11. **D; Nivel de conocimiento:** 2; **Temas:** I.CG.c.1, I.CG.c.2, I.CG.c.3; **Prácticas:** SSP.1.a, SSP.1.b, SSP.2.a, SSP.5.a. El presidente Roosevelt cerró los bancos porque la estampida habría provocado que los bancos vendieran activos por menos de su valor real. El texto dice: "La causa de ello fue que, naturalmente, fue imposible vender rápidamente activos absolutamente sólidos de un banco y convertirlos en dinero en efectivo, salvo a precios provocados por el pánico, muy inferiores a su valor real". Las personas querían su dinero, pero el problema era que los bancos no podían satisfacer la demanda porque no podían vender activos a su valor real. Los bancos no querían convertir la moneda en oro. El Congreso amplió los poderes del presidente Roosevelt para que pudiera abordar el problema; no fue una causa.

12. **C; Nivel de conocimiento:** 3; **Temas:** I.CG.c.1, I.CG.c.2, I.CG.c.3; **Prácticas:** SSP.1.a, SSP.1.b, SSP.2.a, SSP.5.a. La solución que propuso el presidente Roosevelt se podría considerar peligrosa porque hizo que el Congreso otorgara poderes adicionales al presidente. La Constitución fue diseñada con un sistema de equilibrio de poderes para que ninguna parte del gobierno adquiera demasiado poder. La solución que propuso el presidente Roosevelt no entregó todos los bancos al gobierno ni cambió el sistema de aceptación y pago de los depósitos bancarios. Sí cerró los bancos cuando los ciudadanos querían dinero, pero esto contribuyó a que el clima económico fuera más seguro.

13. **B; Nivel de conocimiento:** 2; **Temas:** I.CG.c.1, I.CG.c.2, I.CG.c.3; **Prácticas:** SSP.1.a, SSP.1.b, SSP.2.a, SSP.4.a, SSP.5.a. En el texto, *socavada* significa *desestabilizada*, o erosionada.

14. **A; Nivel de conocimiento:** 2; **Tema:** II.CG.f; **Prácticas:** SSP.1.a, SSP.1.b, SSP.5.a. El problema de los CFC se resolvió gracias a la cooperación internacional. Con la firma del Protocolo de Montreal, las naciones de todo el mundo acordaron cooperar para reducir los CFC. Ni los ciudadanos ni los grupos de intereses especiales participaron directamente. Parte de la solución fueron leyes y reglamentaciones más estrictas, pero fue la cooperación internacional lo que estimuló estas leyes y reglamentaciones.

15. **D; Nivel de conocimiento:** 2; **Temas:** II.CG.f, II.G.b.5; **Prácticas:** SSP.1.a, SSP.1.b, SSP.5.a. La opción a largo plazo es la que mejor caracteriza a esta solución. La última oración explica que algunas personas esperan que la capa de ozono se "cure" naturalmente dentro de aproximadamente 50 años. Cincuenta años es mucho tiempo. Esta no es una solución inmediata. Tampoco es divisiva o controvertida, ya que naciones del mundo se comprometieron con ella.

16. **A; Nivel de conocimiento:** 2; **Temas:** II.CG.e.1, II.CG.e.2, II.CG.f; **Prácticas:** SSP.1.a, SSP.2.a, SSP.5.a. Obama aborda el problema de la elevada tasa de desempleo de los Estados Unidos y declara que, si es elegido, como demócrata, él y su partido tendrán una mejor solución para este problema que la que tuvieron los republicanos, que habían estado en el cargo durante ocho años. En este breve texto, Obama no se refiere a los elevados impuestos para la clase media ni dice que sea un problema impedir que los republicanos o los demócratas ocupen un cargo.

LECCIÓN 13, *págs. 110–113*

1. **A; Nivel de conocimiento:** 1; **Temas:** II.CG.e.1, II.CG.e.3, II.G.c.3; **Prácticas:** SSP.4.a, SSP.6.b. California tiene más votos electorales que ningún otro estado. Entonces, este estado aportó el mayor beneficio electoral respecto de Nueva York, Georgia o Texas.

2. **D; Nivel de conocimiento:** 2; **Temas:** II.CG.e.1, II.CG.e.3, II.G.c.3; **Prácticas:** SSP.4.a, SSP.6.b. La respuesta correcta es D porque, al observar la parte que corresponde a Nueva Inglaterra en el mapa, puedes ver que respaldó a los demócratas. Puedes contar en el mapa los estados que votaron a los demócratas y ver que, en estas elecciones, el candidato ganador (Obama) ganó en la mayoría de los estados. Por lo tanto, la respuesta A es incorrecta. Los tres estados más populosos son California, Texas y Florida. Obama, el candidato que obtuvo la victoria, ganó en California y en Florida. Como el candidato victorioso no ganó en los tres estados más grandes, la respuesta B también es incorrecta. La respuesta C es incorrecta porque el ícono del burro aparece en los estados de la Costa Oeste, lo que significa que respaldaron a los demócratas, no a los republicanos.

3. **A; Nivel de conocimiento:** 2; **Tema:** II.G.d.3; **Prácticas:** SSP.2.b, SSP.6.b. En color azul se muestra la disminución de la población; cuanto más intenso es el color azul, más grande es la disminución de la población. La respuesta correcta es A, Dakota del Norte, porque, entre los estados que se mencionan aquí, es el único con áreas significativas de color azul, lo que indica la disminución de la población. El mapa muestra que Florida, Utah y Hawái no tienen áreas de color azul o tienen muy pocas. Estos estados tuvieron poca disminución de la población durante este período; por lo tanto, las respuestas B, C y D quedan descartadas como respuestas correctas.

4. **C; Nivel de conocimiento:** 2; **Tema:** II.G.d.3; **Prácticas:** SSP.2.b, SSP.6.b. Para responder esta pregunta, debes volver a observar el área del mapa que tiene la mayor parte de color azul, lo que indica disminución de la población. La única área que se indica con una cantidad significativa de color azul es la de las Grandes Llanuras, no la Costa Oeste, la costa del Atlántico Sur ni el Sureste.

5. **B; Nivel de conocimiento:** 2; **Tema:** II.G.d.3; **Prácticas:** SSP.2.b, SSP.6.b. La respuesta correcta es B, el suroeste, porque hay áreas significativas sombreadas en verde oscuro, lo que indica un crecimiento importante. En este caso, debes buscar las áreas con la mayor cantidad de color verde, donde las áreas de color verde más oscuro representan el mayor aumento del crecimiento. Las Llanuras Centrales tienen mucho color azul, lo que indica disminución de la población; por lo tanto, la respuesta D es incorrecta. La respuesta C es incorrecta porque mientras que Hawái muestra crecimiento, Alaska exhibe áreas significativas con disminución de la población. La respuesta A es incorrecta porque aunque hay áreas de crecimiento, también hay grandes áreas con disminución de la población.

6. **C; Nivel de conocimiento:** 2; **Temas:** II.G.d.3, II.G.d.4; **Prácticas:** SSP.2.b, SSP.6.b. La única respuesta que coincide es C. En el área noreste, el mapa muestra principalmente áreas de disminución de la población en color azul y solo unas pocas áreas de color verde claro que indican un leve aumento de la población.

7. **D; Nivel de conocimiento:** 3; **Tema:** II.G.d.3; **Prácticas:** SSP.2.b, SSP.6.b. La respuesta correcta es D porque de los tres estados de la Costa Oeste (California, Oregón y Washington), el este de Oregón muestra un área enorme con disminución de la población. La respuesta A es incorrecta porque el mapa muestra más disminución de la población a lo largo de la frontera norte que a lo largo de la frontera sur, lo que significa que esta área es menos atractiva. La respuesta B es incorrecta porque tanto Hawái como Alaska muestran áreas de aumento de la población. La respuesta C es incorrecta porque el mapa no nos muestra datos por año; por lo tanto, no sabemos qué sucedió de un año a otro.

8. **A; Nivel de conocimiento:** 1; **Temas:** II.G.c.1, II.G.c.3, II.G.b.4, II.G.c.2; **Prácticas:** SSP.2.b, SSP.6.b. A partir de los símbolos del mapa, el producto que se encuentra más cerca de Pueblo es el carbón. Los íconos que representan al petróleo, el gas natural o el ganado ovino no están ubicados cerca de Pueblo.

9. **D; Nivel de conocimiento:** 3; **Temas:** II.G.b.4, II.G.c.2; **Prácticas:** SSP.2.b, SSP.6.b. La única área del mapa donde no hay concentración de productos es la región centro-oeste del estado. Debido a que sabes que los ríos empiezan en las montañas, podrías inferir que esta es un área montañosa donde no hay agricultura, ni tierras de pastoreo para ganado vacuno u ovino, o que son áreas con acceso fácil a los productos de combustible fósil.

10. **A; Nivel de conocimiento:** 1; **Temas:** II.G.b.4, II.G.c.2; **Prácticas:** SSP.2.b, SSP.6.b. A partir de la ubicación en el mapa de los íconos correspondientes al maíz, al trigo y a las verduras, la respuesta correcta es A. La mayoría de ellos se concentra en la parte este del estado, no a lo largo de la frontera con Nuevo México, ni en el noroeste del estado, ni justo al sur de Boulder.

11. **A; Nivel de conocimiento:** 2; **Temas:** II.G.c.1, II.G.c.3, II.G.d.3; **Prácticas:** SSP.4.a, SSP.6.b. Según el mapa, Texas tenía 36 puestos en 2010, pero obtuvo cuatro puestos desde 2000. Eso significa que Texas tenía 32 puestos en 2000. La respuesta correcta es 36; 32. Las demás opciones de respuesta no representan el número de puestos que tenía Texas en 2000 y en 2010.

12. **B; Nivel de conocimiento:** 1; **Temas:** II.CG.f, II.G.c.1, II.G.c.3, II.G.d.3; **Prácticas:** SSP.4.a, SSP.6.b. La respuesta correcta es B, Florida. Puedes comprobarlo observando la clave del mapa, que muestra que Florida (en color azul más oscuro) obtuvo dos puestos, mientras que Washington y Georgia obtuvieron solo uno. La respuesta C queda inmediatamente descartada porque Nueva York perdió puestos. Washington y Georgia obtuvieron puestos pero están en color azul claro, lo que indica que no consiguieron tantos puestos como Florida, que se muestra en color azul oscuro.

13. **D; Nivel de conocimiento:** 1; **Temas:** II.CG.f, II.G.c.1, II.G.c.3, II.G.d.3; **Prácticas:** SSP.4.a, SSP.6.b. La respuesta correcta es D. Puedes comprobarlo observando la clave del mapa, que muestra que Ohio, en verde, perdió dos puestos, mientras que Nueva Jersey, Pensilvania y Massachusetts perdieron solo uno.

14. **Nivel de conocimiento:** 2; **Temas:** II.G.c.1, II.G.c.3; **Prácticas:** SSP.1.a, SSP.2.a, SSP.4.a, SSP.6.b, SSP.6.c.

14.1 **A;** El estado con más casos informados es **Nueva York**. Para hallar el estado que tiene el mayor número de casos, primero busca los estados sombreados en color azul. Entre esos estados, busca el número de casos que están escritos en ellos o cerca de ellos.

14.2 **C;** La mayoría de los estados que tienen el color más oscuro, que indica el mayor número de casos, están concentrados en el área **noreste** del país, no en el noroeste.

14.3 **D;** Si observas atentamente el mapa, verás que el área del país que tiene la segunda mayor concentración de estados es **el Medio Oeste**, con un estado sombreado en color azul y varios estados sombreados en color verde.

14.4 **B;** Para determinar el estado que tiene el menor número de casos, primero busca los estados sombreados en dorado. Entre esos estados, busca el número de casos escritos en ellos o cerca de ellos. El estado con el menor número (6) de casos es **Hawái**.

LECCIÓN 14, *págs. 114–117*

1. **B; Nivel de conocimiento:** 2; **Tema:** II.CG.f; **Prácticas:** SSP.2.a, SSP.7.a. Para confirmar estos hechos, necesitarías una fuente con información confiable, imparcial y completa sobre el cuidado de la salud en los Estados Unidos. La respuesta correcta es B porque el informe de una agencia del gobierno sobre los costos del cuidado de la salud en los Estados Unidos generalmente se basaría en hechos, sería exacto y no estaría teñido de parcialidad. No encontrarías eso en un diccionario; por lo tanto, la respuesta A es incorrecta. Un panfleto político escrito por uno de los partidos políticos probablemente sería parcial; por lo tanto, la respuesta C es incorrecta. La respuesta D es incorrecta porque los debates en un noticiero de televisión son principalmente opiniones de políticos y de expertos.

2. **B; Nivel de conocimiento:** 2; **Tema:** II.CG.f; **Prácticas:** SSP.2.a, SSP.7.a. La respuesta correcta es B porque el pasaje deja en claro que el presidente Obama cree que garantizar el cuidado de la salud, con buenos servicios y a bajo precio, es un papel importante del gobierno. El presidente Obama en verdad no dice que el gobierno tenga la responsabilidad de asegurar que el pueblo pague las facturas médicas; por lo tanto, la respuesta A es incorrecta. Tampoco menciona el hallazgo de nuevos tratamientos para los problemas de salud; por lo tanto, la respuesta C es incorrecta también. La respuesta D es incorrecta debido a su énfasis. Si bien este texto sugiere que al presidente le gustaría reducir el déficit en parte a través de la reducción del costo del cuidado de la salud, una lectura más minuciosa del pasaje sugiere que no es su opinión general del papel del gobierno en el cuidado de la salud.

3. **voto popular; Nivel de conocimiento:** 2; **Temas:** II.CG.e.1, II.CG.e.3, II.CG.f; **Prácticas:** SSP.2.a, SSP.5.c. El autor está interesado en aumentar el electorado lo más posible y permitir un verdadero gobierno de la mayoría. Por lo tanto, es más probable que sugiera elegir al presidente por voto popular.

4. **demasiados; Nivel de conocimiento:** 2; **Temas:** II.CG.e.1, II.CG.e.3, II.CG.f; **Prácticas:** SSP.2.a, SSP.5.c. El autor cree que es injusto que los estados con un electorado total más pequeño tengan el mismo número de votos que los estados con mayor población.

5. **no; Nivel de conocimiento:** 1; **Temas:** II.CG.e.1, II.CG.e.3, II.CG.f; **Prácticas:** SSP.2.a, SSP.5.c. El autor afirma que debido a su "importancia exagerada", los estados clave no deberían recibir más atención, promesas y dinero que cualquier otro estado.

6. **A; Nivel de conocimiento:** 2; **Temas:** II.CG.e.1, II.CG.e.3; **Práctica:** SSP.2.a. La respuesta correcta es A. Los caucus probablemente producen votantes mejor informados porque los votantes en los caucus escuchan debates y discursos sobre las posiciones de los candidatos antes de votar. La respuesta B es incorrecta porque no hay indicación en el pasaje respecto de qué tipo de elección es más fácil de realizar. La respuesta C es incorrecta porque no está respaldada por la información. La respuesta D es incorrecta en los hechos porque las elecciones primarias se realizan antes de las convenciones, no después.

7. **B; Nivel de conocimiento:** 2; **Temas:** II.CG.e.1, II.CG.e.3; **Prácticas:** SSP.2.a, SSP.5.b, SSP.5.d, SSP.7.b. La respuesta correcta es B porque la Biblioteca del Congreso es una biblioteca respetada del gobierno. Sería una fuente confiable de información imparcial. Aquí la clave es elegir la fuente con la menor parcialidad. La información del Comité Nacional del Partido Demócrata y del Partido Republicano de Texas podría tener tendencia política, y por eso las respuestas C y D son incorrectas. La respuesta A es incorrecta porque también hay una posibilidad de cierta tendencia en favor del tema por el que hace campaña este grupo.

8. **A; Nivel de conocimiento:** 2; **Temas:** II.CG.e.1, II.CG.e.3; **Prácticas:** SSP.2.a, SSP.7.a. Una lectura atenta del texto revela que hay solamente enunciados de hechos. Por lo tanto, la respuesta correcta es A.

9. **B; Nivel de conocimiento:** 3; **Temas:** II.CG.e.1, II.CG.e.3; **Prácticas:** SSP.2.a, SSP.7.a. La pregunta sugiere que el partido podría haber elegido de un modo más justo a su candidato. La respuesta B es la que más probablemente se podría elegir porque un sistema de elecciones primarias donde el ganador recibe todos los delegados no recompensa a los candidatos que son populares entre los votantes pero pierden por un margen muy pequeño. Esto no tiene relación con que el partido celebre o no un caucus o con la manera en que el partido recauda fondos para la campaña. Por lo tanto, A y C se pueden descartar. La respuesta D es incorrecta porque la falta de aportes de un candidato en el proceso de nominación no es una causa probable de la pérdida de una elección reñida.

10. **D; Nivel de conocimiento:** 3; **Temas:** II.CG.e.1, II.CG.e.3; **Práctica:** SSP.2.a. La respuesta correcta es D porque es la única respuesta que repite un hecho que se menciona en el texto. Las demás respuestas contienen enunciados que, al leer el texto, se comprueba que son falsos.

11. **C; Nivel de conocimiento:** 2; **Temas:** II.CG.e.1, II.CG.e.3; **Prácticas:** SSP.2.a, SSP.5.b, SSP.7.a. La respuesta correcta es C debido a la palabra "inquietante". Hubo una sentencia de cinco a cuatro de la Corte Suprema de los Estados Unidos, pero al utilizar la palabra "inquietante", se convierte todo el enunciado en una opinión, en vez de un hecho. Las respuestas A, B y D son enunciados de hechos que se pueden verificar con las fuentes correspondientes.

12. **D; Nivel de conocimiento:** 2; **Temas:** II.CG.e.1, II.CG.e.3; **Prácticas:** SSP.2.a, SSP.5.b, SSP.7.a. La respuesta correcta es D porque el artículo, tal como está escrito, da la impresión de que la Corte Suprema de los Estados Unidos tuvo la intención de influir sobre el resultado. Eso es una opinión, no es un hecho. La respuesta A es incorrecta porque hay muchos enunciados de hechos. La respuesta B es incorrecta porque, aunque se muestra que Bush y su equipo usan medios solo legales para ganar la elección, no se los retratan como deshonestos. La respuesta C es incorrecta porque nunca se afirma que Al Gore no haya podido ganar la elección. De hecho, se puede inferir del artículo que podría haberla ganado.

13. **D; Nivel de conocimiento:** 2; **Temas:** II.CG.e.1, II.CG.f; **Prácticas:** SSP.2.a, SSP.5.b. La respuesta correcta es D porque el pasaje contiene algunas opiniones pero también contiene varios hechos. Ninguna de las demás respuestas caracteriza correctamente la información del pasaje.

14. **C; Nivel de conocimiento:** 2; **Temas:** II.CG.e.1, II.CG.f; **Prácticas:** SSP.2.a, SSP.5.c. La respuesta correcta es C. El presidente Clinton insiste en el recorte de impuestos como incentivo para pagar la universidad. La respuesta A es incorrecta porque él sostiene que recortar impuestos es una inversión, no un mal necesario. La respuesta B es incorrecta porque no plantea que los Estados Unidos se beneficiarían con más impuestos. De hecho, él plantea justamente lo contrario. La respuesta D es incorrecta porque no se menciona esta opinión.

15. **B; Nivel de conocimiento:** 2; **Temas:** II.CG.e.1, II.CG.f; **Prácticas:** SSP.2.a, SSP.5.c. El presidente Clinton aporta hechos acerca del aumento en la propiedad de viviendas (respuesta B). No menciona ningún hecho acerca del medioambiente o los costos de energía (respuestas A y C). La respuesta D puede parecer factible porque él trata sobre la importancia de la educación, pero no brinda información documentada al respecto.

16. **A; Nivel de conocimiento:** 2; **Temas:** I.CG.a.1, II.CG.e.1, II.CG.f; **Prácticas:** SSP.2.a, SSP.5.c. La respuesta A es la respuesta correcta porque este pasaje presenta al presidente Clinton como apasionado acerca de la idea de invertir en educación. Los adjetivos *irritado*, *prudente* y *pesimista* no caracterizan el pasaje, por lo que las opciones B, C y D son incorrectas.

LECCIÓN 15, *págs. 118–121*

1. **D; Nivel de conocimiento:** 2; **Tema:** II.USH.g.1; **Prácticas:** SSP.5.a, SSP.5.b, SSP.5.d. Khrushchev comienza este párrafo declarando la unidad del Partido Comunista. Aunque los objetivos del resto del texto dependen de esa unidad, Khrushchev no proporciona evidencia que respalde que el Partido Comunista está totalmente unido. Khrushchev no afirma que se esté haciendo ninguna reforma específica en la Unión Soviética ni que haya prosperidad económica en el país. Tampoco afirma que el comunismo se esté esparciendo hacia otras naciones.

2. **B; Nivel de conocimiento:** 2; **Tema:** II.USH.g.1; **Prácticas:** SSP.5.a, SSP.5.b, SSP.5.d. Khrushchev señala que el culto del individuo es "ajeno al marxismo-leninismo (la base de la filosofía del comunismo soviético)". Por lo tanto, puedes sacar la conclusión de que la mayor amenaza para el sistema de gobierno de la Unión Soviética es el culto de la personalidad y no las influencias de Occidente, ni el marxismo-leninismo ni el vigésimo Congreso del Partido Comunista.

RESPUESTAS

3. **B; Nivel de conocimiento:** 2; **Temas:** I.CG.b.8, I.CG.c.1, I.CG.c.2, I.CG.d.2, II.USH.g, II.USH.g.1; **Prácticas:** SSP.6.b, SSP.7.a. La respuesta correcta es B. El rótulo "Acuerdo ruso-alemán" sobre la isla sugiere que el Tratado de no agresión nazi-soviético desempeñó un papel significativo en el abandono del Partido Comunista estadounidense. El pasaje indica que cuando el Partido Comunista estadounidense respaldó el Tratado de no agresión entre Alemania y la Unión Soviética, perdió a muchos de sus miembros. No hay indicación de que la nave llevara material bélico a naciones comunistas, así que la respuesta A es incorrecta. La Unión Soviética apoyó al Partido Comunista estadounidense, no lo abandonó, de modo que la respuesta C es incorrecta. Como ser investigado por el comité de Dies sí causó aislamiento, esta interpretación no toma en cuenta el "Acuerdo ruso-germano", de modo que la respuesta D es incorrecta.

4. **C; Nivel de conocimiento:** 3; **Temas:** I.CG.c.1, I.CG.d.2, II.USH.f.9, II.USH.g.3; **Prácticas:** SSP.5.b, SSP.5.d, SSP.7.b. La respuesta correcta es C porque es una simplificación excesiva suponer que no habría otros factores involucrados en el surgimiento de disturbios que la mera existencia de un segmento de la población que habla un idioma diferente. La lógica incorrecta que esto implica no tiene nada que ver con el idioma que se hable o con el país donde estén ubicados Puerto Rico o Quebec. Por lo tanto, las respuestas A y B son incorrectas. La homogeneidad lingüística sola no determina si hay disturbios o no; por lo tanto, la respuesta D también es incorrecta.

5. **B; Nivel de conocimiento:** 2; **Temas:** I.CG.b.7, I.CG.c.1, I.CG.d.2, II.USH.f.9, II.USH.g.3; **Prácticas:** SSP.5.b, SSP.5.d, SSP.7.b. La respuesta correcta es B porque toda la fuerza del argumento del orador es que un país sin un idioma común posiblemente esté destinado a padecer conflictos internos. La respuesta A es incorrecta porque el orador no relaciona la cercanía o la distancia desde Canadá hasta los Estados Unidos como un factor. La respuesta C tampoco es correcta porque el orador usa la lógica incorrecta para aseverar que las personas que hablan español son una amenaza para los Estados Unidos. La respuesta D también es incorrecta porque, por el contrario, el orador propone un país lingüísticamente homogéneo.

6. **D; Nivel de conocimiento:** 2; **Temas:** I.CG.b.8, I.CG.c.1, I.CG.c.2, I.USH.b.7, G.d.2; **Prácticas:** SSP.5.a, SSP.5.b, SSP.5.d, SSP.6.b, SSP.7.a. Es una lógica incorrecta suponer que a los indígenas norteamericanos únicamente les interesa el trabajo manual y de operario. No se mencionan carreras profesionales o medios para llegar a una carrera profesional a través de la educación universitaria. La mayor parte del entrenamiento es para realizar trabajos manuales. Estos tipos de trabajo no tienen nada de malo, pero el cartel no ofrece alternativas. No es verdad que las personas representadas en el cartel solamente están interesadas en ir a la escuela y no en trabajar; tampoco es verdad que se aplica la lógica incorrecta y se indique que todos los indígenas norteamericanos quieran trabajar en carreras profesionales.

7. **D; Nivel de conocimiento:** 2; **Temas:** I.CG.b.8, I.CG.c.1, I.CG.c.2, I.USH.b.7, G.d.2; **Prácticas:** SSP.5.a, SSP.5.b, SSP.5.d, SSP.6.b, SSP.7.a. La respuesta correcta es D porque el cartel muestra un conocimiento limitado y casi simplista de los indígenas norteamericanos, a partir de los limitados tipos de ofrecimientos del cartel, ninguno de los cuales parece estar asociado con la cultura de los indígenas norteamericanos. Sobre esta misma base, el artista no tiene un conocimiento de primera mano, amplio o personal de la cultura de los indígenas norteamericanos.

8. **A; Nivel de conocimiento:** 2; **Temas:** I.CG.b.8, I.CG.c.1, I.CG.d.2, I.USH.d.3; **Prácticas:** SSP.5.a, SSP.5.b, SSP.5.d. Wallace está haciendo una generalización apresurada en la opción de respuesta A. Es una generalización apresurada que no se puede respaldar con evidencia. Las respuestas B y C no son en verdad generalizaciones. Son exageraciones, enunciados ridículos que no tienen base en la realidad. La respuesta D muestra cómo Wallace declara su posición y cómo piensa tratar las leyes de derechos civiles.

9. **D; Nivel de conocimiento:** 2; **Temas:** I.CG.b.8, I.CG.c.1, I.CG.d.2, I.USH.d.3; **Prácticas:** SSP.5.a, SSP.5.b, SSP.5.d, SSP.6.b. Si observas atentamente la caricatura, verás que la figura que hace el enunciado basado en un razonamiento incorrecto pertenece al jurado de acusación de Misisipi. Por lo tanto, la respuesta correcta es D, el sistema de tribunales de Misisipi.

10. **B; Nivel de conocimiento:** 2; **Temas:** I.CG.b.8, I.CG.c.1, I.CG.d.2, I.USH.d.3; **Prácticas:** SSP.5.a, SSP.5.b, SSP.5.d, SSP.6.b. Una relación de causa y efecto inválida es aquella en la cual una acción no causó otra pero se considera la causa. Observa la figura que tiene la venda, que es un alguacil de los Estados Unidos. Las autoridades de Misisipi culparon a los alguaciles de ocasionar la violencia, aun cuando los alborotadores se volvieron violentos porque no estaban de acuerdo con la ley que los alguaciles estaban haciendo cumplir. Las demás opciones de respuesta sobre la acción del gobernador de Misisipi y la administración Kennedy; los fallos anteriores de los tribunales; o los esfuerzos de James Meredith y la integración a la Universidad de Misisipi no son relaciones de causa y efectos inválidas.

11. **C; Nivel de conocimiento:** 3; **Temas:** I.CG.b.8, I.CG.c.1, I.CG.d.2, I.USH.d.3; **Prácticas:** SSP.5.a, SSP.5.b, SSP.5.d, SSP.6.b. La caricatura muestra a las autoridades de Misisipi en contra de los derechos civiles y muestra que defienden las acciones de las personas que se manifestaron en contra de los alguaciles federales que protegían a un hombre joven que intentaba asistir a clases. La respuesta correcta es C porque los segregacionistas estarían a favor de las escuelas separadas para las distintas razas. La respuesta A es decididamente incorrecta porque el gobierno estatal de Misisipi no habría respaldado la diversidad. La respuesta B es incorrecta porque el gobierno estatal de Misisipi claramente no está a favor de la supervisión federal que, en este caso, está representada por los alguaciles federales. La respuesta D es incorrecta porque el gobierno federal de Misisipi se opondría a que hubiera policías dentro de las escuelas, si ellos ayudaran a defender las leyes de derechos civiles.

12. **B; Nivel de conocimiento:** 2; **Temas:** I.CG.b.7, I.CG.b.8, I.CG.c.1, I.CG.d.2, I.USH.d.3; **Prácticas:** SSP.5.a, SSP.5.b, SSP.5.d, SSP.6.b. La respuesta correcta es B. El artista y el autor están de acuerdo que la discriminación racial es un ejemplo de lógica o razonamiento incorrecto. Probablemente ellos dirían que suponer que una raza de personas es inferior a otra es una lógica o razonamiento incorrecto.

13. **C; Nivel de conocimiento:** 3; **Temas:** I.CG.b.8, I.CG.c.1, I.CG.d.2, I.USH.d.3; **Prácticas:** SSP.5.a, SSP.5.b, SSP.5.d, SSP.6.b. El razonamiento incorrecto que usó el jurado de acusación de Misisipi en la caricatura revirtió la causa y el efecto, entonces se culpó a los alguaciles federales que intentaban hacer su trabajo contra la violencia que la turba ejerció contra ellos. Sería lo mismo que si se culpara a los bomberos que extinguen un incendio por el fuego que inició un incendiario. Las demás opciones de respuesta (un juez que culpa a un jurado por absolver a un acusado, un maestro al que se culpa porque a los estudiantes no les va bien en una prueba o que se culpe al presidente Roosevelt del bombardeo japonés de Pearl Harbor) son, por lo tanto, tipos distintos de razonamiento incorrecto.

LECCIÓN 16, *págs. 122–125*

1. **A; Nivel de conocimiento:** 2; **Temas:** I.CG.c.2, I.CG.e.3; **Prácticas:** SSP.1.a, SSP.1.b, SSP.5.a, SSP.5.b. La respuesta A es correcta porque la legislación fue una respuesta a un desafío nacional, no internacional, diplomático ni económico.

2. **D; Nivel de conocimiento:** 1; **Temas:** I.CG.c.2, I.CG.e.3; **Prácticas:** SSP.1.a, SSP.1.b, SSP.5.a, SSP.5.b. La palabra *líder* o *liderazgo* se usa en cada párrafo del pasaje y se brinda evidencia del liderazgo de Biden. El pasaje no incluye elogios de la valentía, la independencia o el carácter de Biden.

3. **C; Nivel de conocimiento:** 2; **Temas:** II.CG.f, II.G.d; **Prácticas:** SSP.1.a, SSP.5.a. El propósito principal de este pasaje es persuadir al lector de que el programa La Gran Sociedad fue efectivo y el fragmento del artículo ayuda a lograrlo. Las respuestas A y B son incorrectas porque, aunque ambas tocan puntos que estaban en el pasaje, no respaldan el propósito principal del mismo. La respuesta D es incorrecta porque el pasaje argumenta a favor del programa de La Gran Sociedad y no en contra.

4. **C; Nivel de conocimiento:** 2; **Temas:** II.CG.f, II.G.d; **Prácticas:** SSP.1.a, SSP.5.a. La información presentada incluye en su mayoría hechos, incluso estadísticas. Las respuestas A, B y D son incorrectas porque el pasaje contiene pocas opiniones.

5. **B; Nivel de conocimiento:** 2; **Temas:** II.CG.f, II.G.d; **Prácticas:** SSP.1.a, SSP.5.a. El artículo explica que el programa La Gran Sociedad de manera específica mejoró las vidas de los afroamericanos, mayores y muy jóvenes. La respuesta A es incorrecta porque esta información no se presentó en el artículo. Las respuestas C y D son incorrectas porque, según el artículo, estos no son enunciados verdaderos.

6. **D; Nivel de conocimiento:** 2; **Temas:** II.CG.f, II.G.d; **Prácticas:** SSP.1.a, SSP.5.a. La información del artículo es efectiva porque el autor usa estadísticas para probar el punto principal. La respuesta A es incorrecta porque no se usan técnicas persuasivas auténticas en el artículo. La respuesta B es incorrecta porque no se ofrece realmente la opinión del autor. La respuesta C es incorrecta porque el autor usa información basada en hechos, no fabricada.

7. **C; Nivel de conocimiento:** 2; **Temas:** II.CG.e.1, II.CG.e.3; **Prácticas:** SSP.1.a, SSP.5.b, SSP.5.c. La respuesta correcta es C. Comienza con una cita de Carter. Termina con una explicación de lo que Carter desea lograr y por qué. No tiene un punto de vista opositor, seguido de la refutación de Carter, ni contiene una pregunta seguida de la respuesta de Carter. Tampoco el formato consiste en una descripción de las políticas de Carter como gobernador, seguida de una explicación de la forma en que esas políticas se relacionan con la presidencia.

8. **D; Nivel de conocimiento:** 3; **Temas:** II.CG.e.1, II.CG.e.3; **Prácticas:** SSP.1.a, SSP.5.b, SSP.5.c. La respuesta correcta es D. Jimmy Carter se presentó como candidato en los años posteriores al escándalo de Watergate que obligó al presidente Nixon a renunciar. Debido al comportamiento ilegal y sospechoso que se conoció por parte de funcionarios gubernamentales durante la investigación del escándalo, muchos estadounidenses desconfiaban de su gobierno. El texto no hace referencia a que el sistema impositivo de la nación sea injusto ni afirma que el gobierno sea ineficiente. El texto tampoco hace comentarios sobre los estándares educativos de los Estados Unidos y si se han deteriorado.

9. **A; Nivel de conocimiento:** 2; **Temas:** II.CG.e.1, II.CG.e.3; **Prácticas:** SSP.1.a, SSP.5.b. Según el texto en el folleto, los estadounidenses quieren un presidente que sea honrado, receptivo y sensible. Las demás cualidades son loables para un presidente, pero el folleto no especifica conocimiento y apertura, audacia e intrepidez ni habla de alguien que es honrado y paciente.

10. **B; Nivel de conocimiento:** 2; **Temas:** II.CG.e.1, II.CG.e.3; **Prácticas:** SSP.1.a, SSP.5.b. La respuesta es B porque los planes son muy ambiciosos. Como se describe en el primer párrafo, el presidente Bush quería lograr muchos objetivos en su primer mandato. Los planes no se describirían como simples, inauditos ni poco costosos.

11. **C; Nivel de conocimiento:** 2; **Temas:** II.CG.e.1, II.CG.e.3; **Prácticas:** SSP.1.a, SSP.5.b, SSP.5.c. La respuesta es C, reforma. El primer párrafo identifica los cambios necesarios en diversas áreas. La libertad, la defensa y el equilibrio se mencionan en el párrafo 2, por lo que las respuestas A, B y D son incorrectas.

12. **A; Nivel de conocimiento:** 2; **Temas:** II.CG.e.1, II.CG.e.3; **Prácticas:** SSP.1.a, SSP.5.b. La respuesta es A, el *Departamento de Defensa*. El presidente Bush menciona el fortalecimiento del ejército. Su discurso inaugural no trata sobre un interés en el medioambiente, la energía, ni la administración de tierras.

13. **A; Nivel de conocimiento:** 3; **Temas:** II.CG.e.1, II.CG.e.3; **Prácticas:** SSP.1.a, SSP.1.b, SSP.3.d, SSP.4.a, SSP.5.a, SSP.5.b, SSP.5.d, SSP.7.a, SSP.7.b, SSP.8.a. La respuesta correcta es A porque las estadísticas que muestran el crecimiento económico se pueden hallar en muchas fuentes confiables. Las respuestas B, C y D son enunciados de opiniones que no se pueden demostrar.

14. **B; Nivel de conocimiento:** 2; **Temas:** II.CG.e.1, II.CG.e.3; **Prácticas:** SSP.1.a, SSP.1.b, SSP.3.d, SSP.5.a, SSP.5.b, SSP.5.d, SSP.7.a, SSP.7.b, SSP.8.a. La respuesta correcta es B. En este caso, el discurso está diseñado para presentar el plan que elaboró Clinton con el fin de revertir las dificultades económicas que sufrían los estadounidenses y él comienza con algunos ejemplos.

15. **D; Nivel de conocimiento:** 2; **Temas:** II.CG.e.1, II.CG.e.3; **Prácticas:** SSP.1.a, SSP.3.d, SSP.5.b, SSP.7.a. Las respuestas A, B y C se pueden verificar con las fuentes adecuadas. La respuesta D no, porque predice un resultado en el futuro. Por lo tanto, sería la más difícil de comprobar.

16. **B; Nivel de conocimiento:** 2; **Temas:** II.CG.e.1, II.CG.e.3; **Prácticas:** SSP.1.a, SSP.3.d, SSP.5.b, SSP.5.c, SSP.5.d. La respuesta correcta es B porque el presidente Obama le pide a la gente que compare su plan con el de su rival. Aunque es verdad que el presidente Obama querría que la gente crea en los hechos de su discurso, obviamente piensa que ellos podrán evaluar mejor la información que les da sobre sus logros y diferencias con su rival si leen y comparan los planes de Obama y de Romney. El presidente Obama no alienta a la población a confiar en su liderazgo para evaluar lo que dice ni a creer que ha habido un progreso real.

17. **A; Nivel de conocimiento:** 2; **Temas:** II.CG.e.1, II.CG.e.3; **Prácticas:** SSP.1.a, SSP.3.d, SSP.5.b. La respuesta correcta es A. Si el presidente Obama tuviera logros de los cuales enorgullecerse, podría desviar la atención hacia ellos en el discurso. La respuesta correcta no puede ser B porque el presidente Obama ya habría estado en el cargo durante cuatro años. La respuesta C es incorrecta porque la cantidad de dinero recaudado no necesariamente determina el contenido de la publicidad. La respuesta D es incorrecta porque sería imposible no usar los hechos.

LECCIÓN 17, *págs. 126–129*

1. **C; Nivel de conocimiento:** 2; **Temas:** I.CG.c.1, I.USH.a.1; **Prácticas:** SSP.1.a, SSP.2.a, SSP.5.a. La respuesta correcta es C. Burger, el presidente de la Corte Suprema, construye un argumento lógico basado en un razonamiento legal. No proporciona una justificación estadística. Tampoco ofrece ejemplos ni describe casos similares.

2. **D; Nivel de conocimiento:** 3; **Temas:** I.CG.c.1, I.USH.a.1; **Prácticas:** SSP.1.a, SSP.2.a, SSP.5.a. El escenario de la opción de respuesta D es el más cercano a esta situación porque D es el caso de otro jefe del ejecutivo, un gobernador, que trata de no entregar material a los investigadores. El presidente de la Corte Suprema, Burger, defiende que el presidente no tiene derecho a mantener cierta información en secreto en toda circunstancia. El argumento no sería relevante para un conflicto de límites entre dos comunidades, para una elección reñida ni para un debate sobre la libertad de expresión.

3. **B; Nivel de conocimiento:** 2; **Temas:** I.USH.a.1, I.USH.d, I.USH.d.3, I.CG.b.8, I.CG.d.2; **Prácticas:** SSP.1.a, SSP.2.a, SSP.5.a, SSP.5.d. En su discurso, Truth aboga por la igualdad de derechos de las mujeres afroamericanas. Dice que mientras las mujeres no tengan los mismos derechos que los hombres, los hombres tendrán superioridad sobre las mujeres y la esclavitud seguirá existiendo. Si bien las respuestas A, C y D son verdaderas, ninguna de ellas es la razón que ofrece Truth para decir que la esclavitud no ha sido destruida.

4. **C; Nivel de conocimiento:** 2; **Temas:** I.USH.a.1, I.USH.d, I.USH.d.3, I.CG.b.8, I.CG.d.2; **Prácticas:** SSP.1.a, SSP.2.a, SSP.5.a, SSP.5.d. En el segundo párrafo, Truth dice: "Cuando consigamos nuestros derechos no tendremos que recurrir a ustedes para pedirles dinero, porque entonces tendremos suficiente en nuestros propios bolsillos, y puede ser que ustedes nos pidan dinero a nosotras". Truth no dice que las mujeres afroamericanas podrán obtener trabajos que no sean de lavandería, o que ya no se les regañará por no tener comida, por lo tanto, las respuestas A y B son incorrectas. Truth no menciona a las mujeres trabajando en los tribunales, por lo que la respuesta D es incorrecta.

5. **D; Nivel de conocimiento:** 2; **Temas:** I.USH.a.1, I.USH.d, I.USH.d.3, I.CG.b.8, I.CG.d.2; **Prácticas:** SSP.1.a, SSP.2.a, SSP.5.a, SSP.5.d. La respuesta correcta es D porque Truth afirma que si las mujeres "hacen el mismo trabajo que los hombres", entonces deben recibir el mismo pago. Las respuestas A, B y C son verdaderas pero no guardan relación con la igualdad de pagos.

6. **C; Nivel de conocimiento:** 2; **Temas:** I.CG.c.2, II.CG.e.3, II.CG.f; **Prácticas:** SSP.1.a, SSP.2.a, SSP.5.a, SPP.8.a. En el único enunciado que Obama y Romney estarían de acuerdo es en el enunciado de la respuesta C: que la clase media últimamente ha pasado por tiempos difíciles. Sin embargo, tendrían razones diferentes para explicar esta situación, y diferentes soluciones para abordar el problema. Los dos hombres no están de acuerdo en que las tasas impositivas sean demasiado altas para los ricos, ni en que el déficit de los Estados Unidos no sea un problema tan importante ahora como lo fue antes. Tampoco están de acuerdo en que el desempleo haya bajado a un ritmo constante desde 2008.

7. **A; Nivel de conocimiento:** 2; **Temas:** I.CG.c.2, II.CG.e.3, II.CG.f; **Prácticas:** SSP.1.a, SSP.2.a, SSP.5.a, SSP.8.a. La respuesta correcta es A porque toda la primera parte de la cita del presidente Obama está dedicada a las promesas que hizo y que cumplió. Las respuestas B y D claramente no son ciertas y Obama no dice que lo sean. Obama obviamente cree que el enunciado de la respuesta C es verdadero, pero no lo dice en el texto.

8. **D; Nivel de conocimiento:** 2; **Temas:** I.CG.c.2, II.CG.e.3, II.CG.f; **Prácticas:** SSP.1.a, SSP.2.a, SSP.5.a, SSP.8.a. La respuesta correcta es D porque Romney incluye varias estadísticas económicas para armar su argumento contra el presidente Obama. En este texto, Romney no usa las opiniones de los votantes ni su propia experiencia para argumentar en su favor. Por lo tanto, la respuesta correcta no es B ni C. La respuesta A es incorrecta porque él no incluye citas de expertos en economía.

9. **C; Nivel de conocimiento:** 3; **Temas:** I.CG.c.2, II.CG.e.3, II.CG.f; **Prácticas:** SSP.1.a, SSP.2.a, SSP.5.a, SSP.8.a. La respuesta correcta es C. El presidente Obama menciona la creación de nuevos puestos de trabajo e indica que las pérdidas de empleo han disminuido. Obama también dice: "(…) Estamos progresando". La respuesta A es incorrecta porque el presidente Obama no menciona el presupuesto. La respuesta B es incorrecta porque no dice que todo estadounidense tenga derecho a un puesto de trabajo. La respuesta D es incorrecta porque no afirma que los últimos cuatro años hayan sido fantásticos para la industria de los Estados Unidos.

10. **A; Nivel de conocimiento:** 3; **Temas:** I.CG.c.2, II.CG.e.3, II.CG.f; **Prácticas:** SSP.1.a, SSP.2.a, SSP.5.a, SSP.8.a. El mejor resumen de las críticas de Romney es A porque, en el texto, Romney dice, fundamentalmente, que el presidente Obama no cumplió las promesas que hizo hace cuatro años. Las respuestas B, C y D son incorrectas porque abordan solamente una parte de las críticas de Romney pero no las resumen realmente.

11. **C; Nivel de conocimiento:** 2; **Temas:** I.CG.c.1, II.CG.f, I.USH.a.1; **Prácticas:** SSP.1.a, SSP.2.a, SSP.5.a, SSP.5.d. La respuesta correcta es C. La mayoría en la Corte planteó que la Primera Enmienda garantiza que la libre expresión no se puede prohibir, aun cuando la expresión de la idea sea ofensiva. La Corte no planteó que la condena de Johnson debiera quedar firme de acuerdo con la ley de Texas, ni que la Primera Enmienda protege la destrucción de los símbolos nacionales. La Corte tampoco planteó que ciertas ideas o creencias de los Estados Unidos no pueden cuestionarse ni discutirse.

12. **D; Nivel de conocimiento:** 2; **Temas:** I.CG.c.1, II.CG.f, I.USH.a.1; **Prácticas:** SSP.1.a, SSP.2.a, SSP.5.a, SSP.5.d. La respuesta correcta es D porque el juez Brennan se apoya en un precedente legal. El juez Brennan no usa estadísticas, hechos sobre la historia de la bandera ni la opinión pública para respaldar su argumento; por lo tanto, las respuestas A, B y C son incorrectas.

13. **D; Nivel de conocimiento:** 3; **Temas:** I.CG.c.1, II.CG.f, I.USH.a.1; **Prácticas:** SSP.1.a, SSP.2.a, SSP.5.a, SSP.5.d. Los tres primeros actos (vandalismo, amenaza a otra persona y robo) son ilegales. Por lo tanto, no están protegidos por la Constitución. La respuesta correcta es D porque hay un paralelismo entre esto y la quema de la bandera. Los insultos son ofensivos para algunas personas, como lo es la quema de la bandera para muchos. Pero la Primera Enmienda protege el uso de insultos en una canción, como protege la quema de la bandera, aun cuando ninguno de los dos fuera particularmente popular en algunos sectores de la sociedad estadounidense.

14. **B; Nivel de conocimiento:** 2; **Temas:** I.CG.c.1, II.CG.f, I.USH.a.1; **Prácticas:** SSP.1.a, SSP.2.a, SSP.5.a, SSP.5.d. La respuesta correcta es B. Rehnquist, el presidente de la Corte Suprema, basa su argumento en el valor de la bandera como un símbolo especial de los Estados Unidos. Él está en contra de tratar la bandera como un símbolo más. Él no basa su argumento en la historia de la bandera estadounidense ni en el hecho de que la bandera es un objeto de propiedad pública. Hace alusión a la importancia militar de la bandera, pero no basa su argumento en este hecho.

15. **C; Nivel de conocimiento:** 3; **Temas:** I.CG.c.1, II.CG.f, I.USH.a.1; **Prácticas:** SSP.1.a, SSP.2.a, SSP.5.a, SSP.5.d. La respuesta correcta es C. Su conocimiento de la ley y de la Constitución confiere gran credibilidad a sus decisiones. La respuesta A no es la respuesta correcta, aunque el enunciado en sí es correcto. Sin embargo, esta no es una razón que dé más credibilidad a sus opiniones. La respuesta B es incorrecta porque muchos miembros del Congreso son abogados. Muchos presidentes también han sido abogados o conocen la ley. El presidente Barack Obama enseñó Derecho Constitucional en la universidad. La respuesta D es otra respuesta incorrecta, aunque el enunciado es verdadero en cuanto a los magistrados Brennan y Rehnquist; uno era liberal y el otro conservador. Sin embargo, ningún punto de vista político da más credibilidad a un argumento legal.

LECCIÓN DE ALTO IMPACTO: ANALIZAR EVIDENCIA, *págs. 130–131*

1. **D; Nivel de conocimiento:** 2; **Temas:** I.CG.c.1, I.CG.c.6, II.USH.f.4, II.G.b.4, II.G.b.5; **Prácticas:** SSP.1.b, SSP.2.a, SSP.7.a. El primer párrafo dice que la creación de Yellowstone "desencadenó un movimiento mundial de parques nacionales. Hoy existen aproximadamente 1,200 parques nacionales o reservas naturales en más de 100 países en todo el mundo". Esto respalda la conclusión del autor de que la creación del Parque Nacional Yellowstone afectó al resto del mundo. Las respuestas A, B y C no respaldan esta conclusión.

2. **A; Nivel de conocimiento:** 2; **Temas:** I.CG.c.1, I.CG.c.6, II.USH.f.4, II.G.b.4, II.G.b.5; **Prácticas:** SSP.1.b, SSP.2.a, SSP.7.a. Dejar las áreas verdes de los parques "en condiciones inmejorables para el disfrute de las generaciones futuras" implicaría no solo establecer parques, sino también protegerlos. Las respuestas B, C y D son incorrectas porque ninguna de estas opciones se relaciona con la protección de las áreas verdes de parques.

3. **C; Nivel de conocimiento:** 3; **Temas:** I.CG.c.1, I.CG.c.6, II.USH.f.4, II.G.b.4, II.G.b.5; **Prácticas:** SSP.1.b, SSP.2.a, SSP.7.a. Las responsabilidades de supervisar, administrar y controlar los parques y monumentos bajo la jurisdicción del servicio requieren que el director posea poderes amplios. La respuesta A es incorrecta porque esta cadena de mando no tiene nada que ver con otorgar amplios poderes al director. La respuesta B es incorrecta porque promover parques nacionales y monumentos y reservas federales no necesariamente le otorga al director poderes amplios. La respuesta D es incorrecta porque, aunque le otorgue poder al director, no son poderes amplios, especialmente porque el Congreso podría no crear nuevos parques, monumentos o reservas federales.

4. **D; Nivel de conocimiento:** 3; **Temas:** I.CG.c.1, I.CG.c.6, II.USH.f.4, II.G.b.4, II.G.b.5; **Prácticas:** SSP.1.b, SSP.2.a, SSP.7.a. El enunciado de que el Secretario del Interior puede crear reglas que rijan sobre parques nacionales y monumentos respalda la afirmación de que el Servicio de Parques Nacionales puede castigar a individuos que dañen un parque, debido a que las reglas determinan quiénes pueden ser castigados y cuál podría ser el castigo. Las respuestas A, B y C son incorrectas porque ninguna de ellas brinda evidencia de que el Servicio de Parques Nacionales puede castigar a individuos que dañen un parque.

5. **B; Nivel de conocimiento:** 3; **Temas:** I.CG.c.1, I.CG.c.6, II.USH.f.4, II.G.b.4, II.G.b.5; **Prácticas:** SSP.1.b, SSP.2.a, SSP.7.a. El hecho de que el Secretario del Interior pueda eliminar animales que dañen áreas de un parque es irrelevante ya que no tiene nada que ver con la afirmación de que todos deben tener acceso a los parques nacionales. Las respuestas A y C son incorrectas porque respaldan la afirmación de que todos deben tener acceso a los parques nacionales. La respuesta D es incorrecta porque insinúa que la gente debe tener acceso a los parques nacionales.

LA EDUCACIÓN CÍVICA Y EL GOBIERNO EN ACCIÓN, *págs. 132–133*

LEYES, PROTECCIÓN PÚBLICA, CORRECCIONES Y SEGURIDAD

1. **D; Nivel de conocimiento:** 2; **Temas:** I.CG.c.6, I.CG.d.2, II.CG.f, I.USH.a.1, II.USH.h, II.E.d.5; **Práctica:** SSP.2.a. El tema de la sección (b) es la misión del Departamento de Seguridad Nacional. Las respuestas A, B y C son incorrectas porque evitar ataques terroristas en los Estados Unidos (A), reducir la vulnerabilidad de los Estados Unidos frente a los terroristas (B) y el establecimiento del Departamento de Seguridad Nacional (C) son ideas centrales de esta sección, no su tema.

2. **A; Nivel de conocimiento:** 2; **Temas:** I.CG.c.6, I.CG.d.2, II.CG.f, I.USH.a.1, II.USH.h, II.E.d.5; **Práctica:** SSP.2.a. La idea central de la sección (b) es la misión del Departamento de Seguridad Nacional, que es proteger al país del terrorismo y de otras amenazas. Las respuestas B, C y D son incorrectas porque proteger al país del tráfico de drogas (B), ayudar a la gente durante y después de las crisis naturales y causadas por el hombre (C) y verificar conexiones entre el tráfico de drogas y el terrorismo (D) son detalles de apoyo, no la idea central del párrafo.

3. **C; Nivel de conocimiento:** 2; **Temas:** I.CG.c.6, I.CG.d.2, II.CG.f, I.USH.a.1, II.USH.h, II.E.d.5; **Práctica:** SSP.2.a. Garantizar la estabilidad económica del país es parte de la misión del departamento, por lo que esta respuesta es un detalle de apoyo. Las respuestas A, B y D son incorrectas porque colaborar con los esfuerzos de recuperación después de ataques terroristas contra el país (A), hacer que la nación sea más segura frente a ataques terroristas (B) y evitar ataques terroristas contra los Estados Unidos (D) describen la misión primaria del departamento, que es la idea central de esta sección.

4. **D; Nivel de conocimiento:** 3; **Temas:** I.CG.c.6, I.CG.d.2, II.CG.f, I.USH.a.1, II.USH.h, II.E.d.5; **Práctica:** SSP.2.a. La parte de la Ley que dice que la responsabilidad primaria de investigar actos de terrorismo recaerá en los organismos de seguridad locales respalda la afirmación de que la policía de Chicago debe ser la primera en responder ante un atentado terrorista en esa ciudad. Las respuestas A, B y C son incorrectas porque ninguna de ellas se relaciona con la afirmación de que la policía local debe ser la primera en responder ante un atentado terrorista en una ciudad estadounidense.

5. **C; Nivel de conocimiento:** 3; **Temas:** I.CG.c.6, I.CG.d.2, II.CG.f, I.USH.a.1, II.USH.h, II.E.d.5; **Práctica:** SSP.2.a. El hecho de que el departamento tenga la tarea de garantizar que la seguridad económica del país no se vea menoscabada por los esfuerzos destinados a proteger la nación es irrelevante, porque no tiene nada que ver con el tráfico de drogas. Las respuestas A, B y D son incorrectas porque todas se relacionan directamente con que el departamento tenga jurisdicción en un caso de contrabando de drogas ilegales hacia el país.

SERVICIOS HUMANOS

6. **D; Nivel de conocimiento:** 3; **Temas:** I.CG.d.2, II.CG.f; **Práctica:** SSP.10.a. La gráfica indica que los Estados Unidos cada 100,000 personas 655 encarceladas. Australia (172), el Reino Unido (139), España (126), Canadá (114) y Francia (100) tienen juntos 651. La respuesta A es incorrecta porque en los Estados Unidos no hay más personas encarceladas que en todos los otros países juntos. La respuesta B es incorrecta porque Finlandia (51), Suecia (59), los Países Bajos (61), Dinamarca (63) y Noruega (63) tienen juntos 297 y ese número por tres es 891. La respuesta C es incorrecta porque Austria (98) y Grecia (97) tienen juntos 195 y ese número por cuatro es 780.

7. **B; Nivel de conocimiento:** 3; **Temas:** I.CG.d.2, II.CG.f; **Práctica:** SSP.10.a. El párrafo indica que Finlandia tiene 51 personas encarceladas cada 100,000. Francia tiene 100, que es casi exactamente el doble. La respuesta A es incorrecta porque Australia tiene 172. La respuesta C es incorrecta porque Suiza tiene 81. La respuesta D es incorrecta porque Suecia tiene 59.

8. **A; Nivel de conocimiento:** 3; **Temas:** I.CG.d.2, II.CG.f; **Práctica:** SSP.10.a. Holanda y el Reino Unido suman un total de 200 cada 100,000. Las respuestas B, C y D son incorrectas porque la suma total de Finlandia y Australia (B) es 223; de España y Bélgica (C) es 214 y de Grecia y Canadá (D) es 211.

9. **B; Nivel de conocimiento:** 3; **Temas:** I.CG.d.2, II.CG.f; **Práctica:** SSP.10.a. La gráfica indica que cada 100,000 personas en los Estados Unidos hay 655 encarceladas por lo que habría el doble de eso, aproximadamente 1,300 personas, cada 200,000. La respuesta A es incorrecta porque 325 sería el número para aproximadamente 50,000 personas. Las respuestas C y D son incorrectas porque 2,300 (C) y 3,250 (D) son cifras demasiado altas.

10. **D; Nivel de conocimiento:** 3; **Temas:** I.CG.d.2, II.CG.f; **Práctica:** SSP.10.a. España tiene 126 personas cada 100,000; Noruega tiene 63, lo que es aproximadamente la mitad. La respuesta A es incorrecta porque un décimo sería alrededor de 13 personas. La respuesta B es incorrecta porque un cuarto sería alrededor de 31 personas. La respuesta C es incorrecta porque un tercio sería alrededor de 42 personas.

11. **C; Nivel de conocimiento:** 3; **Temas:** I.CG.d.2, II.CG.f; **Práctica:** SSP.10.a. Alemania (75) y Dinamarca (63) tienen juntos un total de 138 personas encarceladas cada 100,000; el Reino Unido tiene 139. Las respuestas A, B y D son incorrectas porque Italia (A) tiene 98; España (B) tiene 126 y Australia (D) tiene 172.

UNIDAD 4 ECONOMÍA

LECCIÓN 1, *págs. 134–137*

1. **A; Nivel de conocimiento:** 2; **Tema:** II.E.c.10; **Prácticas:** SSP.6.a, SSP.6.b, SSP.10.a. El sector de informática tuvo la mayor productividad entre 2009 y 2010, y un cambio positivo de más de 8% en la productividad. Los sectores de fábricas, comercio mayorista y transporte y almacenamiento tuvieron aumentos menores en la productividad.

2. **D; Nivel de conocimiento:** 2; **Tema:** II.E.c.10; **Prácticas:** SSP.6.a, SSP.6.b, SSP.10.a. El sector de minería fue el que sufrió el menor efecto negativo de la crisis de 2008–2009. Durante este período tuvo un cambio positivo de aproximadamente 5%. Los sectores de industrias no agrícolas, comercio minorista y hotelería y gastronomía tuvieron cambios positivos menores o un cambio negativo.

3. **D; Nivel de conocimiento:** 3; **Temas:** II.E.c.2, II.E.d.2; **Prácticas:** SSP.1.b, SSP.3.c. La persona aprovecha la oportunidad de estar mejor al elegir el estacionamiento gratuito. Debido a que ambos hoteles están dentro del presupuesto de la persona, la escasez de recursos no es un factor. Debido a que los hoteles son comparables, el costo de oportunidad y la relación costo-beneficio no son factores.

4. **B; Nivel de conocimiento:** 3; **Temas:** II.E.c.5, II.E.c.10; **Prácticas:** SSP.1.b, SSP.3.c. Un ejemplo de costo de oportunidad es comprar una sandía en vez de una bolsa de manzanas. El "costo" de comprar la sandía es dejar de comprar las manzanas. Las otras opciones no describen qué se dejaría de lado a cambio de otra cosa.

5. **A; Nivel de conocimiento:** 3; **Temas:** II.E.c.10; **Prácticas:** SSP.1.b, SSP.3.c. El principio de las decisiones individuales que cambiará más para ella es la escasez de recursos. Con el aumento de salario, aumentan sus ingresos, y este aumento afectará las decisiones que tome. El aumento del ingreso no está directamente relacionado con los costos de oportunidad, con las relaciones entre costos y beneficios ni con las oportunidades convenientes que aprovechan las personas.

6. **B; Nivel de conocimiento:** 3; **Temas:** I.E.a, I.E.b; **Prácticas:** SSP.1.b, SSP.2.b. Excepto en tiempos de crisis económica, el tipo de sistema económico más habitual en los Estados Unidos es el capitalismo *laissez faire*, no el capitalismo keynesiano, el socialismo *laissez faire* ni el socialismo.

7. **B; Nivel de conocimiento:** 2; **Temas:** II.E.d.3, II.E.d.4; **Prácticas:** SSP.6.a, SSP.6.b, SSP.6.c, SSP.10.a. El déficit federal de 2010 fue mayor que el de 1983. Esto se basa en las gráficas que muestran que el gasto en 2010 fue 8.4% mayor que los ingresos, mientras que en 1983 el gasto fue 5.7% mayor que los ingresos. Cuanto mayor es la diferencia entre lo que gasta una institución y lo que recauda, mayor será el déficit. Las otras opciones de respuesta no son correctas a partir de la información de las gráficas.

8. **C; Nivel de conocimiento:** 2; **Temas:** II.E.d.4, II.E.d.5; **Prácticas:** SSP.3.c. El gobierno fue responsable por relajar las regulaciones bancarias e imponer tasas de interés artificialmente bajas. El mercado fue responsable por los préstamos incobrables y por los riesgos que asumió la banca.

9. **A; Nivel de conocimiento:** 2; **Temas:** II.E.d.4, II.E.d.5; **Prácticas:** SSP.3.c, SSP.6.a, SSP.6.b. El gasto en la categoría de los programas Medicare, Medicaid y otros programas de asistencia médica fue el que más aumentó entre 1983 y 2010. En 1983 era 1.9% y en 2010 era 4.8%. Este es el mayor de los cambios en las diferentes categorías. Las otras categorías muestran cambios menores entre 1983 y 2010.

10. **D; Nivel de conocimiento:** 3; **Tema:** II.E.d.7; **Prácticas:** SSP.1.a, SSP.3.c, SSP.6.a, SSP.6.b. La evidencia de los fracasos del gobierno y del mercado es la cantidad recaudada en concepto de impuesto FICA e impuesto sobre la renta individual. Un mayor desempleo provoca una reducción en ambos impuestos, porque hay menos personas empleadas. La leve disminución del impuesto FICA se vuelve más significativa porque la tasa del impuesto FICA aumentó entre 1983 y 2010. La recaudación por el impuesto sobre la renta disminuyó considerablemente. Juntos, estos dos indicadores son la evidencia más clara de un fracaso. El impuesto sobre la renta corporativa, los gastos discrecionales destinados a defensa y los intereses de la deuda no son evidencias sólidas de fracasos del gobierno y el mercado.

11. **A; Nivel de conocimiento:** 3; **Temas:** II.E.c.3, II.E.c.4; **Prácticas:** SSP.1.a, SSP.2.a. Según el pasaje, los gobiernos compiten por el capital, la mano de obra y las empresas. El pasaje describe cómo los gobiernos compiten por sus residentes. Estos residentes son mano de obra. También describe cómo los gobiernos compiten por las empresas, corporaciones y negocios, que proporcionan capital. Los gobiernos no compiten por monopolios.

12. **B; Nivel de conocimiento:** 3; **Temas:** II.E.c.3, II.E.c.4; **Prácticas:** SSP.1.a, SSP.2.a. Según el fragmento, las personas y los negocios se mudaron cuando los impuestos superaron el valor de los servicios y beneficios públicos. Las respuestas A, C y D no se mencionan en el fragmento.

13. **D; Nivel de conocimiento:** 3; **Temas:** II.E.d.11; **Prácticas:** SSP.1.a, SSP.2.a. Cuando se agrega un arancel a un producto importado, aumenta el precio del producto nacional. Si el producto nacional es más asequible que el importado, las personas tenderán a comprar el producto nacional en vez del importado, lo que derivará en mayor ganancia para la empresa nacional. Un arancel tiene más probabilidades de lograr que sea más difícil, y no más fácil, que las tiendas importen productos. Un arancel rara vez se agrega con intención de detener completamente la exportación de un producto a los Estados Unidos. Las personas generalmente no prestan atención a los aranceles, sino a los precios.

14. **B; Nivel de conocimiento:** 3; **Temas:** II.E.d.11; **Prácticas:** SSP.1.a, SSP.2.a. Los bienes que produce la empresa serían más caros en un país que les impone un arancel, pero sus ingresos se mantendrían iguales. Esto es porque el arancel impuesto a los productos se paga al país que impone el arancel, y no a la empresa. Sus productos no serían menos caros, ya que al agregarles un arancel aduanero se harían más caros.

LECCIÓN 2, *págs. 138–141*

1. **C; Nivel de conocimiento:** 3; **Temas:** II.E.d.1, II.E.d.2; **Prácticas:** SSP.6.a, SSP.6.b, SSP.10.a, SSP.10.c. Según la gráfica, la opción C es la correcta porque, de acuerdo con los gastos planeados para las compras de fin de año, las personas fueron *más* optimistas en 2018 que en cualquier otro año y *menos* optimistas en 2008 que en cualquier otro año.

2. **C; Nivel de conocimiento:** 3; **Temas:** II.E.d.1, II.E.d.2; **Prácticas:** SSP.6.b, SSP.10.a. De las opciones de respuesta dadas, 2008 es el año en el que probablemente la economía haya estado más débil porque es el año en el que disminuyeron las expectativas de gastar lo mismo, apenas disminuyeron también las de gastar más y aumentaron las expectativas de gastar menos.

3. **Nivel de conocimiento:** 2; **Temas:** II.E.d.1, II.E.d.2; **Prácticas:** SSP.6.a, SSP.6.b, SSP.10.a, SSP.10.c. La primera causa o el primer efecto que falta es la **escasez de maíz**. El aumento de las ventas de maíz y el aumento de la cantidad de maíz destinada a la producción de etanol tuvieron como consecuencia menos maíz, lo que causó un aumento de su precio. La segunda causa o el segundo efecto que falta es el **aumento de los precios de los alimentos preparados con maíz**. Un mayor precio del maíz deriva en mayores precios de los alimentos que tienen maíz como ingrediente. El tercer efecto que falta es **menos tierras destinadas a sembrar trigo y soya**. Si se destinan más tierras a sembrar maíz, habrá menos tierras disponibles para el trigo y la soya. Además, destinar menos tierras al trigo y a la soya tiene el efecto de aumentar los precios del trigo y la soya.

4. **Nivel de conocimiento:** 2; **Temas:** II.E.c.6, II.E.c.10 II.E.d.1, II.E.d.2; **Prácticas:** SSP.6.a, SSP.6.b, SSP.10.a, SSP.10.c. El primer recuadro se completa con **disminución de la demanda**. En la gráfica, el precio cae abruptamente, y esto lo causa la disminución de la demanda. El segundo recuadro se completa con **precio bajo del petróleo crudo**. Cuando el precio de la gasolina llega al valor mínimo, sucede lo mismo con el precio del petróleo crudo. El tercer recuadro se completa con **exportaciones de petróleo limitadas**. Una de las causas de los aumentos de precios como los que se observan en la gráfica es la limitación de las exportaciones de petróleo.

5. **Nivel de conocimiento:** 3; **Temas:** II.E.c.4, II.E.d.1, II.E.d.7, II.E.e.2; **Prácticas:** SSP.6.a, SSP.6.b, SSP.10.a, SSP.10.c. Una **causa** es la **disminución de la cantidad de nuevas viviendas**. Su **efecto** es una **disminución del empleo en los sectores de construcción y carpintería**. Como se construyen menos casas, habrá menos empleos para las personas que trabajan en la construcción de viviendas. La otra **causa** es el **aumento de la cantidad de nuevas viviendas**. Su **efecto** es un **aumento del empleo en los sectores de construcción y carpintería**.

6. **Nivel de conocimiento:** 3; **Temas:** II.E.c.4, II.E.d.1, II.E.d.7, II.E.e.2; **Prácticas:** SSP.6.a, SSP.6.b, SSP.10.a, SSP.10.c. Las dos **causas** que se corresponden con el diagrama son **hipotecas de tasa ajustable** y **deterioro de las condiciones económicas**. Un aumento de la construcción de nuevas viviendas es un indicador de una economía fuerte, lo que implicaría menos ejecuciones hipotecarias. Lo mismo sucede con una actividad económica positiva.

LECCIÓN DE ALTO IMPACTO: ANALIZAR CAUSA Y EFECTO, *págs. 142–143*

1. **C; Nivel de conocimiento:** 2; **Temas:** II.USH.e, II.E.g, II.G.b.5; **Práctica:** SSP.3.c. El segundo párrafo da las razones por las que los franceses no pudieron completar el canal. Entre ellas están las enfermedades tropicales. La respuesta A es incorrecta porque describe un resultado de la construcción del canal. La respuesta B es incorrecta porque el pasaje no dice que los franceses hayan resuelto el problema de la malaria. La respuesta D es incorrecta porque el pasaje no dice ni sugiere que los franceses hayan elegido una mala ruta para el canal.

2. **B; Nivel de conocimiento:** 2; **Temas:** II.USH.e, II.E.h; **Práctica:** SSP.3.c. El segundo párrafo dice "Se cree que fue provocado por un cigarrillo arrojado al descuido". Las respuestas A, C y D no están respaldadas por el pasaje.

3. **A; Nivel de conocimiento:** 3; **Temas:** II.USH.e, II.E.h; **Práctica:** SSP.3.c. El segundo párrafo dice que una gran cantidad de algodón y papel alimentó las llamas. Las respuestas B, C y D son incorrectas porque el fragmento no dice ni sugiere que las llamas se hayan expandido rápidamente por las ventanas abiertas en toda la fábrica (B); ni que hubiera fuertes vientos en la ciudad (C); ni madera almacenada en el techo del edificio (D).

4. **D; Nivel de conocimiento:** 3; **Temas:** II.USH.e, II.E.h; **Práctica:** SSP.3.c. El tercer párrafo indica que las escaleras de los bomberos solo llegaban hasta el sexto piso. Las respuestas A, B y C no están respaldadas por el pasaje.

5. **C; Nivel de conocimiento:** 2; **Temas:** II.USH.e, II.E.h; **Práctica:** SSP.3.c. El tercer párrafo indica que muchos empleados no pudieron salir porque las puertas de la fábrica estaban trabadas. Las respuestas A, B y D son incorrectas porque el pasaje no dice ni sugiere que las personas hayan quedado atrapadas en el edificio en llamas debido a que la escalera de incendios en la que estaban se hubiera desplomado (A); la tela y el papel de la fábrica ardieron rápidamente (B); o alguien arrojó un cigarrillo al descuido (D). Todas estas son causas mencionadas en el pasaje, pero ninguna de ellas es la razón por la que las personas quedaron atrapadas en el edificio.

6. **B; Nivel de conocimiento:** 3; **Temas:** II.USH.e, II.E.h; **Práctica:** SSP.3.c. El tercer párrafo dice que hubo trabajadores que resultaron heridos cuando buscaban refugio en la escalera de incendios que se desplomó por el peso. Las respuestas A y C son incorrectas porque el fragmento no dice ni sugiere que los trabajadores se hubieran juntado en la escalera de incendios y por tal motivo los bomberos no hayan podido salvarlos (A), o que el fuego se haya apagado más rápido (C). La respuesta D es incorrecta porque el pasaje dice que las personas resultaron heridas al desplomarse la escalera de incendios.

7. **C; Nivel de conocimiento:** 3; **Temas:** II.USH.e, II.E.h; **Práctica:** SSP.3.c. El cuarto párrafo indica que, como consecuencia de la indignación pública, el estado de Nueva York creó la Comisión investigadora de fábricas. A pesar de que el pasaje afirma que se aprobaron más de 30 leyes, no menciona códigos de construcción, por eso la respuesta A es incorrecta. Las respuestas B y D no están respaldadas por el pasaje.

LECCIÓN 3, *págs. 144–147*

1. **C; Nivel de conocimiento:** 3; **Tema:** II.E.d.4; **Prácticas:** SSP.1.a, SSP.6.a, SSP.6.c, SSP.10.a. Puede inferirse que Georgia tiene un costo de vida menor que el de los otros estados. *Costo de vida* se refiere al costo de las necesidades básicas y cotidianas en ciudades, estados o países. Como el salario mínimo en Georgia es mucho menor que el salario mínimo federal, es lógico inferir que vivir en Georgia es más barato, por lo que el "costo de vida" es menor. No puede inferirse, a partir de los elementos visuales, que los emprendimientos comerciales afecten el salario mínimo, o que en Massachusetts se haya promulgado la primera ley del salario mínimo. Tampoco puede inferirse que, al aumentar el salario mínimo federal, se creen nuevos empleos.

2. **B; Nivel de conocimiento:** 2; **Tema:** II.E.d.4; **Prácticas:** SSP.1.a, SSP.6.a, SSP.6.c, SSP.10.a. California y Massachusetts tienen salarios mínimos de $11.00 superiores al salario mínimo federal. El salario mínimo federal es $7.25.

3. **A; Nivel de conocimiento:** 2; **Tema:** II.E.d.10; **Prácticas:** SSP.1.a, SSP.6.a, SSP.6.b, SSP.6.c, SSP.10.a. Cuanto mayor sea la mediana de ingresos semanales, menor será la tasa de desempleo. Cuando se comparan las dos gráficas, se observa que, a medida que aumenta la tasa de desempleo, se reduce la mediana de ingresos semanales. Esto implica que, cuanto más dinero gana una persona, menos probabilidades tiene de estar desempleada.

4. **D; Nivel de conocimiento:** 2; **Tema:** II.E.d.10; **Prácticas:** SSP.1.a, SSP.6.a, SSP.6.b, SSP.6.c, SSP.10.a. Una persona que tiene un título de licenciatura probablemente encontrará empleo y ganará aproximadamente $1,200 por semana. Para una persona que tiene un título de grado, la tasa de desempleo es menor que el promedio; por lo tanto, es probable que encuentre empleo. La mediana de ingresos semanales para una persona que tiene un título de licenciatura es $1,198, por lo tanto, es probable que encuentre un empleo con un salario de aproximadamente $1,200 por semana.

5. **B; Nivel de conocimiento:** 2; **Tema:** II.E.d.10; **Prácticas:** SSP.1.a, SSP.6.a, SSP.6.b, SSP.6.c, SSP.10.a. De las ocupaciones enumeradas, profesor universitario es la que corresponde a las categorías de segunda tasa más baja de desempleo y segunda mediana de ingresos semanales. Es más probable que un empleado de una cadena de comida rápida pertenezca a las categorías de personas que tienen el certificado de escuela secundaria, o incluso estudios secundarios no terminados. Un asistente del maestro puede tener o no un diplomado o un título de licenciatura; probablemente no tiene un título profesional. Un electricista diplomado entra en la categoría que tiene un diplomado.

6. **C; Nivel de conocimiento:** 2; **Temas:** II.E.d.2, II.E.d.10; **Prácticas:** SSP.1.a, SSP.6.a, SSP.6.b, SSP.6.c, SSP.10.a. A una mujer que toma la decisión individual de abandonar los estudios de licenciatura y comenzar a trabajar le resultará más fácil conseguir empleo que a una persona que no haya terminado la escuela secundaria. Según las gráficas, una persona que no ha terminado la escuela secundaria pertenece a la categoría que tiene el mayor desempleo y la menor mediana de ingresos semanales. La probabilidad de que la mujer encuentre un empleo bien pagado no es mejor que la de una persona que tiene un título de licenciatura. La mujer no tiene más probabilidades de ganar más que la media de lo que gana una persona que tiene un título profesional, y es probable que esta mujer encuentre un empleo donde gane más de $500 por semana.

7. **A; Nivel de conocimiento:** 3; **Temas:** II.E.e.1, II.E.e.2; **Prácticas:** SSP.1.a, SSP.6.a, SSP.6.c, SSP.10.a. Una persona que regularmente se atrasa en sus pagos y cuyos saldos en todos estos pagos son elevados probablemente tendrá un puntaje crediticio bajo o muy bajo. Un puntaje crediticio de 400 a 449 cae en la categoría de muy bajo porque es menos que 550. El historial de pago y la deuda son las dos categorías más importantes de las que se usan para calcular el puntaje crediticio. Tanto atrasarse en los pagos como arrastrar grandes saldos tendrán efectos negativos en el puntaje crediticio de una persona. Las otras opciones de respuesta no son correctas, porque todas ellas indicarían una persona que tiene un mejor historial de pago en general y menores deudas.

8. **D; Nivel de conocimiento:** 3; **Temas:** II.E.e.1, II.E.e.2; **Prácticas:** SSP.1.a, SSP.6.a, SSP.6.c, SSP.10.a. De estas opciones, una persona puede mejorar de manera más significativa su puntaje crediticio si cancela los saldos de las tarjetas de crédito. Las deudas conforman el 30% del puntaje crediticio de una persona. Cuanto menos dinero debe una persona, mejor será el puntaje crediticio de esa persona. Tomar un préstamo hipotecario, agregar una nueva tarjeta de crédito o tomar un préstamo para comprar un carro nuevo afectarán positivamente el puntaje crediticio si se mantiene un buen historial de pago, pero los tipos de crédito y los nuevos créditos aportan solamente un 10% cada uno al puntaje crediticio de una persona.

9. **B; Nivel de conocimiento:** 3; **Tema:** II.E.d.9; **Prácticas:** SSP.6.b,SSP.10.a, SSP.11.a. La mediana del porcentaje de crecimiento anual del sector privado de producción de servicios fue del 2.6%. Para hallar la mediana, se halló el promedio de 2.7 y 2.5, que fueron los números del medio. El rango del porcentaje del crecimiento anual del sector privado de producción de servicios es la diferencia entre el porcentaje más alto, el cual fue del 3.2% en 2018, y el porcentaje más bajo, el cual fue del –2.0% en 2016. El rango del porcentaje del crecimiento anual del sector privado de producción de servicios fue del 5.2%. La respuesta A da la mediana y el rango del PIB. La respuesta C da la mediana y el rango de sector privado de producción de servicios. La respuesta D da la mediana y el rango de todas las categorías.

10. **B; Nivel de conocimiento:** 3; **Tema:** II.E.d.2; **Prácticas:** SSP.1.a, SSP.6.a, SSP.6.c, SSP.10.a. No a todas las personas les descuentan aportes en concepto del formulario 401(k) de su salario. Según la tabla, el formulario 401(k) es una deducción voluntaria a pedido del contribuyente. Esta deducción en concepto del formulario 401(k) no aparece en el recibo de salario, pero eso solo significa que a la persona no le quitan la deducción 401(k) de su recibo. El gobierno no descuenta al azar aportes en concepto del formulario 401(k) de los salarios de las personas, porque son aportes voluntarios. Los aportes en concepto del formulario 401(k) no son parte de las retenciones federales porque son aportes voluntarios.

11. **D; Nivel de conocimiento:** 2; **Tema:** II.E.d.2; **Prácticas:** SSP.1.a, SSP.6.a, SSP.6.c, SSP.10.a. La conclusión que puede sacarse es que el salario bruto es la mayor de las cantidades que aparecen en la nómina. Si bien algunas nóminas incluyen información de todo el año hasta la fecha de emisión (muestran el total de los pagos y las deducciones brutos y netos del año), el salario bruto total será igualmente la cantidad mayor. Tanto la tabla como la nómina brindan información para el empleado. Si bien el salario neto es menor que el salario bruto, las deducciones son todas menores que el salario neto.

12. **D; Nivel de conocimiento:** 3; **Tema:** II.E.d.3; **Prácticas:** SSP.1.a, SSP.6.a, SSP.6.b. El Servicio de Impuestos Internos *(Internal Revenue Service)* tiene la relación más cercana con los datos y la información de la tabla y de la nómina. Son responsables de recaudar impuestos en los Estados Unidos. La Reserva Federal de los Estados Unidos es la encargada de emitir moneda. El Banco Mundial trabaja en pos de erradicar la pobreza en los países en vías de desarrollo y la Oficina Nacional de Investigaciones Económicas lleva a cabo tareas de investigación económica.

13. **A; Nivel de conocimiento:** 3; **Tema:** II.E.d.4; **Prácticas:** SSP.1.a, SSP.6.a, SSP.6.b, SSP.10.a, SSP.10.c. Una política de incentivos fiscales es una política con la que el pueblo estadounidense tiene más dinero para gastar, y así se estimula la economía. Por lo tanto, una disminución de las retenciones en concepto de impuestos federales es el cambio más probable que se vea en la nómina si se impone este tipo de políticas. La idea es que se deduce menos dinero en concepto de impuestos federales, lo que deja a los trabajadores con mayores salarios netos. Los impuestos estatales no forman parte de la política fiscal federal. Una disminución de la cantidad de deducciones del salario bruto tendría el efecto opuesto, porque las deducciones del salario bruto reducen la cantidad de dinero sobre la que se cobran impuestos a las personas. Una disminución del salario bruto de los empleados podría deberse a que sus empleadores les reduzcan el salario.

LECCIÓN 4, *págs. 148–151*

1. **C; Nivel de conocimiento:** 2; **Tema:** II.E.c.11; **Prácticas:** SSP.6.a, SSP.6.b, SSP.10.a. El valor aproximado de un dólar estadounidense en 2015 era 3.5 reales. La clave muestra que 1 billete equivale a 1 real. Los símbolos correspondientes a 2015 son 3.5 billetes, es decir, 3.5 reales. Cuatro reales y 4.5 reales son cifras muy altas, y 3 reales es un valor demasiado bajo.

2. **B; Nivel de conocimiento:** 3; **Tema:** II.E.c.11; **Prácticas:** SSP.6.a, SSP.6.b, SSP.10.a. El valor del real disminuyó entre 2017 y 2019. El valor del real no permaneció estable de un año a otro. El valor del real disminuyó también entre 2013 y 2015, y aumentó entre 2015 y 2017. No se puede sacar la conclusión de que la tasa de cambio de estas monedas debería haber aumentado en 2021 a partir de la información de la pictografía.

3. **A; Nivel de conocimiento:** 2; **Tema:** II.E.c.9; **Prácticas:** SSP.6.a, SSP.6.b, SSP.10.a. Aproximadamente 21 millones de personas trabajan en total en los sectores de comercio mayorista y minorista. En el sector de atención médica y asistencia social trabaja menos del doble de la cantidad de empleados del sector de manufactura. La mayor cantidad de empleados no corresponde al sector de hotelería y ocio, sino al sector de servicios profesionales y empresariales. En el sector de comercio mayorista trabajan más de 5 millones de personas, no menos de 5 millones.

4. **B; Nivel de conocimiento:** 3; **Tema:** II.E.c.9; **Prácticas:** SSP.6.a, SSP.6.b, SSP.10.a. Habría 2.5 símbolos para el sector de construcción. Cada símbolo de la pictografía representa 3 millones de empleados. 7.5 millones de empleados divididos entre 3 millones por símbolo da 2.5 símbolos. 3 representaría 9 millones de empleados; 2 representaría 6 millones de empleados; y 1.5 representarían 4.5 millones de empleados.

5. **D; Nivel de conocimiento:** 2; **Tema:** II.E.c.9; **Prácticas:** SSP.6.a, SSP.6.b, SSP.10.a. Habría que cambiar la clave de la pictografía para que mostrara los empleados de a miles, en vez de mostrarlos de a 3 millones, ya que la cantidad de empleados federales ni siquiera se acerca a 3 millones. Para que una pictografía sea efectiva, la clave debe ser un retrato preciso de los datos. Mostrar una fracción tan pequeña del ícono actual para representar un total de 64,000 empleados no es un buen uso de la clave. Sería casi imposible relacionar un número tan pequeño en forma visual, si la clave está basada en 3 millones de empleados. No es necesario cambiar el ícono que representa la persona ni el título de la pictografía y tampoco es necesario colocar los sectores económicos en orden alfabético.

6. **D; Nivel de conocimiento:** 2; **Temas:** II.E.d.4, II.E.d.5; **Prácticas:** SSP.6.a, SSP.6.b, SSP.10.a. En 2004, el gobierno de los Estados Unidos tuvo un déficit mayor que el de 2002. En 2004, el déficit fue de aproximadamente $400 mil millones; en 2002, hubo un déficit de aproximadamente más de $150 mil millones. El gobierno gastó aproximadamente $400 mil millones más que lo que recaudó en 2004.

7. **C; Nivel de conocimiento:** 3; **Temas:** II.E.d.4, II.E.d.5; **Prácticas:** SSP.6.a, SSP.6.b, SSP.10.a. Los fondos destinados a la guerra en Irak podrían ayudar a explicar los cambios presupuestarios entre 2000 y 2004. Hubo excedente presupuestario en 2000 y déficit presupuestario en 2004; por lo tanto, el gobierno empezó a gastar más dinero del que tenía. Los aumentos de impuestos, la reducción de los programas federales de asistencia y un influjo de nuevos contribuyentes llevarían a un aumento de la cantidad de dinero de la que dispone el gobierno, y no a una disminución.

8. **D; Nivel de conocimiento:** 2; **Temas:** II.E.d.4, II.E.d.5; **Prácticas:** SSP.6.a, SSP.6.b, SSP.10.a. El déficit aumentó más entre 2008 y 2010, cuando aumentó aproximadamente $850 mil millones. Entre los otros pares de años, no aumentó más de $250 mil millones.

9. **B; Nivel de conocimiento:** 3; **Tema:** II.E.d.1; **Prácticas:** SSP.6.a, SSP.6.b, SSP.10.a. Una reducción de la temporada de crecimiento de la soya por inclemencias del tiempo puede haber causado el cambio del precio por unidad de la soya entre 2015 y 2016. El precio aumentó. El aumento de precio se debe a un aumento de la demanda, que se relaciona con una reducción de la oferta. Una temporada de crecimiento más corta tiene como consecuencias disminución de la oferta, aumento de la demanda, y mayores precios. Una deflación de la economía, una disminución de la demanda de semillas y productos a base de soya y un aumento de la oferta de soya tendrían como consecuencia una disminución de su precio.

10. **D; Nivel de conocimiento:** 2; **Tema:** II.E.d.5; **Prácticas:** SSP.3.c, SSP.6.a, SSP.6.b, SSP.10.a. Los productores agrícolas hubieran recibido un subsidio en 2016, si el precio mínimo garantizado hubiera sido $10. De acuerdo con la pictografía, las respuestas A, B y C son incorrectas.

11. **D; Nivel de conocimiento:** 2; **Tema:** II.E.d.10; **Prácticas:** SSP.3.c, SSP.6.a, SSP.6.b, SSP.10.a. La tasa de desempleo en los Estados Unidos tuvo una disminución constante después de 2010. En 2008, la tasa de desempleo era de 6%. Aumentó a 9.5% en 2010, pero entre 2012 y 2018 disminuyó de manera constante, en lugar de aumentar de manera constante o caer de manera abrupta.

12. **A; Nivel de conocimiento:** 2; **Tema:** II.E.d.10; **Prácticas:** SSP.3.c, SSP.6.a, SSP.6.b, SSP.10.a. La economía de los Estados Unidos experimentó una caída entre 2008 y 2010, a partir de la tasa de desempleo. Cuando la tasa de desempleo tiene un aumento significativo, esto indica que la economía está en crisis. Una menor tasa de desempleo indica que la economía está más fuerte.

13. **C; Nivel de conocimiento:** 3; **Tema:** II.E.d.10; **Prácticas:** SSP.3.c, SSP.6.a, SSP.6.b, SSP.10.a. La economía de los Estados Unidos empezó a recuperarse entre 2010 y 2012, a partir de la leve disminución de la tasa de desempleo. Una tasa de desempleo más baja es un indicador de una economía más fuerte.

14. **C; Nivel de conocimiento:** 2; **Tema:** II.E.c.11; **Prácticas:** SSP.6.a, SSP.6.b, SSP.10.a. El valor de las exportaciones de los Estados Unidos a Japón se duplicó más del doble entre 1985 y 2005. En 1985, el valor de las exportaciones era aproximadamente $20 mil millones. En 2005, el valor de las exportaciones era aproximadamente $60 mil millones. En 1985, los Estados Unidos importaron de Japón por un valor aproximado de $70 mil millones, no $40 mil millones. Los Estados Unidos tenían déficit comercial con Japón en 1985. El valor de las importaciones a los Estados Unidos desde Japón cambió significativamente entre 1985 y 2005.

15. **D; Nivel de conocimiento:** 2; **Tema:** II.E.c.11; **Prácticas:** SSP.6.a, SSP.6.b, SSP.10.a. En 2005, el déficit comercial fue aproximadamente $80 mil millones. Las exportaciones alcanzaron un total de aproximadamente $60 mil millones, no $80 mil millones. Las importaciones alcanzaron un total de aproximadamente $140 mil millones, no $200 mil millones. La balanza de comercio no mostró un excedente, sino un déficit.

16. **A; Nivel de conocimiento:** 2; **Tema:** II.E.c.11; **Prácticas:** SSP.6.a, SSP.6.b, SSP.10.a. El déficit comercial de los Estados Unidos creció en casi $30 mil millones. El déficit comercial fue aproximadamente $50 mil millones en 1985 y aproximadamente $80 mil millones en 2005. El valor de las exportaciones no aumentó más que el de las importaciones. La balanza de comercio de 1985 mostró un déficit, no un excedente; por lo tanto, no puede haber pasado de un excedente a un déficit. El valor de las importaciones aumentó en aproximadamente $70 mil millones.

17. **D; Nivel de conocimiento:** 3; **Tema:** II.E.c.11; **Prácticas:** SSP.6.a, SSP.6.b, SSP.10.a. Dado que los productos de tecnología estaban entre las cinco importaciones principales de Japón, el gobierno podría haber cambiado la balanza de comercio del país con Japón si hubiera ofrecido beneficios fiscales a las empresas estadounidenses que fabrican productos de tecnología como televisores y accesorios para computadoras. Esto hubiera permitido que las empresas produjeran bienes tecnológicos más fácilmente, a la par de Japón. Los estadounidenses podrían haber comprado más productos fabricados en los Estados Unidos. Disminuir los aranceles a las importaciones hubiera aumentado las importaciones y el desequilibrio comercial. Imponer aranceles estrictos a las exportaciones solo hubiera perjudicado a las empresas estadounidenses. Eliminar todas las restricciones comerciales probablemente hubiera aumentado las importaciones de Japón.

LECCIÓN 5, *págs. 152–155*

1. **A; Nivel de conocimiento:** 2; **Tema:** II.E.c.7; **Prácticas:** SSP.6.a, SSP.6.b, SSP.6.c, SSP.10.a. El número de nacimientos superó el número de muertes en la década de 1990. Ambos índices aumentaron de manera constante entre 1993 y 2001, cuando prácticamente se igualaron. El número de nacimientos fue mayor que el de muertes, pero no el doble. El número de nacimientos y el de muertes aumentaron de manera constante, por lo tanto, no puede decirse que no variaron. El número de nacimientos superó el número de muertes; por lo tanto, los números no fueron aproximadamente los mismos.

2. **D; Nivel de conocimiento:** 3; **Tema:** II.E.c.7; **Prácticas:** SSP.6.a, SSP.6.b, SSP.6.c, SSP.10.a. La economía probablemente estuvo más débil entre 2008 y 2010. Durante este período, la cantidad de muertes superó la cantidad de nacimientos, lo que es un indicador de una economía débil. Durante los otros períodos, el número de nacimientos superó el número de muertes, lo que es un indicador de una economía más fuerte.

3. **D; Nivel de conocimiento:** 2; **Tema:** II.E.d.4; **Prácticas:** SSP.6.a, SSP.6.b, SSP.6.c, SSP.10.a, SSP.10.c. El gobierno de los Estados Unidos recibió aproximadamente $2.5 billones en 2008. La gráfica no respalda las otras respuestas.

4. **C; Nivel de conocimiento:** 2; **Tema:** II.E.d.4; **Prácticas:** SSP.6.a, SSP.6.b, SSP.6.c, SSP.10.a, SSP.10.c. La creación de muchos programas nuevos del gobierno probablemente causó la tendencia de los resultados presupuestarios que se observa. Los resultados presupuestarios muestran que el gobierno gastaba más dinero que el que recaudaba de 2002 a 2009. Las otras tres opciones de respuesta disminuirían los gastos, aumentarían la recaudación o disminuirían la recaudación.

5. **A; Nivel de conocimiento:** 3; **Tema:** II.E.d.4; **Prácticas:** SSP.6.a, SSP.6.b, SSP.6.c, SSP.10.a, SSP.10.c. El gobierno tuvo el mayor déficit en el presupuesto en 2009, cuando los gastos superaron la recaudación en $1.4 billones. El déficit presupuestario en 2008 fue de aproximadamente $460 billones. En 2000 y 2001 hubo un excedente, no un déficit.

6. **C; Nivel de conocimiento:** 2; **Tema:** II.E.d.4; **Prácticas:** SSP.6.a, SSP.6.b, SSP.6.c, SSP.10.a, SSP.10.c. En 2006, los egresos de los Estados Unidos superaron los $2.5 billones por primera vez. La respuesta A es incorrecta porque hay excedentes en solo dos años que se muestran en la gráfica, no en tres. La opción B es incorrecta porque los menores déficits que se muestran en la gráfica fueron en 2002 y 2008, no en 2003 y 2004. La respuesta D es incorrecta porque los gastos del gobierno aumentaron, y no disminuyeron, en cada uno de los años que se muestran en la gráfica.

7. **B; Nivel de conocimiento:** 2; **Temas:** II.E.e.1, II.E.e.2; **Prácticas:** SSP.6.a, SSP.6.b, SSP.6.c, SSP.10.a. La tasa preferencial alcanzó su nivel más bajo entre 1990 y 1999 a comienzos del año 4, es decir, 1993. La tasa preferencial era 6.0 en 1993. En 1992 era 6.25. En 1994 era 7.15, y en 1995 era 8.83.

8. **A; Nivel de conocimiento:** 2; **Temas:** II.E.e.1, II.E.e.2; **Prácticas:** SSP.6.a, SSP.6.b, SSP.6.c, SSP.10.a. La tasa preferencial disminuyó drásticamente entre 2000 y 2003. Fue de más de 9% en 2000 y para 2003 había caído a poco más de 4%. La tasa preferencial fue más alta en 2007 que en 1994, no más baja. La tasa preferencial no aumentó entre 1997 y 1998. La tasa preferencial más alta registrada entre 2000 y 2009 fue la de 2000, no la de 2006.

9. **D; Nivel de conocimiento:** 3; **Temas:** II.E.e.1, II.E.e.2; **Prácticas:** SSP.6.a, SSP.6.b, SSP.6.c, SSP.10.a. Un prestatario recomendado hubiera recibido la mejor tasa preferencial en 2003. En ese momento, la tasa preferencial para los bancos era la más baja. Los bancos ofrecen las tasas preferenciales más bajas a sus clientes cuando sus propias tasas preferenciales son bajas. Las otras opciones de respuesta muestran años en los que las tasas preferenciales no fueron tan buenas como las de 2003.

10. **D; Nivel de conocimiento:** 3; **Tema:** II.E.e.1, II.E.e.2; **Prácticas:** SSP.6.a, SSP.6.b, SSP.6.c, SSP.10.a. La tasa preferencial en general fue más alta durante la década de 1990 que durante la década de 2000. En la década de 1990, la tasa preferencial con frecuencia superó el 8%, mientras que en la década de 2000, estuvo varios años por debajo de 5%. La tasa preferencial no aumentó generalmente a lo largo de cada período de 10 años, sino que fue variando. Tampoco varió en aproximadamente un punto porcentual por año. Variaba y, debido a estas variaciones, los cambios no siguieron, en general, una curva en forma de campana.

11. **B; Nivel de conocimiento:** 2; **Temas:** II.E.d.4, II.E.d.9; **Prácticas:** SSP.6.a, SSP.6.b, SSP.6.c, SSP.10.a. El valor aproximado de las inversiones internas brutas del sector privado en 2019 fue $15 billones. No se acercó a $12.5 billones, $17,5 billones o $20 billones en ningún momento de los tres años que muestra la gráfica.

RESPUESTAS

12. **C; Nivel de conocimiento:** 3; **Temas:** II.E.c.11, II.E.d.4, II.E.d.9; **Prácticas:** SSP.6.a, SSP.6.b, SSP.6.c, SSP.10.a. Todos los valores negativos corresponden a la categoría de Exportaciones netas de bienes y servicios, que es la categoría en la que se incluye una balanza de comercio negativa entre los Estados Unidos y otras naciones. Las opciones de grandes aumentos del gasto del gobierno destinado a programas comunitarios, crecimiento del sector de industrias de alta tecnología y aumento estacional de los gastos de consumo del sector privado no pueden afectar la balanza de comercio negativa, ni incluso tener un efecto positivo.

13. **A; Nivel de conocimiento:** 3; **Temas:** II.E.d.4, II.E.d.9; **Prácticas:** SSP.6.a, SSP.6.b, SSP.6.c, SSP.10.a. El enunciado falso es que el valor de los gastos de consumo del sector privado disminuyó en todos los años mostrados en la gráfica. El valor de los gastos de consumo del sector privado aumentó de 2018 a 2019 y luego disminuyó de 2019 a 2020. Los otros tres enunciados son verdaderos.

ECONOMÍA EN ACCIÓN, *págs. 156–157*

FINANZAS

1. **B; Nivel de conocimiento:** 3; **Temas:** II.E.c.4, II.E.d.6; **Práctica:** SSP.3.c. El primer párrafo indica que no ofrecer a los candidatos al puesto un buen paquete de beneficios significa "perder candidatos que le gustaría incorporar a la compañía". Las respuestas A, C y D se mencionan como posibles efectos de ofrecer un paquete de beneficios, de modo que son incorrectas.

2. **C; Nivel de conocimiento:** 3; **Temas:** II.E.c.4, II.E.d.6; **Práctica:** SSP.3.c. El primer párrafo dice que no ofrecer los beneficios que la mayoría de la gente quiere podría significar perder los candidatos a manos de la competencia. Las respuestas A, B y D son incorrectas porque no se mencionan en el pasaje.

3. **A; Nivel de conocimiento:** 2; **Temas:** II.E.c.4, II.E.d.6, II.E.e.2; **Práctica:** SSP.3.c. El segundo párrafo dice que algunos candidatos al puesto aceptarán un salario más bajo si se les ofrece un plan de salud abarcador que les permita ahorrar en facturas médicas. Las respuestas B, C y D son resultados de un buen paquete de beneficios, entonces son incorrectas.

4. **D; Nivel de conocimiento:** 3; **Temas:** II.E.c.4, II.E.c.10, II.E.d.6; **Práctica:** SSP.3.c. El cuarto párrafo indica que los empleados contentos tienden a tomarse menos días libres. La respuesta A no está respaldada por el pasaje. Las respuestas B y C serían el resultado de tener empleados insatisfechos, de modo que son incorrectas.

5. **D; Nivel de conocimiento:** 2; **Temas:** II.E.c.4, II.E.c.10, II.E.d.6; **Práctica:** SSP.3.c. El cuarto párrafo dice que tener empleados contentos significa menos gastos relacionados con la contratación y el entrenamiento de nuevo personal. Las respuestas A y B son incorrectas porque son el resultado de tener personal insatisfecho. La respuesta C no está respaldada por el pasaje.

6. **A; Nivel de conocimiento:** 2; **Temas:** II.E.c.7, II.E.c.10, II.E.d.10; **Práctica:** SSP.10.a. La gráfica indica que el 29% de los empleados se quedan en sus puestos actuales por "Mi gerente". La respuesta A es incorrecta porque el 36% se queda por "Aprender nuevas destrezas". La respuesta B es incorrecta porque el 44% se queda debido a "Buen equilibro trabajo/vida". La respuesta D es incorrecta porque el 61% se queda por "Equipo que superviso".

7. **B; Nivel de conocimiento:** 3; **Temas:** II.E.c.4, II.E.c.10, II.E.d.6; **Práctica:** SSP.10.a. La gráfica indica que la tercera razón más importante por la que la gente se queda en su puesto actual es "Buen equilibrio trabajo/vida" (44%). La respuesta A es incorrecta porque "Tomar mis propias decisiones" es la segunda razón más importante (49%). La respuesta C es incorrecta porque "Reconocido por las contribuciones" es la cuarta razón más importante (37%). La respuesta D es incorrecta porque "Liderazgo de la compañía" es la séptima razón más importante (22%).

8. **C; Nivel de conocimiento:** 3; **Temas:** II.E.c.4, II.E.c.10, II.E.d.6; **Práctica:** SSP.10.a. La gráfica indica que la segunda razón menos importante para que las personas mantengan su trabajo actual es "Crecimiento de la compañía" (16%). La respuesta A es incorrecta porque "Aprender nuevas destrezas" es más importante (36%). La respuesta B es incorrecta porque ser "Reconocido por sus contribuciones" es más importante (37%). La respuesta D es incorrecta porque "Otros" es la menos importante (6%).

9. **D; Nivel de conocimiento:** 3; **Temas:** II.E.c.4, II.E.c.10, II.E.d.6; **Práctica:** SSP.10.a. La gráfica indica que el 36% (alrededor de un tercio) de las personas se quedan en sus trabajos actuales por "Aprender nuevas destrezas". La respuesta A es incorrecta porque aproximadamente la mitad (50%) de las personas dan como razón: "Tomar mis propias decisiones" (49%). La respuesta B es incorrecta porque alrededor de una décima parte (10%) estaría más cerca de "Otros" (6%). La respuesta C es incorrecta porque alrededor de una quinta parte (20%) estaría más cerca de "Liderazgo de la compañía" (22%).

10. **D; Nivel de conocimiento:** 3; **Temas:** II.E.c.4, II.E.c.10, II.E.d.6; **Práctica:** SSP.10.a. La gráfica indica que el 22% de la gente permanece en sus empleos por "Liderazgo de la compañía" y un 44% (el doble) se queda por "Buen equilibrio trabajo/vida". La respuesta A es incorrecta porque el 61% permanece por "Equipo que superviso". La respuesta B es incorrecta porque el 36% se queda por "Aprender nuevas destrezas". La respuesta C es incorrecta porque el 49% se queda por "Tomar mis propias decisiones".

11. **C; Nivel de conocimiento:** 3; **Temas:** II.E.c.4, II.E.c.10, II.E.d.6; **Práctica:** SSP.10.a. En la gráfica, la razón menos importante que tienen las personas para permanecer en su trabajo actual es "Otros", así que la respuesta correcta tiene que ser algo no mencionado de manera específica. Viajar con facilidad al trabajo no aparece en la gráfica, por eso se considera dentro de "Otros". Las respuestas A y B son incorrectas porque "Equipo que superviso" (A) y "Reconocido por las contribuciones" (B) aparecen en la lista de la gráfica. La respuesta D es incorrecta porque el título de la gráfica indica que no está incluido el salario.

Índice

A

B

C

E

F

G

ÍNDICE

I

N

O

P

Q

R

S

T

V